L'ÉNIGME DE CATILINA

Collection « Les Mystères de Rome »

Du sang sur Rome

L'Étreinte de Némésis

Steven Saylor

L'ÉNIGME DE CATILINA

*Traduit de l'américain
par Denis-Armand Canal*

Éditions Ramsay

À l'ombre de ma mère...

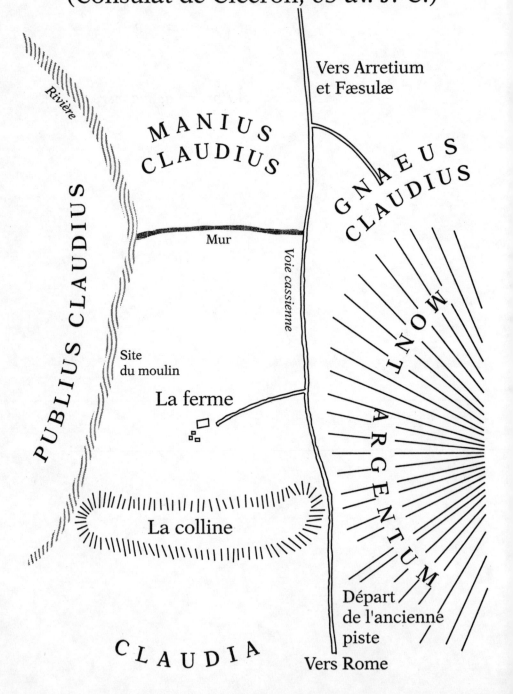

LES PROPRIÉTÉS CLAUDIENNES
EN ÉTRURIE
(Consulat de Cicéron, 63 av. J.-C.)

Rivière

MANIUS CLAUDIUS

Vers Arretium
et Fæsulæ

GNAEUS CLAUDIUS

PUBLIUS CLAUDIUS

Mur

Voie cassienne

MONT ARGENTUM

Site
du moulin

La ferme

La colline

Départ
de l'ancienne
piste

CLAUDIA

Vers Rome

Vers le pont Mulvius

Voie flaminienne

Tibre

CHAMP DE MARS

Villa Publica

Mur de Servius

SUBURE

6

3

1

2

FORUM

5

4

Circus Maximus

1. Colline du Capitole
   Arx et Auguraculum
2. Temple de la Concorde
3. Bâtiment du Sénat
4. Colline du Palatin
   Maison de Cicéron
5. Bains de Sénia
6. Colline de l'Esquilin
   Maison d'Eco

ROME

Vers la Gaule
narbonnaise
(pays des Allobroges)

N

Vers Massilia

Pistoria

Florentia

Fæsulæ

Arno

Arretium

Propriétés claudiennes

Voie cassienne

Tibre

ITALIE

MER ADRIATIQUE

ROME

MER TYRRHÉNIENNE

Baiæ

Pompéi

ITALIE DU NORD

Première partie
Nemo

1

– Selon Caton...

Je m'arrêtai pour vérifier sur le rouleau de parchemin. L'éclatante lumière du soleil d'été, entrant à flots par la fenêtre, se réfléchissait sur la surface lisse, estompant les lettres noires un peu effacées.

– Selon Caton, repris-je en tenant le rouleau à bout de bras et en lisant à voix basse.

« Tu vois, c'est parfaitement ridicule ! Caton dit clairement que la fenaison devrait être terminée, puisque nous sommes aux calendes de juin, et nous n'avons même pas commencé[1] !

– Maître, si je peux me permettre...

Aratus, debout derrière moi, se racla la gorge. Cet esclave, proche de la cinquantaine, était régisseur de la ferme bien avant mon arrivée, l'automne dernier.

– Oui ?

– Maître, la floraison n'est pas encore finie. Il arrive souvent que la récolte soit retardée. Regarde, l'an passé, c'était la même chose. Nous n'avons pas rentré les foins avant la fin juin, ou presque...

– Oui, et j'ai vu les dégâts dans la grange ! Botte après botte, tout a pourri cet hiver, si bien qu'il y en a eu à peine

---

1. Marcus Porcius Caton, dit l'Ancien ou le Censeur (234-149 av. J.-C.), incarnait la rigueur conservatrice des « vieux Romains » et le respect absolu du *mos maiorum*, la « coutume des ancêtres ». Homme politique, il était par ailleurs l'auteur d'un traité d'agriculture, le *De re rustica* (N.d.t.).

assez au printemps pour nourrir les bœufs au moment des labours.

— Mais c'est parce que la tempête a endommagé le toit de la grange l'hiver dernier ; la pluie est rentrée et a gâté le foin. Ça n'a rien à voir avec la fenaison de l'été dernier.

Aratus baissa les yeux et se mordit les lèvres. Sa patience était à bout, sinon son obéissance.

— Autre chose encore... Je parcourus le rouleau, cherchant le passage qui m'avait sauté aux yeux, la nuit précédente. Ah, voici : « Le pois chiche est un poison pour le bétail et doit être arraché lorsqu'on en trouve, poussant dans le blé. » Et pourtant, pas plus tard que l'autre jour, j'ai vu l'un des esclaves prendre les parties brûlées des pois chiches et les mélanger à la nourriture des bœufs.

Aratus leva-t-il vraiment les yeux au ciel ou crus-je simplement l'avoir surpris ?

— Le pois chiche *en herbe* est du poison pour le bétail, maître, mais pas *en graine*. C'est aussi du poison pour les hommes, je crois, ajouta-t-il sèchement.

— Bon, bon ! D'accord, cela va mieux comme ça. Je fermai les yeux et me pinçai l'arête du nez. Eh bien, puisque tu le dis, si le fourrage est encore en fleurs, je crois qu'il n'y a qu'à attendre pour la fenaison. La vigne a donné ses premières feuilles ?

— Oui, maître. Nous avons commencé à tailler des rameaux et à les attacher sur les treilles – tout comme *Caton* le recommande. Et puisque – toujours selon ses prescriptions – seuls les esclaves les plus habiles et les plus expérimentés doivent être chargés de cette tâche, je ferais peut-être mieux d'aller les surveiller.

J'acquiesçai de la tête et il s'esquiva aussitôt.

Je sortis faire quelques pas dans le jardin d'aromates, où l'air était plus frais. De l'intérieur de la maison, j'entendis un hurlement soudain (poussé par Diane), puis la protestation de Meto (« Je ne l'ai même pas touchée ! »), suivis par la maternelle admonestation de Bethesda. Je me contentai de sourire, franchis la porte et pris le chemin menant à l'enclos des chèvres, où deux esclaves essayaient de réparer une clôture endommagée. Ils levèrent à peine les yeux à mon passage.

Le chemin longeait la vigne où Aratus s'occupait. Je poursuivis jusqu'à l'oliveraie et m'y arrêtai dans l'ombre fraîche. Une abeille bourdonna un instant à mes oreilles. Je la suivis jusqu'à la crête, où les derniers oliviers faisaient place à la forêt sauvage, ou plutôt à ce qu'il en restait : des souches mortes, çà et là, témoignaient d'un déboisement qui n'avait pas été mené à son terme, à ma grande satisfaction.

Je m'assis sur l'une des souches et repris mon souffle, à l'ombre d'un vieux chêne noueux. L'abeille revint bourdonner à mon oreille, peut-être attirée par l'huile parfumée aux amandes dont Bethesda avait frotté mes cheveux la veille au soir. Ils avaient commencé à se teinter de gris. Depuis que je vivais à la campagne, je ne me souciais plus de les faire couper aussi souvent qu'en ville. Je m'étais également laissé pousser la barbe pour la première fois de ma vie.

Bethesda elle aussi prenait de l'âge. Récemment, des fils d'argent étaient apparus dans sa chevelure, belle encore, épaisse, luxuriante ; aussi avait-elle décidé de passer ses cheveux au henné. Contrairement à moi, elle soignait sa chevelure, qu'elle ne portait jamais libre, sauf pour aller au lit. Dans la journée, elle la roulait en tresses qu'elle maintenait avec des épingles sur le sommet de la tête, aussi hautaine qu'une matrone romaine – mais son accent égyptien trahirait toujours ses origines.

J'étudiai le plan de la ferme, comme un tableau étalé sous mes yeux : le toit de tuiles rouges du grand corps de bâtiment, abritant les chambres à coucher, la cuisine, la bibliothèque et la salle à manger ; le toit plus élevé sur le bâtiment, où les bains étaient installés ; la grande cour, juste derrière la porte principale, avec son bassin et ses fleurs ; la deuxième cour, où l'on faisait fermenter le vin dans les cuves et dans les jarres ; la troisième cour avec son sol dallé ; enfin le jardin d'aromates, adjacent à la bibliothèque. Tout près de la maison se trouvaient les cabanes, les enclos et le puits, ainsi que la petite baraque qui abritait le pressoir à olives. Autour des bâtiments s'étendaient les champs de céréales, les vignes et l'oliveraie. Posséder une ferme, loin de la ville, pour échapper à ses tracas et à ses folies, était le rêve de tout Romain, qu'il fût riche ou pauvre. Contre toute attente, j'avais fini par y accéder, moi aussi. Pourquoi donc n'étais-je pas heureux ?

— Tu n'es pas chez toi, ici, Gordien !

Je sursautai et me retournai.

— Claudia ! Tu m'as surpris !

— Bon ! Mieux vaut être surpris qu'ennuyé et malheureux.

— Et comment, me découvrant de dos, peux-tu affirmer que je m'ennuie et que je suis malheureux ?

Ma voisine posa ses mains sur ses hanches plantureuses et me jaugea d'un œil inquisiteur.

— Si tu avais trente ans de moins, je dirais que tu as un chagrin d'amour. Mais dans ton cas, c'est bien ce que je t'ai dit auparavant : tu n'es pas de la campagne, tout simplement. Tiens, laisse-moi te montrer comment quelqu'un qui aime vraiment la campagne contemple la scène que tu as sous les yeux.

Elle s'assit sur une souche voisine, qui était apparemment un peu plus basse qu'elle ne l'avait jugé, car elle la heurta de ses fesses rebondies et partit d'un bon rire franc. Elle écarta les jambes, claqua ses mains sur ses genoux et s'abîma dans la contemplation de la campagne.

Claudia était la nièce de mon défunt ami et bienfaiteur, Lucius Claudius, dont j'avais hérité cette ferme. Elle aurait pu passer pour sa sœur tant elle lui ressemblait, au physique ou au moral, ce qui me prédisposa à l'aimer dès le premier jour où elle franchit la crête pour venir se présenter. Sa chevelure, aux mèches fines mêlées de fils d'argent, avait été naguère du même roux orangé que celle de Lucius. Claudia la portait ramassée sur la tête en un chignon d'où quelques boucles s'échappaient pour venir encadrer un visage poupin et rieur. À la différence de Lucius, elle se moquait éperdument de toute parure et le seul bijou que je lui ai jamais vu porter était une chaîne d'or très simple, autour du cou. Elle méprisait la stole[1]

---

1. La stole, *stola*, était l'équivalent de la toge masculine pour les femmes de la ville, sorte de robe très ample aux drapés élaborés (N.d.t.).

16

des femmes, si malcommode pour vivre à la ferme, et portait de longues tuniques de laine de couleur rustique.

Sa ferme se trouvait de l'autre côté de la crête. Claudia en avait la pleine propriété, sans interférence de père, de frère ou de mari. Comme Lucius, elle ne s'était jamais mariée, ayant veillé à rester indépendante et à vivre selon ses désirs. Ce choix aurait déjà été remarquable chez une riche matrone patricienne de la ville, mais chez une femme vivant au cœur de la campagne et de ses traditions, c'était vraiment exceptionnel. Il prouvait la force du caractère de Claudia, que ses traits doux et arrondis ne laissaient nullement entrevoir.

Combien avait-elle récupéré de lots de terres sur la fortune de la *gens Claudia*[1], je l'ignore ; son domaine ne représentait qu'une petite partie des biens de la famille. De fait, je me trouvai moi-même entouré de toutes parts par des Claudii : de l'autre côté de la crête, au sud, était la ferme de Claudia, généralement considérée comme l'un des lots les plus pauvres. De l'autre côté de la rivière bordée d'arbres, à l'ouest, étaient les terres de son cousin Publius Claudius ; de mes hauteurs, je pouvais juste apercevoir le toit de sa villa dépassant les cimes des arbres. Derrière le mur bas, au nord, s'étendait la propriété d'un autre cousin, Manius Claudius ; en raison de la distance, je n'apercevais qu'une petite partie des terres et rien de la maison. Au-delà de la voie Cassienne[2], vers l'est, le paysage devenait escarpé et rocheux, à la base d'une montagne que les indigènes appelaient l'Argentum et dont le sommet était couronné d'une forêt sombre. C'était la propriété d'un autre cousin de Claudia, Gnæus Claudius, et l'on racontait que c'était un excellent terrain pour chasser le daim et le sanglier. Il y avait aussi, au cœur de la montagne, une mine d'argent profonde, mais on la disait épuisée depuis longtemps.

---

1. La famille des Claudii était une vieille et puissante famille de patriciens romains qui avait déjà fourni à la République un censeur illustre (Appius Claudius Cæcus, créateur de la voie Appienne, que l'on appelait aussi *via Claudia*) et un général fameux (Marcus Claudius Marcellus). Elle donnera par la suite à Rome l'empereur Claude (N.d.t.).

2. La Via Cassia, ou voie Cassienne – du nom de son initiateur, le censeur Cassius – reliait la plaine du Pô à Rome (N.d.t.).

De toutes ces propriétés, on estimait généralement que celle du défunt Lucius Claudius, mon bienfaiteur, était de loin la meilleure.

— C'est vraiment un bel endroit, dit Claudia en regardant le toit de tuiles rouges et les terres cultivées. Lorsque j'étais jeune fille, c'était à l'abandon ; l'oncle Lucius ne s'y intéressait pas. Puis soudain, il y a de cela quinze ans environ — juste après t'avoir rencontré, lorsque vous avez traité votre première affaire ensemble —, il se prit d'intérêt pour l'endroit et commença d'y venir très souvent. Il acheta Aratus dont il fit l'intendant-régisseur, planta des vignes et des oliviers, amena de nouveaux esclaves, remeubla la maison. Il fit de la ferme un domaine florissant et une retraite. Nous avons tous été stupéfiés de son succès, et désespérés de sa brutale disparition l'an passé, hélas ! soupira-t-elle.

— Et désappointés par le choix de son héritier, ajoutai-je doucement.

— Écoute, Gordien, il ne faut pas nous en vouloir. Tu ne saurais blâmer mon cousin Gnæus d'avoir intenté ce procès contre toi : nous nous attendions tous à ce qu'il fût l'héritier de Lucius, car ses terres sont juste bonnes pour la chasse et la mine d'argent est depuis longtemps épuisée. Malheureusement pour nous, Cicéron a brillamment défendu ta cause, comme il sait le faire. Nous avons fini par nous faire une raison.

— Tu l'as accepté, Claudia, mais je n'en dirais pas autant de tes cousins.

— Pourquoi ? Ils t'ont harcelé ?

— Pas exactement. Je n'ai revu ni Gnæus ni Manius, depuis notre affaire au tribunal, mais chacun d'eux a envoyé un messager pour dire à mon intendant qu'il veille bien à ce que mes esclaves ne passent pas sur leurs terres, si je ne voulais pas voir revenir l'un d'eux avec un membre en moins ! Quant à Publius, il semble qu'il y ait quelque mésentente sur la rivière qui marque la frontière entre nos deux domaines. L'acte que je tiens de Lucius indique clairement que j'ai le droit d'utiliser cette rivière et tout ce qui s'y trouve à volonté, mais Publius m'a récemment envoyé une lettre dans laquelle il prétend que

18

ces droits lui appartiennent en toute exclusivité. Hier encore, il y a eu une altercation entre mes lavandières et les siennes.

Claudia fit claquer ses mains sur les genoux.

– Intolérable ! Je n'imaginais pas que l'on t'infligeait ce genre de provocations, Gordien.

Je détournai mon regard, décidai de penser à autre chose.

– Tu as souvent vu Lucius, lorsqu'il venait à la ferme ?

– Je n'ai jamais manqué de le visiter chaque fois qu'il venait. Un homme si doux – mais tu sais tout cela. Nous aimions venir nous asseoir sur cette crête, sur ces mêmes souches, et contempler la ferme en tirant des plans sur l'avenir. Il songeait à construire un petit moulin, en aval de la rivière, savais-tu cela ? Quel malheur qu'il soit mort si brutalement !

– Il vaut mieux mourir soudainement, je crois. J'ai connu beaucoup d'hommes moins favorisés par le sort.

– Oui, je suppose qu'il doit être pire de mourir lentement ou seul...

– Tu sais, Lucius est mort en un clin d'œil. Il n'a même pas eu le temps de se rendre compte. Il bavardait gaiement avec des amis, en plein forum, quand soudain il a porté la main à sa poitrine et s'est effondré. C'était fini.

Je souris doucement au souvenir de ses funérailles grandioses, il avait tellement d'amis, de tous les milieux, et j'eus une pensée pleine de gratitude pour mon ami. Il avait confié son testament à la garde des vestales [1], comme le font beaucoup de riches.

– J'étais loin de penser à sa mort quand on m'a appelé pour me dire qu'il m'avait légué quelque chose ; et voilà : c'était l'acte de propriété de la ferme d'Étrurie, accompagné d'une copie usée de *L'Agriculture*, de Caton. Je suppose qu'il a dû m'entendre dire, de temps en temps, que j'avais envie de me retirer à la campagne, loin de la folie de Rome.

– Et, un an plus tard, te voilà comblé.

– Oui, grâce à Lucius. Comment un homme de ma condition

---

1. Le temple de Vesta, dépositaire d'un feu qui ne devait jamais s'éteindre, était l'un des lieux les plus sacrés de Rome (N.d.t.).

pouvait-il espérer acquérir une ferme décente, avec tous les esclaves nécessaires à son exploitation ?

— Et je te trouve ruminant sur ta colline, comme Jupiter méditant sur l'incendie de Troie.

Je haussai les épaules.

— Ce matin, Aratus et moi avons eu des mots. Il pense que je suis un crétin solennel de la ville, qui ne connaît rien à l'agriculture et veut seulement le gêner. Je suppose que je dois lui paraître plutôt ridicule, à ergoter sur des détails que je ne comprends qu'à moitié, en lui citant Caton.

— Et lui, quel effet te fait-il ?

— Je sais que Lucius l'appréciait beaucoup mais il me semble, à moi, que la ferme n'est pas menée avec toute l'efficacité souhaitable. Il y a beaucoup trop de gaspillage.

— Ah, moi, je déteste le gaspillage, s'écria Claudia. Je ne permets jamais à mes esclaves de jeter quoi que ce soit, si je peux encore l'utiliser.

— Peut-être n'ai-je pas l'habitude, tout simplement, de veiller sur autant d'esclaves, spécialement des esclaves aussi volontaires et sûrs d'eux-mêmes que mon régisseur. Je suppose que Lucius le laissait diriger l'exploitation à sa guise, de sorte que mon arrivée à l'automne a dû être un grand inconvénient pour lui.

Claudia approuva d'un hochement de tête.

— Évidemment, un bon intendant est toujours un oiseau rare. Mais les joies de l'agriculture surpassent toujours les difficultés, au moins pour moi. Je pense plutôt que tu t'ennuies, Gordien.

— Je suppose que je devrais avouer que mon fils aîné me manque.

— Ah, le jeune Eco. Ne te rend-il jamais visite ?

— Il a repris ma maison, sur l'Esquilin, à Rome, et il a l'air content d'y être. Tu sais, on ne peut pas attendre d'un garçon de vingt-sept ans qu'il préfère la tranquillité de la vie campagnarde aux distractions de la ville. En outre, il vient de se marier et ma belle-fille aime mieux sans doute diriger sa propre maison. Son travail le retient également. Il a voulu faire le

20

même métier que moi – un métier dangereux – et je me fais du souci. Rome est devenu un endroit terrifiant...

– Il faut bien les laisser aller leur chemin, pour finir. C'est du moins ce que j'ai entendu dire. Et tu as encore des enfants à la maison.

– Oui. Meto est assez grand pour réfléchir, maintenant : il va avoir seize ans le mois prochain et doit revêtir la toge virile[1]. Il n'a que faire de taquiner Diane, qui n'a que six ans. Mais elle adore le tourmenter...

– Ils se sont accoutumés à la vie campagnarde ?

– Ce n'est pas pour rien qu'on a abrégé Gordiana en Diane ! Comme la déesse, elle aime les choses sauvages. Elle est heureuse, ici. Il faut simplement que je veille à ce qu'elle ne s'éloigne pas trop. Quant à Meto, il a grandi loin de la ville, à Baiae[2], sur la côte.

Claudia jeta sur moi un regard interrogateur.

– Adopté, comme son frère aîné, expliquai-je, sans ajouter que Meto était né esclave. La vie de la campagne est donc une seconde nature pour lui. Il était assez heureux en ville, mais il est heureux ici aussi.

– Et ta femme, Bethesda ?

– Il existe des femmes qui ont le pouvoir de remodeler à leur façon l'endroit du monde où elles se trouvent, quel qu'il soit ; Bethesda est de celles-là. De plus, tous les lieux sont fades, comparés à son Alexandrie natale. En vérité, je pense qu'elle regrette les grands marchés et les potins, l'odeur de poisson près du Tibre, le fracas du Forum les jours de fête, toute cette agitation folle de la ville.

– Ces choses-là te manquent-elles ?

– Pas un instant !

Elle me regarda avec acuité, mais non sans sympathie.

– Écoute, Gordien ! Je n'ai pas été patronne de deux générations d'esclaves comploteurs ni cliente de tous les marchands

---

1. Le passage de la toge prétexte à la toge virile marquait le changement de statut du jeune Romain, qui entrait alors officiellement dans l'âge adulte (N.d.t.).

2. Baiae, aujourd'hui Baies.

et maquignons d'ici à Rome, pendant quarante ans, sans avoir appris à discerner quand un homme est sincère ou non avec moi. Tu n'es pas heureux ici et cela n'a rien à voir avec des querelles de voisinage ni avec ton fils resté à Rome. Tu as la nostalgie de la ville.

— Absurde !

— Tu t'ennuies.

— Avec une ferme à diriger ?

— Et tu te sens seul.

— Avec une famille autour de moi ?

— Tu ne t'ennuies pas par manque d'activités ; tu t'ennuies parce que les aventures imprévues de la ville te manquent. Tu ne te sens pas seul par l'absence d'êtres aimés, mais parce que des étrangers ne rentrent plus dans ta vie, à l'improviste. Crois-moi, ce genre de solitude n'est pas étranger aux habitants de la campagne ; je l'ai connu toute ma vie. Tu ne crois pas que je suis fatiguée de mon petit cercle, de « cousin Publius » et « cousin Manius » et « cousin Gnæus », et de leurs esclaves ? Voilà pourquoi j'aime parler avec toi, Gordien.

— Il y a peut-être du vrai dans ce que tu dis, Claudia, mais la ville ne me manque certainement pas. Je n'avais de cesse de la quitter ! Tout cela est bon pour les jeunes gens ou pour ceux qui sont poussés par leurs vices ou leurs passions. Très peu pour moi ! J'ai tourné le dos à tout cela. Rome est devenue invivable, sale, surpeuplée, brutale et violente ! Seul un fou peut vouloir y vivre !

— Ton travail ?

— Il me manque moins que tout ! Sais-tu comment je gagnais ma vie ? Je m'étais donné le titre d'enquêteur. Les avocats louaient mes services pour trouver des preuves des crimes de leurs adversaires. Les politiciens – puissé-je ne jamais en revoir un ! – m'employaient pour dénicher des scandales contre leurs ennemis. J'ai pensé, il y a longtemps, que je servais la vérité et, à travers la vérité, la justice, mais vérité et justice sont maintenant des mots dépourvus de signification à Rome ; on pourrait aussi bien les rayer de la langue latine.

Claudia ne répondit pas à cette tirade. Ses sourcils se froncèrent, laissant deviner un peu de contrariété devant une telle

22

explosion de passion ; puis elle se joignit à ma contemplation silencieuse. Un filet de fumée montait des cuisines

Sur la voie Cassienne, venant du nord, s'avançait un convoi de chariots dont le contenu était protégé par des claies et recouvert de plusieurs toiles. À en juger par l'allure des gardes armés, le chargement devait être particulièrement précieux – probablement une cargaison de vases des fameux ateliers d'Arretium[1], en route pour Rome. En sens inverse, une longue file d'esclaves, lourdement chargés, menés par des cavaliers, était sur le point de croiser les chariots. Les chaînes toutes neuves brillaient au soleil de midi. Au-delà de la route, sur la pente du mont Argentum, un troupeau de chèvres gravissait le chemin conduisant à la mine d'argent abandonnée de Gnæus.

D'avoir évoqué Rome me fit comprendre combien Claudia avait raison. Je songeai à la vue qu'on a depuis le Quirinal, l'une des sept collines de Rome. Par une claire journée d'été comme celle-ci, le Tibre étincelle sous le soleil. La grande voie Flaminienne est encombrée de charrettes et de cavaliers. Le cirque Flaminius s'arrondit à mi-distance, à la fois énorme et grand comme un jouet ; les petites maisons surpeuplées et les boutiques s'agglutinent autour, comme des cochons de lait autour de leur mère. Au-delà des murailles de la Ville s'étend le champ de Mars, tout fumant de la poussière des courses de chars. Les sons et les parfums montent de Rome dans l'air chaud, comme la respiration même de la cité.

— Tu as raison, Claudia, soupirai-je. Malgré tous ses dangers et toute sa corruption, malgré tout son fracas et toutes ses fureurs, oui, Rome me manque.

— En fait, Gordien, j'espérais bien te trouver aujourd'hui sur la crête.

— Ah ? Pourquoi donc, Claudia ?

— Comme tu le sais, le temps des élections approche.

— Ne m'en parle pas. Après la farce de l'été dernier, je n'ai aucune envie d'assister à un spectacle aussi écœurant.

— Libre à toi, mais certains d'entre nous ont gardé leur esprit civique. L'élection des deux nouveaux consuls se fera le mois

---

1. L'actuelle Arezzo (N.d.t.).

prochain à Rome. Dans notre branche de la famille, il est de tradition de nous rassembler avant les élections pour décider quel candidat nous allons soutenir et choisir un délégué qui votera pour nous par procuration à Rome. Or cette année, c'est à moi d'accueillir cette petite réunion qui se fera à la fin du mois. Cela m'aiderait considérablement si je pouvais t'emprunter ton cuisinier et certains de ses aides, en cette occasion. Je n'en aurais besoin que quelques jours plus tôt, pour préparer la fête, puis le jour même de la réunion, pour aider au service. Disons trois jours en tout. Serait-ce trop te demander, Gordien ?

— Bien sûr que non.

— Je te revaudrai cela d'une façon ou d'une autre. C'est bien de cette façon que des voisins doivent s'entraider à la campagne, n'est-ce pas ?

— Mais parfaitement.

— Et je compte bien que tu n'ordonneras pas à tes esclaves de glisser un peu de poison dans les plats – ce serait vraiment une solution trop radicale à tes problèmes de voisinage, non ?

C'était une plaisanterie, naturellement, mais de si mauvais goût que je grimaçai au lieu de sourire.

— Allez, Gordien, ne fais pas la tête ! Sérieusement, j'en profiterai pour toucher deux mots à mes cousins au sujet de leur incivilité à ton égard, au nom des relations de bon voisinage, pour ne rien dire du bon sens, de la loi et de l'ordre !

— J'apprécierai beaucoup que tu intercèdes en ma faveur, sois-en sûre.

— Tu as un avis sur le lot de candidats de cette année ? Ton ami Cicéron semble avoir été heureux dans son année de consulat. Nous n'avons pas de rancune, naturellement, même s'il a été ton avocat dans l'affaire du testament de Lucius. Comme consul, il s'est révélé bien meilleur qu'aucun de nous ne s'y attendait – dommage qu'il ne puisse pas se présenter deux fois de suite ! Au moins, l'année dernière, il a réussi à écarter du poste cette brute de Catilina. Mais ce sauvage est de nouveau candidat cette année, et on redoute le pire.

— Je t'en prie, Claudia, pas de politique !

— Ah, c'est vrai ; cela te rend malade.

– Exact. Rome me manque peut-être, mais certainement pas...

À ce moment, j'entendis une voix aiguë appeler de la vallée. C'était Diane que sa mère avait envoyée à ma recherche pour le repas de midi. Je la vis sortir de la porte de la bibliothèque et traverser le jardin d'aromates. Elle était bras et jambes nus, avec une courte tunique jaune clair. Sa peau était d'un bronze foncé, cadeau de sa mère égyptienne. Elle franchit la porte en courant et prit rapidement le chemin de la colline. À travers le feuillage, je guettais l'approche de la tunique jaune et je l'entendais rire : « Coucou, papa ! Coucou, papa ! »

Un moment après, elle se précipitait dans mes bras, pouffant de rire et hors d'haleine.

– Diane, tu te rappelles notre voisine ? Voici Claudia.

– Oui, je me souviens d'elle. Tu vis dans les bois ? demanda Diane. Claudia éclata de rire.

– Non, ma chérie. J'habite en bas, dans la vallée, de l'autre côté de la colline, dans ma petite ferme. Il faudra venir me voir, un jour.

Diane la regarda gravement un bon moment, puis se tourna vers moi : « Maman a dit qu'il faut venir tout de suite, sinon elle va jeter ta nourriture dans l'enclos et la faire manger aux chèvres ! »

Claudia et moi partîmes d'un grand rire. La nièce de Lucius, prenant congé, disparut dans les bois. Diane noua ses petits bras autour de mon cou et je l'emportai rapidement à la maison.

Après le repas, j'allai dans la bibliothèque pour prendre quelques tablettes et un stylet, puis je commençai à dessiner des roues avec des crans qui s'emboîtaient dans d'autres roues, en essayant d'imaginer le moulin à eau que Lucius Claudius, mon bienfaiteur, avait projeté de construire en aval.

2

Dix jours plus tard, j'étais encore en train d'étudier le problème du moulin à eau lorsque Aratus introduisit le cuisinier et ses deux jeunes assistants dans ma bibliothèque. Congrio était un gros homme, comme un bon cuisinier doit l'être. Lucius Claudius m'avait fait remarquer une fois qu'un cuisinier dont les créations ne sont pas assez tentantes pour qu'il en dérobe de quoi s'empiffrer, n'est pas digne de ce nom.

Dans la chaleur du matin, Congrio était déjà en sueur. Ses deux assistants l'encadraient, légèrement en retrait, respectueux de son autorité. Je renvoyai Aratus et demandai au cuisinier et à ses aides de venir plus près de moi ; puis je leur expliquai mon intention de les prêter à Claudia pour les quelques jours à venir. Congrio connaissait Claudia, car elle avait dîné de temps en temps avec son défunt patron. Elle avait toujours apprécié son travail, m'assura-t-il, et il était certain de lui plaire une fois encore, en me donnant des raisons d'être fier de lui.

— Bien, dis-je, en songeant que cette faveur pourrait aider à aplanir les difficultés avec les Claudii. Mais il y a autre chose...

— Oui, maître.

— Vous ferez tous les trois de votre mieux pour les Claudii, naturellement ; vous obéirez à Claudia et au cuisinier personnel de Claudia, puisque vous servirez dans sa maison.

— Naturellement, maître, je comprends.

— Encore une chose, Congrio...

— Oui, maître ? Son front charnu se plissa.

27

— Vous ne direz rien qui puisse me mettre dans l'embarras, tandis que vous serez au service de Claudia.

— Bien sûr que non, maître ! Il paraissait sincèrement choqué.

— Pas de bavardages avec les autres esclaves, pas de commentaires sur vos maîtres respectifs, pas d'allusions à ce que vous croyez être mes opinions.

— Maître, je sais parfaitement ce que doit être le comportement d'un esclave qui est prêté à un ami de son maître.

— J'en suis persuadé. Toutefois, si vos bouches doivent rester fermées, je veux que vous ayez les oreilles bien ouvertes.

— Maître ? Il penchait la tête, en quête d'explications.

— Cela s'applique à tes assistants plus qu'à toi ; je crois que tu n'auras guère le loisir de quitter la cuisine, tandis qu'eux serviront les Claudii. La famille discutera essentiellement politique et parlera des prochaines élections consulaires : ça, je n'en ai rien à faire. Mais si vous veniez à entendre parler de moi, ou de tout autre sujet concernant notre ferme, ouvrez grandes vos oreilles. Ne montrez pas votre intérêt, naturellement, mais notez ce qui a été dit et par qui. À votre retour, je veux entendre tout ce genre de détails, fidèlement rapportés. Vous avez tous compris ?

Congrio s'inclina avec un grand air d'importance et hocha gravement la tête ; ses assistants, qui l'observaient pour savoir quelle contenance prendre, firent de même.

— Bon. Sur ces instructions que je viens de vous donner, pas un mot à quiconque, ni aux autres esclaves, ni même à Aratus.

Une fois que je les eus renvoyés à leurs travaux, j'allai jusqu'à la fenêtre et m'y penchai, respirant les chaudes fragrances de l'herbe fauchée. La floraison était finie et les esclaves avaient commencé la fenaison. Je remarquai aussitôt Aratus qui s'éloignait rapidement de la maison en me tournant le dos. Avait-il écouté, près de la fenêtre, tout ce que j'avais dit ?

Ce fut deux jours plus tard, dans l'après-midi, que je reçus la visite d'un étranger. J'avais fait une promenade le long de la rivière et m'étais installé sur un talus herbeux, le dos appuyé au tronc d'un jeune chêne, une tablette de cire sur les genoux et un stylet dans la main. Un moulin avait commencé à prendre corps dans mon imagination.

— Papa ! Papa ! La voix de Diane venait de quelque part derrière moi, mais la rive opposée me la renvoyait. Je ne répondis rien et continuai de dessiner. Le résultat n'étant guère plus satisfaisant, je lissai de nouveau la tablette.

— Papa ! Pourquoi tu ne m'as pas répondu ? Diane était debout devant moi, les mains sur les hanches, imitant l'une des postures de sa mère.

— Parce que je me cachais de toi, dis-je, en commençant un nouveau dessin sur la cire.

— C'est pas la peine, voyons. Tu sais que je peux toujours te retrouver.

— Vraiment ? Dans ce cas, je n'ai vraiment pas besoin de te répondre quand tu appelles, alors ?

— Papa ! Elle roula des yeux, en imitant de nouveau Bethesda, puis se laissa tomber dans l'herbe à côté de moi. Pendant que je dessinais, elle s'agita, tirant sur ses doigts de pied, puis s'allongea de nouveau en regardant le soleil qui filtrait à travers les frondaisons du chêne.

— C'est vrai que je peux toujours te retrouver, tu sais.

— Vraiment ? Et comment cela ?

— Parce que Meto me l'a appris. Il dit que c'est toi qui lui as enseigné. Je peux reconnaître tes traces dans l'herbe et comme ça je te trouve.

— Vraiment ? dis-je, impressionné. Je ne sais pas si cela me plaît.

— Qu'est-ce que tu dessines ?

— Cela s'appelle un moulin ; une petite bâtisse avec une grande roue qui plonge dans l'eau. Un problème, si tu préfères, et probablement trop compliqué pour que je le résolve.

— Meto dit que tu peux résoudre tous les problèmes.

— Lui ? Je posai la tablette de côté. Elle se tortilla, roula sur l'herbe et vint poser sa tête dans mon giron. La lumière diffuse du soleil éclairait sa longue chevelure, noire comme jais dans l'ombre, irisée d'arcs-en-ciel, pareille à l'huile sur l'eau, là où le soleil l'effleurait de ses rayons. Un oiseau passa au-dessus de nos têtes ; j'épiai le regard de Diane qui le suivait des yeux.

Puis elle s'étira pour aller chercher la tablette et le stylet, et les tint au-dessus de sa tête.

— Je ne vois rien du tout, dit-elle.

— Ce n'est pas très bon, admis-je.

— Je peux dessiner dessus ?

— Mais oui !

Elle prit grand soin d'effacer complètement les lignes que j'avais esquissées, avec sa petite main, puis se mit à dessiner. Je lui caressai les cheveux, tout en rêvant à mon moulin sur la rivière.

— Voilà, c'est toi ! annonça Diane en me tendant la tablette. Au milieu des gribouillis et des virgules, je distinguais vaguement un visage. Elle était pire que moi en dessin, pensai-je, mais pas de beaucoup.

— Extraordinaire, dis-je.

— Dis, papa, qu'est-ce que c'est, un minotaure ?

— *Un* minotaure ? (Je ris du changement brutal de sujet.) Pour autant que je sache, il n'y en eut jamais qu'un, *le* Minotaure. Une créature épouvantable, issue d'une femme[1] et d'un taureau ; on dit qu'il avait une tête de taureau sur un corps d'homme. Il vivait sur une île lointaine, appelée Crète, où un méchant roi le gardait enfermé dans un palais appelé le Labyrinthe.

— Le Labyrinthe ?

— Oui, avec des murs épais comme ça. (Je lissai la tablette et me mis à dessiner un labyrinthe.) Chaque année, le roi donnait au Minotaure douze jeunes garçons et filles à manger. On faisait entrer les enfants par ici, tu vois, et le Minotaure les attendait là. Cela dura très longtemps, jusqu'à ce qu'un héros appelé Thésée entre dans le Labyrinthe et tue le Minotaure[2].

— Il l'a tué ?

— Oui.

— Tu en es sûr ?

---

1. Pasiphaé, épouse du roi Minos et mère d'Ariane et de Phèdre (N.d.t.).
2. L'histoire est connue. On sait aussi qu'elle transpose probablement le souvenir d'un tribut annuel que les Athéniens devaient à la thalassocratie minoenne, et dont Thésée affranchit sa patrie (N.d.t.).

– Parfaitement.

– Vraiment sûr ?

– Mais oui ! Pourquoi me questionnes-tu sur le Minotaure ? demandai-je en ayant quelque idée de la réponse.

– Parce que Meto a dit que, si je n'étais pas gentille, tu me donnerais à manger au Minotaure. Mais tu viens de me dire qu'il et mort.

– Ah ça, oui.

– Donc Meto a menti ! Elle roula soudain de mes genoux. Oh, papa, j'allais oublier ! Maman m'envoie te chercher. C'est important.

– Ah ?

– Oui ! Il y a un homme qui est venu pour te voir, un homme à cheval venu d'une traite de Rome, tout couvert de poussière.

Il n'y en avait pas un, mais trois. Deux d'entre eux étaient des esclaves, ou plus précisément des gardes du corps, à en juger par leur stature et les dagues passées à leur ceinture. Dehors près de leurs chevaux, ils buvaient l'eau d'une cruche. Leur maître m'attendait dans la première cour de la demeure.

C'était un jeune homme élancé, d'une beauté remarquable, avec des yeux sombres. Ses cheveux noirs ondulés étaient coupés court derrière les oreilles, mais laissés longs sur le sommet du crâne, de sorte que des boucles noires retombaient négligemment sur son front. Barbe et moustache étaient très soigneusement taillées et dessinaient une simple bande noire sur ses joues et au-dessus de sa bouche, soulignant la hauteur de ses pommettes et le rouge de ses lèvres. Comme Diane l'avait bien dit, il était poussiéreux de son voyage, mais la poussière ne parvenait à cacher ni la coupe élégante de sa tunique rouge, ni la qualité de ses bottillons de cheval. Son visage ne m'était pas inconnu ; un visage du Forum, pensai-je. Il se leva à mon arrivée.

– Gordien, dit-il, cela fait du bien de te revoir.

– Suis-je censé te connaître ? dis-je. Mes yeux me jouent des tours. Le soleil est si éclatant, dehors ; je ne te vois pas bien dans l'ombre, à l'intérieur...

31

— Excuse-moi ! Je suis Marcus Cælius. Nous nous sommes déjà rencontrés, mais il n'y a guère de raisons que tu me reconnaisses.

— Ah oui, dis-je, je te distingue mieux, à présent. Tu es un protégé de Cicéron et aussi de Crassus, je crois. Tu as raison, nous nous sommes déjà rencontrés, sans doute dans la demeure de Cicéron ou sur le Forum. La barbe m'a trompé ; elle est du dernier cri, je suppose.

— Oui, j'étais probablement glabre lorsque nous nous sommes vus pour la première fois. Mais toi aussi, tu t'es laissé pousser une barbe.

— Pure paresse, pour ne rien dire du reste. C'est la mode à Rome, ces jours-ci ? Je veux dire, la façon dont tu la tailles ?

— Oui. Dans certains cercles. Il y avait, dans sa voix, un ton de suffisance qui m'irritait.

— Fais-tu étape vers quelque destination plus septentrionale ?

— Non. Je viens de Rome en effet, mais je m'arrête ici.

— Vraiment ? Mon cœur défaillit ; j'avais espéré qu'il ne faisait que passer.

— C'est toi Gordien, l'enquêteur, que je suis venu voir.

— L'agriculteur, désormais, avec ta permission.

— Peu importe, dit-il en haussant les épaules. Nous pourrions peut-être aller dans une autre pièce ? Il existe peut-être un endroit plus intime, où nous risquerions moins d'être dérangés ou espionnés, suggéra-t-il. Le cœur me manqua.

— Marcus Cælius, c'est très agréable de te revoir, vraiment. Les ressources de mon hospitalité ne sont pas épuisées. Venir de Rome jusqu'ici et y retourner à bride abattue dans une même journée défierait les forces de n'importe qui, même d'un homme aussi jeune et solide que tu parais l'être, et je serai donc heureux de te loger cette nuit, si tu le désires. *Mais*, sauf si tu as à me parler de fenaison, de pressage des olives ou de viticulture, toi et moi n'avons aucune affaire à discuter. J'ai renoncé à mon ancienne activité.

— C'est ce que j'ai entendu dire, répondit-il aimablement, avec une lueur d'entêtement dans le regard. Mais rassure-toi : je ne suis pas venu pour te proposer un travail.

– Non ?

– Non ! Je suis venu te demander juste une faveur. Pas en mon nom personnel, naturellement, mais au nom du premier citoyen du pays.

– Cicéron ? soupirai-je. J'aurais dû m'en douter.

– Surtout avec les liens qui vous rattachent. Es-tu sûr qu'il n'y a pas de lieu mieux approprié pour que nous discutions ? demanda Cælius.

– Ma bibliothèque est plus intime... quoique aussi peu sûre, ajoutai-je à mi-voix, en me rappelant la fuite d'Aratus, deux jours plus tôt, sous la fenêtre. Viens.

Une fois là, je fermai la porte derrière moi et lui offris un siège. Je m'assis près de la porte du jardin d'aromates, de sorte que je pouvais voir si quelqu'un approchait, tout en gardant un œil sur la fenêtre derrière les épaules de Cælius, là où j'avais surpris Aratus en train d'espionner.

– Pourquoi es-tu venu, Marcus Cælius ? dis-je en laissant tomber toute apparence de conversation mondaine. Je te préviens tout de suite que je ne retournerai pas en ville.

– Mais personne ne te demande de rentrer à Rome, dit Cælius doucement.

– Non ?

– Absolument pas. C'est même tout le contraire. En réalité le fait même que tu vives à présent à la campagne est précisément ce qui te rend si précieux pour le projet que Cicéron a en tête.

– Je ne suis pas un outil que Cicéron peut envoyer chercher quand il le désire ou manier à sa guise ; je ne l'ai jamais été et ne le serai jamais. Même s'il est consul désigné pour cette année, il n'est qu'un citoyen comme moi. J'ai parfaitement le droit de refuser.

– Cela se peut bien, mais refuserais-tu une occasion de servir l'État ?

– Je t'en prie, Cælius, pas d'appel creux au patriotisme.

– L'appel n'est pas creux, dit-il, son visage redevenu sérieux. La menace est bien réelle. Oh, je te comprends bien, Gordien. Je n'ai vécu que la moitié de tes jours, mais j'ai déjà connu mon lot de traîtrises et de corruption, assez pour remplir dix existences.

Compte tenu de son éducation politique auprès d'hommes comme Crassus et Cicéron, il disait probablement la vérité. Cicéron en personne l'avait formé à l'art oratoire et je me surpris à l'écouter, malgré moi.

– L'État est au bord d'une catastrophe terrible, Gordien. Certaines factions sont résolues à détruire la République une fois pour toutes. Imagine le Sénat noyé de sang. Imagine un retour des proscriptions, lorsque tout citoyen pouvait être décrété, sans aucune justification, ennemi de l'État ; rappelle-toi les bandes parcourant les rues de la Ville et apportant les têtes coupées au Forum, pour recevoir leur récompense des caisses du dictateur Sylla. Cette fois, les ennemis de l'État sont déterminés non à le changer, quel que soit le prix du sang à payer, mais à l'anéantir. Tu possèdes une ferme aujourd'hui, Gordien : veux-tu qu'elle te soit arrachée par la force ? Cela arrivera, sois-en sûr ; dans cet « ordre nouveau » qu'ils veulent imposer, tout ce qui est établi sera jeté bas, dans la poussière. Le fait que tu ne vives plus à Rome ne protégera ni toi ni ta famille.

Je restai un long moment silencieux, impassible, puis je secouai la tête et respirai profondément.

– Bravo, Marcus Cælius, dis-je. Pendant un moment, tu m'as entièrement tenu sous le charme. Cicéron t'a dispensé d'excellentes leçons. Cette rhétorique est capable de terrifier n'importe qui.

Cælius fronça les sourcils, puis ses paupières s'alourdirent.

– Cicéron m'avait prévenu que tu serais intraitable.

– Il a cependant sous-estimé la profondeur de mon dégoût envers la politique romaine, ou la force de ma résolution.

– Alors ce que j'ai dit ne signifie rien pour toi ?

– Simplement que tu maîtrises parfaitement l'art de gonfler exagérément des arguments, comme si tu y croyais sincèrement.

– Mais chaque mot est vrai. Je n'exagère rien.

– Cælius, je t'en prie ! Tu es un politicien. Il ne t'est pas permis de dire la vérité et tu es absolument obligé de tout exagérer.

Il se renfrogna, momentanément décontenancé, puis, tirant sur sa courte barbe :

— Tu te moques de la République, soit ! Mais de ton honneur ?

— Tu es dans ma maison, Cælius ; ne m'insulte pas !

— Je n'en ai pas l'intention. Je ne disputerai plus. Je te rappellerai simplement une faveur que tu dois à Marcus Tullius.

Je remuai sur mon siège, excessivement mal à l'aise.

— Je présume que tu te réfères au procès que Cicéron a plaidé pour moi, l'été dernier.

— Tout juste. Tu as hérité cette propriété du défunt Lucius Claudius. Sa famille, très normalement, a contesté l'héritage : les Claudii représentent un très vieux clan patricien, très distingué, alors que tu es un plébéien sans ancêtres, avec une carrière douteuse et une famille pour le moins irrégulière. Tu aurais fort bien pu perdre ton procès et, avec lui, toute prétention à cette ferme où tu t'es retiré. Cela, tu le dois à Cicéron et tu ne peux le nier. Il a plaidé pour t'honorer, reconnaissant les multiples occasions au cours desquelles tu l'avais aidé, depuis le procès de Sextus Roscius, voici dix-sept ans. Cicéron n'oublie jamais ses amis. Qu'en sera-t-il de Gordien ?

Je regardai vers le jardin d'aromates, en évitant ses yeux.

— Oui, Cicéron t'a bien formé ! murmurai-je à mi-voix.

— Exact, reconnut Cælius, avec un petit sourire de triomphe sur les lèvres.

— Qu'attend-il de moi ? grommelai-je.

— Cicéron souhaite que tu accueilles un certain sénateur. Il te demande de lui fournir une retraite sûre loin de la cité. Tu devrais comprendre ce type de besoin.

— Qui est ce sénateur ? Un ami de Cicéron ou quelqu'un à qui il doit, lui aussi, une faveur ?

— Pas précisément.

— Alors qui ?

— Catilina.

— Quoi ! ? Cicéron me demande d'offrir un asile à son pire ennemi ? Quelle sorte de complot est-ce là ?

– Le complot est celui de Catilina. Le tout est de l'arrêter.

Je secouai la tête avec vigueur.

– Je ne veux pas tremper là-dedans !

Je me levai de mon siège si brutalement que je le renversai et m'éloignai sans me retourner. Je me dirigeai vers l'entrée de la maison, puis me rappelai que les gardes du corps de Cælius attendaient là. Je me détournai vers l'arrière de la maison. Un instant plus tard, j'aperçus une figure accroupie sous la fenêtre de la bibliothèque : « Aratus ! Encore ! » pensai-je.

J'allais ouvrir la bouche, mais aucun son ne sortit. L'individu se tourna vers moi : Meto me regardait bien en face. Il posa un doigt sur ses lèvres, avant de s'éloigner de la fenêtre avec précaution pour venir me rejoindre. Il ne paraissait pas gêné le moins du monde.

3

— Un fils ne doit jamais espionner son père, dis-je en m'efforçant à la sévérité. Je connais des pères romains qui battraient leur progéniture pour un tel crime ou qui la feraient même étrangler.

En haut de la colline, Meto et moi étions assis sur les souches et regardions la ferme. Devant la maison, les gardes du corps de Cælius étaient assis à l'ombre d'un if ; leur maître, de son côté, était sorti dans le jardin d'aromates et regardait en direction de la rivière. Il ne savait pas où j'étais passé.

— Je n'espionnais pas vraiment, dit Meto, vexé.

— Ah non ? C'est pourtant le seul mot qui convienne.

— Papa, qui est Catilina ? Et pourquoi en veux-tu tellement à Cicéron ? Je croyais qu'il était ton ami et Marcus Cælius a dit que tu devais une faveur personnelle à Cicéron.

— C'est exact.

— Sans Cicéron, nous n'aurions pas la ferme.

Certes je lui devais une grande reconnaissance. Mais quelle était l'utilité de cette ferme si je devais la payer en laissant des hommes comme Cælius amener Rome à ma porte ?

— Rome est-elle si terrible ? J'aime bien la ferme, papa, mais parfois la Ville me manque. Ses yeux se dilatèrent. Tu sais ce qui me manque le plus ? Les fêtes, avec les jeux et les courses de chars. Spécialement les courses.

— Les fêtes ne sont qu'une autre forme de corruption, Meto. Qui les paie ? Les différents magistrats élus chaque année. Et pourquoi ? Ils te diront que c'est pour honorer les dieux et les traditions de nos ancêtres, mais en vérité ils le font pour impressionner la foule et se faire valoir. C'est le pouvoir qui compte, en dernier ressort. On voit régulièrement le peuple, ébloui par les jeux et les spectacles, accorder sa voix à un homme qui fera ensuite des lois contre ses intérêts. Peu importe qu'il ait émasculé la représentation populaire au Forum ou qu'il ait fait voter des lois scélérates sur la propriété : il a fait venir des tigres blancs de Libye dans le Grand Cirque et il a donné une fête somptueuse pour l'inauguration du temple d'Hercule !

Je secouai la tête.

— Tu vois comme cela m'affecte d'en parler, Meto ? Naguère, j'acceptais la folie de la Ville sans me poser de questions ; puisque je ne pouvais rien faire contre cela, autant l'accepter. Mon métier m'introduisait dans l'intimité des puissants et me dévoilait plus de vérité que la plupart des hommes n'en ont jamais connu. Je grandissais en sagesse sur les chemins du monde, pensais-je avec fierté, mais à quoi bon une telle sagesse, si elle ne sert qu'à prendre conscience de l'impossibilité de changer ce monde ? Maintenant je deviens vieux, Meto. J'ai vu trop de souffrances engendrées par des ambitieux qui ne pensaient qu'à eux-mêmes. Et voilà que Cicéron veut me forcer à rentrer dans l'arène, comme un gladiateur pressé de combattre contre sa volonté.

Meto réfléchit silencieusement un bon moment avant de demander :

— Cicéron est-il un homme méchant, papa ?

— Meilleur que la plupart. Pire que certains.

— Et Catilina ?

— Notre voisine, de l'autre côté de la colline, l'appelle un fou furieux.

— Mais *toi*, qu'est-ce que tu penses, papa ? dit-il en fronçant les sourcils.

Il avait raison d'insister. Depuis que je l'avais émancipé et que j'avais fait de lui mon fils, il était un citoyen romain. Il revêtirait bientôt la toge virile. Qui d'autre qu'un père pouvait initier un garçon à la politique romaine ? Même si je devais pour cela me faire violence.

Je repris ma respiration et regardai en bas, vers la ferme. Les hommes de Cælius étaient toujours assis, tandis que leur maître avait disparu.

– J'ai souvent pensé, Meto, que la mort de mon ami Lucius Claudius était en quelque sorte un signe de la Providence. La campagne électorale de l'été dernier a été la goutte d'eau qui a fait déborder le vase : les élections consulaires sont généralement des affaires dures et vicieuses, mais je n'avais jamais vécu de campagne plus hideuse.

« Les deux candidats qui obtiennent finalement le plus de voix deviennent consuls pour un an, expliquai-je. Si les deux hommes sont du même bord politique, ils s'épaulent mutuellement et leur année de mandat est souvent utile et efficace. Mais s'ils viennent de partis opposés, le Sénat discerne vite le plus fort des deux. Certaines années, de puissants rivaux sont élus et la partie d'échecs par laquelle ils essaient de s'évincer mutuellement peut être spectaculaire – au sens littéral du terme. L'année où tu es venu vivre avec moi, Crassus et Pompée partageaient le consulat : nous avons eu fête sur fête et jeux sur jeux, depuis leur entrée en fonction en janvier jusqu'à leur discours d'adieux en décembre. Les citoyens ont fait du lard, cette année-là, et nous avons eu d'extraordinaires courses de chars !

– Qui peut briguer le consulat ? demanda Meto.

– Il existe un parcours précis des fonctions qui doit être respecté. Prêteurs, questeurs, etc., tous sont en charge pour un an. Un homme politique gravit les échelons un par un, année après année[1]. Une défaite électorale signifie un an de retard dans la carrière ; les hommes pressés deviennent vite hargneux.

– Mais qu'est-ce qui empêche d'occuper le même poste plusieurs années de suite ?

– Personne ne peut détenir la même fonction deux ans d'affilée, sinon la même poignée d'ambitieux et de puissants – les Pompée, les Crassus, etc. – resteraient consuls d'une année sur l'autre. Reste que le consulat lui-même est une étape du parcours ; seuls les anciens consuls peuvent devenir gouverneurs d'une province. Et un gouverneur romain peut devenir fabuleu-

---

1. C'est ce que l'on appelait le *cursus honorum* (N.d.t.).

sement riche, en saignant à blanc la population locale. L'avidité et la corruption sont sans limites.

– Et qui vote ?

– Tous les citoyens, sauf moi, je suppose, puisque j'y ai renoncé depuis plusieurs années. Mais rien ne changera jamais à Rome par le vote, parce que toutes les voix ne sont pas égales.

– Que veux-tu dire ?

– Le vote d'un pauvre compte moins que celui d'un riche, dis-je.

– Comment cela ?

– Le jour de l'élection, les citoyens se rassemblent sur le champ de Mars, entre les anciennes murailles de la Ville et le Tibre. Les électeurs sont divisés en ce que l'on appelle des centuries ; mais l'importance de ces centuries n'a rien à voir avec le nombre des électeurs qu'elles contiennent. Une centurie peut compter une centaine d'hommes, une autre un millier. Les possédants ont plus de centuries que les pauvres, quoiqu'ils soient moins nombreux. Ainsi, lorsqu'un riche vote, sa voix a beaucoup plus de poids que celle d'un pauvre.

« Toutefois, on a besoin du vote des pauvres. Les citoyens ordinaires ne sont donc pas négligés : ils sont choyés, séduits ou intimidés par toutes sortes de moyens légaux et illégaux, depuis les promesses de favoritisme jusqu'à la corruption pure et simple, sans oublier les bandes de nervis lâchés dans les rues pour rosser les partisans des adversaires. Pendant la campagne, les candidats multiplient les mensonges et vocifèrent de hideuses accusations contre leurs rivaux, tandis que leurs partisans couvrent les murs de la ville de graffitis calomnieux.

– « Lucius Roscius Othon lèche le cul des tenanciers de bordel ! » cita Meto en riant.

– Ce fut en effet l'un des slogans les plus mémorables de l'an passé, approuvai-je tristement. Mais Othon a quand même été élu préteur !

– Mais qu'y a-t-il eu de si extraordinaire dans la campagne de l'année dernière ? demanda Meto en reprenant son sérieux.

– Cette campagne a simplement été répugnante, dégoûtante.

C'est Cicéron, entre tous, qui a rabaissé le ton de la campagne à cette bassesse. Sans compter ce qu'il a fait depuis l'élection...

Je secouai la tête et repris.

– Il y avait trois candidats principaux, Cicéron, Catilina et Antoine. Ce dernier est une nullité, un panier percé et une crapule sans autre ambition que de mettre la main ensuite sur une province afin d'éponger ses dettes. Beaucoup ont dit la même chose de Catilina, mais on ne saurait nier que celui-ci a du charme et un excellent sens de la politique. Il vient d'une ancienne famille patricienne, mais il n'a pas de fortune : tout juste le genre d'aristocrate qui soutient les programmes les plus radicaux avec redistribution des richesses, annulation des dettes, démocratisation des emplois publics et des fonctions sacerdotales. La classe conservatrice n'est pas très favorable à ce type de programme. Pourtant, parmi les anciennes classes dirigeantes, il y a beaucoup d'individus tombés dans la gêne et qui sont au désespoir ; il y a aussi beaucoup de gens riches qui pensent qu'ils pourront manipuler un démagogue à leur propre convenance. Crassus lui-même, l'homme le plus riche de Rome, était son principal soutien financier. Qui sait ce que Crassus préparait ?

« Et puis il y avait Cicéron. Aucun de ses ancêtres n'avait jamais occupé de fonctions électives ; il était le premier de sa famille à parcourir la carrière des honneurs, ce que l'on appelle un "homme nouveau". Or aucun homme nouveau n'a jamais réussi à se faire élire consul, de mémoire de Romain. L'aristocratie levait le nez sur lui, méprisant son éloquence et ses succès auprès de la foule. Cicéron est un astre naissant, une comète venue de nulle part, et il est aussi vaniteux qu'un paon. À sa façon, il devait apparaître aussi menaçant pour l'ordre établi que Catilina, dans un autre genre. Et il aurait pu l'être, si ses principes ne s'étaient pas révélés aussi souples.

« Catilina et Antoine formèrent une alliance, que l'on donna rapidement gagnante. Les riches étaient bien embarrassés : ils ne pouvaient pas digérer Cicéron, mais ils avaient peur de Catilina.

« Quant à Cicéron, sa campagne a été dirigée par son frère, Quintus. Après l'élection, un jour que j'avais à faire dans sa

41

demeure, Cicéron me pressa d'examiner une série de lettres qu'il avait échangées avec Quintus tout au long de la campagne ; il en était si fier qu'il parlait d'en faire un petit ouvrage, une sorte de mode d'emploi pour assurer une élection[1]. Dès le début, Cicéron et son frère ont décidé de s'attaquer à Catilina. La calomnie est de tradition dans toute campagne électorale, mais Cicéron a établi de nouveaux usages. Si la moitié seulement de ce qui était rapporté avait été exact, Catilina aurait mérité d'être étranglé dans le sein de sa mère.

– De quoi l'accusait-on ?

– D'une panoplie complète de crimes en tout genre. Il y avait naturellement les accusations habituelles de corruption électorale, achats de voix et autres pots-de-vin ; ces accusations étaient probablement vraies. Cicéron y ajouta les anciennes accusations de prévarication datant du mandat de Catilina en Afrique. Quelques années auparavant, on lui avait intenté un procès à ce sujet – et Cicéron lui-même avait songé un temps à être son avocat !

« Puis vinrent les accusations et les insinuations les plus venimeuses, rumeurs de scandales sexuels, incestes, assassinats...

Les yeux écarquillés de Meto traduisaient une attention fascinée. Je m'éclaircis la voix.

– On dit que, dans les jours terribles de la dictature de Sylla, Catilina a été l'un de ses exécutants les plus actifs, tuant les ennemis du dictateur et apportant leurs têtes pour la récompense. On dit qu'il a commencé par liquider son beau-frère de cette façon : la sœur de Catilina voulait faire tuer son époux et il l'aurait fait de sang-froid, s'arrangeant ensuite pour faire inscrire le malheureux sur les listes de proscription.

– Est-ce vrai ?

– Il s'est passé de terribles choses au temps de Sylla, dis-je en haussant les épaules. Crassus lui-même s'est enrichi en achetant les biens des proscrits assassinés. Lorsque le meurtre devient légal, la capacité criminelle de l'humanité se dévoile.

---

1. Il s'agit du *Commentariolum petitionis*, effectivement publié depuis dans la *Correspondance* de Cicéron (N.d.t.).

Ce que l'on rapporte sur Catilina est peut-être vrai, peut-être pas. Il a été jugé pour meurtre, vingt ans après les faits, mais également relaxé. Qui sait ?

« Il y a quelques années, lorsqu'il est revenu d'Afrique, Catilina s'est remarié. On a dit que la nouvelle épousée refusait le mariage s'il y avait déjà un héritier dans la maison, et que Catilina aurait tué son fils en cette occasion. Pour ce qui est de la jeune femme, il se trouve qu'elle est la fille de l'une des anciennes maîtresses de notre homme – et il y en a même pour dire qu'elle est sa propre fille !

– Un inceste ! siffla Meto.

– Cicéron lui-même n'a jamais prononcé le mot, mais il a multiplié les insinuations. Et ce n'est là que le début des crimes sexuels attribués à Catilina ! On dit qu'il a corrompu une des vestales, provoquant un immense scandale, il y a dix ans ; je suis un peu au courant, car j'ai été appelé pour une enquête secrète à ce sujet. C'est la seule fois où j'ai eu un contact personnel avec Catilina – et j'ai trouvé un homme parfaitement ambigu : extrêmement charmant et extrêmement douteux. Cicéron aime bien rappeler cette histoire à ses auditeurs, à l'exception d'un point : c'est que la vestale accusée de fornication avec Catilina était la sœur de son épouse ! D'une certaine façon, Rome est toute petite...

– Et qu'en est-il de Catilina et de la vestale ? Meto brûlait de curiosité.

– Je n'en sais rien, mais j'ai ma petite idée là-dessus. Je te raconterai toute l'histoire un autre jour. En tout état de cause, Catilina et la vestale ont été innocentés – ce qui ne signifie rien quant à leur culpabilité ou leur innocence réelle.

– On a l'impression que Catilina a passé l'essentiel de sa carrière devant un tribunal ou à assassiner des gens.

– Et le reste du temps à forniquer, si l'on en croit les rumeurs. Le cercle qu'il fréquente à Rome est réputé pour son extrême dissolution. Il attire la jeunesse dorée de Rome par des moyens fort douteux et il corrompt les vieilles matrones riches en mettant les jeunes gens dans leur lit. On dit aussi qu'il garde les plus beaux éphèbes et les plus riches matrones pour son propre compte. Quel contraste avec Cicéron !

– Catilina a-t-il essayé de se défendre contre de telles accusations ?

– Assez curieusement, il n'a rien essayé. Les rumeurs sont peut-être suffisamment fondées pour qu'il ne se soucie pas de les répéter, même pour les réfuter. Mais surtout, Catilina est un patricien et Cicéron un homme nouveau ; je pense que Catilina est trop orgueilleux pour s'abaisser au niveau de quelqu'un qu'il considère comme tellement au-dessous de lui. C'est une autre tactique des hommes politiques romains : ils se drapent dans leur dignité. Reste qu'elle n'a pas marché : l'élection venue, Cicéron a été vainqueur à une écrasante majorité. Ce fut un triomphe personnel retentissant dans le parcours d'un homme sans ancêtres, qui menait sa carrière avec sa seule force et avec son seul talent. Le consulat est un sommet que peu d'hommes atteignent.

– Et Catilina ?

– Loin derrière Cicéron venait Antoine. Catilina arrivait troisième. Les années précédentes, une avalanche de procès avait interdit toute candidature à Catilina et, l'année où il avait enfin une chance, Cicéron lui a coupé l'herbe sous le pied. Cette année, Catilina est de nouveau en lice. On disait qu'il était accablé de dettes lors de sa candidature précédente ; où l'actuelle candidature va-t-elle le mener ? Il doit être aux abois et, si l'on en croit les rumeurs les plus innocentes, c'est un homme prêt à tuer. Certainement pas le genre d'hommes que j'ai envie d'avoir sous mon toit.

4

Le souper ne fut pas un succès, ce soir-là. Ce n'était pas pour ses talents de cuisinière que j'avais acheté Bethesda au marché aux esclaves, en Alexandrie, voilà bien des années. Elle n'était plus esclave, car je l'avais affranchie, dès qu'elle avait été enceinte de Diane, pour l'épouser, et elle savait diriger à merveille le travail des autres. Je pouvais lui laisser en toute confiance la direction de la maison... sauf pour la cuisine : l'orgueil des cuisiniers se heurtait rapidement au sien. Congrio étant détaché auprès de Claudia, Bethesda en avait profité pour prendre le commandement temporaire des cuisines.

Malheureusement, son génie – pour employer un grand mot – n'allait qu'aux nourritures simples qu'elle m'avait servies dans nos années maigres, spécialement aux poissons, toujours disponibles à Rome, qu'ils vinssent du Tibre ou de la mer toute proche. À la ferme, le bon poisson était plutôt rare et, ayant un invité de la ville à régaler, Bethesda avait choisi de faire quelque chose d'extravagant avec ce qu'elle avait. Les cervelles de veau au céleri, avec leur sauce aux œufs, n'étaient pas à la hauteur des réalisations de Congrio et les asperges pochées au vin auraient pu être meilleures si elle avait choisi un cru moins vigoureux. Les carottes à la coriandre, en revanche, étaient passables et les pêches confites au cumin étaient un triomphe que je crus pouvoir saluer de compliments – erreur fatale !

– C'est Congrio qui a confit les pêches, remarqua-t-elle

laconiquement. J'ai simplement dit à l'un des esclaves de les mettre à frémir dans l'huile d'olive et le cumin.

— Ah bon, tes instructions ont été merveilleusement suivies, dis-je pour me tirer d'embarras. Bethesda leva des sourcils interrogateurs.

— En fait, tout était délicieux, enchaîna Marcus Cælius. Il y a peu de matrones romaines qui seraient capables de surveiller personnellement chaque plat d'un dîner aussi somptueux, en l'absence de son cuisinier. Trouver une telle excellence gastronomique ici, à la campagne, est une délicieuse surprise.

Ses mots, pure mondanité, sonnaient faux à mon oreille, mais Bethesda était aux anges. C'est la barbe fantaisie qui la charme, pensai-je.

— Toutefois, vous n'aurez pas besoin de déployer vos talents pour impressionner le sénateur lorsqu'il sera chez vous, ajouta Cælius. C'est un homme qui s'adapte à tout. Il sait faire la différence à l'aveuglette entre deux crus de Falerne, mais aussi boire au pichet des esclaves avec le même entrain. « Le palais d'un homme a été fait pour expérimenter toutes les saveurs possibles, a-t-il coutume de dire, sinon une langue n'est bonne qu'à parler. »

Cette formule me parut vaguement obscène et Bethesda dut avoir la même impression, car elle sembla plus charmée encore par notre hôte. Est-ce ce détail qui m'irrita ou le fait que Cælius paraissait considérer mon consentement comme acquis ?

— Je pense que nous devrions nous retirer dans la bibliothèque, dis-je avec quelque humeur. Nous avons encore des points à discuter, Marcus Cælius.

— Tu as quelques très belles œuvres dans ta collection, dit Cælius en parcourant des yeux les rouleaux serrés dans leur niche. Je vois que tu as un goût particulier pour les pièces de théâtre. Cicéron aussi. Je suppose qu'à l'occasion il te passe des copies. J'ai eu tout le loisir de parcourir ta bibliothèque, cet après-midi, et j'ai été frappé par tous les volumes où est inscrite la mention : « De la part de Marcus Tullius Cicéron, à son ami Gordien, avec ses sentiments les plus chaleureux. »

46

– Oui, Cælius. Je suis assez satisfait de la composition de ma bibliothèque. Je me rappelle d'où vient chaque livre.

– Les livres sont comme des amis, n'est-ce pas ? Solides, invariables, sûrs. C'est un réconfort. Prends un volume que tu as laissé un an auparavant, les mots n'auront pas changé.

– Je saisis ta pensée, Cælius ; mais Cicéron est-il réellement le même homme aujourd'hui qu'il était voici un an ? Ou il y a dix-sept ans, lorsque je l'ai rencontré pour la première fois ?

– Je ne comprends pas.

– Les nouvelles arrivent de Rome sporadiquement et par colportage ; je ne les écoute que d'une oreille, mais il me semble que le consul Cicéron est devenu sensiblement plus réactionnaire que ne l'était Cicéron, jeune avocat.

– Tout cela est hors de propos, non ? objecta Cælius. Je pensais que tu étais fatigué de la politique. C'est pourquoi j'avais choisi de te parler d'amitié, plutôt.

– Cælius, même si j'avais envie de faire ce que tu me demandes, j'hésiterais. Quel âge as-tu ?

– Vingt-cinq ans.

– Un tout jeune homme. Je pense que tu n'as ni femme ni enfant.

– Exact.

– Alors, tu ne comprends probablement pas pourquoi j'hésite à permettre à un homme comme Catilina de venir chez moi, quels que soient les circonstances ou le prétexte. J'ai quitté Rome en partie parce que j'étais malade de la violence et du danger constants qui y règnent. Je ne craignais pas pour ma sûreté personnelle, mais pour celle des autres personnes que je dois protéger.

– Mais nous ne te demandons pas de faire quelque chose de dangereux, Gordien.

– Arrête ! Tu es aussi sincère maintenant que lorsque tu louais, tout à l'heure, le souper de Bethesda. Qu'est-ce que Cicéron exige précisément de moi ?

À son crédit, Cælius n'essaya pas de noyer le poisson. Son visage devint grave.

– Je t'ai parlé, cet après-midi, d'une menace contre l'État. Tu as récusé mes paroles comme purement rhétoriques, Gordien, mais hélas les faits sont là. La menace, c'est Catilina : l'anarchie qu'il ne manquerait pas de provoquer est bien plus terrible.

– Tu commences à faire de grandes phrases, avertis-je.

Cælius sourit de mauvaise grâce.

– Arrête-moi si cela m'arrive. Soyons bien clair, donc : Catilina, tu le sais, brigue à nouveau le consulat. Il est peu probable qu'il gagne les élections, mais cela ne l'empêchera pas d'essayer et de susciter autant de désordres qu'il le pourra, en s'appuyant sur les campagnes pour fomenter des émeutes et des mécontentements à Rome. Il a deux plans. Le premier est en cas de victoire : s'il obtient le consulat.

« Le consulat de Cicéron aura été une accalmie avant la tempête. Le Sénat se scindera en factions adverses, il y aura des émeutes et des meurtres dans les rues – une sorte de guerre civile, à vrai dire : les hommes politiques et les grandes familles s'y préparent déjà. Dans un conflit de ce type, Catilina perdra inévitablement, au plus tard lorsque Pompée ramènera ses troupes du Levant. Et si Pompée doit être rappelé pour restaurer l'ordre, qu'est-ce qui l'empêchera de se faire dictateur ? Envisage cette possibilité.

Je le fis, à mon corps défendant. Après Catilina, une dictature de Pompée était le pire cauchemar de l'oligarchie dirigeante. Une telle éventualité signifierait soit la fin de la République, soit une nouvelle guerre civile : des hommes comme Crassus ou le jeune Jules César ne laisseraient pas le pouvoir leur échapper sans combattre.

– Et si la seule chose possible arrive et que Catilina perde les élections ? dis-je, tout en me détestant de me laisser entraîner dans la discussion.

– Il a déjà commencé de planifier son soulèvement. Ses partisans sont aux abois autant que lui. Son soutien militaire se concentre parmi les vétérans installés ici, en Étrurie, plus au nord. À Rome, il a une petite coterie – peu nombreuse mais dévouée – d'hommes puissants qui ne reculeront devant rien. Il est d'ores et déjà évident qu'il projette de tuer Cicéron *avant* les élections.

– Mais pourquoi ?

— C'est le seul homme qu'il craigne à Rome, et il a, n'est-ce pas, des raisons de lui en vouloir.

— Mais comment sais-tu tout cela, Marcus Cælius ?

— Il y a eu une réunion des conspirateurs au début de ce mois...

— Comment le sais-tu ?

— J'étais en train de te le dire : il y a eu une réunion des conspirateurs au début de ce mois et j'y étais.

Je pris mon temps pour avaler la nouvelle.

— Trop c'est trop, Cælius. Tu es en train de me dire que Catilina trame une conspiration pour assassiner Cicéron et que tu as assisté à cette réunion secrète ?

— Je t'en dis beaucoup trop, Gordien, plus que je ne comptais le faire, mais tu es un homme difficile à convaincre.

Pourquoi ? Pourquoi ai-je ressenti à ce moment-là ce frisson d'excitation que je n'avais plus ressenti depuis que j'avais quitté Rome ? L'intrigue est une drogue plus insidieuse et capiteuse que le plus lourd des vins. Lorsqu'on y a goûté une fois, on n'échappe plus à son attrait.

— Dis-moi d'autres choses sur la réunion à laquelle tu as assisté, dis-je doucement.

— C'était dans sa maison du Palatin, une splendide demeure bâtie par son père et la seule chose qui lui reste de son héritage, à part son nom. Cela a commencé comme un souper mais, après avoir mangé, nous nous sommes retirés dans une pièce reculée de la maison. Les esclaves ont été renvoyés et l'on a fermé la porte. Si je te disais les noms des sénateurs et des patriciens qui se trouvaient là...

— Inutile.

Cælius hocha la tête.

— Catilina n'a rien à envier à Cicéron lorsqu'il parle avec passion. Il s'attarda sur la détresse commune à beaucoup de ceux qui étaient présents et désigna l'oligarchie au pouvoir comme source de toute leur misère ; il promit un nouvel État, sanctifié par le sang de l'ancien ; il parla d'abolition des dettes et de confiscations des biens des riches. Lorsqu'il eut fini, il apporta un bol de vin et invita chaque conjuré à s'entailler le bras pour y verser un peu de son sang.

– Et toi ?

Cælius tendit son bras et me montra la cicatrice.

– Le bol circula parmi nous et chacun y but. Nous prêtâmes serment de secret...

– Que tu es en train de violer, en ce moment.

– Un serment contre Rome n'est pas un serment pour un vrai Romain.

Cælius baissa pourtant les yeux.

– Et Catilina t'a accepté parmi ses partisans, bien qu'il sût ta relation avec Cicéron.

– Oui. Pendant un moment, j'ai véritablement été sous son charme ; je l'ai convaincu de ma loyauté parce qu'elle était réelle à ce moment-là – jusqu'à ce que je voie clair en lui, jusqu'à ce que j'apprenne qu'il projetait d'assassiner Cicéron. J'allai alors trouver celui-ci pour tout lui répéter. Il me demanda de rester dans la confidence de Catilina, en me faisant valoir que je pourrais lui être plus utile comme espion. Je ne suis d'ailleurs pas le seul à épier Catilina pour son compte.

– Et maintenant, il veut que j'espionne aussi pour lui.

– Non, Gordien. Il veut simplement que tu sois l'hôte passif de Catilina. Les déplacements de ce dernier sont surveillés, mais il a des moyens de sortir de la ville sans être observé. Son principal allié, en dehors de Rome, est un ancien soldat, Gaïus Manlius, qui vit à Fæsulæ[1] ; Catilina a besoin d'un refuge secret entre cette ville et Rome, qui ne soit pas la villa de l'un de ses partisans, mais un endroit où ses ennemis ne songeront jamais à vérifier sa présence.

– Et cet endroit serait ma ferme ? Mais, s'il ne le sait pas déjà, tout le monde pourra dire à Catilina que j'ai beaucoup travaillé pour Cicéron, par le passé, et que Cicéron m'a aidé à avoir cette ferme.

– D'accord, mais j'ai dit à Catilina que tu étais gravement brouillé avec Cicéron, que tu étais dégoûté des événements de Rome et que tu sympathisais avec ses idées. Ta discrétion passe pour acquise ; tu as une réputation dans ce domaine, Gordien. Catilina ne pense pas que tu sois un de ses ardents partisans,

---

1. L'actuelle ville de Fiésoles (N.d.t.).

mais simplement que tu veux bien lui offrir l'hospitalité et que tu garderas le silence.

– Comment puis-je être sûr qu'il n'y aura pas de réunion secrète dans ma maison, avec dégustation de sang humain ?

Cælius secoua la tête.

– Ce n'est pas ce qu'il te demande. Il veut un refuge, pas un lieu de réunion.

– Et que veut Cicéron, de son côté ?

– Un rapport sur les déplacements de Catilina, par mon entremise. Naturellement, si Catilina en vient à te confier quelque chose d'important, Cicéron s'en remet à ton jugement pour lui faire transmettre toute information capitale. On dit que tu as l'art de tirer la vérité des gens, même lorsqu'ils espèrent la cacher.

– Je n'aurais à traiter qu'avec toi et Catilina ? Personne d'autre ?

– Absolument. Cicéron lui-même restera dans l'ombre. Tu ne le verras pas. Tout message que tu voudras lui faire parvenir me sera adressé à Rome ; Catilina n'y trouvera rien de suspect.

– Cela ne saurait être aussi simple que tu le prétends. Es-tu si jeune et inexpérimenté, que tu ne distingues pas les conséquences terribles de ce que tu me proposes ? Ou bien essaies-tu volontairement de me ménager ?

Il sourit.

– Mon maître Cicéron dirait ici que l'on ne doit jamais répondre à une alternative si les deux réponses possibles sont périlleuses.

Je lui renvoyai de mauvais gré son sourire.

– Tu es vraiment pervers, Marcus Cælius, trop pervers pour un homme de ton âge. Oui, je crois que tu as pu convaincre Catilina de te faire confiance. Mais si je t'accordais ce que tu demandes, il me faudrait une protection, quelle qu'elle soit : je ne voudrais pas être considéré comme un allié de Catilina, s'il vient à se perdre, comme c'est probable. Une lettre de Cicéron me serait bien utile, attestant mes services.

Cælius fit la grimace.

– Cicéron avait prévu cette demande. C'est tout à fait impossible. Si une telle communication venait à être interceptée, tout serait compromis et tu serais de plus immédiatement en danger. N'aie crainte : si une crise survient, Cicéron ne t'oubliera pas.

— J'aimerais quand même avoir une assurance de la bouche même de Cicéron. Si je venais à Rome...

— Il ne pourrait pas te recevoir. Pas maintenant. Catilina l'apprendrait et c'en serait fini. Tu ne me crois pas, Gordien ?

Je réfléchis un long moment. Le frisson d'excitation que j'avais ressenti précédemment se doublait maintenant de picotements d'appréhension.

— Je te crois, dis-je finalement.

Tard dans la nuit, alors que je reposais auprès de Bethesda, un doute prit forme, grandit et finit par m'envelopper, dans l'obscurité traversée de rayons de lune, comme un brouillard gris. Cælius ne m'avait donné aucune preuve qu'il venait de la part de Cicéron. N'était-il pas plutôt envoyé par Catilina ? Même s'il était dépêché par Cicéron, Catilina n'avait-il pas déjà vu clair dans son jeu ? À qui allait la loyauté de Cælius ?

Bethesda s'étira. « Quelque chose ne va pas, maître ? » murmura-t-elle. Elle avait cessé de m'appeler ainsi depuis le jour de notre mariage, mais elle se laissait aller parfois dans le sommeil ; le son de sa voix et son appel me rappelèrent les jours passés, avant que le monde ne devînt si pénible et si complexe. J'étendis le bras pour la toucher. La présence de cette chair familière, ferme, chaude et sensible, chassa mes doutes comme les rayons du soleil dissipent le brouillard. Elle roula vers moi et nous nous livrâmes au plaisir.

5

Le lendemain matin, Marcus Cælius se leva avant moi. Je le trouvai devant l'écurie, équipé de pied en cap et préparant sa monture pour retourner à Rome. Ses gardes du corps se réveillaient seulement, se frottant les yeux et secouant les brins de paille fichés dans leurs cheveux. Le soleil n'avait pas encore atteint le mont Argentum et le monde était baigné d'une fine lumière bleutée.

– Aurais-tu mal dormi, Cælius ?

– Mais non, parfaitement bien, merci.

– Le lit était trop dur, non ? Je savais bien qu'il le serait. Et la chambre était trop étouffante.

– Mais non...

– Hélas, comme tu as pu le voir toi-même, ma demeure ne convient absolument pas aux hôtes de marque.

Cælius comprit l'allusion et sourit.

– On dit que Catilina est comme un bon général ; il peut manger et dormir dans n'importe quelle condition. Ton logis sera plus que convenable.

– Mais je n'ai pas encore dit oui, Cælius.

– Je pensais que tu l'avais fait.

Il fit claquer sa langue.

– Tu changeras d'avis dès que je serai parti. Envoie-moi un messager.

Il monta à cheval et ordonna à ses gardes de se tenir prêt.

Bethesda sortit alors de la maison, drapée dans une stole à

53

longs plis, ses cheveux dénoués ; une cascade de cuivre et d'argent répandait ses flots splendides sur son dos.

— Voyons, Marcus Cælius, tu ne vas pas nous quitter sans avoir mangé quelque chose ? dit-elle en roucoulant tout à fait.

— Je préfère partir pour une longue chevauchée l'estomac vide. J'ai pris un peu de pain et de fruits dans ton garde-manger, pour la route.

Il fit faire quelques tours à sa monture, pendant que ses gardes du corps équipaient les leurs.

— Attends un moment, dis-je. Je vais aller avec toi jusqu'à la voie Cassienne.

Comme nous nous mettions en route, le soleil déborda la crête de la colline et éclaira le monde, laissant de longues ombres derrière nous.

— Ah, Gordien, le matin à la campagne ! Je comprends bien pourquoi tu la préfères à la ville. Mais la ville ne cesse pas d'exister simplement parce que tu as décidé de lui tourner le dos ; pas plus que les obligations d'un homme !

— Tu as de la suite dans les idées, Cælius, dis-je en secouant la tête avec regret. As-tu appris cela de Cicéron ou de Catilina ?

— Un peu des deux, je pense. Mais il y a autre chose que j'ai appris de Catilina : une énigme. Tu dois aimer les énigmes, Gordien, puisque tu es si fort à résoudre les mystères. Veux-tu entendre celle-ci ?

Je haussai les épaules.

— C'est une petite énigme que Catilina aime à poser à ses amis. Il l'a dite la nuit du serment par le sang. « Je vois deux corps, a-t-il dit. L'un est mince et chétif, mais il a une grosse tête. L'autre corps est grand et fort, mais il n'a pas de tête du tout ! » Cælius rit tranquillement.

Je me sentais mal à l'aise sur ma monture.

— De quoi s'agit-il ? demandai-je

Cælius me fit ses yeux aux paupières lourdes.

— Mais c'est une devinette, Gordien ! Tu dois imaginer la réponse par toi-même. Je vais te dire une chose : lorsque tu enverras ton messager vers moi, utilise un code. Si tu veux bien accueillir Catilina, si ta réponse est positive, fais dire à ton messager : « Le corps sans tête ». Si c'est non, tu lui feras dire : « La tête sans corps ». Mais n'attends pas trop longtemps ; une fois mis en branle, les événements vont se précipiter.

— Certes, dis-je en arrêtant mon cheval. Nous avions atteint la voie Cassienne. Cælius me salua de la main, regagna la route et piqua des deux avec ses acolytes. Pendant un moment, je suivis des yeux leurs capes flottant au vent, comme des panaches, puis je revins à la maison, plus incertain et perplexe que jamais.

J'étais dans ma bibliothèque, cet après-midi-là, esquissant des plans fantaisistes pour le moulin à eau, lorsque Aratus vint me prévenir que Congrio et ses assistants étaient rentrés.

— Bien, fais-les venir. Je veux les voir. En privé.

Les yeux d'Aratus se rétrécirent et il se retira. Au bout de quelques instants, le cuisinier et ses aides entrèrent ; je mis de côté tablette et stylet, et leur fis signe de fermer la porte.

— Alors, Congrio, comment cela s'est-il passé chez les Claudii ?

— Tout à fait bien, maître. Je suis assuré que tu ne recevras aucune plainte sur notre service. Claudia m'a donné cette lettre pour toi.

Il me tendit un rouleau de parchemin scellé par un cachet de cire sur lequel Claudia avait imprimé son sceau personnel. Je rompis le sceau et déroulai la lettre :

Claudia salue Gordien !

Avec ma reconnaissance, voisin, pour le prêt de tes esclaves. Ils se sont comportés admirablement, tout spécialement ton chef de cuisine, Congrio, qui n'a rien perdu de ses talents depuis le temps où il servait chez mon oncle Lucius. Je te suis doublement reconnaissante, parce que mon propre cuisinier est tombé malade ces jours-ci, de sorte que la présence de Congrio s'est révélée absolument indispensable. Je saurai m'en souvenir en estimant la faveur que je te dois.

Autre sujet, et plus confidentiel : je veux que tu saches que j'ai fait de mon mieux pour apaiser les choses entre toi et ma famille. Nous autres, Claudii, sommes de la race des entêtés et des opiniâtres, et je ne puis dire que j'ai amené tout le monde à une opinion plus modérée à ton sujet, mais je pense avoir posé des jalons. Quoi qu'il en soit, j'ai fait ce que je pouvais pour l'instant ; c'est un début.

Merci encore pour le prêt généreux. Considère cette missive comme un billet à ordre et appelle-moi un jour, pour te revaloir cela. Je suis et reste, dans cette attente, ta voisine reconnaissante.

Claudia

Je roulai la lettre et l'attachai avec son ruban, puis je remarquai que Congrio m'examinait, la tête penchée d'un air perplexe.

— Elle a été très impressionnée par toi, dis-je. Congrio laissa échapper un profond soupir et sourit doucement.

— Vous avez obéi à mes ordres, à propos de votre discrétion ?

— Nous avons été discrets, maître, mais je regrette de ne pouvoir en dire autant des esclaves des autres convives.

— Que veux-tu dire ?

— Les Claudii en visite étaient accompagnés de leurs esclaves et le lieu naturel de rassemblement des esclaves est la cuisine. J'ai fait de mon mieux pour les en chasser lorsque l'endroit devenait trop peuplé, mais il y a toujours eu du monde et les cancans n'ont pas cessé. Je n'y ai pas pris part, naturellement, mais à travers le vacarme des marmites et des casseroles, j'ai gardé mes oreilles grandes ouvertes comme tu l'avais dit.

— Qu'as-tu entendu ?

— Des billevesées sans intérêt, pour l'essentiel : la faveur ou la disgrâce des maîtres, des histoires d'amour inventées lors de séjours à Rome, des récits obscènes de fornications entre ouvriers agricoles et filles de cuisine, derrière le pressoir, des commentaires sur leurs anatomies respectives, autant de trivialités et d'ordures dont je rougirais de salir les oreilles de mon maître.

— D'autres choses plus intéressantes ?

— Peut-être. Il y a eu des insultes à mon intention. Un petit nombre d'esclaves, sachant que j'ai servi Lucius Claudius longtemps et fidèlement, m'ont envoyé quelques piques grossières : ils me plaignaient de ce qu'ils appelaient mon déclin, puisque je devais à présent servir un maître – pardonne-moi, maître, ce sont leurs propres mots et ça me chagrine de les répéter – « tellement au-dessous » du précédent. Je leur ai opposé un mutisme de pierre, ce qu'ils ont eu l'air de trouver amusant. Le problème est que ces phrases peuvent difficilement être de leur invention ; les esclaves reprennent les propos de leurs maîtres.

– Je vois. As-tu entendu quelque chose directement de la bouche des Claudii ?

– Non, maître. Comme je te l'ai dit, j'ai été confiné presque exclusivement dans ma cuisine, avec à peine un moment pour prendre l'air de temps en temps.

– Et vous deux ? demandai-je avec un signe de tête à ses assistants. Ils s'approchèrent mal à l'aise, en se regardant l'un l'autre.

– Alors ?

– Nous avons aidé Congrio la plupart du temps dans la cuisine, dit l'un des deux. C'est comme il l'a dit : il y a eu des critiques grossières de la part de certains esclaves et des insultes voilées concernant notre nouveau patron, c'est-à-dire toi, maître. Mais nous n'avons pas passé tout notre temps dans la cuisine ; nous avons été appelés aussi à servir pendant le conseil de famille et le souper qui a suivi. Ton nom a été mentionné...

– Ah oui ?

Ils paraissaient extrêmement gênés. L'un des deux avait un teint plutôt maladif, avec des boutons plein la figure.

– Toi, dis-je au garçon boutonneux, parle ! Rien de ce que tu dis ne pourra me surprendre.

Il se racla la gorge.

– Ils ne t'aiment pas, maître !

– Je sais cela. Mais ce que je voudrais savoir, c'est ce qu'ils pourraient projeter de faire.

– Oh, rien n'a été dit de spécial.

– Mais par exemple ?

Il pinça les lèvres et le nez, comme si j'avais mis une substance malodorante sous son nez et lui avais demandé d'inhaler.

– « Jeune trou-du-cul de la ville », finit-il par dire en grimaçant.

– Qui m'a appelé ainsi ?

– C'était Publius Claudius, je crois, le vieil homme qui vit de l'autre côté de la rivière. Il grimaça de nouveau.

– Ça n'est pas bien méchant, dis-je. Quoi d'autre ?

Son compagnon leva timidement la main pour demander la permission de parler.

– « Un stupide rien-du-tout sans ancêtres, qui devrait être mis en cage et renvoyé en charrette à Rome », proposa-t-il. C'était de Manius Claudius, celui qui vit au nord, de l'autre côté du mur.

– Je vois. En somme, rien d'autre que des injures de ce type ?

Le jeune esclave boutonneux s'éclaircit la voix.

– Oui ? demandai-je.

– Le plus jeune, celui qui s'appelle Gnæus...

« Celui qui aurait dû hériter de Lucius », pensai-je.

– Parle !

– Il a dit que la famille devrait louer les services de quelques assassins en ville pour qu'ils viennent par une nuit noire et laissent un peu de sang sur le terrain.

Cela était plus sérieux, quoique relevant peut-être de la rodomontade.

– A-t-il dit quelque chose de plus particulier ?

– Non, ce furent ses propres mots : « laissent un peu de sang sur le terrain ».

– Et il a dit cela dans un lieu où tu pouvais l'entendre ?

– Je ne pense pas qu'il savait de quelle maison j'étais. Je crois qu'aucun des convives ne le savait, du reste, à l'exception de Claudia. Ils paraissaient nous ignorer, en fait. Le vin a généreusement coulé, ce soir-là, et Gnæus a bu largement sa part.

– Mais tu dois te douter, maître, dit l'autre esclave, que Claudia a parlé pour te défendre. Elle a déclaré aux autres qu'il n'y avait aucune raison de nourrir une telle animosité, puisque tout avait été réglé devant le tribunal.

— Et quelle a été la réponse des cousins ?

— Pas très chaude, mais elle leur a cloué le bec. Elle a des façons assez...

— Brusques, conclut Congrio. Et il faut se rappeler que le conseil de famille se déroulait sous son toit ; elle y est la maîtresse absolue.

Je souris et approuvai d'un signe de tête.

— C'est une femme avec qui il faut compter, une femme qui impose le respect. Est-ce que ses esclaves la respectent ?

— Naturellement, dit Congrio en haussant les épaules. Quoique...

— Oui ? parle.

Ses sourcils se froncèrent.

— Je ne suis pas sûr qu'ils éprouvent beaucoup d'affection pour elle, comme d'autres esclaves pour leur maître. Elle est très exigeante, comme j'en ai fait l'expérience moi-même. Rien ne doit être gaspillé ! Chaque morceau de chaque bête doit être traité comme il convient ; chaque graine doit germer.

Quand les esclaves eurent terminé leur rapport, je les renvoyai, mais au moment où Congrio allait passer la porte — il devait se tourner un peu de côté pour permettre à ses larges épaules de la franchir — je le rappelai.

— Oui, maître ?

— Ce conseil de famille des Claudii était essentiellement consacré aux élections à venir, je crois. As-tu entendu quelque rumeur sur leurs intentions de vote ? Pour les élections consulaires, je veux dire.

— Oh, sur ce point, ils ont été unanimes : ils appuieront Silanus, bien qu'il semble qu'ils n'aient pas grand respect pour lui. « N'importe qui plutôt que Catilina » c'est ce que j'ai entendu dire. Même les esclaves reprenaient la phrase.

— Je vois. « N'importe qui plutôt que Catilina »... Tu peux partir, Congrio. Bethesda voudra sans doute te donner ses ordres pour le repas de ce soir.

Après son départ, je restai longtemps assis, perdu dans mes pensées.

6

Durant les jours qui suivirent, je mis de côté Rome, la politique et le vaste monde qui s'étendait au-delà des frontières de ma propriété ; je réussis même à bannir de ma pensée les Claudii et leur hargne. Aucun messager n'arriva de la ville, aucune insulte ne franchit la rivière qui bordait mon domaine. Dans mes moments de loisir, je m'amusais à dessiner le moulin à eau qui avait été le rêve de Lucius Claudius.

Il me semblait qu'une grande paix était descendue sur mon petit coin d'Étrurie, quelle que fût la perversité qui bouillonnait dans le monde extérieur. C'est ainsi que les dieux nous trompent parfois, par une accalmie avant la tempête.

Les mauvaises surprises commencèrent au milieu du mois, le jour des ides de juin. Ce matin-là, de bonne heure, un esclave arriva en courant dans ma bibliothèque pour me dire qu'Aratus souhaitait me voir dans les champs. D'après la contenance gênée de l'esclave, je présageai quelque incident. Je le suivis jusqu'à l'angle nord de la propriété, près du mur qui séparait mes terres de celles de Manius Claudius. Comme ce champ était le plus éloigné de la maison et des granges, les esclaves l'avaient fauché en dernier. L'herbe était déjà coupée, mais seules quelques bottes avaient été faites. Aratus vint à ma rencontre ; il paraissait sombre.

– Je voulais que tu voies par toi-même, maître, dit-il, de façon qu'il n'y ait pas de malentendu par la suite.

– Que je voie quoi ?

Il me montra une botte d'herbe séchée ; ses mâchoires étaient serrées et je vis que le coin de sa bouche remuait nerveusement.

— Je ne vois rien d'anormal, dis-je.

— Si tu veux bien regarder de plus près, maître, dit Aratus, en se penchant vers la botte d'herbe pour m'inviter à faire de même.

Je me penchai à mon tour et examinai l'herbe coupée. Je n'aperçus pas, tout d'abord, la poudre grise, comme une suie très fine, qui parsemait le foin.

— Qu'est-ce que c'est ?

— C'est une nielle, la cendre du foin, maître, dit Aratus. Ça arrive environ tous les sept ans ou à peu près, en tout cas d'après mon expérience. Elle n'apparaît jamais avant que l'herbe ne soit coupée, voire bien plus tard... On ouvre une botte pendant l'hiver et on constate que tout le foin, à l'intérieur, est noir et pourri.

— Qu'est-ce que cela signifie ?

— Le foin est immangeable. Les bêtes n'y toucheront pas et, si elles le faisaient, elles tomberaient aussitôt malades.

— Quelle est l'étendue des dégâts ?

— Au minimum, toute l'herbe de ce champ est indiscutablement perdue.

— Même si l'on ne voit pas de nielle sur les feuilles ? Je regardais l'herbe coupée alentour et n'apercevais aucune tache cendreuse.

— La nielle apparaîtra dans un jour ou deux. C'est pourquoi on ne s'en aperçoit souvent que l'hiver venu, quand le foin est déjà lié en bottes. Elle fait son travail de l'intérieur.

— Insidieux, dis-je. Qu'en est-il des autres champs ? Du foin déjà botté et engrangé ?

Aratus fit grise mine.

— J'ai envoyé un esclave ouvrir l'une des premières bottes, provenant du champ qui est au-dessus de la maison. Il me tendit une poignée de foin, couverte de la même cendre grise.

Je grinçai des dents.

— En d'autres termes, Aratus, tu es en train de me dire que *toute* la récolte de foin est perdue. Tout ce qui était supposé

62

nourrir nos bêtes cet hiver ! Et je suppose que cela n'a rien à voir avec le fait que tu as attendu si longtemps pour faucher l'herbe ?

— Il n'y a aucun rapport, maître...

— Donc, si le fourrage avait été récolté plus tôt, comme je le voulais, cette nielle se serait quand même manifestée ?

— Elle était dans l'herbe, invisible. Le moment de la fenaison et l'apparition de la nielle ne sont pas liés.

— Je ne suis pas sûr de te croire, Aratus.

Il ne dit rien, mais se tint à mi-distance, les mâchoires serrées.

— Peut-on sauver une partie de la récolte ? demandai-je.

— Peut-être. On peut essayer de séparer la partie saine et de brûler la mauvaise, mais sans garantie : la nielle peut apparaître ensuite, quoi que nous fassions.

— Fais donc ce que tu peux, Aratus ! Je te laisse prendre les choses en main, puisque tu sembles penser que tu connais la question.

L'après-midi même, de grands panaches de fumée s'élevèrent dans l'air tranquille, montant des grands feux qu'Aratus organisait dans les champs. J'allai sur place, pour m'assurer que seul le foin visiblement touché était détruit, et je trouvai des bottes, qui semblaient saines, vouées à l'holocauste. Lorsque je le fis remarquer à Aratus, il reconnut l'erreur, mais déclara qu'épargner le foin apparemment intact, c'était reculer pour mieux sauter – ce qui me parut une bien piètre défense. Se trompait-il ou me mentait-il ? La belle affaire ce serait, vraiment, que de détruire toute une récolte sur la foi d'un esclave dont la compétence commençait à me paraître fort douteuse !

Les panaches de fumée reprirent le lendemain matin, Aratus ayant trié d'autres bottes de foin atteintes par la maladie. Rien d'étonnant à ce qu'un messager arrivât bientôt, de la part de Claudia. L'esclave fut introduit dans ma bibliothèque, avec une corbeille de figues fraîches sous le bras.

— Un cadeau de ma maîtresse, expliqua-t-il. Elle est très fière de ses figues et voudrait que tu les partages avec elle. Il souriait, mais je le voyais aussi regarder avec attention, par la fenêtre, les colonnes de fumée.

— Remercie-la ! J'ordonnai à l'un des esclaves de la maison d'aller chercher Congrio, qui me sembla un peu contrarié d'être convoqué de si bonne heure. Il jeta sur le messager de Claudia un regard oblique, qui me fit soupçonner que quelque chose de fâcheux s'était passé entre eux, lors de son séjour chez Claudia.

— Congrio, dis-je, regarde les splendides figues que Claudia vient de m'envoyer. Que pourrions-nous lui faire parvenir en retour ?

Congrio fut pris au dépourvu, mais finit par suggérer un panier d'œufs.

— Les poules ont exceptionnellement pondu, m'assura-t-il. Des jaunes comme du beurre et des blancs comme de la crème. Des œufs frais sont toujours un trésor, maître.

— Parfait. Emmène cet homme aux cuisines et donne-lui-en.

Comme l'esclave allait quitter la bibliothèque, je le rappelai.

— Au cas où ta maîtresse t'en demanderait la raison, dis-je d'un ton de confidence, les colonnes de fumée qu'elle voit s'élever au-dessus de la colline viennent d'une récolte de foin atteint par une maladie, la « cendre du foin » à ce que dit mon régisseur.

Il approuva de la même manière confidentielle et se retira avec Congrio. La fourniture d'un panier d'œufs ne devait pas prendre trop de temps, mais c'est pourtant une heure plus tard que, me promenant autour de la maison, je vis l'esclave sortir de la cuisine, un panier sous le bras et murmurant quelque chose à l'oreille de mon cuisinier. Lorsqu'il se retourna vers moi, je compris la raison de son retard, car je le vis essuyer d'un revers de main un peu de crème qui restait sur ses lèvres. L'esclave m'aperçut et eut un air coupable, puis se reprit et s'esquiva, avec un sourire un peu gêné.

Le lendemain, j'eus une nouvelle preuve de l'incompétence d'Aratus. Vers la fin de la journée, alors que je montais vers la crête pour y méditer solitairement sur la perte du foin, je vis un chariot tiré par deux chevaux arriver de la voie Cassienne. Lourdement chargé, il s'avançait pesamment sur le chemin, soulevant un petit nuage de poussière, pour s'arrêter finalement près de la maison, le long des cuisines. Congrio sortit alors et entreprit de surveiller le déchargement.

Où était donc Aratus ? C'était à lui de superviser cette opération. Je redescendis la colline et tombai sur un Congrio suant et soufflant, qui essayait d'aider ses assistants à décharger de lourds sacs de millet et des caisses de bois remplies de vaisselle de cuisine. Il était couvert de sueur.

– Congrio ! Tu devrais être à l'intérieur, à tes fourneaux ! C'est le travail d'Aratus !

Il haussa les épaules et dit en grimaçant :

– Je le voudrais bien, maître. Il parlait en bégayant d'émotion et je pouvais voir qu'il était aussi furieux que moi. J'ai demandé cent fois à Aratus de faire venir certaines fournitures de Rome, mais il n'en a rien fait, si bien que j'ai fini par les commander moi-même ; il y avait l'argent nécessaire dans les comptes de la cuisine. Je t'en prie, ne m'en veux pas, maître, mais j'ai pensé bien faire en prenant l'initiative, pour éviter d'avoir à me plaindre de lui devant toi.

– Il n'empêche, c'est à Aratus de surveiller le déchargement. Regarde-toi : tu es aussi rouge qu'un vase de terre cuite et tu écumes comme un cheval après une course. Vraiment, Congrio, ce type d'exercice est trop pénible pour toi. Tu devrais être à tes fourneaux.

– Et laisser Aratus renverser une caisse, pour massacrer ma vaisselle toute neuve ? S'il te plaît, maître, je peux surveiller l'opération moi-même ; j'aime mieux ça.

Je réfléchis un instant, puis acceptai d'un signe de tête.

– Merci, maître, dit-il soulagé. Ça vaut mieux, vraiment. Si on met Aratus là-dessus, on n'en verra jamais la fin. Il m'énerve déjà trop souvent comme ça.

« Et moi de même », murmurai-je à part moi.

Le lendemain matin, je me levai de bonne heure et de bonne humeur, malgré mes ennuis. Je saisis un morceau de pain, mes tablettes de cire et mon stylet, et partis pour le site de mon moulin à eau imaginaire. Je dessinai quelque temps puis, comme le jour se faisait plus chaud, je me pris à somnoler. La vie était bonne, très bonne, même. De quoi avais-je à me plaindre, en fait ? D'autres hommes avaient vécu des vies autrement plus dures que moi ; d'autres pouvaient exhiber de plus grands biens, mais à quoi bon acquérir tant de choses ?.

Je me sentais merveilleusement détendu, comme si mon corps rayonnait de contentement de l'intérieur. Mes pensées allèrent à Bethesda. Trois nuits d'amour à la file ! Il y avait bien longtemps que nous n'avions pas eu tant d'appétit réciproque.

Je me rappelai un moment précis de notre union amoureuse, une sensation particulière, et souris de ce souvenir. Au fait, qu'est-ce qui avait rallumé la flamme entre nous ? Ah oui, la visite du jeune Marcus Cælius, avec sa barbe à la mode. Il était beau garçon après tout, quoique trop malin pour un jeune homme. Catilina aimait à s'entourer de beaux jeunes gens, c'était connu ; un esprit licencieux aurait pu se plaire à imaginer comment le jeune Cælius avait réussi à s'insinuer si profondément dans la confiance de Catilina...

Ces pensées emportèrent rapidement mon imagination, qui se plongea bientôt dans un univers purement charnel, comme cela m'arrive souvent juste avant de trouver le sommeil. J'étais vautré dans l'herbe, comme un animal, et, comme tel, content d'être chauffé par le soleil. C'est alors que j'entendis ma fille m'appeler. Je me redressai sur mon séant, alarmé parce que sa voix, sans ses intonations joueuses, avait un ton d'urgence inhabituel. Elle m'appela de nouveau, de tout près, puis elle apparut en haut de la pente et descendit en courant vers moi, ses petites sandales glissant dans l'herbe luxuriante. Je clignai les yeux et secouai la tête, pas encore réveillé.

— Diane, qu'est-ce qu'il y a ?

Elle tomba assise à côté de moi, reprenant sa respiration.

— Papa, il faut que tu viennes !

— Qu'est-ce qu'il y a ? Qu'est-ce qui se passe ?

— Un homme, papa !

— Un homme ? Où cela ?

— Il est dans l'écurie, papa.

— Oh non, pas un visiteur, encore ? grognai-je.

66

— Non, pas un visiteur, dit-elle en reprenant profondément sa respiration, puis en fronçant les sourcils.

Je m'étonnerais, par la suite, qu'elle ait pu rester si calme, si sérieuse.

— Voyons, parle, qui est cet homme ?

— Je ne sais pas, papa !

— Un étranger ?

Elle croisa les bras.

— Je ne suis pas sûre.

— Que veux-tu dire ? Tu le connais ou tu ne le connais pas ?

— Mais, papa, je ne peux pas te dire si je le connais ou non !

— Et pourquoi non ? dis-je, exaspéré.

— Parce que, papa, il n'a plus de tête !

7

Le corps était étendu sur le dos, dans une stalle vide. Impossible de dire comment il était arrivé là, car la paille alentour avait été brassée puis tassée ; quelques fétus demeurés sur le corps indiquaient que la paille avait été remuée après coup. On ne relevait aucune empreinte de pas ; le corps semblait avoir surgi de terre, comme un champignon.

Il était décapité, comme l'avait remarqué Diane, mais le reste du cadavre était intact, jusqu'aux parties intimes ; sa nudité absolue permettait d'en juger. Je regardai Diane qui contemplait le corps, la bouche légèrement ouverte. Elle avait sans doute déjà vu des cadavres, lors de processions funéraires à Rome, mais des corps sans tête, certainement jamais... Je posai ma main sur sa nuque et la fis tourner doucement vers moi, puis je m'accroupis en la tenant par les épaules. Elle tremblait légèrement.

— Comment as-tu fait pour le trouver, Diane ? demandai-je de la voix la plus égale possible.

— Je me cachais de Meto. Comme il ne voulait pas jouer avec moi, j'étais allée prendre un de ses petits soldats et je cherchais un endroit où le cacher.

— Petits soldats ?

Elle alla rapidement vers un coin de la stalle, fouilla dans la paille, jeta un regard précautionneux sur le cadavre, puis se hâta de revenir. Elle ouvrit la main qui renfermait une figurine de bronze représentant un guerrier carthaginois, avec un arc et

69

une flèche. C'était une pièce du jeu *Éléphants et Archers* ; après son élection, Cicéron avait fait frapper quelques jeux qu'il avait distribués à quelques dizaines de ses amis, en souvenir. J'avais passé le jeu à Meto, qui le gardait comme un trésor.

— J'aurais pu prendre un des petits éléphants, mais je savais que cela le mettrait encore plus en colère, dit-elle, comme si la distinction était importante pour sa défense.

Je pris l'archer de bronze et le manipulai nerveusement.

— Tu es venue toute seule à l'écurie, donc ?

— Oui, papa.

Les garçons d'écurie, me rappelai-je alors, étaient au nord de la ferme, où ils aidaient Aratus à réparer une section de mur endommagée. Aratus m'avait demandé, la veille, la permission spéciale de les distraire de leurs tâches habituelles ; ils avaient donc nourri et abreuvé les chevaux au lever du jour, puis étaient partis aider Aratus avant que la chaleur ne devînt trop forte. S'ils avaient alors aperçu le corps, ils m'en auraient certainement informé. Donc, le cadavre aurait été déposé après le lever du soleil ? Cela paraissait impossible : qui aurait pu traîner un corps dans l'écurie en plein jour ? Peut-être ne l'avait-on simplement pas vu, en raison de sa position au milieu de la paille ?

— Tu l'as dit à quelqu'un d'autre, Diane ?

— Non, papa, je suis venue directement te chercher.

— Bon. Maintenant sortons, en refermant la porte derrière nous.

— Ne devrions-nous pas le couvrir ? demanda Diane, en jetant un œil par-dessus son épaule.

À ce moment, Meto arriva en courant.

— Tu es là, dit-il, petite harpie ?

Diane éclata soudain en sanglots et cacha son visage dans ses mains. Je m'accroupis et passai mon bras autour de ses épaules. Meto avait l'air confus ; je lui rendis le petit soldat de bronze.

— C'est elle qui a commencé ! dit-il avec hésitation. J'ai mieux à faire que de jouer à cache-cache avec elle toute la matinée, mais ce n'est pas une raison pour prendre mes affaires !

70

– Diane, dis-je en la prenant par les épaules et en parlant d'une voix douce, j'ai une mission à te confier. Elle est très simple, mais importante. Je voudrais que tu ailles chercher ta mère. Ne dis rien si elle te demande pourquoi, surtout si l'un de ses esclaves est présent. Dis simplement que je veux la voir venir immédiatement, seule, à l'écurie. Peux-tu faire cela pour moi ?

Les larmes s'arrêtèrent aussi instantanément qu'elles avaient éclaté.

– Je pense, dit-elle.

– Bon. Maintenant cours. Fais vite !

Meto me regardait avec consternation.

– Mais je n'ai rien fait, moi ! D'accord, je l'ai traitée de harpie, mais ce n'est pas ma faute si elle est aussi pleurnicheuse ! Elle m'a pris ma pièce de jeu et elle sait que ce n'est pas bien.

– Meto, reste calme. Quelque chose de terrible est arrivé. Tu as déjà vu des morts ? Apprête-toi à en voir un autre.

Je le conduisis à la stalle vide. Prenez garde au choix de vos interjections, car vos enfants vous les renvoient un jour.

– Par les couilles de Numa ! parvint-il à articuler.

– Ce n'est pas le vieux Numa, je pense. Mieux vaut l'appeler Nemo – « Personne » – jusqu'à ce que nous lui trouvions un meilleur nom.

– Mais qu'est-ce qu'il fait ici ? D'où vient-il ? Est-ce l'un de nos esclaves ?

– Non, j'en suis absolument certain. Regarde sa stature et la couleur de sa peau, Meto. Tu connais nos esclaves aussi bien que moi : ce corps peut-il appartenir à l'un d'entre eux ?

Il mordit sa lèvre inférieure.

– Je vois ce que tu veux dire, papa. Cet homme-là était grand, corpulent et velu.

J'approuvai.

– Tu as vu les poils sur le dos de ses mains comme ils sont drus ? Parmi nos esclaves, seul Rémus a des mains comme ça et Rémus est beaucoup plus petit. C'est aussi un homme plus jeune ; tu vois les cheveux blancs mêlés aux noirs, sur la poitrine de Nemo ?

– Mais comment est-il arrivé ici ? Et qui lui a fait cela ?

– Tu veux dire : qui l'a tué ? ou qui lui a coupé la tête ?

– C'est la même chose, non ?

– Pas nécessairement. On ne peut être sûr qu'il soit mort par décapitation.

– Voyons, papa, tous les gens meurent quand on leur coupe la tête !

Je laissai passer et changeai de sujet

– Je ne lui vois aucune blessure sur le devant du corps, non ? Peux-tu m'aider à le retourner ?

– Oui, bien sûr, dit-il, mais je le vis se forcer pour prendre une de ses jambes, tandis que je saisissais le cadavre sous les épaules. Il frissonna en touchant la chair froide ; moi aussi, d'ailleurs.

Je brossai la paille d'un revers de la main, me reculai et grognai :

– Pas de blessures apparentes dans le dos non plus. Pourtant, ce n'est pas facile de tuer un homme en lui coupant la tête, réfléchis un peu. Il faut l'immobiliser d'une façon ou d'une autre. On l'a peut-être étranglé ou on lui a tranché la gorge au préalable : difficile à dire, car il n'est pas aisé de trouver trace de meurtrissure, au milieu du sang.

Tandis que je m'agenouillais pour regarder de plus près, Meto se recula discrètement et mit sa main devant sa bouche. Il était devenu plus pâle, mais pas autant que le cadavre qui était, lui, aussi blanc que le ventre d'un poisson.

– Il n'a pas été tué ce matin, c'est sûr, fis-je. Le corps est froid et raide et toute sa couleur a disparu. Cela prend du temps. Et puis, regarde la coupure elle-même : vois comme le sang est caillé et la blessure sèche. Plus une blessure est fraîche, plus elle suinte. Elle doit être au moins d'hier, pour être ainsi sèche. Regarde, il n'y a même pas de sang sur la paille. Et pourtant, il n'est pas mort depuis longtemps puisque, même par cette chaleur, le corps n'a pas commencé à sentir trop fort. Approche, Meto, regarde de plus près ; observe la blessure avec moi.

Il obéit, mais avec beaucoup de réticence.

– La blessure nous apprend-elle autre chose ? demandai-je.

Il haussa les épaules et fit la grimace.

– Observe avec quelle netteté on a tranché la tête. Apparemment avec une lame large et très bien affûtée, et d'un seul coup, comme on décapite les poulets sur le billot. Pas de traces de hachage ou de sciage. Si le sang avait continué de couler, tous ces détails auraient disparu, non ? La tête aurait-elle été tranchée une fois le sang séché dans le corps ? Auquel cas, la décapitation ne serait aucunement la cause de la mort. Mais qui s'est amusé à décapiter un corps, pour le cacher ensuite dans mon écurie ?

Je ressentis une poussée d'angoisse, la colère d'être violé dans mon intimité, mais je me dominai, la gorge serrée. Pourtant, dans le même temps, une partie de moi-même était paralysée.

Je me reculai.

– Que savons-nous d'autre ? Tu dis qu'il a l'air assez corpulent, Meto, mais en même temps sa poitrine, ses reins et ses fesses paraissent amaigris, comme d'un gros homme qui aurait maigri brutalement. Il n'a pas l'air en bonne santé.

– Mais enfin, papa, cet homme est mort ! Meto roulait des yeux ahuris.

Je soupirai. Meto était né esclave dans la villa d'un riche et il avait toujours été récompensé plus pour son intelligence que pour son astuce. Je pouvais espérer faire de lui un bon exploitant agricole, mais il ne serait jamais enquêteur. Je persévérai pourtant.

– Que dire de sa situation dans le monde, Meto ? Esclave ou homme libre ?

Meto étudia le corps du haut jusqu'en bas.

– Il ne porte pas d'anneau, déclara-t-il enfin.

– Non, en effet. Mais cela ne nous apprend rien. Il est aussi facile d'ôter l'anneau d'un citoyen que d'en glisser un au doigt d'un esclave. Nemo pourrait aussi bien être un patricien dont l'anneau d'or aurait été dérobé. Mais un anneau laisse une trace plus pâle sur le doigt de celui qui le porte habituellement ; or on ne voit rien de tel, n'est-ce pas ?

Meto secoua négativement la tête.

– Cela ne nous avance pas beaucoup. Ce n'était certainement pas l'esclave d'un maître cruel : pas de traces d'entraves

73

sur ses poignets ou ses chevilles, pas de cicatrices de fouet sur son dos, pas d'empreintes de fer sur sa chair. En somme, il a l'air bien soigné et peu habitué aux travaux pénibles. Regarde : il n'a pas de cals aux mains ni aux pieds, ses ongles sont soignés, sa peau n'est pas hâlée par le soleil. Si seulement nous avions sa tête, nous pourrions en dire davantage...

Les bêtes bougèrent soudain derrière nous. Je sursautai, mais c'était seulement Diane qui arrivait en courant. Un instant plus tard, Bethesda apparut sur le seuil. Elle s'y arrêta un instant, puis s'avança résolument, comme quelqu'un qui s'attend au pire. Lorsqu'elle aperçut le corps, ses narines se dilatèrent, ses yeux s'agrandirent et elle serra les lèvres au point de leur faire perdre toute couleur. Elle remonta sa stole et tapa du pied. Les manières de Bethesda sont souvent impérieuses ou brusques, mais je l'ai rarement vue dans une vraie colère. C'était un spectacle à glacer le plus intrépide des Romains.

– Voilà ! glapit-elle. Même ici ! Tu m'avais dit que la vie serait différente à la campagne ; plus d'émeutes, plus de meurtres, plus de réveils en sursaut dans la nuit en me demandant si mes enfants sont en sécurité ! Ah ! Mensonges, mensonges !

Elle cracha sur le cadavre, puis tourna les talons et sortit de l'étable, soulevant le bas de sa robe pour la protéger du crottin. Meto resta pétrifié ; Diane se mit à pleurer. Dans la porte illuminée de soleil, les particules de poussière dansaient sur les pas de Bethesda. Je regardai à nouveau le cadavre, serrai les poings et marmonnai une malédiction contre les dieux.

Plus tard, je me dis que j'aurais dû taire la découverte du corps à Bethesda ; la vie eût été plus simple. En fait, je n'avais pas le choix ; Diane n'aurait pas pu garder pour elle seule une découverte aussi terrible : après un tel choc, l'enfant aurait eu besoin d'être rassurée et réconfortée par sa mère.

Il paraissait préférable, en tout état de cause, de tenir les esclaves dans l'ignorance. Un incident de cette nature troublerait leurs âmes superstitieuses et saperait mon autorité, les rendant au mieux indociles, au pire dangereux. Il fallait que je me confie à quelqu'un et je choisis Aratus ; il était, après tout, mon intendant. Je ravalai ma méfiance, en me disant que j'avais probablement

74

été injuste à son égard depuis le début. De plus, s'il était complice de cette farce macabre, je pourrais peut-être le lire dans ses yeux. Mais lorsque Meto amena Aratus dans l'écurie, l'émotion sur le visage de ce dernier me parut authentique.

Aratus ne savait rien, n'avait rien vu ; c'est ce dont il m'assura. Il ne dirait rien aux autres esclaves et me le jura. Je lui ordonnai de distraire quelques-uns de ceux qui travaillaient au mur nord, et de les emmener creuser une fosse parmi les ronciers, dans le coin sud-ouest de la ferme, là où la rivière coupe la crête.

L'après-midi même, une fois la fosse creusée, je commandai à Aratus de réunir les esclaves pour un travail collectif dans le coin le plus éloigné de la ferme ; puis Meto, l'intendant et moi-même enveloppâmes le cadavre dans une toile, et le transportâmes en chariot jusqu'à l'endroit où la sépulture avait été creusée. Ensevelir le corps, puis rouler quelques rochers et rétablir les ronciers sur la terre retournée n'était pas une tâche que l'on accomplit de gaieté de cœur. Mais il eût été inconsidéré d'ensevelir un homme sans aucun rite propitiatoire, sous peine d'inviter son lémure [1] à hanter éternellement la ferme. Je veillai donc à ce que l'on enterrât avec lui des haricots noirs et je pris soin de jeter par-dessus mon épaule une poignée de ces mêmes haricots sur la tombe une fois que nous eûmes fini.

De même il eût été inconvenant de confier à la terre un corps, nu, sans tête et anonyme, sans le signaler par quelque ornement. Je décidai de commander à l'artisan du village une petite stèle sur laquelle je fis graver verticalement ces lettres : NEMO. Il ne manqua pas de s'étonner que quelqu'un fît graver une stèle au nom de Personne, mais il accepta mon argent.

La fièvre amoureuse qui nous avait réunis jusque-là, Bethesda et moi, était bien terminée, comme je m'en aperçus ce soir-là. Elle me tourna le dos quand je vins au lit. Insulté et furieux, je quittai la chambre.

Je déambulai longtemps dans la première cour, passant et

---

1. Spectre d'un mort, fantôme, qui revient hanter les vivants parce que le non-respect des rites funéraires l'empêche de gagner l'Hadès (N.d.t.).

repassant auprès du bassin. Je marchai si longtemps que je pus voir l'ombre du toit, projetée par la lune, se modifier doucement sur le dallage. Finalement, je quittai la cour et j'allai voir Meto et Diane dans leurs petites chambres ; je les trouvai tous les deux profondément endormis, apparemment sereins. Je suivis le bref couloir qui conduisait à ma bibliothèque. J'allumai une lampe que je suspendis au-dessus de mon écritoire, pris un morceau de parchemin devant moi et rapprochai l'encrier. Je trempai un roseau taillé dans l'encre et commençai à écrire. Aratus faisait le plus souvent office de scribe : ma main était maladroite et je fis plusieurs taches sur le parchemin avant que le roseau ne fût en ordre de marche. J'écrivis :

À Eco, mon fils bien-aimé, dans sa maison de Rome, salutations de son père dans sa ferme d'Étrurie.

La vie ici, à la campagne, continue d'être remplie de surprises. Elle est loin d'être aussi morne que tu pourrais l'imaginer. Je connais ton amour pour l'agitation de Rome, mais je pense que tu serais surpris de la vie que nous menons.

Rappelle-toi que nous célébrons le seizième anniversaire de Meto, le mois prochain, où il doit revêtir la toge virile. La maison de Rome doit être en son plus bel état pour accueillir les invités. Je fais confiance à ta nouvelle femme pour organiser et surveiller au mieux tout cela ; Bethesda prendra aussi sûrement des dispositions.

Au passage, j'ai un petit service à te demander ; fais-le discrètement, s'il te plaît. Il existe un jeune homme du nom de Marcus Cœlius, protégé de Cicéron et de Crassus ; fais-lui parvenir un message de ma part, en disant : « Le corps sans tête ». Je comprends que cela te paraisse absurde, mais c'est comme une plaisanterie pour initiés ; il comprendra.

Je pense à toi souvent. Tu manques à tout le monde, mais je sais que tu es très occupé en ville. Je pense que tu sais prendre toutes les précautions nécessaires et que tu te tiens à l'écart des ennuis, comme le fait

ton père qui t'aime.

Je restai assis un moment, afin de laisser l'encre sécher, puis je roulai le parchemin et le glissai dans une boîte cylindrique, que je fermai et scellai à la cire, avant d'y imprimer mon sceau. Au matin, j'enverrais un esclave porter le tout à Rome.

Je fis quelques pas dans le jardin d'aromates ; puis je franchis la porte et marchai vers la colline, jusqu'à me retrouver dans le sud-ouest de la propriété, non pas parce que c'était là que l'on avait enterré Nemo, mais parce que c'était le point le plus reculé de mon domaine.

J'avais essayé de fuir Rome, mais Rome me tenait. Dans ce monde, il n'y avait pas moyen de lui échapper.

J'étais assis sur un rocher ; je bouchonnai le pan de ma tunique, la pressai contre ma bouche et hurlai dedans. Je hurlai aussi fort que je pouvais et personne n'entendait – ni Bethesda qui ronflait doucement, ni les esclaves ni Meto ni Diane, endormis sur leur couche. J'avais gardé ce hurlement toute la journée en moi. Quelque chose d'inattendu et de terrible m'était arrivé ; j'avais examiné la situation, appris d'elle ce que je pouvais apprendre, tenté de la contrôler. Mais depuis le moment où j'avais vu le cadavre décapité, tout ce que j'avais réellement envie de faire c'était de hurler, de pousser un cri : le cri furieux du loup pris au piège, de l'aigle mis en cage.

Deuxième partie

Candidatus

1

Durant les jours qui suivirent, je m'attendais à une visite qui n'eut pas lieu. Entre-temps, la vie reprenait son cours normal : les travaux de la ferme continuaient comme d'habitude ; Aratus surveillait les esclaves des champs et travaillait à mes comptes ; Congrio cuisinait ; les esclaves de la maison vaquaient à leurs occupations.

Les jours devenaient plus longs et plus étouffants, et les nuits plus chaudes, excepté dans mon lit où l'atmosphère était glaciale. Bethesda ne me questionna pas une seule fois sur le cadavre de l'écurie ; elle avait décidé une fois pour toutes depuis que je l'avais achetée à son maître, que si mes activités mettaient nos vies en danger, c'était à moi d'y veiller, non à elle. Son éclat, dans l'écurie, avait été exceptionnel et elle se mordrait la langue plutôt que de recommencer. Son mutisme signifiait simplement qu'elle ne voyait pas l'intérêt d'user sa salive pour m'interroger ou me morigéner. Je savais que, en secret, elle était profondément préoccupée.

Son attitude restait froide et distante. J'avais déjà fait l'expérience d'une telle froideur de la part de Bethesda et je m'y étais habitué, mais il s'y mêlait cette fois de la suspicion et de la méfiance, comme si j'étais coupable d'un manquement ou directement responsable de l'intrusion de Nemo. Elle jouait un jeu de patience, pensai-je, attendant que je finisse par lui avouer tout ce que je savais sur le cadavre et les raisons de sa présence dans notre écurie. Plus d'une fois, par une allusion indirecte à ce qui s'était passé, je lui fis comprendre que j'étais prêt à me confier à elle ; mais elle réagit toujours en changeant de sujet, en claquant la porte ou en quittant la pièce, et en menant ensuite une vie terrible à toute la maisonnée.

Meto ne semblait pas particulièrement affecté par l'inexplicable apparition du cadavre. Élevé jusqu'à l'automne dernier dans la maison de Rome, il avait été accoutumé à de telles extravagances. Comme pour Bethesda, ce n'était pas son affaire mais, à la différence de sa mère, il me faisait comprendre tacitement qu'il avait une entière confiance en son père pour traiter ce genre de difficulté. Sa foi en moi était touchante, d'autant plus qu'elle était infiniment plus profonde que ma foi en moi-même.

Diane, en revanche, devenait capricieuse et chagrine, mais la discorde qu'elle percevait entre ses parents en était cause, plus que Nemo. Je faisais de mon mieux pour lui témoigner autant d'attention que je le pouvais ; je lui peignais les cheveux, lui donnais de la crème caillée et du miel – mais elle s'agitait sur mes genoux, renversait par terre toutes les sucreries et se montrait perpétuellement insatisfaite et odieuse avec tout le monde. Je soupirais et me rappelais qu'elle était, après tout, la fille de sa mère.

Dans le même temps, aussi indirectement et subtilement que possible, j'essayais de savoir si les esclaves avaient des informations sur le mystère Nemo – sans résultat.

Le mois de juin tirait à sa fin, quintilis [1] approchait et, avec lui, le fort de l'été. La chaleur brouillait les paysages. La rivière s'amenuisait entre ses rives et sa voix chantante devenait un sourd murmure ; même à l'ombre, il faisait presque trop chaud pour dormir, au cœur de la journée.

Un visiteur finit par arriver. Il ne passa pas par la porte, mais quitta la voie Cassienne là où elle était la plus proche de la crête, dans le coin sud-est de la ferme, et se fraya un chemin entre les ronciers et les chênes verts. Il n'était pas seul, mais

---

1. Cinquième mois de l'ancien calendrier romain, équivalent au début de l'été (N.d.t.).

en compagnie d'une sorte de gigantesque brute aux cheveux couleur de paille, qui paraissait presque trop grande pour son cheval. Ils approchèrent tous les deux lentement et précautionneusement, examinant à distance la maison principale et les champs, avant de venir plus près.

Par chance, je les aperçus avant qu'ils ne me vissent, car j'étais monté sur la crête, cet après-midi-là, et je m'étais assis pour contempler une fois de plus mon domaine. Claudia était venue me rejoindre, quelques moments auparavant, en montant de son côté. Elle portait une longue et ample tunique brune, avec un large chapeau de paille. Nous étions assis à l'ombre, échangeant des propos décousus sur la nourriture des bêtes, l'humeur des esclaves et le temps – rien d'essentiel, car la chaleur était bien trop forte pour confier des secrets ou ranimer les controverses. Ce fut Claudia qui aperçut la première mes visiteurs.

– Eh, Gordien, tu attends de la visite ? Vois, là-bas !

– Où cela ?

– Deux hommes à cheval, au pied de la colline. Non, tu ne peux pas les voir, à cause des arbres, mais maintenant, là, dit-elle en pointant le doigt.

– Qu'est-ce qui te fait dire que ce ne sont pas de mes gens ? demandai-je en continuant de les chercher du regard.

– Parce que, au moment où je montais la colline, de l'autre côté, je me suis assise pour me reposer un moment et je les ai vus sur la voie Cassienne, arrivant par le sud.

– Les deux mêmes hommes ? Tu es sûre ?

– Oui, l'un monte un cheval noir et l'autre, un blanc ; quant à l'homme au cheval noir, il est absolument énorme. Je ne pense pas que tu aies des esclaves de cette taille sur ton domaine.

Je finis par les apercevoir.

– Ah oui, dis-je mal à l'aise, des visiteurs venus de Rome, je crois. (Catilina, pensai-je, est enfin arrivé.)

– Quelqu'un que je connais ?

Je m'éclaircis la voix, cherchant une réponse, tout en essayant de mieux voir les cavaliers. Tout ce que je pouvais distinguer d'eux, c'était leurs épaules et leurs chapeaux à bord rond. Claudia éclata de rire.

– Pardonne ma curiosité ; une habitude de la campagne. Bon, je vais te laisser descendre et accueillir tes visiteurs.

Elle se leva et mit son chapeau.

– Mais la raison pour laquelle ils sont arrivés par les bois comme des bandits, au lieu de passer par la route, cela reste un mystère pour moi. Tu sais vraiment qui ils sont, Gordien ?

– Mais oui, assurai-je.

Mais du diable si j'en avais la moindre idée.

J'attendis qu'elle fût partie, puis me levai et bus un trait de vin de la gourde. Au-dessous de moi, les deux hommes firent de même et je vis une gourde passer entre eux ; ils paraissaient heureux d'être là et de regarder depuis leur point de vue, à l'ombre des oliviers. Je me rassis donc et les observai. Cela dura un bon moment, jusqu'à ce que mon attente se transformât en impatience, puis en colère. Après tout, invités ou non, ils n'avaient rien à faire sur mon domaine sans que je fusse au courant !

Lassé de cette impertinence et résolu à le montrer, je m'apprêtais à descendre la colline pour les affronter, armé de ma seule dignité de citoyen et de propriétaire terrien, lorsque le plus grand se retourna soudain et m'aperçut par-dessus son épaule. Je ne pouvais voir son visage, en raison de l'ombre portée par son chapeau, mais je le vis s'adresser à son compagnon qui tourna lui aussi la tête et regarda dans ma direction. Il signifia alors à l'autre de rester à sa place, descendit de cheval et se mit à gravir la colline.

J'aurais dû comprendre à ce moment-là qui il était, car il semblait connaître le bon chemin pour venir, comme aucun étranger n'aurait pu le faire. Il y avait aussi quelque chose de familier dans son allure et la silhouette de son corps, mais son visage restait caché par le bord de son chapeau. Au moment où il atteignait la crête, je reconnus enfin mon fils aîné. Mais quelque chose me glaça : sa barbe et ses cheveux étaient taillés exactement de la même manière que ceux de Marcus Cælius.

– Eco !

— Papa ! Il ôta son chapeau et me prit dans ses bras, me serrant à me couper le souffle.

— J'espère que tu ne serres pas ta femme aussi fort !

— Pardon, papa, mais je suis si content de te voir ! Sa voix avait toujours ce même grain rauque et voilé, depuis qu'il l'avait retrouvée, neuf ans auparavant, à Baiae, après des années de mutisme.

— Mais que fais-tu ici ? Et pourquoi as-tu cette allure ? demandai-je.

Cette coupe, parfaitement excentrique, était plutôt flatteuse pour Cælius avec ses pommettes hautes et ses lèvres rouges ; mais cela n'allait pas du tout à Eco. Il fronça les sourcils, interrogateur, puis se caressa le menton.

— Ah oui, l'allure ! Tu aimes ?

— Non.

— Ménénia, si, dit-il en riant.

— Un chef de famille ne doit pas prendre une apparence uniquement pour plaire à sa femme, dis-je, tout en pensant aussitôt : « Par les couilles de Numa, voici que je parle comme n'importe quel vieil imbécile de père romain ! » Mais ça ne fait rien, ajoutai-je rapidement, tant que cela ne signifie pas ton adhésion à cette étrange clique.

— Mais de quoi veux-tu donc parler ?

— Je veux dire : tant que la barbe et les cheveux ne sont pas des signes de ralliement à une certaine faction politique...

— Mais non, c'est juste une mode, papa, dit-il en riant et secouant la tête. Je suis venu aussi vite que possible. J'étais absent de Rome quand ta lettre est arrivée, parti à Baiae pour un client (un des Cornelii, tu sais qu'ils paient bien). Lorsque j'ai eu ta lettre, j'ai tout arrangé aussi rapidement que j'ai pu. J'ai emmené Belbo avec moi, au cas où il y aurait de réels problèmes... Ah ! J'ai fait aussi comme tu le demandais et transmis ce message codé à Marcus Cælius, avant de quitter Rome.

— Mais, Eco, je ne t'avais pas demandé de venir !

— Vraiment, papa ? Il me regarda d'un air rusé et tira un parchemin roulé glissé dans sa ceinture. « À Eco, mon fils bien-aimé », « ton père qui t'aime » : tant de sentiment d'un coup m'a aussitôt alarmé. Sans compter ces références particulières aux « surprises » de la campagne et les allusions à la vie excitante qu'on y mène – comme si quelqu'un regardait par-dessus ton épaule et que tu ne puisses écrire le fond de ta pensée. Et pour finir, comme une arrière-pensée tardive, ta demande de passer un message qui ne peut être, effectivement, qu'un code pour initiés, suivie par une invitation à la prudence. C'est très exactement comme si tu m'avais envoyé un mot disant : « À moi, Eco, viens aussi vite que tu peux ! »

– Fais-moi voir cette lettre, dis-je en l'arrachant de ses mains. Tu examines toujours ainsi ta correspondance personnelle, pour lire les messages entre les lignes ?

– Mais enfin, papa, dit-il en haussant les épaules, je suis ton fils. N'es-tu pas content que je sois venu ? N'est-ce pas ce que tu voulais ?

– Si, si, je suis heureux que tu sois là. J'ai besoin de quelqu'un avec qui parler. Je m'assis et saisis la gourde de vin.

Éco jeta son chapeau par terre et s'installa à côté de moi.

– Intéressant, dit-il, cette souche est chaude, bien qu'elle soit à l'ombre. Quelqu'un était-il là avant moi ?

Je secouai la tête et soupirai :

– Ah, pour le meilleur ou pour le pire, tu es bien le fils de l'enquêteur !

– Pas étonnant que je t'aie trouvé la tête à l'envers, dit Eco. Il était assis, pieds nus, dans l'herbe. Tandis que nous parlions, la lumière du soleil et les ombres avaient bougé autour de nous. Je lui avais conté les événements récents, et même plusieurs choses que j'avais oubliées, grâce à ses questions insistantes.

– Ainsi, tu crois que c'est Marcus Cælius qui a fait déposer le corps sans tête dans l'écurie, comme un message ? dit Eco en regardant pensivement vers la ferme.

– Qui d'autre, alors ?

– Peut-être quelqu'un de l'autre bord ? suggéra-t-il.

– Mais quel autre bord ? Là est le problème.

– Tu ne penses donc pas que Cælius représente vraiment Cicéron ?

– Qui peut savoir ? Lorsque je lui ai dit que j'aimerais des assurances de Cicéron lui-même, il a catégoriquement refusé, non sans me donner des raisons. Il ne souhaite aucun lien direct entre Cicéron et moi.

– On peut contourner cela, dit Eco. Tu n'as pas besoin de le faire toi-même. Je peux m'arranger pour faire passer un message à Cicéron, à l'insu de tout le monde, et te faire parvenir la réponse de la même façon.

– Et alors ? Suppose que Cicéron nous assure que Cælius est bien son espion dans le camp de Catilina : même ainsi, peut-il voir vraiment clair dans le cœur de ce jeune homme ? Cælius prétend faire semblant d'être l'allié de Catilina, tout en travaillant secrètement pour Cicéron. Et si c'était un agent double ? S'il était vraiment un homme de Catilina ? Si je marche vraiment dans sa combine, je n'ai toujours pas les moyens de savoir de qui je vais réellement servir les intérêts.

– Mais le cadavre, insista Eco, tu es sûr que c'était un message d'un bord ou de l'autre ?

– Cela me semble parfaitement clair, compte tenu de l'énigme de Catilina rapportée par Cælius – « une tête sans corps ou un corps sans tête » – et du message que je devais lui faire parvenir en cas d'acceptation (« le corps sans tête »). J'hésitais et la chose elle-même est apparue dans mon écurie ! Cinq jours seulement après que Cælius fut retourné à Rome. Un bref délai, avant la manière forte, non ?

« Ce message signifie la même chose, d'où qu'il vienne : je dois faire ce que l'on m'a dit, et accueillir Catilina dans ma maison. Je retardais ma réponse et l'on m'a clairement intimidé, en effrayant ma fille et en bouleversant ma maison.

– Tu penses que c'est Catilina qui a fait le coup ?

– Je ne puis croire que Cicéron s'abaisserait à pareille tactique.

– Cælius a pu le faire à l'insu de Cicéron.

– Qu'importe au fond qui a fait le coup ? Je n'avais pas le choix. J'ai fait parvenir le message par tes soins, parce que je sais que je peux avoir confiance en toi et probablement aussi, oui, parce que je souhaitais dans mon cœur que tu viennes pour me confier à toi. Chose étrange : il n'y a pas eu d'autres répercussions. Cinq jours seulement d'intervalle entre la visite

87

de Cælius et l'arrivée du cadavre dans mes écuries ; mais deux fois plus de temps écoulé depuis, et plus rien.

Eco resta pensif un moment, puis reprit la parole.

– Et si le message – le cadavre – était venu d'une tout autre direction ?

– J'y ai pensé aussi, dis-je en hochant la tête. Tu songes aux Claudii ?

– D'après ce que tu m'as dit, ils conspirent déjà contre toi et ils n'ont guère de scrupules. Qu'est-ce que Gnæus Claudius disait, à propos d'assassins ?

– Il parlait de faire venir des sicaires de Rome et de « laisser un peu de sang sur le sol », ou quelque chose comme ça, à ce que l'on m'a rapporté. Mais comme la plupart des jeunes gens, il parle plus qu'il n'agit, à mon avis.

– Et si ce n'était pas le cas ? Cela correspondrait bien à ce qu'il a dit, de laisser un cadavre dans ton écurie pour t'effrayer.

– Mais pourquoi un corps décapité ? Non, la coïncidence serait trop grande. Et s'il avait voulu tuer quelqu'un pour en venir à ses fins, pourquoi quelqu'un que je ne puis identifier ? Pourquoi pas l'un de ses esclaves, ou même un des miens ? Non, j'ai bien envisagé qu'un (ou plusieurs) des Claudii fût à l'origine de cet incident, mais il n'y a tout simplement aucun indice en ce sens.

Eco réfléchit un moment.

– As-tu questionné tes esclaves ?

– J'ai demandé ce que j'avais besoin de demander : aucun d'eux n'a vu ou entendu quoi que ce fût que je puisse mettre en relation avec ce qui nous occupe.

– Impossible. Pour mettre le corps dans l'écurie sans être vu de quiconque, il faut être parfaitement au courant du travail comme du repos des esclaves ; et connaître cela suppose au moins une complicité de la part de l'un de tes esclaves. Aurais-tu été trahi ?

– Je t'ai parlé de mes querelles avec Aratus, dis-je en haussant les épaules.

– Tu as vécu plus de procès que moi, papa, dit Eco en secouant la tête. Cicéron réduirait en miettes tes soupçons contre Aratus : ils sont sans fondement ; tu ne l'aimes pas, c'est tout.

Nous restâmes assis en silence, nous passant machinalement la gourde de vin qui ne donna plus que quelques gouttes. Eco serra finalement les mâchoires et fronça les sourcils, attitude dont je savais qu'elle précédait une décision.

– Je n'aime pas ça, papa. Je crois que tu devrais quitter la ferme et venir en ville. Tu es en danger, ici.

– Ah ! Quitter la campagne et revenir à Rome pour assurer ma sécurité ?

– Je suis sérieux, papa.

Mes regards se portèrent sur le domaine. Le soleil déclinait rapidement, jetant des lumières orangées sur les champs. Diane et Meto sortirent du vert sombre des bosquets qui bordaient la rivière et se dirigèrent vers la maison.

– Mais l'été est rempli d'occupations, à la ferme, tu sais ? Je fais des plans pour construire un moulin à eau...

– Aratus peut diriger l'exploitation, papa. N'est-il pas là pour ça ? Emmène Bethesda et les enfants ; viens loger chez moi.

– Dans la maison de l'Esquilin ? Elle n'est pas assez grande pour les ménages séparés de Bethesda et de Ménénia.

– Papa...

– Non.

Je levai la main et pris un visage sévère pour lui imposer silence, avant de me radoucir et de lui poser la main sur le genou.

– Tu es un bon fils, Eco, d'être venu aussi vite pour t'occuper de moi ; tu te montres respectueux de tes devoirs, en m'offrant de me loger dans la demeure que je t'ai donnée. Mais je n'irai pas à Rome. Ne te fais pas d'illusions : il me paraît inévitable que Rome vienne à moi.

Nous descendîmes la colline pour éveiller Belbo et conduire les chevaux à l'écurie. Je me sentais soulagé d'un grand poids. Je me dis que c'était le vin, qui est toujours plus léger dans le ventre que dans la gourde ; mais à la vérité, ce sentiment de réconfort et de légèreté venait d'avoir pu me confier à mon fils aîné.

Eco fut accueilli à la maison par des transports de joie. Je n'avais pas perçu jusque-là combien la tension consécutive à la découverte de Nemo avait été grande. Diane bondit dans ses bras, puis Eco la fit sauter sur ses genoux. Je découvris alors, dans un curieux mélange de sentiments, qu'il pourrait – à vingt-sept ans – avoir une fille de l'âge de Diane, et que Ménénia pouvait à présent nous annoncer, d'un jour à l'autre, la venue de mon premier petit-enfant. Meto montra ce mélange de respect et de curiosité que tout garçon éprouve en présence d'un frère de plus de dix ans son aîné, surtout quand celui-ci est un adulte confirmé ; malgré leur différence d'âge et d'origine, ils s'étaient toujours bien entendus. Bethesda complimenta le style capillaire d'Eco et l'accabla sans honte des plus grandes caresses.

Eco voulait repartir à Rome dès le lendemain matin, mais je le persuadai de rester une journée. Je lui demandai de vérifier les comptes d'Aratus, ce qu'il fit rapidement, avant de proclamer qu'ils étaient au-dessus de tout reproche. Je lui montrai mes plans pour le moulin à eau, que j'étais bien résolu à commencer le plus tôt possible, et il suggéra une ou deux améliorations possibles. Comme nous parcourions le domaine, je lui fis remarquer les modifications que j'y avais apportées depuis sa dernière visite et lui parlai des amendements que je projetais.

Ce soir-là, Bethesda se chargea elle-même de la cuisine, préparant exactement le genre de nourriture simple, mais délicieuse, qui avait accompagné la jeunesse d'Eco. Une fois que les esclaves eurent disposé les lits de repos dans l'atrium, la famille se réunit en cercle pour regarder les étoiles monter. On persuada Bethesda de chanter l'un des airs égyptiens de son enfance ; Meto et Diane s'endormirent au son de cette chanson. Sous un ciel sans lune, à l'invitation de Bethesda, Eco parla des menus détails de sa vie domestique à Rome, avec sa nouvelle femme. J'étais assis en silence, heureux d'écouter.

Plus tard, Bethesda réveilla Meto et l'expédia dans sa chambre ; puis elle prit Diane dans ses bras pour la porter au lit, me laissant seul avec Eco.

– Papa, fit-il, lorsque je serai de retour dans la cité, je verrai ce que je peux débrouiller au sujet de Catilina et de Cælius, et de leurs projets. Discrètement, cela va de soi.

– Ne te mets pas en danger !

Il haussa les épaules, dans une attitude où je pus me retrouver, tel que j'étais vingt ans plus tôt.

– Je ne peux pas rester à ne rien faire alors que l'on est train de comploter autour de toi et que l'on cherche à t'impliquer dans une vilaine affaire. Ces gens qui n'hésitent pas à jouer avec des cadavres sont manifestement prêts à tout.

– C'est exactement la raison pour laquelle je n'ai pas d'autre choix que de me soumettre et de marcher ; un homme encerclé par le feu ne peut pas rester à ne rien faire, sous peine d'être sûrement grillé. La seule façon de s'en sortir est de foncer droit dedans pour ressortir de l'autre côté.

– Pour arriver où ?

Je respirai profondément et scrutai les étoiles au-dessus de nous, sans répondre. Eco ne renouvela pas sa question.

Ainsi s'écoula le dernier jour de juin. Au petit matin des calendes de quintilis, Eco et Belbo repartirent pour Rome. Je les accompagnai jusqu'à la voie Cassienne et les regardai s'éloigner, jusqu'à ne plus distinguer que le noir et le blanc de leurs chevaux sur l'horizon poussiéreux qui vibrait déjà de la chaleur du jour.

2

L'après-midi du départ d'Eco, j'entrepris de travailler sérieusement sur le moulin à eau. Aratus, qui avait beaucoup plus d'expérience que moi en ingénierie pratique, révisa mes plans et les estima faisables ; je me félicitai, sans rien en laisser voir, de l'impression marquée que je fis sur lui en cette occasion. Il appela les esclaves qui avaient le plus d'expérience en charpente pour commencer à fabriquer les différents éléments.

Pendant ce temps, Aratus et moi inspectâmes l'endroit que j'avais choisi pour la construction, déterminant les élévations et la largeur de la rivière. J'avais d'abord pensé qu'il me faudrait barrer une petite section du cours d'eau, mais je vis que je pouvais détourner une partie de l'eau en aménageant un chenal sur ma rive. Il n'y aurait nul dommage pour le voisin, excepté un trouble passager de l'eau, durant les travaux. Mais ses lavandières se plaindraient à coup sûr et je n'avais pas envie de voir se renouveler l'altercation qui avait mis aux prises nos esclaves. De plus, il y avait matière à litige entre nous, au sujet de mes droits éventuels à utiliser le cours d'eau. Cela prendrait des mois ou des années et je n'avais pas l'intention d'attendre tout ce temps pour commencer le moulin. Si j'offrais à Publius d'utiliser aussi cette installation, peut-être, pensai-je, serait-il plus réceptif à mon projet ? Il verrait alors le profit qu'il pourrait en tirer. Le plus raisonnable était bien d'aller trouver directement Publius Claudius.

Aucune route n'existait entre nos deux domaines. Étant donné l'état de nos relations, il paraissait un peu osé de franchir la rivière, puis de traverser ses champs jusqu'à la maison, mais il n'y avait pas d'itinéraire plus pratique. Je décidai de prendre Aratus avec moi, accompagné de l'un des esclaves les plus solides, au cas où il y aurait des problèmes. Pour tenir Meto à l'écart, je lui donnai temporairement le rôle d'Aratus et l'envoyai contrôler quelques esclaves qui travaillaient près du mur nord. Il se plaignit d'être laissé à la maison, mais je crus voir que la responsabilité dont je le chargeais lui plaisait quand même.

Nous partîmes au début de l'après-midi. J'espérais bien trouver Publius au calme, l'estomac rempli et la tête un peu étourdie de vin. Je pourrais venir à lui la main tendue, entre voisins. Nos esclaves respectives s'étaient disputées sur la rivière mais, s'il fallait en croire Congrio et ses assistants, Publius lui-même n'avait proféré aucune menace sérieuse contre moi, lors de la réunion de famille des Claudii. Nous pourrions peut-être nous entendre raisonnablement, en évitant ainsi de plus amples désagréments.

Nous franchîmes la rivière et gravîmes la colline. Comme nous approchions des champs, nous croisâmes des esclaves qui se reposaient à l'abri de la chaleur, sous les oliviers et les figuiers. Ils nous regardèrent avec curiosité, mais aucun ne s'opposa à notre passage. Le domaine était beaucoup moins bien tenu que je ne l'avais pensé. Du haut de la colline, il paraissait idyllique, mais la distance masquait en fait une grange dont les structures de bois étaient pourries et un verger dont les arbres étaient atteints de rouille et de gale. L'herbe haute n'avait pas été coupée à temps ; elle montait jusqu'aux flancs de nos chevaux qui y frayaient leur passage en surprenant sauterelles et cigales. Aratus fit claquer sa langue en signe de désapprobation devant l'état du bétail et des enclos : « La saleté à Rome, passe encore, car il y a là un million d'hommes rassemblés et l'on ne peut rien y faire ! Mais à la campagne, tout devrait être propre et net. Tant qu'un homme possède assez d'esclaves, il n'a pas d'excuse pour un pareil désordre. »

J'avais pensé que Publius Claudius était riche ; comment pouvait-il souffrir que son domaine fût tombé dans une telle décrépitude ? Nous mîmes pied à terre et attachâmes nos che-

94

vaux. La demeure était en meilleur état que les granges et les enclos alentour, mais le toit de tuiles avait besoin d'être réparé. En marchant vers la porte, je trébuchai sur une dalle fêlée et faillis tomber ; Aratus me rattrapa par le bras et m'aida à retrouver mon équilibre.

Il frappa à la porte, doucement d'abord, puis plus fort. À supposer que la maison fût accablée par la chaleur du jour, il aurait dû y avoir un esclave pour répondre à la porte. Aratus m'interrogea du regard, lèvres closes ; je lui fis signe d'insister. De l'intérieur parvint alors l'aboiement d'un chien puis le cri d'un homme ordonnant à l'animal de se taire. Je m'attendais à ce que la porte s'ouvrît, mais tout retomba dans le silence. Aratus me regarda de nouveau.

— Allons, dis-je, frappe encore.

Aratus frappa, le chien aboya, l'homme hurla de nouveau, mais ses injures s'adressaient cette fois à nous et non plus au chien.

— Fichez-moi le camp, aboya-t-il, ou je vais vous faire rosser !

— C'est ridicule ! m'écriai-je tandis qu'Aratus s'écartait pour me laisser accéder à la porte. Ton maître a des visiteurs à la porte, ajoutai-je. Ouvre maintenant ou c'est toi qui seras rossé !

Le chien aboya de plus belle. La voix derrière la porte nous maudit et entama une kyrielle de blasphèmes. Il y eut ensuite un hurlement suraigu et les aboiements cessèrent. La porte s'ouvrit enfin et je fronçai le nez : cela sentait la niche, la sueur rance et le chou bouilli. Derrière le petit foyer s'ouvrait un atrium écrasé de lumière, si bien que je n'aperçus d'abord qu'une silhouette, sans en distinguer vraiment les détails ni les traits. Je remarquai des cheveux longs et mal peignés, comme une crinière hirsute, mêlés de gris. Cela avait l'air d'un vieil homme voûté, aux épaules affaissées, mais qui ne semblait ni petit ni malingre. Sa tunique usée était fripée et enfilée à la diable, comme s'il venait juste de la mettre. En le distinguant mieux, je remarquai sa mâchoire, couverte d'une barbe sale de plusieurs jours, et son grand nez charnu. Ses yeux étaient injectés de sang et il les clignait, comme si la lumière lui avait fait du mal.

— Qui es-tu et que veux-tu ? grommela-t-il, la voix embarrassée par le vin.

Par les couilles de Numa, pensai-je, quel esclave portier ! Manifestement, Publius Claudius ne faisait pas plus attention à sa domesticité qu'à l'exploitation de sa ferme.

— Mon nom est Gordien, dis-je ; je possède la ferme qui appartenait autrefois à Lucius Claudius, de l'autre côté de la rivière. Je suis venu parler à ton maître.

— Mon maître ? bah ! dit l'homme en éclatant de rire.

Il rit encore. Il y eut alors, derrière lui, un mouvement dans l'atrium inondé de soleil. Une fille complètement nue, à l'exception d'un vêtement chiffonné qu'elle tenait dans ses mains, s'avança dans la lumière et regarda du côté de la porte, avec de grands yeux étonnés. Elle était jeune, si jeune qu'on aurait pu la prendre pour un garçon, n'eût été l'abondance de ses longs cheveux noirs. Je fis la moue.

— Manifestement, Publius Claudius doit être absent de la ferme pour qu'un tel comportement soit possible dans sa propre maison, dis-je sèchement. L'homme se retourna, vit la fille, lui allongea une claque sur les fesses et tapa dans ses mains.

— Hors d'ici, Libellule ! Remets tes habits et hors de ma vue, ou je vais te rosser. Ah ! Quelles manières, montrer tes fesses nues à des visiteurs ! Reviens seulement et j'ajouterai quelques marques aux empreintes de mes mains !

Il se tourna vers nous, avec un petit sourire de satisfaction. Mû par un pressentiment, je regardai sa main droite et vis qu'il y portait un anneau, pas l'anneau de fer des simples citoyens, mais un large jonc d'or dont l'éclat brillait dans la pénombre.

— Tu dois être Publius Claudius, dis-je, accablé. Mes yeux s'étant accoutumés à la lumière, j'examinai son visage et constatai que c'était bien lui. Je l'avais vu au tribunal, à Rome, mais seulement de loin. Dans sa maison, son allure était tout autre.

— Ah oui, je me souviens de toi. L'homme qui a gagné la propriété du cousin Lucius. Tu avais l'air imbu de toi-même, au tribunal, stupide et fat comme la plupart des types de la ville. Tu as toujours l'air d'un type de la ville.

Je m'approchai ; il était inconvenant de se faire insulter devant un esclave.

— Publius Claudius, dis-je, je suis venu en voisin discuter une petite affaire à propos de la rivière qui sépare nos deux domaines.

— Bah ! dit-il en faisant la grimace. Nous verrons cela au tribunal. Et cette fois, tu n'auras pas ce sac à vent de Cicéron pour venir à ton aide, en tortillant sa langue dans le cul des juges ! Je crois qu'il a déjà la bouche pleine, rien que pour dérider le Sénat.

— Tu parles de façon ordurière, Publius Claudius.

— Au moins, je ne mets pas ma langue où Cicéron fourre la sienne.

— Comme tu l'as dit, Publius, fis-je en surmontant mon dégoût, l'affaire de l'eau sera réglée devant le tribunal. Jusque-là, je n'ai pas l'intention de ne pas utiliser la rivière...

— Oh, j'ai bien vu ! Mais si c'est la querelle entre nos lavandières qui t'a amené ici, laisse tomber ! J'ai fait donner une solide rossée à chacune des esclaves impliquées dans cette affaire. J'espère que tu as fait de même avec tes esclaves, sinon, fais-le promptement : il n'est jamais trop tard. Elles auront oublié ce qu'elles ont fait de mal, mais elles n'oublieront pas la correction si tu l'appliques proprement. Une bonne volée est souvent une bonne solution, même si les esclaves n'ont rien fait de mal, juste pour leur rappeler qui commande.

— Publius Claudius, l'affaire que je suis venu discuter...

— Mais, par Romulus et Rémus, il fait bien trop chaud pour rester ici à parler sur le pas de la porte. Entre donc. Qui est derrière toi, ton régisseur ? Oui, qu'il entre aussi, mais laisse la grande brute à l'extérieur ; tu n'as pas besoin d'un garde du corps pour entrer dans ma maison. Quelle sorte d'homme crois-tu donc que je sois ? Toi, esclave, ferme la porte derrière toi, poursuivit-il à l'adresse d'Aratus.

Publius s'effondra sur son lit de repos. Il n'y avait qu'un seul siège, que je pris ; Aratus, après avoir fermé la porte, resta debout derrière moi.

— Tu excuseras le manque de mobilier, dit Publius. Je n'ai jamais eu de goût pour le luxe. De plus, il faut une femme pour faire une maison agréable et confortable pour les visiteurs, et la seule que j'ai eue est morte un an après notre mariage. Elle a emporté avec elle le seul héritier que j'ai eu, à moins que ce ne soit l'enfant qui l'ait emportée ; ils sont partis ensemble dans l'Hadès, main dans la main, je suppose.

Il plongea le bras sous son lit et en tira une gourde de vin ; il la porta à sa bouche et aspira, mais la gourde ne fit que crachoter.

— Libellule, chantonna-t-il alors, ô ma Libellule, apporte encore un peu de vin à papa !

— Je suis venu te voir, Publius, parce que je me propose de construire un moulin à eau sur la rivière.

— Un moulin ? Tu veux dire un truc avec des roues actionnées par l'eau ? Mais que veux-tu faire d'un engin pareil ?

— Cela peut avoir de multiples usages, pour moudre du grain ou même broyer des pierres.

— Mais tu as déjà des esclaves pour faire tout cela, non ?

— D'accord, mais...

— Libellule ! Apporte-moi encore du vin, sur-le-champ, sinon je vais encore te donner la fessée, ici même, devant les étrangers !

Un moment après apparut la fille, vêtue d'une tunique tachée qui lui laissait bras et jambes nus ; elle portait une gourde de vin pleine. Publius prit la gourde et claqua les fesses de la fille. Celle-ci voulut se retirer, mais le patricien l'attrapa d'une main par les hanches, en tenant de l'autre la gourde qu'il déboucha avec les dents. Puis, tout en sifflant le vin, il glissa sa main sous la tunique de la fille et lui caressa les fesses. « Libellule » restait debout, passive, les yeux baissés, le visage rouge.

— Il peut t'intéresser de savoir que c'est Claudia qui m'a donné l'idée de ce moulin ; elle m'a dit que cela avait toujours été le projet de votre cousin Lucius, de construire un tel moulin.

— Lucius a eu un certain nombre d'idées stupides, dit Publius en haussant les épaules, comme celle de te léguer sa ferme. C'était, comme toi, un type de la ville. C'est-à-dire de l'endroit d'où viennent les stupidités. Mettez un nombre suffisant de fous ensemble, et vous aurez une ville, non ? Alors, les inepties passent de tête en tête, comme les poux. Publius fit avec sa main quelque chose dont la fille sursauta, en ouvrant la bouche.

— Je pensais, dis-je en me levant, que cela pourrait t'intéresser d'une façon ou d'une autre, si je te donnais l'accès au moulin, une fois qu'il sera terminé ; cela pourrait t'être utile.

— Mais pour quoi faire ? J'ai des esclaves, pour moudre mon grain.

— L'eau pourrait faire le travail des esclaves.

— Un moulin est une machine, dit-il ; les machines se cassent et il faut les réparer. Il y a à peine assez d'eau pour un tel engin, surtout dans les mois d'été. Et lorsqu'une machine est inactive, elle ne sert à personne — tandis qu'une esclave peut être utile, même lorsqu'elle est au repos.

Publius fit encore quelque chose avec sa main, et la fille se mit à haleter ; elle voulut s'écarter, puis s'agita convulsivement, en ayant de la peine à rester debout. Une veine enfla sur le front de Publius et ses yeux se rétrécirent ; son épaule et son coude bougeaient bizarrement ; la fille se mordait les lèvres. Publius porta la gourde de vin à ses lèvres et suça l'embouchure, en répandant du vin sur son menton.

— Je vais m'en aller, à présent, dis-je.

Aratus se hâta d'aller m'ouvrir la porte.

— Oh, mais je suis un hôte misérable, s'écria Publius, en avalant ses mots. Je prends mes aises, là, comme chez moi, et je n'ai rien offert à mes hôtes. Que préfères-tu, Gordien, le vin... ou la fille ?

— Je commencerai la construction du moulin à eau dès demain, dis-je sans me retourner. Je veux croire qu'il n'y aura pas d'entrave de ta part.

Sur le chemin, dehors, Publius courut pour me rattraper. Il posa sa main sur mon bras. Je me raidis à ce contact ; son haleine puait le vin ; sa main puait la femme.

— Autre chose, Gordien, un moulin, il faut le construire en partant de rien. Tandis que tes esclaves, tu les fabriques avec toi-même, tes esclaves ! Regarde, la moitié de ceux de cette ferme ont été plantés par moi-même dans le ventre de leur mère. Pas besoin de les acheter, vois-tu, tu les tires de toi-même – c'est autrement plus plaisant, pas vrai ? Et cela ne coûte pas une pièce de cuivre.

Je montai à cheval. Aratus et l'esclave que j'avais amené avec lui firent de même.

– Mais qu'est-ce que ça signifie, Gordien, tu ne veux pas discuter philosophie agraire ? Je pensais que vous autres, types de la ville, amis de sacs à vent comme Cicéron, vous aimiez les bonnes discussions.

Il s'agrippait à moi, trébuchant sur les dalles.

– Tu ne devrais pas tant boire, par un jour aussi chaud, Publius Claudius. Tu vas tomber et te blesser, fis-je, faussement soucieux.

– C'est l'affaire de la rivière qui te gêne encore, c'est ça ? Bah, ce n'était rien ; des chamailleries de bonnes femmes. En fait, oui, tu es bien comme mes cousins le disent : un rien-du-tout de la ville, parvenu au-dessus de sa condition. Rome est dans un triste état si un va-nu-pieds comme toi peut mettre la main sur la ferme d'un patricien et prendre des airs de hobereau campagnard et si un gueux comme ton ami Cicéron peut ramper jusqu'au consulat. Tu as la tête pleine de vent, Gordien. Prends garde à ce qu'on ne te la fasse pas éclater !

Il fit claquer son poing fermé dans sa paume ouverte.

Je fis volte-face. Publius recula, tressaillant et toussant à cause de la poussière soulevée par les sabots des chevaux. Ses sbires, sous les oliviers, dressèrent l'oreille et firent quelques pas rapides dans notre direction.

– Qu'est-ce que tu viens de dire, à propos de tête, Publius ?

– Quoi ?

– As-tu pour habitude de causer quelque dommage aux têtes des autres hommes ?

– Je ne sais pas de quoi tu parles. C'est une façon de dire...

– Et si tu fais sauter la tête d'un homme, Publius, que feras-tu du corps ?

Les sbires entouraient maintenant leur maître. Son hébétude passée, Publius me jeta un regard de méfiance.

– Je crois que tu ferais mieux de débarrasser le terrain,

lança-t-il. Si tu n'apprécies pas mon hospitalité, alors fiche le camp ! Et n'imagine pas que je vais oublier l'affaire des droits sur l'eau. C'est *ma* rivière, pas la tienne !

Je tournai bride, invitant Aratus et mon esclave à me suivre. Nous partîmes au trot, puis au galop à travers les hautes herbes. Même en arrivant à la rivière, je ne ralentis pas, mais pressai le cheval pour franchir les eaux. Une fois rendu sur l'autre rive, je relâchai enfin les rênes et me penchai pour flatter l'encolure de la bête.

Aratus et l'esclave retournèrent à leurs travaux, tandis que je m'attardais près de la rivière, laissant ma jument se désaltérer dans l'eau fraîche et manger l'herbe grasse. Une fois qu'elle eut terminé, je rentrai à l'écurie. Je m'apprêtais à mettre pied à terre lorsqu'un mouvement attira mon attention, sur la grand-route. Je mis ma main en visière et regardai par-delà les champs : deux cavaliers quittaient la voie Cassienne pour prendre la piste qui menait à ma ferme ; l'un montait un cheval noir, l'autre un blanc.

Eco, si tôt de retour ? « C'est qu'il y a des problèmes », pensai-je. Je me précipitai sur la route à sa rencontre. En approchant, je crus reconnaître Eco, à la coupe de sa barbe et de ses cheveux, mais l'autre cavalier, sur le cheval blanc, n'était pas aussi costaud que Belbo. Je stoppai mon cheval et attendis. Les deux hommes avançaient tranquillement, au pas égal de leurs montures, jusqu'à ce que le premier cavalier mît au trot au cheval noir pour arriver jusqu'à moi. Il avait l'air absurdement béat ; il me semblait voir, en fait, un grand sourire approcher, accompagné par un cavalier et un cheval.

Lorsqu'il fut assez près pour que je le visse plus clairement, je compris que j'avais devant moi le parangon de cette mode capillaire devenue si populaire chez les jeunes gens de Rome, car elle ne pouvait convenir à un autre visage, même à celui du beau Marcus Cælius, aussi parfaitement qu'à celui-ci. Le bandeau de barbe et de moustache encadrait idéalement un menton puissant et un nez parfaitement ciselé. La coupe de la chevelure mettait en valeur les sourcils noirs et le front puissant. Ses yeux étaient d'un bleu vif ; j'eus l'impression qu'ils me transperçaient, tandis que l'homme approchait.

— Splendide ! dit-il en arrêtant sa monture puis en embrassant d'un regard circulaire les champs autour de lui. Mieux encore que Marcus Cælius ne me l'avait décrit. Impossible de trouver mieux, n'est-ce pas, Tongilius ? ajouta-t-il à l'adresse de son jeune compagnon en respirant profondément les fragrances suaves de la campagne étrusque. Un magnifique domaine !

Il me tendit avec un grand sourire une main que je pris après un court moment d'hésitation ; sa poignée de main était chaude et vigoureuse.

— Tu dois être un homme heureux, Gordien !

— Sans aucun doute, Catilina, sans aucun doute, approuvai-je en soupirant.

3

Nous nous étions brièvement rencontrés, dix ans auparavant, mais depuis le scandale du temple de Vesta, je n'avais plus eu affaire à lui et je l'avais à peine vu, même lorsqu'il menait campagne sur le Forum – surtout à ce moment-là, d'ailleurs, car la seule vue d'un homme politique approchant avec son cortège de partisans suffisait à me faire détaler en sens inverse.

Retrouver Catilina me rappela immédiatement les circonstances de notre première rencontre, de sorte que je le revis tel qu'il avait été – un homme dans la vigueur de la trentaine, sa barbe et ses cheveux noirs taillés de façon plus traditionnelle qu'aujourd'hui, naturellement, et doté de traits si réguliers que l'on ne pensait même pas à le dire beau. Mieux que beau, il était extraordinairement attirant, doté d'un pouvoir de séduction qui émanait de façon subtile de ses yeux rieurs et du sourire si prompt à apparaître sur ses lèvres.

Le temps, à défaut des affaires humaines, avait été clément pour Catilina ; comme les hommes le disent du vin et des femmes, il avait bien vieilli. Des plis marquaient les coins de sa bouche et de ses yeux, mais ces rides venaient simplement d'une trop grande promptitude à sourire. Ses yeux étincelants et les coins de sa bouche marquaient parfois un peu de fatigue, mais cela leur donnait finalement une suavité et une douceur qui ne le rendaient que plus séduisant. C'était un homme dur, pourtant ; rien d'étonnant à ce qu'on le jugeât si dangereux.

103

– Gordien, dit-il en me tenant toujours la main, après tant d'années. Tu te souviens ?

– Je me souviens.

– Marcus Cælius me l'avait bien dit. Donc, tout est en ordre pour que je vienne ici ?

– Mais... oui, dis-je. Si Catilina avait noté le moment d'hésitation avant ma réponse, il fit semblant de l'ignorer.

– Marcus Cælius m'a assuré qu'il en serait ainsi. C'est gentil à toi de me recevoir.

Je réalisai soudain qu'il avait toujours ma main dans la sienne. Il y avait quelque chose de si naturel et de si décontracté dans sa poignée de main que je ne l'avais même pas remarqué. Je retirai doucement ma main que Catilina relâcha, mais sans me quitter des yeux.

– Voici Tongilius, dit-il en montrant son compagnon, jeune homme athlétique aux cheveux bruns ondulés, le menton rasé pour faire ressortir la fossette qui l'ornait. Je me demandai si le charme de Catilina ne pouvait pas s'apprendre ou s'acquérir par contact, car Tongilius, avec ses yeux verts et son fin sourire, semblait l'avoir aussi à échelle réduite. Il hocha la tête et dit d'une voix très profonde :

– Je suis honoré de rencontrer une vieille connaissance de Catilina.

Je saluai de la tête, en retour. Nous restâmes un long moment silencieux et immobiles tous les trois, sur nos chevaux. C'était à moi de faire un geste d'hospitalité, feint ou non, mais je demeurai confus et dans l'impossibilité de parler. J'avais redouté ce moment mais maintenant je me trouvais étrangement apaisé, presque déçu. Je ne percevais rien de menaçant dans la présence de Catilina.

Ce fut Catilina qui rompit le silence :

– Et celui-là qui arrive derrière toi à cheval, serait-ce ton fils ?

Je me retournai et vis effectivement Meto approcher sur son cheval, venant du mur nord où Aratus venait juste de le relever de la surveillance des esclaves.

– Oui, le cadet de mes deux fils, Meto, dis-je tandis qu'un

léger malaise, au souvenir de la fragilité des enfants, me prouvait que je n'avais pas perdu toute vigilance.

« Meto, nous avons des visiteurs : voici Lucius Sergius Catilina ; et voici son compagnon, Tongilius.

Meto s'approcha, un sourire contraint sur le visage, un peu intimidé de rencontrer un personnage aussi célèbre. Catilina tendit une main que Meto saisit, avec un peu trop de hâte, estimai-je.

— As-tu *vraiment* couché avec une vestale ? demanda-t-il d'une voix qui s'étranglait.

Je restai interdit puis criai : « Meto ! » Mais Catilina renversa la tête en arrière et partit d'un rire si tonitruant que mon cheval fit un écart ; Tongilius était secoué par un rire muet. Meto devint rouge brique, mais il avait l'air plus intrigué qu'embarrassé. Quant à moi, je ne savais pas où me mettre.

— Bon, dit enfin Catilina, je sais maintenant quelle anecdote raconter ce soir, après le souper. Il frotta de sa main les cheveux de Meto, ce qui ne sembla pas lui déplaire.

Si j'avais espéré chasser Catilina avec de la mauvaise cuisine, Congrio rendit ce plan impossible ; il se surpassa ce soir-là, sur les conseils exprès de Bethesda. Celle-ci avait toujours jugé les étrangers sur leur seule apparence et elle appréciait manifestement l'allure de nos deux visiteurs. Nous fîmes donc un souper superbe, composé d'un ragoût de porc accompagné de fèves et d'une marmelade d'abricots.

Après le dîner, Bethesda ne se joignit pas à nous. Depuis que j'en avais fait ma femme légitime, elle était devenue parfaitement consciente de son statut de femme libre et de maîtresse de maison, mais elle n'allait pas jusqu'à imiter les matrones romaines qui se joignent aux conversations d'après-souper avec des hommes étrangers à la famille. Elle se retira donc, emmenant Diane avec elle ; Meto resta. Sa présence me dérangeait, mais je ne voyais aucun moyen facile de m'en débarrasser. Notre hôte, après tout, lui avait promis une histoire.

— Un excellent repas, dit Catilina. Je dois te remercier encore de me recevoir.

– Il me faut t'avouer que j'ai d'abord hésité à t'inviter chez moi, Catilina, dis-je doucement et résolument. Tu es un personnage violemment controversé et j'ai atteint un point de ma vie et de mon destin où je ne recherche plus les difficultés, bien au contraire. Mais Marcus Cælius m'a exposé l'affaire de façon si... convaincante.

– Oui, c'est un jeune homme de talent et d'initiative, très persuasif. Il n'y avait pas trace d'ironie dans la voix de Catilina et l'étincelle dans ses yeux n'était due qu'à leur espièglerie omniprésente.

– Il est éloquent, effectivement, et fort insistant. Il semble aussi savoir qu'un geste puissant peut parler plus fort que de simples mots.

Catilina approuva de la tête, là encore sans faire mine de percevoir le double sens de mes paroles.

– Tu aimes bien les énigmes, dis-je.

– Je le confesse, dit Catilina.

– C'est bien son *seul* vice, dit Tongilius, comme il aime à le dire aux gens.

Il y avait en effet de quoi rire : un homme dont la réputation de dépravation n'était plus à faire ne se reprochait rien de plus vicieux qu'une coupable faiblesse pour les jeux de mots !

– Mais toi, Gordien, je pense que tu es plus enclin à résoudre les énigmes qu'à en inventer.

– C'était mon métier, en effet.

– Alors en voici une facile, dit-il, avant de réfléchir un moment : Un légume comestible sans origine remarquable, transplanté d'une terre rustique dans un endroit couvert de pierres, y prospère contre toute attente et pousse des racines profondes.

– Trop facile, dit rapidement Meto.

– Ah oui ? dit Catilina ; je viens pourtant de l'improviser.

– Le légume est un pois chiche ; l'endroit couvert de pierres est le Forum de Rome.

– Continue !

– La réponse à l'énigme est donc : Cicéron.

– Parce que ?

– Tout le monde sait, dit Meto en haussant les épaules, que

106

le nom de famille de Cicéron vient d'un ancêtre qui avait une grosse verrue sur le nez, comme un pois chiche. Marcus Tullius est né à Arpinum – c'est le « sol rustique » – et il a fait sa fortune sur le Forum, lieu entièrement dallé de pierres. Il y a prospéré, bien que personne ne s'attendît à ce qu'un homme qui ne venait pas d'une famille illustre pût s'élever si haut.

– Excellent ! dit Catilina. Mais les racines ? demanda-t-il en regardant non pas Meto, mais moi-même.

– Son influence, qui va loin et profond.

– Tu as raison, elle était trop facile, concéda Catilina. Il faudra que je me surpasse la prochaine fois. Qu'en penses-tu, Gordien ?

– Oui, dis-je, beaucoup trop clair.

– L'énigme ou son auteur ? demanda Tongilius. Je compris qu'il se moquait simplement de son mentor, pour son amour des calembours.

– Je crois savoir que Cicéron et toi, ça remonte à longtemps, dit Catilina. Quinze ou seize ans ou quelque chose comme ça ?

– Dix-sept. Je l'ai rencontré la dernière année de la dictature de Sylla.

– Ah oui, Cælius me l'a rappelé : le procès de Sextus Roscius.

– Tu as assisté au procès ?

– Non, mais on en a beaucoup parlé, à l'époque. On parlait surtout de Cicéron, mais je me rappelle parfaitement avoir entendu prononcer ton nom, en liaison avec cette affaire, après le jugement. Je suppose que l'on peut dire que Cicéron et toi avez bâti réciproquement votre réputation.

– Le procès de Sextus Roscius a été un moment critique pour tous ceux qui étaient là.

Catilina approuva d'un signe de tête. Il porta sa coupe à ses lèvres et la vida, avant de la tendre pour qu'on la lui remplît. Je jetai un œil rapide alentour et constatai qu'il n'y avait plus d'esclave pour nous servir.

– Meto, va donc chercher l'une des filles de la cuisine, dis-je.

– Pas besoin, dit Catilina, qui se leva et alla jusqu'à la table où la fiasque clissée avait été laissée par Bethesda.

Je regardai avec stupeur un patricien romain se servir du vin, mais Catilina retourna s'allonger, sans avoir apparemment conscience qu'il venait d'accomplir quelque chose d'extraordinaire.

— Ta propre cuvée ? demanda-t-il.

— Du temps de Lucius Claudius, répondis-je, celui qui possédait la ferme avant moi. Et l'un des meilleurs millésimes, je crois.

— Je pense que tu as raison. Le bouquet est riche et profond, mais très rond ; ce vin réchauffe la gorge et le ventre, sans brûler. Je crois bien que je t'en demanderai une petite amphore avant de partir.

— Tu comptes rester longtemps ?

— Un jour ou deux seulement, avec ta permission.

— Je croyais que les élections consulaires requéraient ta présence à Rome.

— La campagne est bien prise en main, dit-il. Mais s'il te plaît, je suis venu ici pour échapper un petit peu à la politique. Parlons d'autre chose.

Meto se racla la gorge et Tongilius s'esclaffa.

— Je pense que l'on a promis une histoire à ce jeune homme...

— Ah oui, l'histoire des vestales, dit Catilina.

— Nul besoin de parler de cette affaire si tu n'en as pas envie, dis-je.

— Quoi ? ! Et puis laisser les autres polluer l'esprit de ce garçon avec leurs propres versions de l'histoire ? Que sais-tu déjà de cette histoire, Meto ?

— Il ne sait rien, dis-je. Je n'ai fait que la lui mentionner en passant.

— Et pourtant, il sait que j'ai été accusé d'avoir couché avec une vestale.

— Et aussi que tu as été acquitté, ajoutai-je.

— Avec ton aide, Gordien.

— Dans une faible mesure, Catilina.

— Ton père est un homme modeste, dit celui-ci à Meto. La modestie est une belle vertu romaine, bien qu'à mon avis, elle soit plus appréciée que pratiquée.

108

– Un peu comme la virginité chez les vestales ? persifla Tongilius.

– Silence, Tongilius ! Gordien n'est pas particulièrement religieux, si mes souvenirs sont bons, mais il n'y a aucune raison d'être impie sous son toit. Il n'est pas nécessaire non plus de calomnier la vertu des vestales pour raconter cette histoire, car nous étions tous innocents, y compris moi. Ah, Meto, cela fait bien longtemps que je n'ai pas rencontré quelqu'un qui ne sait pas tout – ou ne croit pas tout savoir – sur le scandale de la maison des vestales. C'est une rare occasion pour moi de donner ma propre version de l'histoire.

– Comme tu l'as fait au tribunal ?

– La paix, Tongilius ! Non, je ne vais pas répéter tout ce que j'ai dit devant le tribunal, parce qu'il n'est pas besoin de tout dire pour dire la vérité. Je mentionnerai simplement ce qui doit être mentionné.

Il finit sa coupe de vin et s'éclaircit la voix.

– Bien. L'incident a eu lieu il y a dix ans. Il arriva que je m'étais lié d'amitié avec une certaine vestale, du nom de Fabia, après l'avoir rencontrée à plusieurs reprises, aux courses de chars, au théâtre et dans certaines soirées.

– Mais je croyais que les vestales n'avaient aucun contact avec les hommes, dit Meto.

– Il n'en est rien, quoique depuis le scandale dont je parle, leur vie sociale et leurs apparitions en public aient été limitées, afin de prévenir le retour de semblables incidents. Elles ont fait vœu de chasteté, non de réclusion.

« Un soir, je reçus un message urgent de Fabia, me pressant de venir au plus vite à la maison des vestales ; son honneur et sa vie étaient en danger. Comment aurais-je pu refuser ?

– Mais entrer dans la maison des vestales après le crépuscule est puni de mort !

– Quelle meilleure raison pour risquer la mort que de répondre aux appels d'une jeune et jolie vierge ? Ai-je dit auparavant que Fabia était belle ? Très belle, n'est-ce pas, Gordien ?

– Je suppose. Je ne me souviens pas.

– Ha ! Ton père est aussi prudent que modeste, Meto ; je ne le crois pas. Après avoir vu le visage de Fabia, il était impossible de l'oublier ; je ne l'ai jamais oublié. Tongilius, ne fais pas la grimace ! Tu n'as aucune raison d'être jaloux. Mais je reviens à mon histoire.

« Pour répondre à l'appel, je me rendis séance tenante à la maison des vestales. Les portes en étaient ouvertes, conformément à la loi. J'étais déjà allé dans la chambre de Fabia auparavant – de jour et dûment chaperonné, bien sûr – de sorte que je n'eus pas de mal à la trouver. Elle fut extrêmement surprise de me voir, car il se révéla bien vite qu'elle n'avait pas envoyé de message du tout. C'était une mauvaise farce, apparemment jouée par un ami douteux, pensai-je, lorsqu'un cri nous parvint...

– Un cri ? dit Meto.

– Qui venait de derrière un rideau. Celui d'un mourant, comme nous le découvrîmes : j'écartai le rideau pour le trouver gémissant sur le sol, la gorge tranchée, un couteau sanglant à côté de lui. Toute la maison fut bientôt réveillée et, avant que j'eusse pu fuir, la Grande Vestale [1] en personne entrait dans la pièce. La situation était délicate.

– Lucius, dit Tongilius en éclatant de rire, quel don tu as pour la litote !

– La situation n'était pas compromettante, puisque Fabia et moi étions entièrement habillés, mais il n'en restait pas moins que j'étais en un lieu interdit et qu'il y avait un cadavre dans un lieu sacré. Tu connais le châtiment pour de tels crimes, Meto ?

Mon fils fit non de la tête.

– Vraiment, Gordien, tu as négligé l'éducation de ce garçon ! Tu ne le régales pas des anecdotes de nos aventures passées, en t'attardant sur les détails les plus savoureux ? Lorsqu'une vestale est convaincue de liaison indue avec un homme, Meto, l'homme est flagellé à mort en public. Dur et dégradant, mais ce n'est pas le plus terrible : la mort est la mort, après tout. Mais pour la vestale, ah ! pour elle, la fin est infiniment plus cruelle.

---

1. La *Virgo Maxima*, ou Grande Vestale, est la prêtresse suprême du culte du Feu national (N.d.t.).

Meto était littéralement suspendu aux lèvres de Catilina.

— Dois-je vraiment te dire la punition infligée à une vestale coupable d'impiété ? demanda-t-il.

Meto acquiesça d'un signe de tête.

— Voyons, Catilina, protestai-je, cet enfant ne va pas fermer l'œil de la nuit.

— Absurde ! Un jeune homme de son âge adore les images d'horreur et de dépravation. Un garçon de quinze ans dort mieux lorsqu'il a la tête remplie d'atrocités.

— J'en aurai seize le mois prochain, dit Meto, pour nous rappeler qu'il était presque un homme.

— Là, tu vois bien, dit Catilina. Vraiment, tu es trop protecteur, Gordien. Bon, allons-y : premièrement, la vestale est dépouillée de son diadème et de son manteau de lin, puis elle est flagellée par le Grand Pontife [1], chef suprême de la religion d'État, de qui dépendent directement toutes les vestales. Après la flagellation, la vestale condamnée est parée comme un cadavre, enveloppée d'un linceul serré et portée à travers le Forum, suivie par tous ses parents en pleurs, dans une hideuse parodie de ses funérailles. On la conduit ainsi jusqu'à proximité de la porte Colline, où l'on a aménagé un petit hypogée avec un lit, une lampe et une table pourvue d'un peu de nourriture. Un bourreau la fait descendre par une échelle dans la cellule souterraine, mais il ne la touche pas, car sa personne est toujours consacrée à la déesse Vesta et l'on n'a pas le droit de la tuer. L'échelle est ensuite retirée, l'hypogée maçonné et le terrain aplani. Aucun homme ne porte ainsi la responsabilité de lui avoir ôté la vie, comprends-tu ; c'est la déesse Vesta qui s'en charge.

— Tu veux dire qu'elle est enterrée vivante ? demanda Meto.

— Exactement ! En théorie, si le tribunal s'est trompé et si la vestale est innocente, la déesse refusera de lui prendre la vie et elle restera indéfiniment vivante dans son tombeau souterrain. Reste que, comme l'hypogée est scellé, la possibilité d'une rédemption est purement technique ; et Vesta finit certai-

---

1. Le *Pontifex Maximus*, ou Grand Pontife, a laissé son nom au chef de la religion catholique (N.d.t.).

nement par prendre pitié de la jeune fille en la tuant, qu'elle ait été innocente ou non, plutôt que de la laisser vivre éternellement dans un tombeau glacé, seule et misérable.

Meto imaginait la scène avec une répulsion visible.

— Heureusement, ajouta Catilina, ce n'est pas ce qui est arrivé à l'adorable Fabia. Elle est toujours bien vivante et toujours vestale, quoique je ne lui aie pas parlé depuis des années. Nous pouvons rendre grâce à ton père. Vraiment, Gordien, tu n'as jamais raconté cette histoire à ton fils ? Ce n'est pourtant pas se vanter que de dire simplement la vérité. Mais si Gordien est trop modeste, je la dirai pour lui.

« Où en étais-je ? Ah oui, dans la maison des vestales, en pleine nuit, seul avec Fabia et un cadavre tout frais. La Grande Vestale, qui nous avait trouvés, était déjà impliquée elle-même dans un scandale et voulait à tout prix en éviter un autre. Elle envoya chercher de l'aide auprès du beau-frère de Fabia, jeune avocat prometteur et réputé pour son intelligence : Marcus Tullius Cicéron. Mais oui, l'actuel consul en personne ! Qui eût pu alors prévoir son destin ? Cicéron fit quérir... Gordien et c'est ce même Gordien – ton père – qui découvrit l'assassin toujours caché dans la maison des vestales, alors que personne d'autre n'avait pu le trouver ; il avait mal calculé ses possibilités de fuite et fut pris au piège dans la cour, lorsqu'on ferma les portes. Il se cachait – le croiras-tu ? – dans le bassin, parmi les nénuphars, respirant à l'aide d'un roseau creux. Gordien entra dans le bassin et en tira notre homme, crachant de l'eau ; mais l'assassin tira un couteau et je bondis sur lui. Un moment après, l'homme s'empalait sur sa propre lame. Avant de mourir, il confessa tout : c'est mon ennemi Clodius qui lui avait fait tout faire ; il avait envoyé le faux message, m'avait attiré et suivi dans la maison des vestales, où il avait tué son complice temporaire. Ainsi, je serais découvert non seulement dans une situation ambiguë, mais avec du sang sur les mains dans un lieu sacré.

— Mais y a-t-il eu un procès ?

— Si l'on peut dire. L'assassin étant mort, on ne pouvait plus rien prouver contre Clodius. Même ainsi, avec le plus grand bégueule de Rome pour défendre son honneur – je veux dire

112

le jeune Marcus Caton, naturellement[1] – Fabia fut déclarée innocente, tout comme moi. Clodius encourut une telle disgrâce qu'il alla se réfugier à Baiae pour éviter d'être éclaboussé par le scandale. Il n'eut pas longtemps à attendre : cela se passait l'année même de la révolte du gladiateur Spartacus, et la petite affaire de la maison des vestales tomba rapidement dans l'oubli quand survinrent ces événements infiniment plus graves.

« Hélas, Meto ! je crains bien de t'avoir déçu. Il n'y a pas eu de scandale du tout, seulement une machination de mes ennemis destinée au mieux à me déshonorer, au pire à me faire exécuter. Je ne puis me vanter d'être l'homme qui a défloré une vestale, et de vivre pour le raconter, puisque je n'ai rien fait de tel. J'ai seulement triomphé d'une accusation soigneusement montée, grâce à l'aide d'avocats intelligents et d'un homme plus intelligent encore, qui s'appelle Gordien. Quelle ironie du sort, n'est-ce pas, Gordien, que ce soit Cicéron lui-même qui t'ait fait appeler pour résoudre le mystère ? Naturellement, c'était la demi-sœur de sa femme, Fabia, qu'il voulait sauver de la ruine, pas moi. À cette époque, toutefois, nous n'étions pas encore ennemis.

Un long silence suivit. Tongilius commença à dodeliner de la tête, de même que Meto, malgré sa fascination pour le conteur.

– Les jeunes gens ont besoin de dormir davantage que leurs aînés, dit Catilina.

– Absolument. Au lit, Meto !

Il ne protesta pas, se leva et salua respectueusement nos hôtes avant de sortir. Tongilius suivit peu après, pour se retirer dans la chambre qu'il devait partager avec Catilina. Nous demeurâmes tous deux silencieux.

– Eh bien, Gordien, ai-je rendu justice à cette affaire et au rôle que tu y as joué ?

Je restai un long moment avant de parler ; j'observais les étoiles et non mon interlocuteur.

---

1. Il s'agit de Caton d'Utique (95-46 av. J.-C.), parangon de vertu républicaine et de stoïcisme (N.d.t.).

— Je dirais que tu as bien exposé les faits.

— Mais tu n'es pas d'accord avec moi sur le fond.

— Je crois bien que je continue d'avoir des doutes sur le sujet.

— Des doutes ? Je t'en prie, Gordien, sois franc !

— Il m'a toujours paru étrange qu'un homme pût déployer tant d'efforts pour courtiser une jeune femme vouée à la chasteté, sans avoir de motif plus poussé.

— Incompréhension, de nouveau ! C'est une malédiction que les dieux ont jetée sur moi : le visage que le monde voit de moi est rarement mon vrai visage mais souvent son exact contraire.

— Et puis, comment Clodius a-t-il su que tu répondrais à ce message de Fabia inventé de toutes pièces, sauf s'il savait de science sûre que vous étiez un peu plus qu'amis ?

— Autre ironie du sort : nos ennemis sont souvent les meilleurs juges de notre caractère. Clodius me savait sentimental et d'esprit aventureux. Il a donc imaginé le piège le plus hardi qu'il pût concevoir et l'a tenté avec moi. Si j'avais vraiment été l'amant de Fabia, j'aurais senti que le message était faux.

— Je me rappelle que la défense de Fabia a beaucoup insisté sur le fait que, lorsque la Grande Vestale est entrée dans la chambre, elle vous a trouvés tous les deux entièrement habillés...

— Et n'oublie pas que l'assassin a dit la même chose avant de mourir. Avant de tuer son compagnon pour laisser le cadavre requis pour la machination, il devait attendre, sur instructions de Clodius, que Fabia et moi-même fussions entièrement déshabillés, pour que l'on nous découvrît dans cet état. Mais, comme il l'a déclaré : « ils ne songeaient pas à se déshabiller ». Il l'a dit plus d'une fois, tu te rappelles ?

— Effectivement, et je me suis même étonné : premièrement, pourquoi Clodius pensait-il que vous vous déshabilleriez d'emblée ? Deuxièmement, il m'est venu à l'idée que, pour avoir des rapports sexuels, il n'est pas indispensable de se déshabiller entièrement ; il suffit d'arranger ses vêtements autrement.

Mes yeux passèrent des étoiles à Catilina, mais je ne pus rien lire sur son visage. Ses lèvres semblaient esquisser un sourire, mais peut-être ne faisais-je que le rêver.

— En vérité, Gordien, tu es aussi rusé que le meilleur des avocats. Je suis heureux que ce soit cet idiot de Clodius qui ait parlé contre moi, dans le procès, et non toi, car ma défense aurait été mise en pièces. De toute façon, ajouta-t-il en soupirant, tout cela est de l'histoire ancienne maintenant, aussi morte que Spartacus, juste un petit conte pour faire battre le pouls d'un jeune homme comme ton fils...

— Justement, au sujet de Meto...

— Est-ce bien une autre note de mécontentement que je perçois dans ta voix, Gordien ?

— Si tu dois séjourner chez moi, j'aimerais mieux que tu respectes mon autorité de chef de famille.

— T'ai-je offensé en quelque façon ?

— À plusieurs reprises, tu as remis en cause mon autorité paternelle, et tu l'as fait en présence de Meto lui-même. Je comprends bien ton ironie, Catilina, mais Meto risque de prendre tes commentaires pour argent comptant. Je te demande de t'abstenir de me ridiculiser, même par plaisanterie. Je ne veux pas voir mon autorité minée.

Je gardai une voix calme pour dire tout cela, en essayant de parler sur un ton aussi peu passionné que possible. Un long silence suivit.

— Gordien... Mais non, tu vas penser que je cherche de nouveau à te ridiculiser. Pourtant, il faut que je te le dise. Comment pourrais-je saper ton autorité vis-à-vis de ce garçon ? N'importe qui peut constater qu'il t'idolâtre ; cette dévotion est un roc, et mes agaceries sont comme des cailloux qui s'y brisent. Pourtant, je te demande pardon. Je ne voulais pas t'offenser, crois-moi. Tu sais, je suis sérieux quand je dis que les gens se méprennent sur mes pensées.

Je le regardai dans l'obscurité, ne sachant comment recevoir cette dernière remarque.

— Si je me méfie de toi, Catilina, c'est peut-être parce que tu parles par énigmes.

— Les hommes proposent des énigmes lorsqu'ils ne peuvent pas offrir de solutions.

— Tu es un cynique, Catilina.

115

Il rit doucement, cette fois avec une nuance d'amertume, puis dit :

– Contre la laideur irrémédiable de la vie, l'un cherche refuge dans le cynisme, l'autre dans la certitude béate. Qui est Cicéron et qui suis-je ? Non, ne réponds pas !

Il resta silencieux pendant un moment, puis ajouta :

– Je crois savoir que tu es en froid avec Cicéron.

– J'ai toujours gardé mes distances avec lui. Aujourd'hui, je n'ai plus envie de retravailler pour lui. (Ce n'était pas vraiment un mensonge.)

– Tu n'es pas le seul que notre consul a déçu. Pendant des années, Cicéron s'est présenté comme l'indomptable champion des réformes, le nouveau venu d'Arpinum. Mais quand son tour est arrivé d'être aux affaires, il est passé sans hésitation dans le camp opposé et il s'est fait le fantoche des éléments les plus réactionnaires de Rome. C'était une volte-face à faire éclater la tête d'un homme normal, mais il a modifié ses batteries rhétoriques sans sourciller et du jour au lendemain ! Un homme prêt à tout pour se faire élire est un homme sans principes et Cicéron est le pire de tous. Tous ses anciens partisans doués de quelque intégrité – comme le jeune Marcus Cælius – l'ont quitté, tout comme il les a abandonnés pour s'installer au sein de l'oligarchie ; ceux qui sont restés avec lui n'ont pas plus de principes que lui. L'année qui s'achève, à Rome, a été une farce...

– Je n'ai pas été à Rome de toute l'année.

– Tu as fait au moins quelques visites ?

– Pas la moindre !

– Je ne saurais t'en blâmer. C'est un endroit plein de vipères et, pire que tout, c'est devenu une ville sans espoir ; l'oligarchie a gagné, on peut le voir sur le visage des gens. Un petit groupe de familles possède et contrôle tout, et ils feront tout pour éviter de partager leurs richesses. Il y a eu quelque chance de réforme avec la loi Rullienne, mais Cicéron s'y est naturellement opposé...

– Je t'en prie, Catilina ! Cælius t'a sûrement dit que les discours politiques me font l'effet d'une piqûre d'abeille ; cela me donne des enflures et des rougeurs.

116

Bien que son visage fût dans l'ombre, je pouvais deviner ses yeux fixés sur moi. Sa voix reprit :

– Tu es un homme étrange, Gordien. Tu m'invites, moi candidat au consulat, dans ta maison, mais tu ne peux pas supporter de parler du destin de Rome ?

– Tu as dit toi-même que tu étais venu ici pour échapper à la politique, Catilina.

– C'est vrai. Mais je pense que je ne suis pas le seul à poser des énigmes, ici.

Il restait allongé dans l'obscurité, à me regarder. Peut-être n'avait-il pas plus de confiance en moi que moi en lui, mais lequel de nous deux avait le plus de raisons de se méfier ? Je pensai pourtant que je pourrais le piéger en disposant mes paroles en cercle autour de lui, puis en les resserrant.

– L'énigme que tu as posée tout à l'heure était trop facile, Catilina. Mais je m'interroge toujours sur une autre énigme que Marcus Cælius m'a présentée le mois dernier, lorsqu'il est venu me voir. Il disait qu'elle était de toi, de sorte que tu vas pouvoir m'en donner la solution.

– Quelle était cette énigme ?

– Elle était posée de cette façon : « Je vois deux corps. L'un est petit et chétif, mais il a une grosse tête. L'autre corps est grand et fort, mais il n'a pas de tête du tout. »

Catilina ne répondit pas immédiatement. Le contour de l'ombre de ses sourcils et de sa bouche me fit penser qu'il esquissait une grimace pensive.

– Cælius t'a rapporté cette énigme ?

– Oui. Elle m'a plongé dans le plus grand embarras. (C'était, en somme, la vérité.)

– Étrange que Cælius te l'ait répétée ainsi.

– Pourquoi ? Cette énigme est-elle un secret ?

– Pas exactement. Mais les énigmes ont leur temps et leur place, et le moment de proposer celle-ci n'est pas encore venu. Étrange... Je me sens fatigué tout d'un coup, Gordien, dit-il en se levant de son lit de repos. Le voyage a eu raison de moi et je pense aussi que j'ai abusé de la cuisine de Congrio.

Je me levai aussi, dans l'intention de lui montrer le chemin, mais il quittait déjà l'atrium.

— Ne t'occupe pas de me faire réveiller, demain matin, dit-il par-dessus son épaule. Je suis un lève-tôt. Je serai debout avant tes esclaves.

Quelques instants après son départ, la dernière des lampes allumées vacilla et s'éteignit. Je restai un moment appuyé sur ma couche, dans le noir. Pourquoi Catilina s'était-il montré si désireux d'aller se coucher, tout d'un coup ?

Plus tard dans la nuit, je m'éveillai pour aller satisfaire un besoin naturel. Je me levai, sans prendre de vêtement pour me couvrir ; la nuit était chaude. Le couloir d'accès aux latrines longeait la cour intérieure sur un de ses côtés ; par une des petites fenêtres, j'aperçus une forme sombre sur l'un des lits de repos et sursautai.

C'était un corps. J'en fus instantanément certain, bien que le peu de clarté m'empêchât d'en dire davantage. Je regardai la forme inerte et sentis un frisson de peur me parcourir, suivi d'une bouffée de chaleur et d'angoisse : comment pouvais-je éprouver une pareille peur, dans ma maison ? Le corps bougea : l'homme était vivant.

Il tourna légèrement la tête et, dans l'obscure clarté des étoiles, je reconnus le profil de Catilina. En revenant à ma chambre à coucher, je m'arrêtai et le regardai à nouveau ; il n'avait pas bougé. Soudain, il bondit de sa couche. Il commença de marcher lentement autour de l'atrium, en longeant le bassin, les bras croisés et la tête rejetée en arrière. Au bout d'un moment, il retomba sur sa couche et couvrit son visage d'une main, en laissant tomber l'autre bras jusqu'au sol. L'attitude était celle de l'extrême fatigue ou du désespoir, mais ses lèvres ne laissaient échapper ni murmure ni gémissement, simplement la respiration régulière d'un homme éveillé. Catilina réfléchissait.

Je retournai dans ma chambre et me pressai contre Bethesda, qui grogna sans s'éveiller. Je craignais l'insomnie, mais Morphée vint rapidement s'emparer de moi, pour m'entraîner dans les noires profondeurs d'un sommeil réparateur.

4

Je me levai le lendemain matin en m'attendant à trouver Catilina encore au lit, malgré sa prétention à s'éveiller tôt, mais lorsque je regardai dans la chambre qu'il partageait avec Tongilius, je n'aperçus que deux lits vides, leurs couvertures proprement pliées. Quand avait-il dormi – ou avait-il même dormi, tout simplement ?

Peut-être, pensai-je avec une lueur d'espoir, s'est-il senti mal à l'aise et a-t-il décidé de quitter les lieux ? Mais non : l'une des esclaves de la cuisine m'informa que lui et Tongilius avaient déjeuné très tôt, de pain et de dattes, avant de monter à cheval ; ils avaient indiqué qu'ils seraient de retour avant midi.

J'emmenai Aratus et Meto avec moi, et nous descendîmes à la rivière pour continuer nos calculs sur le moulin à construire. Pendant un moment, pris par ce travail, j'oubliai complètement Catilina, puis je commençai à avoir de nouveau des doutes. Il était parti avec Tongilius, mais où et pourquoi ? La fille de cuisine pensait qu'ils étaient partis en direction de la voie Cassienne. Catilina avait dit qu'ils seraient de retour pour midi, donc ils n'avaient pas pu aller très loin. Je n'aimais pas l'idée de voir ma maison transformée en base avancée pour mener des affaires dans la région, de quelque nature qu'elles fussent. Rien de tel n'avait été mentionné par Marcus Cælius. Je me promis de faire part de mon mécontentement à Catilina, attitude qui me paraissait raisonnable. Mais Nemo restait bien présent dans ma mémoire.

J'essayai de chasser ces pensées de mon esprit et de me concentrer sur mon travail, mais je restais distrait et mon irritation ne fit que croître. Le désintérêt manifeste de Meto n'arrangeait rien. Vers la fin de la matinée, il me pria de l'excuser s'il retournait à la maison : la chaleur lui faisait tourner la tête. Je le laissai partir, soupçonnant qu'il était plus fatigué que malade. J'étais moi-même de moins en moins habile avec les instruments d'arpentage et donnais à Aratus de mauvais chiffres que je corrigeais ensuite.

— Arrêtons-nous là, dis-je finalement ; nous reprendrons quand il fera plus frais.

Aratus approuva de la tête et se hâta de rassembler les instruments, puis de partir vers la maison. Il était aussi fatigué de moi que moi de lui, et heureux d'interrompre le travail. Je soupirai, en me demandant quel fermier pourrait réussir avec un régisseur de cet acabit ; pendant un instant, je me demandai même si je n'allais pas m'en séparer, mais la pensée en était si désagréable que je l'abandonnai. J'entendis un bruit et me retournai pour apercevoir Meto débouchant de derrière un chêne. À en juger par son sourire, la fin des travaux de géométrie avait amélioré considérablement son humeur. Puis j'aperçus l'homme qui le suivait et sursautai, pensant qu'un nouvel étranger était apparu à la ferme. Je regardai mieux, intrigué, puis découvris ce qui avait changé.

— Catilina ! Ta barbe !

Il vint jusqu'à moi avec un franc sourire, caressant sa mâchoire rasée.

— Tongilius m'a rasé ce matin, dit Catilina en se frottant de nouveau la mâchoire. Pas mal, compte tenu du peu de lumière.

— Il t'a rasé avant que vous ne partiez ?

Il approuva d'un signe de tête. Mais quand donc avait-il dormi ?

— Mais tu avais l'air si distingué, Catilina !

Mes paroles étaient censées être ironiques, puisque j'avais vu la même barbe sur tous les visiteurs récemment arrivés de Rome.

— Le premier à lancer une mode doit être aussi le premier à la quitter, dit Catilina avec désinvolture.

120

— Les électeurs vont croire que tu es changeant et frivole.

— Les électeurs qui me connaissent auront mieux à faire ; ceux qui me méprisent penseront peut-être que je peux changer, et devraient être plutôt réconfortés, ou au moins désarçonnés. Et je me soucie peu que n'importe quel Romain, ami ou ennemi, me juge frivole.

Il fit un instant la moue, puis releva le menton en regardant vers les frondaisons qui nous abritaient du soleil.

— C'est d'être à la campagne qui change tout ; c'est comme un plongeon dans l'eau froide. Un environnement nouveau impose à l'homme de se donner un nouveau visage. Je me sens rajeuni de dix ans et à mille lieues de Rome. Tu devrais essayer, Gordien.

— D'aller à mille lieues de Rome ?

— Mais non, dit-il en riant, de raser ta barbe !

Meto, qui marchait dans le courant, ne prêtait aucune attention à nos propos. Cependant, Catilina se pencha vers moi en baissant la voix :

— Les femmes aiment quand un homme se laisse pousser la barbe, mais aussi quand il la coupe. C'est le changement qui est excitant, comprends-tu ? Imagine la réaction de Bethesda si tu apparais soudain dans son lit avec un visage rasé. Là, tu vois, tu souris ; tu sais bien que j'ai raison.

Je souriais, en effet, et ris même franchement, pour la première fois de la journée. J'étais soudain à l'aise, ce qui ne manqua pas de me surprendre. Le changement de mon humeur est dû à la fraîcheur de l'ombre et au murmure de l'eau, au répit loin d'Aratus et à la vue de Meto se rafraîchissant les pieds, me dis-je. Cela n'a rien à voir avec le sourire de Catilina.

Meto sortit de l'eau et vint nous rejoindre. En équilibre sur une jambe, il se sécha un pied puis l'autre, avant d'enfiler ses sandales, et vint s'asseoir à côté de moi.

— Alors ? demanda Meto, avec l'air d'attendre quelque chose de moi.

— Alors quoi ?

Catilina se recula un peu.

— Je soupçonne que ton fils imagine que nous avons parlé

ensemble d'une autre affaire. Tu vois, je lui ai dit dans l'écurie que, si tu n'y voyais pas d'objection...

— La mine, papa ! interrompit Meto dans un subit accès d'excitation ; tu sais, la vieille mine d'argent abandonnée, sur le mont Argentum.

— Mais de quoi parlez-vous donc ? dis-je, mon regard allant de l'un à l'autre.

Catilina s'éclaircit la voix.

— Hier, alors que nous remontions la voie Cassienne, j'ai remarqué une piste sur le flanc de la montagne, à l'est. Un peu plus tard, j'ai questionné ton régisseur à se sujet ; Aratus m'a dit que la montagne appartient à ton voisin et que cette piste conduit à une vieille mine d'argent. Ce matin, Tongilius et moi sommes allés y jeter un œil. Un de mes amis, à Rome, pense avoir trouvé des moyens d'exploiter un filon de minerai que tout le monde juge épuisé. Alors, je prête toujours attention aux mines.

— Et tu as vu l'endroit ?

— Non, simplement l'enclos des chèvres, qui n'est pas très loin de la route. Nous avons passé une heure agréable à parler avec le vieux chef chevrier qui semble être chargé des lieux. Il a été tout à fait d'accord pour nous montrer la mine, mais il nous a demandé de revenir plus tard dans la journée, quand le gros de la chaleur sera passé. Le chemin n'a pas l'air facile. Tongilius et moi en parlions en reconduisant nos chevaux à l'écurie et Meto a surpris notre conversation. Il nous a demandé s'il pouvait venir avec nous ; ce n'est pas moi qui ai eu l'idée. Je lui ai dit qu'il devait demander la permission à son père.

— Je peux, papa ? interrogea Meto.

— Meto, tu connais l'état de mes relations avec Gnæus Claudius. Il est hors de question que tu ailles mettre ton nez sur son domaine.

— Ah oui, Gnæus Claudius, le propriétaire, dit Catilina. De ce côté-là, pas de problème : il est loin. Le chevrier m'a dit qu'il est parti vers le nord pour visiter un autre terrain, plus approprié à la mise en culture. C'est une ferme qu'il veut, de sorte que la montagne est disponible à la vente. Le chevrier est donc tout à fait content de me montrer la mine ; je suis sûr qu'il ne verra pas d'objection à ce que Meto vienne avec nous.

– Et sait-il qui tu es ?

– Pas exactement, dit Catilina en fronçant les sourcils. J'ai présenté Tongilius, puis je me suis présenté sous le simple nom de Lucius Sergius. Il y en a plus d'un alentour, non ?

– Mais pas beaucoup avec le surnom de Catilina.

– J'ose dire que non.

– Et il n'y en a qu'un pour porter à la fois le surnom de Catilina et une fine barbe-collier.

– Il n'en existe même plus de ce type, dit Catilina en se passant la main sur le menton. D'accord, Gordien, je n'ai pas été entièrement sincère avec cet homme, mais ce n'est qu'un esclave, après tout. Que je veuille passer incognito, tu ne dois pas en être surpris. Je pense que toi aussi tu préfères cela.

– Mes voisins ne sont pas de tes partisans, Catilina. Bien au contraire. Je doute même fortement que Gnæus Claudius voudrait traiter avec toi s'il venait à savoir qui tu es ; tu vas donc perdre ton temps en visitant cette mine.

– De nos jours, Gordien, il n'est pas indispensable d'apprécier celui avec qui on veut faire des affaires ; c'est la raison pour laquelle il existe des avocats. De plus, ce n'est pas moi qui ferai l'acquisition ; je n'ai pas d'argent, rien que des dettes. La mine m'intéresse pour mon ami et c'est Tongilius qui fera la tractation. Mais à vrai dire, Gordien, nous sommes loin de notre sujet, qui est ma foi tout simple : j'ai l'intention d'aller visiter l'ancienne mine et Meto aimerait venir avec moi ; il m'a dit qu'il n'avait jamais vu de mine. Je sais que son éducation est capitale pour toi ; or, sauf à être immensément riche ou à devenir le dernier des esclaves, combien d'hommes ont l'occasion d'aller voir ce genre d'endroits ? Ce serait une expérience enrichissante.

Je réfléchis, mécontent. Meto souriait en me regardant avec des yeux implorants. Je soupirai et m'apprêtai à accorder ma permission lorsque le souvenir de Nemo envahit ma pensée.

– Hors de question, dis-je.

– Mais, papa...

– Ton père a raison, dit Catilina. Sa décision est le seul

élément qui compte. L'erreur me revient, pour avoir mal posé le problème et ma question. J'aurais dû dire : « Veux-tu m'accompagner, Gordien, et emmener ton fils avec toi ? »

J'allais ouvrir la bouche pour répondre, mais une intuition me dit que, quels que fussent mes objections ou mes arguments, ma réponse finirait par être la même : pourquoi donc gaspiller sa salive et son souffle ? Je me tus un court moment et, sentant les yeux de Meto fixés sur moi, je finis par dire simplement : « Pourquoi pas ? »

Un peu plus tard, dans l'après-midi, une fois que la chaleur eut commencé de se dissiper, je me retrouvai au nord de la voie Cassienne, chevauchant vers l'entrée de la propriété de mon voisin Gnæus Claudius. La barrière était simplement destinée à empêcher les chèvres de gagner la route ; Tongilius mit pied à terre et la maintint ouverte tandis que nous passions.

— Vous n'avez pas besoin de vous présenter, Meto et toi, me dit Catilina alors que nous parcourions le chemin qui menait à la cabane. Je dirai simplement que vous êtes avec moi ; le chevrier s'en contentera.

— Peut-être, dis-je. Toutefois, il ne me paraît pas très honnête d'aller traîner sur un domaine des Claudii sans m'annoncer.

— Ils feraient de même avec toi, rétorqua Catilina très simplement.

« Quelqu'un l'a même déjà fait », dis-je à part moi en songeant à Nemo.

Les collines bordant le pied de l'Argentum s'annonçaient, abruptes, devant nous. Après un tournant de la piste, sur la crête d'une petite butte, nous arrivâmes à la cabane du chevrier. C'était une cabane rustique, faite de pierres équarries et revêtue d'un toit de paille. L'intérieur comportait une seule pièce, partagée – à en croire mon odorat – par tous les chevriers, une dizaine d'hommes d'après les couvertures empilées le long des murs. Ils étaient tous partis travailler, à l'exception de leur chef qui reposait sur un lit aux pieds cassés et aux coussins élimés ; il ronflait calmement.

Catilina l'éveilla doucement en le secouant par l'épaule.

L'homme chassa le sommeil de ses yeux et s'assit ; il tira de sous le lit une gourde de vin dont il avala une gorgée, puis s'éclaircit la voix.

— Te voilà de retour, Lucius Sergius, dit-il. Juste pour voir un vieux trou dans la terre. C'est qu'il n'y a plus grand-chose à voir, comme je t'ai dit. Mais, pour trois sesterces...

Il regardait Catilina par en dessous et redressa la tête.

— Je croyais me souvenir de t'avoir promis deux sesterces, répliqua Catilina ; mais peu importe, tu seras payé.

— Et qui sont ceux-là ? demanda le chevrier en désignant d'un coup de menton nos silhouettes dans l'encadrement de la porte. J'ai vu ton ami Tongilius ce matin, mais ni l'autre homme ni le jeune garçon, à côté de lui.

— Des amis à moi, dit Catilina. Il fit un mouvement qui déclencha dans la bourse qu'il portait à la ceinture un bruit de pièces.

— Mais tes amis sont mes amis ! s'empressa de dire le chevrier avec chaleur.

Il but un long trait de vin en levant sa gourde, puis s'essuya la bouche.

— Bien, qu'est-ce qu'on attend ? Je vais chercher ma mule et nous y allons.

Forfex[1] était le nom du chevrier, baptisé ainsi sans doute en raison de son habileté à tondre son troupeau. Ses cheveux et sa barbe étaient gris et sa peau paraissait brune et tannée comme du vieux cuir. Malgré son âge, il se déplaçait avec l'agilité d'un esclave qui a passé sa vie sur les pentes rocheuses, d'un pied aussi sûr que celui de ses chèvres. L'argent dans sa bourse et le vin dans son ventre l'avaient mis d'excellente humeur.

La piste passait d'abord sous les hautes frondaisons des arbres qui bordaient sur notre gauche un lit de rivière profondément creusé. Nous marchâmes vers le sud, jusqu'à un carrefour où un petit pont traversait le ravin pour mener à la maison principale. À travers les arbres et les rochers, j'aperçus une

---

1. *Forfex* signifie « ciseaux », en latin (N.d.t.).

bâtisse rustique à deux étages, adossée à la colline. Des poules et des chiens vaquaient aux alentours. En nous flairant de l'autre côté du ravin, les chiens se réveillèrent et se mirent à aboyer ; les plus vigoureux coururent dans tous les sens, soulevant des nuages de poussière et faisant s'envoler les poules dans un concert de caquètements. Forfex cria aux chiens de se tenir tranquilles et, à ma grande surprise, ils obéirent.

Nous ne franchîmes pas le pont, mais continuâmes notre chemin dans la forêt pour, finalement, déboucher sur ce qui paraissait un cul-de-sac. Une fois entrés dans la petite clairière, je pus apercevoir un étroit passage, sous les branches basses, qui continuait vers la gauche.

— Il faut mettre pied à terre ici, dit Forfex.

— C'est le sentier qui conduit à la mine ? demanda Catilina.

— Oui.

— Mais comment peut-il être aussi étroit ? Il y eut un temps où bêtes et gens pouvaient y circuler, non ?

— Jadis, oui, mais il y a très longtemps, dit Forfex. C'était une large piste où deux hommes pouvaient marcher de front. Mais une fois la mine épuisée, il n'y avait plus de raison de l'entretenir, sauf pour y mener les chèvres. Il faut mettre pied à terre et laisser les bêtes ici.

Comme j'attachais les rênes de ma monture aux branches d'un arbre, j'aperçus un autre sentier au milieu des frondaisons. Je regardais dans le sous-bois ombreux, lorsque je me rendis compte que Catilina était derrière moi, observant par-dessus mon épaule.

— Un autre sentier, me dit-il à voix basse. Où crois-tu qu'il mène ? Puis il appela Forfex :

« Est-ce un autre accès à la mine ?

— Oui, tout à fait, répondit le vieux chevrier, en hochant la tête. Personne ne s'en sert plus aujourd'hui, sauf peut-être pour aller à la recherche d'un chevreau perdu.

— Où conduit-il ?

— Il descend jusqu'à la voie Cassienne, si mes souvenirs sont bons... Oui, c'est ça : il descend la montagne tout droit vers le sud, puis vers l'ouest, pour aboutir à la route non loin de l'entrée de la ferme de Claudia. On peut ainsi envoyer un esclave directement de chez elle jusqu'à la mine, sans avoir à passer par le nord et l'entrée du domaine de mon maître, comme vous l'avez fait. Mais le sentier n'a pas été nettoyé depuis des années ; il doit être obstrué par des branches mortes et des rochers, je pense. Nous avons eu de rudes tempêtes, en hiver, avec des vents terribles. Il faudra plus d'un esclave pour rétablir cet accès.

— Alors, en venant à cheval de Rome, on passe devant l'embranchement de ce chemin, avant d'arriver à l'entrée principale ? demanda Catilina.

— Oh certainement, c'est même l'une des raisons probables de son aménagement : les esclaves achetés en ville pouvaient ainsi être conduits à la mine le plus directement possible.

Catilina hocha la tête. Forfex le quitta pour aller attacher sa mule. Je crus entendre Lucius Sergius murmurer à mi-voix : « Parfait, parfait, excellent ! »

5

Nous continuâmes à pied. L'étroit sentier était si raide que, par endroits, les pierres avaient été taillées en marches. L'air était immobile et chaud sous les arbres, mais l'on y était au moins protégé du soleil, alors qu'ici... Je me trouvai bientôt hors d'haleine, soufflant comme un bœuf. Meto ne semblait pas souffrir de la chaleur ni de la pente ; il aurait probablement couru tout le long du chemin. Tongilius montrait la même décontraction. Mais tous les deux sont jeunes, me dis-je en moi-même, alors que Catilina a presque mon âge – mais il ne paraissait pas souffrir du tout. Il avait pris une branche morte en guise de bâton et chantait une chanson de marche, à mi-voix, tout en avançant à un rythme soutenu.

La piste principale s'était peu à peu écartée du torrent, mais il me semblait à présent que nous nous en rapprochions, car je commençais à entendre le bruit d'une cascade. Pour aller plus haut, nous allions sans doute être obligés de changer de rive ; je me demandais dans quel état serait le pont. Étant donné la nature du sentier, j'imaginais avec crainte un pont de cordes tendu entre les arbres ; le bruit de la cascade grandissait.

En fait, il n'y avait pas de pont, mais un véritable escalier de pierre vertical, une trentaine de marches taillées dans le rocher. Elles débouchaient sur une sorte de clairière, au-dessus d'une haute cascade. Là, le courant se divisait en filets d'eau sur un large lit de rochers ; nous mouillâmes à peine nos chaussures en le traversant. Tandis que je recueillais de l'eau dans

129

le creux de ma main pour me rafraîchir le visage et m'humecter les lèvres, Meto s'avança jusqu'au bord de la falaise, là où les eaux se rassemblaient à nouveau avant le grand saut ; il regardait l'abîme. À le voir si mince, se détachant ainsi sur le vide, je pris peur à l'idée qu'une bourrasque de vent pourrait le déséquilibrer et le jeter à bas. J'allai à côté de lui et le tirai par la tunique.

— Mais regarde donc, papa !

Les sommets des arbres ondulaient au-dessous de nous ; la pente de la montagne s'élevait à main droite, mais la vue vers le nord était parfaitement dégagée. On pouvait voir la voie Cassienne disparaître à l'horizon poudreux, ses dalles polies brillant comme un ruban d'argent. À l'ouest, le globe rouge sang du soleil était suspendu au-dessus des collines noires.

— Oui, dis-je, quelle vue splendide !

— Mais non, papa, regarde au pied de la cascade !

Je me penchai avec précaution. Les hauteurs ne m'ont jamais fait peur, mais la verticalité de l'à-pic coupait un peu le souffle. La cascade se terminait quelque trente pieds plus bas, au milieu d'une fine poussière d'eau, dans un petit bassin de réception couvert de mousse verte. Ce bassin était bordé de galets roulés, eux-mêmes entourés de hauts arbres dont les racines apparaissaient entre les rochers, comme de gros serpents, avant de plonger dans l'eau. Un frisson me parcourut – pas à cause des rochers ou des arbres, mais à cause des squelettes.

Certains étaient éparpillés parmi les rochers : une cage thoracique éclatée ici, un crâne brisé là, une jambe ou un morceau de colonne vertébrale un peu plus loin. D'autres étaient presque entiers, immédiatement reconnaissables, comme si les dieux avaient planté des hommes parmi les rochers pour les y laisser mourir. Parmi les racines, on voyait ainsi beaucoup plus d'ossements que l'on ne pouvait en dénombrer.

Forfex, enfin parvenu en haut, arriva vers nous hors d'haleine, suant et soufflant. Il jeta un œil dans le vide et vit ce que nous regardions.

— Ah oui, dit-il, vous allez en voir encore davantage, avant la fin de notre ascension.

— Que veux-tu dire ?

130

– Plein d'ossements, encore !

– Des ossements d'hommes ?

– Tu veux dire que tous ces hommes sont tombés ici ?

– Beaucoup d'entre eux, probablement, répondit le chevrier en haussant les épaules. Imagine un homme chargé de minerai d'argent qui sort de la mine pour descendre la montagne. Il arrive ici et doit franchir l'eau, qui est plus haute que cela, la majeure partie de l'année ; il perd facilement l'équilibre, l'eau l'entraîne et le voilà parti dans le vide. Les vautours arrivent et se chargent de la première besogne ; le cadavre décharné est ensuite lessivé par le torrent et par les pluies. Voilà toute l'histoire.

Il rit de nouveau. Pour ce genre d'homme, le malheur d'un autre esclave lui permet seulement de mesurer sa chance personnelle.

– Et puis, il y a ceux que l'on a poussés, ajouta-t-il.

– Volontairement ?

Il mima de ses mains tendues en avant le geste de pousser quelqu'un dans le vide.

– Assassinés ? demandai-je.

– Exécutés. Je me rappelle avoir vu cela une fois, lorsque j'étais tout jeune chevrier, un jour que j'étais venu par ici avec mes chèvres. Ça remonte au temps où le grand-père du jeune Gnæus vivait encore et exploitait la mine, juste avant qu'elle ferme pour de bon. C'était sa façon de punir les fauteurs de troubles, tu comprends. Les esclaves vendus pour les mines sont pour la plupart des voleurs et des assassins, pas vrai ? La vraie lie de la terre, qui n'a rien à perdre ; la condamnation aux mines remplace la condamnation à mort, c'est bien connu. Un maître doit les mener d'une main de fer ; le fouet et les chaînes ne suffisent pas parfois. Il en reste toujours des violents pour se rebeller ou des paresseux pour ne pas faire leur travail. Le vieux maître les punissait ainsi : les surveillants alignaient ici même les coupables, avant de les précipiter sous le regard des autres esclaves rassemblés – en guise d'avertissement sur ce qui les attendait s'ils ne faisaient pas ce qu'on leur avait demandé.

Forfex reprit une gorgée de vin et secoua la tête.

– Et puis, dans les derniers temps, le vieux maître était devenu un peu fou. C'est de famille, tu sais ! Le filon s'épuisait et il accusait les esclaves de ne pas creuser assez ; ce dont il aurait eu besoin, c'était d'un sorcier capable de lui transformer en argent de la caillasse sans valeur, et pas d'un troupeau d'esclaves aux reins brisés. Une foule d'esclaves a été précipitée ici, vers la fin. Puis le vieux maître est tombé malade et la mine a été fermée. Grâce aux dieux, j'étais chevrier et pas mineur, hein ?

Nous restâmes un moment debout, regardant les ossements éparpillés. Forfex esquissa un demi-tour pour partir, mais Meto le retint par le pan de sa tunique.

– Mais les lémures ? demanda-t-il.

– Quoi ? demanda le vieil esclave, secoué par un haut-le-corps.

– Les esprits des morts ! Avec tant de cadavres laissés ici sans purification ni incinération ni sépulture, leurs lémures n'ont jamais dû trouver le repos. Ils doivent être partout autour de nous.

– Bien sûr qu'ils sont là. Mais c'étaient des esclaves vieux et fatigués de leur vivant, alors pourquoi seraient-ils plus puissants une fois morts ?

– Mais ils étaient des assassins, des criminels, et...

– Mon jeune ami, tu es un citoyen, et, de plus, fort et rapide. Qu'as-tu à craindre des lémures fatigués et brisés d'esclaves morts ? De toute façon, il fait encore jour ; c'est la nuit qu'ils arrivent, comme un brouillard sur la terre. Ils viennent ici et jouent avec leurs vieux ossements, utilisant les crânes comme des balles et les osselets comme des dés. On ne me trouvera jamais sur la montagne après le coucher du soleil. Venez, dépêchons-nous, ajouta-t-il en jetant un regard sur le soleil déclinant ; c'est la mine que vous êtes venus voir, non ?

Au-delà de la cascade, le chemin devenait encore plus ardu. La pente rocheuse était dépourvue d'arbres et d'ombre ; çà et là traînaient des ossements humains, comme Forfex l'avait annoncé. Le sentier étroit se tortillait comme un serpent et chaque pas exigeait un effort plus grand que le précédent.

Nous fûmes récompensés par une vue vraiment spectaculaire, infiniment supérieure à celle dont je jouissais depuis ma crête. Loin au-dessous, je voyais ma ferme, comme sur un tableau, entourée par les domaines de Claudia et de ses cousins, mais aussi d'autres fermes, des collines et des forêts à perte de vue. Il me vint à l'idée que, si nous nous pouvions apercevoir tant de lieux différents, il n'y avait pas de raison pour que, inversement, un œil exercé ne nous aperçût pas sur la montagne.

Nous franchîmes ensuite un épaulement dénudé, avant de plonger dans un creux de terrain protégé du soleil et désormais invisible du monde d'en bas. Après avoir contourné un énorme bloc, nous vîmes enfin le trou noir béant. L'entrée était plus petite que je ne l'avais pensé, à peine plus haute qu'un homme, et si étroite qu'elle ne pouvait livrer passage à plus de deux hommes en même temps. L'échafaudage qui l'entourait était en ruine ; les poutres brisées gisaient alentour. Des pics, des marteaux et des ciseaux rouillés étaient abandonnés sur le sol, avec des menottes et des chaînes parmi lesquelles, çà et là, poussaient des fleurs apparemment nées de la sueur des hommes.

Sur la pente, des ossements en grand nombre se mêlaient aux débris des gangues brisées. Là aussi, des squelettes entiers apparaissaient, comme fichés dans les crevasses du rocher.

– As-tu jamais vu une mine en fonctionnement ? me demanda Catilina, si près de moi que je sursautai.

– Non.

– Moi, si, dit-il dans un souffle, le visage sombre, sans la moindre trace de sourire. On ne comprend pas la valeur réelle d'un métal précieux tant que l'on n'a pas vu la source même de ce métal, les agonies et les morts requises pour l'extraire de la terre. Dis-moi, Gordien, quand le poids de cent hommes vaut-il moins qu'une livre ?

– Non, Catilina, pas d'énigme...

– Quand ils sont dépouillés de toute chair et mis en balance avec une coupe d'argent pur. Imagine tous ces ossements rassemblés là-bas et empilés sur une grande balance : quel poids d'argent pur faudrait-il pour équilibrer les plateaux ? Pas beau-

133

coup, sans doute. Penses-y la prochaine fois, lorsque tu presse-
ras tes lèvres sur un gobelet du précieux métal.

« Au moins, il devrait faire plus frais à l'intérieur de la mine,
dit-il en se tournant vers Forfex. Tongilius, tu as apporté les
torches ? Parfait. Viens-tu avec nous, Gordien ?

Je n'éprouvais aucun intérêt particulier pour un trou dans le
sol et j'aurais bien préféré rester assis dehors, à reprendre mon
souffle, mais je pensai soudain qu'une mine abandonnée pouvait être un endroit bien dangereux, spécialement pour un jeune
garçon de quinze ans.

— J'arrive, j'arrive, dis-je avec lassitude.

Dans l'entrée, nous butâmes sur un mur édifié en pierres
jusqu'à hauteur d'épaule.

— Une barrière pour les chèvres, expliqua Forfex.

Une fois l'obstacle franchi, Tongilius s'agenouilla et alluma
une de ses torches qu'il passa à Catilina, puis une seconde
qu'il me donna. Les flammes éclairèrent une chambre étroite
et basse, dont le sol s'enfonçait rapidement dans l'obscurité ;
dans un espace aussi confiné, la poix brûlée dégageait une
odeur âcre.

Catilina ouvrit la marche, suivi de Meto et de Tongilius, puis
de Forfex ; je fermai la procession. « C'est insensé », murmurai-je, songeant combien il était facile à l'un d'entre nous de
glisser et de rouler dans le vide.

— Inutile d'aller très loin, dit Catilina. Je veux simplement
avoir une idée de l'état général de la mine. Quelle est la profondeur de cette galerie ?

— Elle est très grande, dit Forfex. Songe que deux cents
esclaves pouvaient travailler en même temps à l'intérieur. Oh,
l'affaire marchait bien, au début. C'est cette mine d'argent qui
a fait la fortune des ancêtres du jeune Gnæus, vous savez ;
c'est comme ça qu'ils ont pu acheter toutes les terres alentour.
Il fut un temps où la montagne et tout le pays que vous avez
pu voir de là-haut étaient une seule et immense propriété. C'est
ce que l'on dit, au moins. Attention à ta tête, jeune homme !

Meto, attaché aux pas de Catilina, avait failli heurter un bloc
de rocher qui pendait du plafond. Forfex rit.

— J'aurais dû vous prévenir. On appelle cela une « cervelle

134

de mineur », d'abord parce que ça ressemble un peu à un cerveau humain, mais surtout parce que plus d'un mineur distrait y a laissé sa tête. C'est fait d'une roche si dure qu'on ne peut pas la tailler au burin et que ça reste là, prêt à faire éclater le crâne de celui qui s'y frotte de trop près. Si l'on regarde bien la surface, on peut voir une pellicule de sang séché, dessus.

— Il n'y a pas de quoi rire ! Viens, criai-je à Catilina, tu vois que ce n'est pas un endroit pour un jeune garçon. C'est trop dangereux.

— Je commence à regretter de ne pas t'avoir laissé dehors, Gordien, s'esclaffa Catilina, avec un rire que l'écho de la galerie modifiait, comme s'il avait crié du fond d'un puits. Tu es toujours aussi peureux et râleur ? N'as-tu pas le goût de l'aventure ?

— Devons-nous vraiment aller plus loin ? demandai-je.

— Oh, je pense que cela suffira, dit Catilina.

Le sol se releva brusquement et nous débouchâmes dans ce qui nous parut être une petite chambre ovale excavée dans un rocher solide. L'air sentait le renfermé mais il était sec et frais, sans être glacé. Le sol de la chambre était plat. Des ouvertures basses dans les parois donnaient dans plusieurs directions.

— C'est comme une petite salle souterraine, dit Tongilius.

— Comme l'entrée du Labyrinthe du Minotaure, ajouta Meto.

— Il y a plusieurs salles de ce type dans la mine, expliqua Forfex.

— Où mène ce passage-là ? questionna Catilina en se glissant sous le linteau de l'une des ouvertures.

— Attention là, cria Forfex. Puis, très vite, à mi-voix : « Quelle idée ! de tous les passages, il a fallu qu'il choisisse le plus dangereux ! » Attention, s'il te plaît ! On m'a toujours dit de ne pas entrer dans celui-là ! Il y a une grande fosse dans laquelle on risque de tomber. Gare à la chute !

Soudain, du passage vaguement éclairé par la torche de Catilina, on entendit une brève exclamation. Tongilius se précipita.

— Vite, Gordien, apporte ta torche !

Nous nous faufilâmes l'un après l'autre derrière Tongilius,

135

dans l'étroit passage, Meto sur mes talons et regardant par-dessus mon épaule, Forfex le dernier.

— Lucius, qu'est-ce qui se passe ? demanda Tongilius.

— Regarde toi-même, répondit Catilina.

La fosse qui s'ouvrait devant nous était bordée d'une banquette à peine assez large pour tenir debout. Nous y étions tous les cinq, serrés les uns contre les autres. Forfex, qui avait paru jusque-là si insensible au spectacle des ossements humains, eut un recul d'horreur. Catilina le regarda de haut en bas.

— Je croyais que tu connaissais ces mines ?

— Pas cette salle ! Je te l'ai dit : enfant, on m'a toujours mis en garde contre cette partie de la mine ; j'ai toujours cru que c'était une fosse profonde dans les ténèbres.

— Il en serait bien ainsi, dit Catilina, s'il n'y avait pas tous ces squelettes qui la remplissent.

Catilina leva sa torche. Dans la lumière vacillante, les crânes des morts nous regardaient, leurs orbites étrangement animées par les jeux d'ombre et de lumière. Nous avions vu beaucoup d'ossements, déjà : au pied de la cascade, sur la pente de la colline, sur le talus des scories d'exploitation. Mais tout cela n'était presque rien, en comparaison des squelettes entassés dans la fosse immense qui s'ouvrait devant nous. Il y en avait des centaines, plusieurs centaines, sans doute, car il était impossible de sonder la profondeur réelle de la fosse. Les animaux cavernicoles les avaient parfaitement nettoyés, car ils étaient aussi blancs que ceux de la cascade. Leur nombre confinait à l'irréel ; la grotte était très sombre et nos lumières bien petites ; les torches fumaient et crachotaient, dégageant une âcre odeur de poix brûlante.

— Mais d'où viennent-ils ? demandai-je.

— Ce doit être... (Forfex fronça les sourcils et se frotta la mâchoire.) Il y a toujours eu des rumeurs, à ce sujet, mais je ne pensais pas que cela s'était produit dans la mine. Je pensais qu'il y en avait assez, avec les squelettes de l'extérieur, dans les scories.

— De quoi parles-tu ? demanda Catilina.

— J'ai toujours entendu dire que, lorsque la mine avait été fermée, le maître avait vendu les esclaves dont il voulait se débarrasser à d'autres propriétaires de mine ou à des armateurs de galère, à Ostie. Mais je me rappelle avoir entendu de la bouche de certains vieux chevriers que le vieux maître ne s'était pas du tout soucié de vendre ses esclaves de la mine ; il s'était débarrassé d'eux définitivement, en bloc. On a dû fermer les autres issues et les pousser ici, par la porte...

À ce moment, quelque chose bougea dans le tas d'ossements ; il y eut comme un froissement puis un bruit creux et sonore, suivi d'un autre bruit inquiétant, une sorte de grognement ou de plainte. Un rat, pensai-je, et un appel d'air venu de quelque faille cachée. Mais Forfex fut pris d'une autre idée.

– Par Pluton, s'écria-t-il, soudain terrifié, les lémures !

Il fit volte-face et détala, bousculant Meto qui serait tombé dans la fosse si je ne l'avais retenu par le bras.

– Les lémures ! cria de nouveau Forfex, parvenu dans la chambre excavée dans le roc, avec une telle expression d'épouvante dans la voix que l'on se demandait s'il en avait vraiment rencontré ou si ce nouveau cri n'était que la répétition du précédent.

Nous nous hâtâmes de quitter la funèbre caverne pour regagner l'antichambre. Catilina et moi levâmes nos torches, mais la salle était déserte ; Forfex était déjà loin. Du passage que nous avions descendu, nous entendîmes l'écho propager encore une fois « Les lémures ! », avec un bruit de gravier roulé, puis une nouvelle fois « Les lémures ! », puis un choc violent et sourd, accompagné de bruits de gravier, puis le silence absolu. Nous nous regardâmes en silence, nous demandant ce qui était arrivé à Forfex. Dans la lueur blafarde des torches, nos visages étaient pâles, comme vidés de sang.

– Vous pensez que c'était..., commença Tongilius.

– La « cervelle de mineur », dit Meto.

– Sans doute, approuva Catilina.

Il brandit sa torche et dirigea la remontée. Je soupirai de soulagement en apercevant les premiers signes de la lumière extérieure. Un peu plus loin, nous découvrîmes Forfex, près de l'excroissance rocheuse qu'il avait appelée la « cervelle de mineur » ; il gisait sur le dos, essayant en vain de se relever.

Tongilius et Meto l'aidèrent à se remettre sur ses pieds, puis à remonter la pente. Ses cheveux et son visage étaient recouverts de sang et de poussière ; dans la lumière des torches, il avait l'air d'une sorte de démon ivre, trébuchant, les yeux fermés, les mains tendues en avant. Abasourdi par le choc, affaibli par sa blessure, il grelottait de peur. Nous réussîmes quand même à lui faire franchir le mur qui barrait l'accès à la mine ; Tongilius m'aida à passer, puis sortit le dernier.

Tongilius s'occupa de la blessure de Forfex, la nettoya avec du vin de sa gourde en apaisant ses plaintes, puis arracha une bande de tissu de sa tunique pour bander la tête du vieux chevrier. S'il nous avait conduits là-haut avec désinvolture, le retour fut beaucoup moins allègre. Tour à tour, nous dûmes le soutenir par les épaules ; s'il pouvait tout juste placer un pied devant l'autre, il semblait incapable de se diriger.

Les ombres commençaient à s'allonger ; criquets et cigales entamaient leur vacarme étourdissant. Forfex délirait doucement et sursautait à chaque passage d'ombre en murmurant : « Les lémures ! » Peut-être voyait-il des choses qui n'existaient pas ? Peut-être, ayant approché lui-même Pluton, ses sens percevaient-ils les esprits errants que nous autres ne pouvions pas voir ?

Nous arrivâmes enfin à l'endroit où nos chevaux étaient attachés et décidâmes de laisser sur place la mule de Forfex, trop lente. Catilina prit le vieux chevrier sur sa monture, en le tenant devant lui. L'homme gémissait et se plaignait de la tête lorsque nous allions au galop, puis se calmait et murmurait de temps en temps : « Les lémures ! », quand nous passions à l'ombre ou près d'une tête de rocher.

Une lumière jaune brillait par la porte ouverte de la cabane du chevrier ; de l'enclos, derrière, montait le bêlement des animaux rassemblés pour la nuit. Catilina et Tongilius mirent pied à terre et aidèrent Forfex à descendre de cheval. Un esclave aux yeux écarquillés passa la tête par la porte et nous regarda stupéfait, mais au lieu de venir à notre rencontre ou d'aider le blessé, il disparut promptement à l'intérieur. L'instant d'après, la raison de sa timidité s'encadrait dans la porte de la cabane.

J'avais vu Gnæus Claudius plusieurs fois au Forum, pendant

138

notre procès. Il était difficile de ne pas le reconnaître du premier coup, avec sa tignasse d'un roux flamboyant et son visage sans menton. Ce visage était empreint d'une expression d'aigreur permanente, comme s'il en voulait au Destin de lui avoir refusé tout charme et qu'il fût résolu à mettre en vedette ses attributs les plus laids, comme sa voix perçante et criarde.

— Forfex, glapit-il, où étais-tu, par Pluton ?

Le vieux chevrier se dégagea pour s'avancer vers son maître, la tête humblement courbée comme pour lui montrer la blessure qu'il avait reçue dans la mine.

— Maître, je pensais que tu ne reviendrais pas avant...

— Et toi, qui es-tu ? demanda Gnæus en fixant durement Catilina.

— Mon nom est Lucius Sergius, répondit celui-ci. Je suis venu de la ville...

— Un Sergius, eh ? dit Gnæus avec aigreur. Il cracha par terre et grommela, reconnaissant la présence d'un patricien comme lui. Et qu'es-tu allé fricoter avec mon esclave en pénétrant dans mon domaine en mon absence ?

— Le chevrier nous a simplement montré la mine abandonnée, là-haut sur la montagne. Tu vois, je...

— La mine ? Par l'Hadès, pourquoi es-tu allé fouiner autour de ma mine ?

— Je pensais que la propriété pourrait être à vendre.

— Vraiment ? Et tu t'intéresses aux mines d'argent ?

— Mon associé, oui.

Gnæus cracha de nouveau par terre.

— Tu n'avais pas à pénétrer dans mon domaine.

— Forfex m'a assuré qu'en ton absence il était autorisé à...

— Forfex est aussi menteur et puant que ses chèvres, « Autorisé », mon cul ! Personne ne vient rôder sur mes terres lorsque je ne suis pas là. Il le sait bien, n'est-ce pas, Forfex ? Ne recule pas lorsque je lève la main sur toi ! Mais qu'est-ce que j'entends ? Un bruit métallique ?

Il donna une bourrade au chevrier, qui recula en couvrant sa tête de ses mains.

— J'entends un bruit métallique ! cria Gnæus.

Il attrapa le chevrier par sa tunique et découvrit la petite bourse d'où il tira les trois sesterces qu'il jeta aux pieds de Catilina.

— Je te serais reconnaissant de ne pas corrompre mes esclaves ! Ils sont assez indociles comme ça !

Il gifla Forfex en plein visage, assez fortement pour que le vieux chevrier reculât et s'effondrât sous le coup.

— Gnæus Claudius ! s'exclama Tongilius. Ne vois-tu pas que l'esclave est déjà blessé ! Il perd son sang !

— Et qui es-tu, toi, mon joli freluquet ? dit Gnæus avec dérision. Qui sont tous ces étrangers que tu as amenés avec toi pour envahir mon domaine, Lucius Sergius ?

Pour la première fois, Gnæus parut me regarder, ainsi que Meto ; mais il ne manifesta aucun signe de reconnaissance ; dans la pénombre grandissante, il ne pouvait me distinguer vraiment.

— Gnæus Claudius, dit Catilina, mon intérêt n'a rien que de très légitime. Mon associé, à Rome, recherche activement des mines de toute nature ; il paie bien pour les propriétés dans lesquelles il estime intéressant d'investir. Je voulais donc simplement jeter un regard rapide sur ta mine. Si j'avais su que l'esclave n'avait pas le droit d'agir en ton nom, je n'aurais jamais mis les pieds sur ton domaine.

Ce discours parut apaiser Gnæus qui se mit à réfléchir en suçant l'intérieur de ses joues, comme s'il voulait les mastiquer. Il dit, au bout d'un moment :

— Et que penses-tu de ma mine ?

— C'est très encourageant, dit Catilina en souriant.

— Oui ?

— Je crois que mon associé pourrait être intéressé.

— Elle a été fermée il y a bien des années.

— Je sais. Mais mon associé a des ingénieurs qui savent comment faire rendre à la terre ce qu'elle a en réserve, même lorsqu'un filon semble épuisé. Le prix qu'il propose tient toujours compte de l'état réel de la mine. Il enverra probablement quelques-uns de ses esclaves techniciens pour examiner les choses de plus près, avant de se faire une opinion, pour peu que je lui recommande l'affaire, naturellement.

— Tu penses donc que la mine pourrait valoir...

– Malheureusement, Gnæus Claudius, la nuit approche. J'ai eu un après-midi long et fatigant. Le parcours jusqu'à la mine est dur, comme tu sais. J'ai besoin de manger et de me reposer. Nous pourrons peut-être reprendre cette discussion une autre fois.

Catilina remonta à cheval, imité par Tongilius.

– Tu as un endroit où loger, alors ? Sinon..., dit Gnæus.

– Oui, un excellent gîte, pas trop loin d'ici.

– Je peux peut-être t'accompagner à cheval...

– Inutile. Nous connaissons le chemin. En passant, je te conseille de faire soigner la blessure de ton chevrier. Il a eu un grave accident – pas du tout par sa faute ; il faisait simplement de son mieux pour me rendre service. Ce serait dommage de perdre un tel esclave, simplement parce qu'une blessure reçue pour le service de son maître n'a pas été proprement soignée.

Nous partîmes, laissant Gnæus nous observer avec sur le visage une expression mélangée de cupidité et d'incertitude. Juste avant le tournant du chemin, je regardai en arrière et je le vis lever le bras, puis frapper en pleine tête le malheureux chevrier, recroquevillé de terreur.

— Ce Gnæus Claudius, quel type épouvantable ! dit Catilina. Tous tes voisins sont-ils aussi terribles ?

— Je trouve. Mais peut-être pas tous, dis-je en pensant à Claudia. L'eau est-elle assez chaude pour toi ?

— Mais oui.

— Et pour toi, Tongilius ?

— C'est parfait.

— Je peux appeler un des esclaves pour qu'il remette du bois dans le fourneau...

— Oh non ! Davantage de chaleur et je fonds ! soupira Catilina en se laissant couler dans la baignoire jusqu'à ce que sa tête seule dépassât de l'eau fumante.

Mon vieil ami Lucius Claudius avait équipé sa maison de bien des luxes propres à la cité, dont une installation de bains complète avec trois salles[1]. En règle générale, en été, je trouvais la température extérieure trop chaude pour utiliser les deux premiers et je préférais prendre l'éponge et la strigile[2] pour aller me baigner dans la rivière. Mais Catilina avait suggéré que les esclaves allument le fourneau situé entre la cuisine et les bains et remplissent d'eau chauffée les bassins de marbre. Nous avions enlevé nos tuniques souillées et commencé par le

---

1. On aura reconnu le *tepidarium*, le *caldarium* et le *frigidarium* des grands thermes (N.d.t.).

2. Sorte de spatule recourbée à l'aide de laquelle on raclait la sueur et les impuretés du corps pendant le bain (N.d.t.).

bain tiède, avant de passer dans les bassins chauds de la pièce voisine. Catilina et Tongilius s'étaient décrassé le dos à tour de rôle avec une strigile d'ivoire. Meto ne s'était pas joint à nous, malgré son envie de rester éveillé et d'écouter la conversation des adultes. Ses courses de pierre en pierre et ses allées et venues sur la piste de la mine commencèrent à se faire sentir à table, et il bâillait et somnolait déjà sur son lit, avant même que le dessert d'oignons coupés en dés n'arrivât sur la table. Lorque le repas avait été terminé, Bethesda l'avait réveillé et envoyé au lit.

Il valait mieux, d'ailleurs, car je n'étais pas bien sûr de vouloir que Meto se montrât nu en présence de Catilina. En matière de chair, les appétits de Lucius Sergius passaient pour voraces et sa retenue pour inexistante, malgré la version qu'il donnait de l'affaire de la vestale. Ses critères de choix étaient rigoureux, à en juger par le spectacle qu'offrait le jeune Tongilius.

Catilina le regardait avec un plaisir intense. Leurs yeux ne se rencontraient pas, mais ils souriaient au même moment, de sorte que je soupçonnai l'échange préalable de quelques signes convenus sous l'eau. Un moment après, Tongilius se leva et sortit du bassin. Il s'enveloppa dans sa serviette et secoua l'eau de ses cheveux.

— Tu n'iras pas au bassin froid ? demandai-je.

— Je préfère me rafraîchir sur mon lit de repos, répondit-il. La vapeur montant de la peau quand elle sèche détend les muscles, aussi bien que n'importe quel masseur. C'est une façon délicieuse de s'endormir.

Il me sourit, puis se pencha jusqu'à ce que sa joue touchât celle de Catilina ; ils se chuchotèrent quelques mots à l'oreille, et Tongilius s'en alla.

— Tu le connais depuis longtemps ? questionnai-je.

— Tongilius ? Cinq ans ou quelque chose comme cela. Il avait alors l'âge actuel de Meto, j'imagine. Un charmant jeune homme, non ?

J'acquiesçai. L'unique lumière de la petite pièce venait d'une seule lampe, suspendue au plafond par une chaîne. Sa clarté était atténuée par la vapeur qui montait des bassins, de sorte que la salle était baignée d'une lueur orangée.

144

Pendant un long moment, Catilina et moi restâmes aux extrémités opposées du grand bassin de marbre. Catilina ferma les yeux ; je regardais les motifs éphémères esquissés par la vapeur montante, comme une série de voiles suspendus dans la pénombre.

— Le pire, c'est que la mine d'argent pourrait bien valoir l'achat...

— Tu es sérieux ? demandai-je.

— Je suis toujours sérieux en affaires, Gordien. Naturellement, il faudra évacuer tous ces ossements, qui seraient trop décourageants pour les nouveaux ouvriers : « Il ne faut jamais saper le moral, même des esclaves des mines. »

— Tu cites quelqu'un, là.

— Oui. Mon associé à Rome, celui qui rachète les mines abandonnées et en tire un bon profit.

— Car cette personne existe vraiment ?

— Naturellement ! Tu pensais que j'avais menti pour sauver la mise de ce pauvre vieux Forfex ?

— Ton ami dans la cité a un nom bien connu.

— Il est très loin d'être obscur.

— Marcus Crassus ?

Catilina fronça un sourcil.

— Oui, pourquoi ? Tu as résolu une énigme, Gordien : qui est l'acheteur secret de Rome ? Mais elle était peut-être, elle aussi, trop facile. Parfaitement connu (sinon, pourquoi cacher son nom ?), ayant de bonnes connaissances minières, toujours attiré par l'optimisation des bénéfices et de la productivité de ses esclaves. Qui, sinon l'homme le plus riche de Rome ?

— L'énigme est que tu sois, *toi*, associé à cet homme assez étroitement pour lui servir de rabatteur, dis-je. Ta politique est passablement radicale. Pourquoi l'homme le plus riche de Rome devrait-il s'allier avec un boutefeu qui s'est fait le champion de la redistribution forcée des richesses et de l'annulation globale des dettes ?

— Je croyais que tu ne voulais pas discuter politique, Gordien ?

— C'est l'eau chaude, qui me fait déraisonner. Je ne suis plus moi-même. Pardonne-moi.

145

– C'est comme tu voudras. Il est vrai, Crassus et moi avons nos différences, mais nous affrontons un même ennemi : l'oligarchie qui gouverne Rome. Tu vois qui je veux dire : ce petit cercle de familles incestueuses qui garde les rênes du pouvoir si jalousement et ne reculera devant rien pour briser toute opposition. Tu sais comment ils se sont baptisés, non ? Les « Meilleurs[1] » ! C'est ainsi qu'ils s'appellent sans la moindre gêne, comme si leur supériorité était si évidente que la modestie ne serait qu'une affectation. En dehors de leur cercle, tout n'est à leurs yeux que populace : l'État, disent-ils, ne doit être dirigé que par des Optimates, sans aucune concession aux autres partis, car quelle meilleure façon de gouverner un État que de le placer dans les mains exclusives de ceux qui sont de toute façon les « Meilleurs » ? Oh, cette morgue d'autosatisfaction insupportable ! Et Cicéron qui est rentré complètement dans leur jeu...

– Nous parlions de Crassus, pas de Cicéron, je crois.

Catilina soupira et s'installa plus confortablement dans l'eau.

– Marcus Crassus est une trop grande puissance pour appartenir à aucun parti, fût-il celui des Optimates. Il est son propre parti à lui seul, si bien qu'il se trouve souvent aux prises avec eux. Tu as raison, il n'a aucune sympathie pour mes plans de restructuration de l'économie romaine, qui devront être réalisés si la République veut survivre ; mais Crassus se fiche comme d'une guigne de la survie de la République. Tout ce qu'il souhaite, c'est la voir mourir, pourvu que le dictateur qui suivra inévitablement s'appelle Marcus Crassus. D'ici là, lui et moi aurons plus d'une occasion de nous liguer contre les Optimates. De plus, nos relations remontent assez loin dans le temps, aux jours où nous servions tous les deux le parti syllanien.

– Tu veux dire que, comme Crassus, tu as aussi profité des proscriptions sous la dictature de Sylla, lorsque les biens de ses ennemis étaient confisqués et mis aux enchères publiques ?

– Beaucoup d'autres l'ont fait. Mais je n'ai jamais assassiné pour m'enrichir ni utilisé les proscriptions pour me débarrasser

---

1. En latin, *Optimates*, dérivé de la forme superlative *(optimus)* de l'adjectif *bonus* (« bon ») (N.d.t.).

de gêneurs. Oh, je sais, je connais les rumeurs : on m'a attribué la proscription de mon propre beau-frère, sous prétexte que ma sœur ne le supportait plus et qu'elle voulait lui faire couper la tête ; d'autres disent que je l'ai tué de mes mains, puis que j'ai fait mettre son nom sur les listes pour « légaliser » le crime ! Comme si j'avais pu vouloir le déshonneur et la spoliation de ma sœur !

Sa voix prit un ton de colère.

— Sans compter les épouvantables mensonges répandus l'année dernière, pendant la campagne électorale consulaire, par Quintus, le frère de Cicéron, qui m'a attribué un rôle dans l'assassinat du préteur Gratidien[1], dans ces années-là. Pauvre Gratidien ! Je l'ai vu mis en pièces par la populace : ils lui ont brisé les jambes, coupé les mains, arraché les yeux, avant de le décapiter. Hideuse sauvagerie ! J'ai assisté à cette atrocité, oui, mais je ne l'ai jamais provoquée, contrairement à ce que Cicéron a prétendu, et je ne me suis jamais promené dans Rome en portant sa tête comme un trophée. Certains des Optimates ont pourtant réussi à me traîner en justice pour meurtre, l'an passé, mais j'ai été acquitté de façon retentissante, tout comme j'ai été régulièrement acquitté à chacun des procès intentés contre moi durant toutes ces années.

— À propos de tête, la tienne devient rouge comme une pomme, Catilina. Je pense que l'eau doit être trop chaude. Mais nous parlions de Crassus...

Il sourit et je m'émerveillai de la facilité avec laquelle il passait de la mauvaise humeur à l'aménité.

— Sais-tu ce qui a vraiment scellé notre relation ? Le scandale de la maison des vestales ! Fabia et moi n'avons pas été les seuls à être traînés devant les tribunaux, cette année-là : Crassus a été accusé de corrompre la Grande Vestale en personne. Tu te rappelles les détails ? On l'avait vu si souvent en sa compagnie que ce vaurien de Clodius n'a pas eu de mal à convaincre la moitié de Rome du pire. Mais la défense de Crassus a été imparable : le millionnaire harcelait la Grande Vestale

---

1. Il s'agit de Marcus Marius Gratidianus, neveu de Marius (le rival de Sylla), lynché par la plèbe lors d'une émeute urbaine (N.d.t.).

simplement à propos d'un morceau de terrain qu'il voulait lui acheter au rabais ! Une histoire tellement typique de Crassus qu'il était impossible de la mettre en doute ! Il a eu la vie sauve, comme moi, mais nos réputations en ont beaucoup souffert. Après l'acquittement, nous avons arrosé cela tous les deux avec quelques amphores de vin de Falerne ! Les alliances politiques ne sont pas toujours fondées sur la logique, Gordien ; elles reposent parfois sur un problème commun. Mais je sais que tu as eu tes propres démêlés avec Crassus, ajouta-t-il en me regardant franchement, comme pour donner plus de poids à ses mots.

— Il m'a fait appeler pour traiter le meurtre de son cousin, à Baiae, dis-je. Il y a neuf ans de cela. Les circonstances étaient exceptionnelles, mais je n'ai pas le loisir de t'exposer les détails. Il suffit de dire que Crassus et moi nous sommes quittés en termes moins qu'amicaux[1].

— À ton tour de rougir comme une pomme, Gordien ! Prêt pour le bain froid ?

Comme Catilina l'instant d'avant, j'étais à moitié sorti de l'eau ; je soupirai et me replongeai dans la chaleur apaisante.

— Les temps sont dangereux, remplis de péril, dit Catilina. Je suis père de famille, moi aussi, et je suis constamment inquiet pour l'avenir de ma femme et de sa fille. Je pense parfois qu'il serait préférable de suivre ton exemple et de quitter le monde complètement, du moins autant qu'un homme peut le faire. Vivre dans l'obscurité, comme Cincinnatus. Tu sais, la vieille histoire : la République était en danger ; le peuple en appelle au fermier Cincinnatus, qui pose les mancherons de sa charrue, devient dictateur et sauve la situation.

— Et lorsque le danger fut écarté, il déposa la dictature et retourna à sa charrue.

— Pour un homme, tourner entièrement le dos au monde, c'est aussi abandonner toute occasion de modeler l'avenir de ce même monde. Qui pourrait renoncer à cette possibilité, même si ses efforts sont finalement voués à l'échec ?

— Ou au désastre le plus affreux ?

---

1. Voir, du même auteur, *L'Étreinte de Némésis*, Ramsay, 1997 (N.d.t.).

– Non, Gordien, lorsque j'imagine le monde dans lequel mes descendants vont vivre, je ne saurais devenir un ermite apathique et inactif. Et quand je songe aux ombres de mes ancêtres qui me regardent, je ne peux pas rester sans rien faire. Le fondateur de ma famille était aux côtés d'Énée lorsqu'il posa le pied sur le sol de l'Italie. C'est peut-être mon sang patricien qui me pousse ainsi à prendre les rênes, à les arracher des mains des Optimates, si je le peux !

Il attrapa une poignée de vapeur puis la relâcha en plongeant ses mains dans l'eau. Ce mouvement prit un aspect vague et irréel, dans la lumière orangée qui nous enveloppait, comme un geste d'acteur vu de très loin.

– Veux-tu apprendre un secret, Gordien ?

– Pourquoi pas ?

– C'est une énigme, en fait...

– Dire un secret et poser une énigme, cela n'est pas tout à fait la même chose, Catilina. Je veux bien apprendre un secret, mais je n'ai aucun goût, ce soir, pour les énigmes.

– Pardonne-moi. Bien, voici : comment un homme peut-il perdre deux fois la tête ?

– Je ne sais pas, Catilina. Comment un homme peut-il perdre deux fois la tête ? Mystère...

– Premièrement, à cause d'une jolie femme ; deuxièmement, sous la hache du bourreau.

– Je comprends bien la réponse, mais pas l'énigme.

– J'ai perdu la tête pour la vestale Fabia et j'ai bien failli la perdre pour mon crime. Tu comprends ? Je pense que c'est une assez bonne énigme. J'étais jeune, alors ; quel fou j'ai été...

– Mais qu'est-ce que tu racontes, Catilina ?

– Je suis simplement en train de te dire que tes soupçons de toujours étaient fondés. Entre Fabia et moi, il y avait beaucoup plus qu'un goût commun pour les vases d'Aretium.

– Et cette nuit-là, dans la maison des vestales...

– C'était la première fois ! Auparavant, elle m'avait toujours résisté, mais cette nuit-là, elle s'est donnée à moi. Lorsque l'homme égorgé a crié derrière le rideau, nous étions en train de faire l'amour. Fabia portait sa robe et moi ma tunique et nous étions restés debout. Je voulais la voir nue, toucher son corps, la posséder sur sa couche, mais elle a insisté pour que nous restions habillés et que nous fassions l'amour debout. Lorsque l'homme a crié, je l'ai à peine entendu, dans la chaleur de ma passion ; il est bien possible que j'aie crié moi-même, sous l'effet du plaisir. Fabia prit peur, naturellement ; elle me repoussa, me demanda de me retirer – mais je lui fis comprendre que ce serait de la folie. Je n'avais pas fini, tu comprends, et si j'étais sorti d'elle, j'aurais immanquablement laissé une tache accusatrice sur le sol ou gardé dans ma tunique un gourdin impossible à dissimuler. Nous allâmes donc jusqu'au bout et nous nous séparâmes quelques instants seulement avant que la Grande Vestale n'entrât dans la pièce. Les joues de Fabia étaient rouges comme des pommes, ses seins dressés étaient couverts de sueur ; quant à moi, je vibrais encore...

– Catilina, pourquoi me racontes-tu cela ?

– Parce que tu chéris la vérité, Gordien ; tu es l'un des rares hommes que je connaisse dans ce cas. Parce que tu n'as jamais été sûr de ce qui s'était passé et que maintenant, tu peux l'être.

– Mais pourquoi me le dire *maintenant* ?

Catilina resta silencieux un long moment.

– On dit que tu as un don pour écouter, Gordien, reprit-il enfin. Tout politicien a besoin d'un auditeur. On dit aussi que tu as le secret d'obtenir la vérité, un pouvoir irrésistible pour tirer la vérité du cœur des hommes.

– Seulement si leur cœur est chargé d'un poids qu'ils ont besoin de soulager.

– Quelle sorte de poids ?

– Cela varie d'un homme à l'autre, ou d'une femme à l'autre. Certains se sentent poussés à confesser la peur de l'échec, d'autres leurs remords pour une mauvaise action envers les morts. Ceux-ci confessent alors leur honte de s'être soumis à la cruauté des autres, ceux-là d'avoir infligé cette cruauté. Les uns ont commis des crimes terribles restés impunis des hommes ou des dieux et ils sentent qu'ils doivent le révéler à quelqu'un ; les autres ont seulement imaginé ces crimes et cela leur pèse autant que s'ils les avaient commis.

– Et qu'en est-il de ceux qui n'ont pas commis de crime alors qu'ils auraient dû en commettre un ?

– Je crois bien, Catilina, que tu as déjà suffisamment de crimes à confesser, sans te soucier de ceux que tu aurais pu commettre.

Je pensais que cette brusquerie l'offenserait, mais il éclata de rire.

– Je crains que la réputation n'excède largement la réalité, Gordien. Et si tu observes bien la réalité, tu verras que j'ai été plus souvent la victime des persécutions opiniâtres de mes ennemis. Il y a trois ans, j'ai eu un procès pour extorsion de fonds sur les indigènes, alors que j'étais propréteur en Afrique. Les accusations étaient-elles justifiées ? Naturellement non, mais mon vieil ennemi Clodius[1] a monté l'affaire pour le compte des Optimates à seule fin de ruiner ma carrière. Ils ont réussi, à court terme : grâce à la façon dont ils ont mené la procédure, j'ai été interdit d'élection consulaire pendant deux ans ! Pour finir, j'ai tout de même été acquitté, ce que personne ne rappelle aujourd'hui. Sais-tu qu'avant le procès Cicéron lui-même a proposé de me défendre ? Oui, Cicéron en personne, le même opportuniste menteur qui me dépeint aujourd'hui comme la peste de Rome. Je pense que cela en dit plus sur lui que sur moi-même.

« L'an dernier, j'ai enfin pu me présenter au consulat et les Optimates n'ont pas pu s'y opposer. Alors, pour me contrer, ils ont fait de Cicéron leur créature et déchaîné sa langue venimeuse contre moi. Craignant pourtant que je ne l'emportasse malgré tout, ils ont monté une autre affaire en m'accusant de l'assassinat de Gratidianus, une affaire qui remontait à l'époque de Sylla ! Tu penses bien que Cicéron, pour le coup, n'a pas proposé de me défendre ! Pourtant, j'ai été de nouveau acquitté

---

1. Rappelons ici que le Clodius en question appartenait en fait à la famille patricienne des Claudii, celle des voisins de Gordien, mais qu'il avait obtenu de devenir plébéien – d'où la vulgarisation de l'orthographe – afin de pouvoir être élu tribun du peuple et de mener un jeu politique assez trouble de démagogie. Sous couvert de favoriser les intérêts de la plèbe romaine, il semble bien avoir travaillé en sous-main pour l'oligarchie dominante, comme le dit ici Catilina. Il finira sa carrière comme agent de César, après avoir obtenu l'exil temporaire de Cicéron (N.d.t.).

et les Optimates ont échoué dans leur tentative de me disqualifier. J'ai été libre de me présenter à nouveau cette année.

« Tu vois, Gordien, ce que sont ces crimes prétendus qui m'ont rendu si célèbre : quel crime devrais-je confesser, sinon d'être la mouche qui dérange les Meilleurs ?

— En fait, je pensais à d'autres crimes, Catilina, d'un tout autre genre.

— Je ne prétends pas être humble et doux comme un agneau, mais je ne suis certainement pas le monstre que mes ennemis dépeignent à l'envi – quel homme pourrait l'être ? Oh, je connais les rumeurs et les insinuations. Commençons par la pire : lorsque j'ai recherché en mariage ma seconde femme, Aurelia Orestilla[1], elle aurait refusé d'entrer dans une maison où il y avait déjà un héritier et, pour lui plaire, j'aurais tué mon propre fils ! Tu es père, Gordien : peux-tu imaginer les affres dans lesquelles cette horrible invention m'a plongé ? Il ne se passe pas de jour sans que je déplore la mort de mon fils ! S'il avait vécu, il serait un homme, aujourd'hui, et lutterait à mes côtés, véritable réconfort et inspiration pour mes actions. Il est mort des fièvres, le malheureux, mais mes ennemis parlent de poison et ils utilisent cette tragédie comme arme contre moi.

« Viennent ensuite les fables sur mes appétits et mes exploits sexuels : certains sont réels, les autres totalement inventés. Ils ne savent plus quoi dire et proclameront bientôt que j'ai violé ma mère pour m'engendrer moi-même ! Quelle est l'importance de ces histoires et qui se soucie de ces choses-là, excepté les moralistes desséchés comme Caton et Cicéron, qui ont le cœur aussi noir que leur langue ? Honnêtement, je n'ai jamais été capable de comprendre pourquoi les gens qui n'ont pas d'appétit ont tant de rancune contre ceux qui mangent avec plaisir !

— Jolie phrase, Catilina, mais déguster un dîner savoureux est une chose, déflorer une vierge et lui ôter toute chance de faire un bon mariage en est une autre, tout comme d'entraîner

---

1. La gens Aurelia était l'une des grandes familles de Rome, comptant de nombreux orateurs et hommes de loi (N.d.t.).

des jeunes gens à ruiner leur crédit en ta faveur, détruisant du même coup leurs possibilités de carrière.

— Malheureusement, Gordien, je ne puis plus voir ton visage, soupira Catilina ; je t'accorde donc le bénéfice du doute et je suppose que tu souris en proférant de tels outrages, sachant parfaitement que ce sont de pures inventions de mes ennemis. Je confesse une faiblesse, c'est vrai, pour la jeunesse et l'innocence. Mais je ne m'impose pas : j'ai été accusé de meurtre et de vol, jamais de viol – même mes ennemis me font la grâce de me considérer comme capable de séduire mes partenaires, sans avoir besoin de recourir à la violence. Je ne me contente pas non plus de prendre sans donner en retour : ils me donnent leur innocence, je leur prodigue ma connaissance du monde, les biens que je possède ; chacun donne à l'autre ce qui lui manque et ce qu'il désire.

— Et qu'as-tu procuré à la vestale Fabia ?

— L'aventure, le plaisir, l'excitation, le danger – autant de choses que son existence de recluse lui interdisait.

— Et cela valait-il la peine de risquer votre vie à tous les deux ? Qu'est-ce que ça aurait donné si l'affaire s'était terminée avec une Fabia enterrée vivante ? Cela aurait fort bien pu finir ainsi.

— La faute à Clodius, pas la mienne.

— Tu te débarrasses de ta responsabilité un peu trop facilement, Catilina !

Il resta silencieux un bon moment, puis il se leva, ce qui provoqua un clapotement de l'eau sur les bords du bassin ; la vapeur s'écarta devant lui et je le vis. La virilité de son allure était peu commune. Rien d'étonnant à ce qu'il fût apprécié de ses amants et amantes, me dis-je ; rien d'étonnant non plus à ce que des hommes chétifs et ternes comme Caton ou Cicéron fussent jaloux de ses prouesses physiques et sexuelles.

Il me regardait et ce regard me mettait mal à l'aise.

— Bon, finit-il par dire. J'en ai assez de cette chaleur. Tu me rejoins dans le bassin froid, Gordien ?

— Non, je pense que je vais encore rester un peu ici. Je suivrai peut-être l'exemple de Tongilius et me sécherai rapidement avant d'aller au lit.

Catilina hocha la tête et referma la porte derrière lui. Un instant plus tard, la lumière faiblit et mourut. Je restai dans le noir, méditant les propos et les aveux de Catilina.

Je dus m'assoupir un moment, car je fus réveillé en sursaut par un léger craquement ; il ne venait pas de la porte par laquelle était sorti Catilina, mais de celle qui mettait les bains en communication avec le reste de la maison. C'était le genre de bruit que fait une porte lorsque l'on s'y appuie sans prendre garde ; dans le même temps, une fine raie de lumière apparut en haut de la porte.

Peut-être avait-elle bougé d'elle-même, sous l'effet de l'humidité et de la chaleur ? Peut-être était-ce Tongilius qui revenait, me dis-je ; mais alors, pourquoi tant de précautions furtives ? Peut-être était-ce un esclave qui venait remplir la lampe ; mais alors, pourquoi n'entrait-il pas ? Je tendis l'oreille et n'entendis plus rien, mais j'acquis la conviction que quelqu'un attendait, debout, derrière la porte.

Je sortis de l'eau et allai chercher ma serviette. Une simple serviette, dûment roulée et serrée comme une corde, a bien des usages : elle peut servir de bouclier contre un poignard, d'entrave pour un ennemi, d'arme pour étrangler ou briser une nuque. Je marchai sur la pointe des pieds jusqu'à la porte, atteignis la poignée de bois, hésitai un instant, puis tirai brutalement. L'homme chancela et tomba sur moi. En un tournemain, je lui tordis les bras que j'immobilisai dans son dos à l'aide de la serviette nouée, et lui fis faire demi-tour ; il ne se débattit pas, mais leva le visage...

J'étouffai un juron et relâchai aussitôt la serviette. C'était Meto. Il fit un pas, prit une rapide respiration et, comme si tout cela n'était qu'un jeu, murmura :

— Alors Catilina a couché avec la vestale !

— Meto !

— Pardonne-moi, papa, mais je ne pouvais pas dormir. Mes pieds me faisaient mal, à cause de la visite de la mine. En approchant de la porte, je vous ai entendus parler tous les deux et j'ai écouté.

— Meto, quand apprendras-tu le respect ?

154

Mon fils mit un doigt sur ses lèvres et montra silencieusement la porte du frigidarium ; je baissai la voix.

– Cette habitude que tu as prise, de rôder et d'espionner, où
as-tu bien pu apprendre cette... Bon, ça va. Je ne me suis pas
rendu compte que tu étais derrière la porte, jusqu'au craquement, tout à l'heure. Ce qui veut dire que tu es jeune et agile,
alors que je deviens vieux et maladroit et peut-être un peu
sourd. De nous deux, qui a le plus besoin d'une bonne nuit ?

7

Catilina et Tongilius n'émergèrent que vers le milieu de la matinée, pour venir chercher à manger dans la cuisine. Leurs yeux étaient encore battus de sommeil, mais ils paraissaient en excellente forme, extraordinairement satisfaits d'eux-mêmes. Ils étaient dotés d'un appétit féroce et dévorèrent tout ce que Congrio mit devant eux.

Une fois terminé ce copieux déjeuner, Catilina annonça qu'ils devaient partir avant midi.

Je demandai à Catilina où il allait. Vers le nord, me répondit-il, annonçant d'autres visites à faire en Étrurie auprès des anciens vétérans de Sylla, que le dictateur avait établis dans des exploitations agricoles confisquées à ses ennemis. Je les regardai partir ; j'avais redouté cette visite, mais finalement j'étais moins satisfait de son départ que je ne l'avais imaginé.

Bizarrement, une fois parvenus sur la voie Cassienne, Tongilius et Catilina ne prirent pas vers le nord, mais vers le sud, en direction de Rome. Ce fut Meto qui vint me l'annoncer. Il sortit en courant de la porcherie et me montra les deux silhouettes, au loin.

— Que penses-tu de cela, papa ?

— Curieux, dis-je. Catilina m'a dit qu'ils allaient vers le nord. Je me demande...

— Je vais aller regarder du haut de la colline, déclara Meto en détalant.

Il y était installé depuis longtemps avant que je n'arrive. Il

157

avait également trouvé un poste d'observation idéal, entre deux chênes touffus, à l'abri de ronciers. Personne ne pouvait nous voir depuis la route et nous avions une vue parfaite sur tout ce qui passait sur la voie Cassienne. Il ne fut pas difficile de repérer Catilina et Tongilius, car ils étaient les deux seuls cavaliers sur la route ; ils paraissaient arrêtés non loin de l'ensellement situé entre notre crête et le pied du mont Argentum. Je ne comprenais pas pourquoi ils hésitaient, jusqu'à ce que je visse qu'ils attendaient un attelage de bœufs, en route vers le sud. Une fois l'ensellement franchi, l'attelage devait disparaître à leurs yeux, de la même façon qu'ils devaient échapper aux regards des convoyeurs. Ils regardèrent le chariot passer, puis mirent pied à terre et conduisirent leurs chevaux dans le sousbois, du côté est de la route.

Leurs montures attachées en lieu sûr et hors de la vue, les deux hommes réapparurent un moment, avant de disparaître sous les branches d'un grand pin. Je les vis ensuite revenir sur la route, mais un bref moment. Puis le manège recommença plusieurs fois en divers points, Catilina et Tongilius apparaissant et disparaissant comme s'ils étaient à la recherche de quelque chose qu'ils eussent perdu.

— Mais que cherchent-ils donc ? demanda Meto.

— Le départ de la piste, répondis-je.

— Quelle piste ?

— Tu devais être ailleurs lorsque Forfex nous a expliqué cela, hier. Il existe un autre chemin pour aller à la mine, qui prend quelque part le long de la voie Cassienne. Mais cette piste est à l'abandon depuis longtemps, envahie par la végétation. Catilina essaie certainement de retrouver l'embranchement.

— Mais pourquoi ? Il est déjà allé à la mine.

Je ne répondis pas. Nous continuâmes d'observer les allées et venues de Catilina et de Tongilius, le long de la route. Ils finirent toutefois par disparaître définitivement dans la végétation, de sorte que je pensai qu'ils avaient enfin trouvé ce qu'ils cherchaient. Soudain, Meto m'agrippa par la tunique ; au même moment, j'entendis un bruit dans les taillis, derrière nous, puis une voix familière.

– Ce n'est pas ton endroit habituel... Oh pardon ! je ne voulais pas te faire peur ! Bête que je suis, de te surprendre ainsi à l'improviste. Pardonne-moi, Gordien, je ne devrais pas rire, mais tu as fait un tel bond !

– Claudia ! dis-je.

– Mais oui, ce n'est que moi. Et voici le jeune Meto... Une vue magnifique de ce côté, non ? On a vraiment la montagne dans toute sa splendeur, avec sa masse imposante, dominant la route.

– Oui, très impressionnant, dis-je.

– Mais vous êtes mal installés là, parmi les ronces. Venez, je connais un coin, tout près, avec une vue identique où nous pourrons tous nous asseoir sur un tronc.

J'essayai de ne pas regarder vers le bas et mes yeux tombèrent sur le panier que Claudia portait à son bras

– Tu crains de me déranger dans mon repas, Gordien ? Mais pas du tout. J'ai assez de pain, de fromage et d'olives pour nous trois. Venez, à présent, je ne supporterais pas de voir mon hospitalité refusée.

Nous la suivîmes à contrecœur jusqu'à une petite clairière, à quelques pas de là. Comme elle l'avait annoncé, la vue était exactement la même, à la seule différence que nous étions à découvert et parfaitement visibles depuis la route.

– Là, n'est-ce pas mieux ? demanda Claudia en installant ses grosses fesses sur le tronc et en disposant son panier devant elle.

– Beaucoup mieux, dis-je. Mais il faut que Meto rentre à la maison.

– Ah, Gordien, vous autres, pères romains ! Toujours tellement sévères et exigeants ! Le mien était pareil, lorsque j'étais jeune fille. Voilà : c'est l'un des derniers beaux jours d'été de l'enfance de Meto et tu voudrais l'expédier faire le ménage à midi ? Dans très peu de temps, ce sera un homme et, après cela, les jours d'été seront peut-être aussi chauds, mais ils ne seront plus jamais aussi longs, aimables et pleins de fleurs et d'abeilles, comme ils le sont en ce moment. Allez, laisse Meto se joindre à nous !

Devant tant d'insistance, Meto s'assit à gauche de Claudia

et moi à sa droite. Elle distribua la nourriture et attendit que nous ayons commencé pour se servir elle-même. Une fois installé sur le tronc, la bouche pleine de fromage, je dus reconnaître que Meto faisait du bon travail en feignant un intérêt distrait pour ce qui se passait au pied de la colline. Toujours aucune trace de Catilina. Soudain, Meto émit un petit bruit de gorge et lorsque je le regardai, il me fit un signe de l'œil presque imperceptible. Je suivis son regard vers un point de la montagne, à deux cents pieds environ au-dessus du niveau de la route, où la tache bleue d'une tunique apparaissait dans une clairière, au milieu de la végétation. Cette tache fut rejointe par une seconde et je vis bientôt deux hommes se déplacer sur le flanc de la montagne.

Claudia, penchée sur son panier, n'avait rien vu.

— En fait, Gordien, j'espérais bien te rencontrer ici, sur la crête ; sinon, j'aurais été obligée de te faire une visite protocolaire, ce qui n'aurait pas été agréable du tout. Et je suis bien contente que tu sois là aussi, Meto, parce que je pense que l'affaire te concerne également.

Elle se cala sur le tronc et pinça les lèvres. Pendant un moment, je pensai qu'elle regardait directement par-delà la vallée, en direction de Catilina et Tongilius, mais elle avait le regard vide, fixé à mi-distance, et ne pensait qu'à ce qu'elle allait dire.

— Qu'est-ce donc, Claudia ?

— Ah, c'est assez difficile...

— Vraiment ?

— J'ai eu, ce matin, la visite de mon cousin Gnæus. Il prétend qu'il y a eu des étrangers sur sa montagne, hier ; des hommes venus de Rome, pour visiter l'ancienne mine.

— Est-ce exact ?

Je jetai un œil en face, pour constater que Catilina et son compagnon avaient de nouveau disparu dans la végétation.

— Oui. Une sombre histoire : l'un d'eux souhaiterait acheter l'ancienne mine, ou représenterait quelqu'un qui pourrait le faire. Une absurdité, selon moi : la mine est sans valeur aujourd'hui et l'on ne pourra plus en tirer une once d'argent. Quoi qu'il en soit, Gnæus est venu me demander si j'avais vu, par hasard, quelqu'un rôder sur la montagne hier. C'est que l'on peut voir de ma maison une bonne partie de l'ancienne piste, tu sais, malgré l'éloignement. Mais je n'ai rien vu et aucun de mes esclaves n'a remarqué quoi que ce fût sur l'un ou l'autre versant de la montagne.

Claudia s'arrêta pour manger une olive.

— Gnæus m'a dit qu'il ne connaissait aucun de ces hommes ; un seul s'était présenté, de la famille des Sergii, venu de Rome comme je l'ai dit. Mais ensuite, Gnæus a questionné le chevrier qui avait servi de guide à ces gens, un vieil imbécile dénommé Forfex, et tu sais ce que cet homme lui a dit ?

— Aucune idée.

— Il a dit que ce Sergius était accompagné d'un homme plus jeune qui semblait être son compagnon, mais qu'il y avait aussi un homme d'âge moyen et un tout jeune homme. Il ne les connaissait pas, mais il se rappelait que l'on avait appelé cet autre homme Gordien.

— Ah ? Et tu viens me demander...

— Non. Je ne te demande rien et je peux tout te dire en face. Peut-être pas tout, mais suffisamment pour que tu comprennes. Si tu veux fouiner sur le domaine de mon cousin, c'est une affaire entre toi et lui ; et si Gnæus veut te chercher noise à ce propos, il peut le faire lui-même ; je ne suis pas sa messagère. Toutefois, Gordien, je manquerais à mes devoirs de parente, vis-à-vis de Gnæus, et de bonne voisine, vis-à-vis de toi, si je restais sans rien dire. Gnæus n'était pas très content lorsque Forfex lui a répété ton nom, et il n'était pas content non plus lorsqu'il est venu me voir, ce matin. Je doute qu'il aille chez toi ou qu'il t'envoie un message ; il préférera grogner tout seul et disparaître dans les bois pour chasser ses éternels sangliers. Mais s'il se produit quelque incident fâcheux, je te conseille de bien faire attention à ta position, Gordien. Mes parents ne sont pas à prendre à la légère ; sois prudent ! Je ne peux pas faire davantage pour les apaiser ; je te le dis amicalement.

Elle s'arrêta un moment, pour permettre à ses paroles de faire leur chemin en moi, puis plongea dans son panier.

— Et maintenant, une surprise : des gâteaux au miel ! Mon

161

nouveau cuisinier les a faits ce matin. Malheureusement, ce n'est pas Congrio, mais il a un petit talent pour les sucreries.

Meto réussit à s'arracher à la contemplation de la montagne ; il avait toujours eu un faible pour le miel. Il dévora un petit gâteau et se lécha les doigts. Claudia m'en offrit un, mais je déclinai l'offre.

— Tu n'aimes pas les douceurs, Gordien ? Le nouveau cuisinier le prendra très mal, si je reviens sans qu'ils aient été mangés.

— La même misère que Cicéron, grimaçai-je en manière d'excuse en portant la main à mon estomac.

— Oh, mais c'est ma faute ! J'ai troublé ta digestion avec toute cette histoire de Gnæus. Que je suis bête, de te donner en même temps du pain, du fromage et de mauvaises nouvelles. Un gâteau au miel rétablirait peut-être ton estomac ?

— Je ne pense pas.

Ce n'était pas seulement le discours de Claudia qui me nouait l'estomac, mais la possibilité qu'elle aperçût à son tour les deux hommes sur la montagne ou sur la route. Le meilleur remède aurait été qu'elle s'en allât sur-le-champ. Mais elle avait encore quelque chose à dire.

— Alors, la prise de toge a lieu ce mois-ci, non ? Quel jour ?

— Deux jours avant les ides.

— Ah, juste après les élections.

Claudia hocha la tête et sourit.

— Encore dix jours et tu seras un homme, Meto ! Mais je dois garder mes félicitations pour ce moment-là. Je suppose que vous aurez une petite fête en ville, avant le traditionnel tour sur le Forum. Serait-il trop hardi de te demander une invitation ?

— Tu seras à Rome à ce moment-là, Claudia ?

— Je le crains, soupira-t-elle. Il s'agit de cette maison sur le Palatin, que Lucius m'a léguée : je projette de la louer et l'esclave régisseur m'a écrit qu'il fallait faire des réparations. Je n'ai pas envie de laisser un vieil esclave de Lucius s'occuper de cela et dépenser mon argent à tort et à travers. Il faut que je surveille tout moi-même. Je partirai demain et je crois bien que j'y serai la plus grande partie du mois.

Elle me regarda, les sourcils levés en guise d'interrogation.

— Mais naturellement, tu viendras à l'anniversaire de Meto, dis-je.

— Oh merci ! J'ai tellement envie de voir cela. Je n'ai jamais eu de fils, moi, tu sais... (Sa voix se brisa un peu.) Et j'apporterai des gâteaux au miel ! ajouta-t-elle, rayonnante ; Meto aimera cela.

Elle se pencha pour toucher son épaule. Meto esquissa un petit sourire gêné, puis une étrange expression se peignit aussitôt après sur son visage. Je suivis son regard, tourné vers le bas, et j'aperçus Catilina et Tongilius émergeant des taillis, sur la route. Claudia sembla s'apercevoir que quelque chose n'allait pas, car son regard interrogateur se fixa rapidement sur Meto, puis sur moi.

— Peut-être..., dis-je, hésitant. Peut-être vais-je te demander un de ces gâteaux au miel, après tout.

— Ah, bien ! Voyons... tiens, en voilà un joli, juste au-dessus, dit-elle en se penchant sur son panier.

Je pris le gâteau et la regardai dans les yeux, tout en mordant dedans. Elle sourit en hochant la tête, puis se tourna brusquement vers la route.

— Regardez, s'écria-t-elle, qui sont ces hommes, là-bas, et d'où viennent-ils ?

Je commençai de parler et fis mine de tousser, comme si le gâteau se brisait en miettes dans ma gorge. Meto, voyant mon embarras, prit le relais.

— Quels hommes ? demanda-t-il innocemment.

— Ces deux types, là, juste en bas, à cheval ! D'où sortent-ils ?

Claudia fronça ses gros sourcils, secoua la tête et repoussa une mèche de cheveux roux échappée de son chignon.

— Ce sont deux cavaliers, voilà tout, dit Meto en haussant les épaules.

— Mais ils se dirigent vers le nord et je ne les ai pas vus venir. Nous aurions dû voir ces gens approcher depuis des milles. Et soudain, deux cavaliers surgissent de nulle part.

— Pas exactement. Je les ai vus venir, dit Meto, du ton le plus froid.

163

– Toi ?

– Oui... Tout à l'heure, j'ai remarqué ces deux silhouettes qui arrivaient du sud, au loin.

Claudia restait dubitative.

– Tu les as vraiment vus ?

Meto approuva d'un signe de tête.

– Et toi aussi, Gordien ?

J'opinai du chef.

– Deux cavaliers, sur la voie Cassienne, dis-je. Venant probablement de Rome.

Claudia paraissait très perturbée.

– Mais pourquoi ne les ai-je pas aperçus ? Par les Cyclopes et par Œdipe, mes yeux doivent devenir aussi mauvais que ceux de Gnæus.

– Pas de quoi en faire un drame, la rassurai-je. Tu auras été distraite par notre compagnie et tu n'auras rien remarqué, voilà tout. Rien de bien terrible.

– Je n'aime pas les cavaliers surgis de nulle part, marmonna-t-elle. Je n'aime pas me sentir...

Sa voix se brisa, puis elle réussit à sourire.

– Mais tu as raison, je deviens idiote ! Bon, vous avez eu assez de gâteaux ? Allez, je vais envelopper tout cela, car il ne faut pas les gaspiller. Les dieux punissent les gaspilleurs, disait toujours mon père. Il faut vraiment que j'y aille. Ah, merci Meto, de m'aider à rassembler mes affaires.

Elle prit son panier et se leva.

– Je pars pour Rome demain et ne serai pas de retour avant longtemps. Mais je suis contente de vous avoir vus tous les deux ici, sur la colline. Et je vous reverrai pour l'anniversaire de Meto. La réception aura lieu chez toi ?

– Oui, c'est la maison d'Eco, maintenant. Sur l'Esquilin. C'est un peu difficile à trouver...

– Bah, Lucius et toi étiez de bons amis ; je suis sûre que ses vieux esclaves de la ville sauront bien retrouver l'endroit. J'y serai !

– Nous t'y attendrons et comptons sur toi.

– Et puis, Gordien, réfléchis sérieusement à ce que je t'ai

164

dit, au sujet de Gnæus. Tu dois prendre garde à toi et veiller sur ta famille.

Pendant ce temps, Catilina et Tongilius avaient piqué des deux et pris de la vitesse sur la voie Cassienne. Meto et moi les observâmes encore un moment, jusqu'à ce que les taches bleues se fondissent à l'horizon, avalées par le brouillard de chaleur qui montait des dalles de pierre chauffées par le soleil.

— Catilina est un homme fascinant, dit Meto.

— Catilina, dis-je, n'est plus qu'un point sur l'horizon.

8

Les jours suivants se passèrent sans incidents – ou plutôt, sans intermède du genre Nemo. Des incidents, il y en eut en abondance, car transporter une famille de la ferme à la ville, même pour une brève visite, requiert une logistique et une planification complexes. Lorsque je considère que de grands généraux comme Pompée sont capables de déplacer des armées entières sur de vastes étendues de terre ou de mer, avec les tentes, les ustensiles de cuisine, les réserves de nourriture et tous les *impedimenta*[1] quotidiens, je suis sincèrement admiratif devant une telle organisation.

Je pris néanmoins le temps de commencer la construction du moulin à eau. L'époque était bonne pour le projet, car le temps continuait d'être clair et chaud et le courant diminuait considérablement de jour en jour. Il devenait ainsi plus facile de déplacer des rochers et de remblayer les zones qu'il fallait niveler ensuite à l'aide de briques et de mortier. Je m'inquiétais toutefois de voir l'eau baisser à ce point, mais heureusement, la ferme disposait d'un puits au pied de la colline. De mémoire d'homme vivant sur le domaine, il avait toujours été là, au dire d'Aratus. Il était situé au milieu des oliviers et entouré d'une margelle de pierre. Le puits était si profond qu'il ne renvoyait

---

1. Les *impedimenta* ou bagages de l'armée obéissaient à des normes de standardisation et de conditionnement dignes du train des équipages dans les armées napoléoniennes. L'intendance, en fait, ne « suivait » pas les légions, mais les accompagnait au jour le jour (N.d.t.).

qu'un écho affaibli et lointain de ses profondeurs. Même pendant les années de sécheresse, m'assura Aratus, on avait toujours pu compter sur lui.

Entre les travaux du moulin et la préparation du voyage à Rome, je jouissais du répit qui m'était offert par l'absence de visites indésirables. Les élections devaient avoir lieu le cinquième jour avant les ides, de sorte que tout serait joué avant même notre départ pour Rome. Je pouvais espérer arriver à Rome sans arrière-pensées ; je souhaitais pouvoir profiter de la compagnie d'Eco et de l'anniversaire de Meto sans me soucier de choses sur lesquelles je n'avais aucun pouvoir et dont je me désintéressais. Catilina serait élu ou serait battu, mais dans l'un et l'autre cas, sa brève intrusion dans mon existence serait finie.

La veille du jour fixé, je me dérobai quelques instants aux préparatifs de départ et aux travaux du moulin pour me glisser jusqu'à l'endroit où Meto, Aratus et moi-même avions enseveli Nemo. Je restai debout devant la simple stèle et promenai mes doigts sur l'inscription verticale qui disait : « Personne ». « Qui étais-tu ? dis-je. Comment es-tu mort ? Qu'est-il advenu de ta tête et qui a combiné tout cela pour que je te trouve dans mes écuries ? » Je cherchais à me convaincre que tout cela était passé, bien passé, mais je sentais, dans le même temps, un malaise.

Je haussai les épaules. Était-ce pour soulager une crampe dans les muscles de mes épaules, ou pour montrer mon indifférence devant ce mort sans repos ? Que devais-je à Nemo, après tout ? Si j'avais vu son visage, l'aurais-je seulement reconnu ? Cela me paraissait invraisemblable. Il n'avait été ni un client ni un ami, pour autant que l'on pût savoir. Je ne lui devais rien.

Je tournai le dos à la stèle, mais difficilement ; je pouvais presque sentir la main de Nemo sur mon épaule, me retenant, essayant de m'arracher une promesse que je ne ferais pas. Je maudis tout le monde, de Nemo à Numa, et retournai au chantier de la rivière. J'aboyai sans aucune raison contre Aratus, cet après-midi-là, et après souper, Bethesda me dit que j'avais été colère comme un enfant, toute la journée.

Dans les réduits familiers de son corps, je trouvai la tiédeur des consolations et laissai mes soucis s'envoler. Elle se mit à bavarder, ensuite, d'un discours de plus en plus rapide. C'était le bonheur de retourner en ville, après une aussi longue absence, qui l'excitait de cette façon. Elle dressa la liste des temples qu'elle devait visiter, des marchés où elle ferait ses courses, des voisins qu'elle se promettait d'impressionner par son nouveau statut de matrone de campagne.

Elle se fatigua bientôt ; son débit se ralentit, sa voix se fit plus grave, mais je savais, les yeux fermés, qu'elle souriait en parlant. Son bonheur me réconfortait et je m'endormis sur la musique apaisante de sa voix.

Les dieux furent avec nous pour notre voyage. La chaleur faiblit un peu ; des brises passagères rafraîchissaient les dalles de la voie Cassienne. J'avais pris quelques-uns de mes esclaves les plus basanés et les plus terrifiants pour nous servir de gardes du corps – plus pour la parade que pour l'habileté qu'ils auraient pu avoir au combat – et, malgré leurs piètres qualités de cavaliers, ils accomplirent le trajet sans me faire honte.

Juste au nord de Rome, la voie Cassienne bifurque en deux directions. La plus petite des deux branches, au sud, contourne les collines du Vatican et du Janicule pour aller rejoindre la voie Aurélienne, qui pénètre au cœur même de la Ville par les anciens ponts, puis traverse le grand marché aux bestiaux pour déboucher sur le Forum[1]. L'arrivée par la voie Aurélienne est toujours impressionnante : on découvre le Tibre scintillant, ponctué de petits bateaux, avec ses rives bordées de quais et d'entrepôts ; le bruit des sabots sur les ponts ; la ligne d'horizon de la grande cité, dominée par le temple de Jupiter, sur la colline du Capitole. Puis c'est une lente progression à travers les différents marchés et l'extraordinaire spectacle du Forum, avec son magnifique ensemble de temples et de palais. Il aurait

---

1. La *Via Aurelia*, œuvre d'un membre de la famille des Aurelii, était la route de la côte ligure. Elle se prolongeait ensuite jusqu'en Provence. Elle franchissait le Tibre par les ponts Æmilius et Sublicius, et aboutissait au *Forum Boarium*, lieu primitif du marché de Rome, au pied du Vélabre et du Palatin. (N.d.t.).

été tentant d'entrer par là dans Rome, pour célébrer par avance l'accession de Meto au statut de citoyen romain, mais un sage pragmatisme me fit éviter cette solution : en fin d'après-midi, le trafic par la voie Aurélienne risquait d'être paralysé ; avec un chariot, je craignais de rester coincé sur l'un des ponts ou parmi les étals des marchés.

Nous prîmes donc la branche principale de la voie Cassienne, qui rejoint la voie Flaminienne dans les faubourgs nord de Rome, avant de franchir le Tibre sur le pont Milvius [1]. L'entrée dans Rome par cet accès est moins spectaculaire, car la ville et la campagne s'y interpénètrent, de sorte que le voyageur se trouve d'abord dans les faubourgs les plus extérieurs, puis soudain au cœur même de la grande ville, avant de savoir ce qui lui arrive. On passe les terrains d'exercice du champ de Mars, à droite, puis les grandes enceintes électorales, puis on pénètre dans la ville proprement dite par la porte Flaminia. Notre parcours éviterait le Forum par le nord et nous conduirait directement à la maison d'Eco, sur la colline de l'Esquilin, avec beaucoup moins d'embarras que si nous avions choisi la voie Aurélienne.

Pourtant, au fur et à mesure, le trafic se faisait de plus en plus intense, avec un goulot d'étranglement au pont Milvius. Cette foule de véhicules, de bêtes et de gens me donna l'impression typique des jours d'élection, lorsque le peuple se rassemble de toute l'Italie pour venir voter – à cela près que le trafic alors était intense dans les deux sens et que l'élection était déjà terminée. J'avais du moins toutes les raisons de le croire.

La Ville ! J'y pensais avec un grognement, mais ne dis rien, en songeant qu'il n'y avait aucune raison de gâcher le retour de Meto à Rome, en une si grande occasion. L'expression de son visage, au moment où nous pénétrâmes dans le gros de la foule, sur le pont Milvius, était celle d'une joie sans mélange,

---

1. Le pont Milvius (ou Mulvius) rentrera plus tard dans l'histoire par la victoire de Constantin sur Maxence, en 332, et la préfiguration de la victoire du christianisme sur le paganisme (N.d.t.).

comme s'il jouissait vraiment des bruits et des odeurs de tant d'hommes et de bêtes rassemblés au même endroit.

L'épreuve s'acheva enfin et nous atteignîmes l'autre rive du Tibre. Le trafic diminua un peu, mais continua d'être dense dans les deux sens. Parvenu en un point élevé de la route, je regardai devant nous la percée rectiligne de la voie Flaminienne. De part et d'autre de la route, dans tous les espaces libres jusqu'au champ de Mars, des chariots avaient été poussés de côté et leurs occupants semblaient s'apprêter à passer la nuit sur place. C'était une scène étrange comme on en voit en temps de guerre, lorsque des masses de population prennent la route sans préparation. Pourtant il n'y avait pas trace de panique dans l'air. Manifestement, cet étrange état de confusion avait un rapport avec les élections, mais lequel ?

Je regardai autour de moi et j'avisai un fermier de bonne mine, monté comme moi sur un cheval. Je le saluai et vins me ranger près de lui.

– Citoyen, dis-je, qu'est-ce que tu dis de tout cela ?

– De quoi ?

– Cette foule, ces chariots, le long de la route...

Il haussa les épaules et rota vigoureusement.

– Il faut bien qu'ils dorment quelque part. J'ai fait moi-même un aller et retour jusqu'à Véies. Il n'y avait pas assez de place pour moi et le reste de ma famille dans la maison de mon cousin à Rome. Je ne pouvais pas dormir au bord de la route, comme les autres.

– Je ne comprends pas. Les gens quittent Rome pour y revenir ?

Il me regarda soupçonneusement.

– Quoi ? Tu veux dire que tu viens juste d'arriver ? Mais tu es un citoyen, pourtant.

Il regarda l'anneau de fer à mon doigt.

– Cela a quelque chose à voir avec l'élection consulaire ?

– Comment, tu ne sais pas ? Tu n'as pas appris ? Mais d'où sors-tu ?

Il me jeta ce regard de satisfaction et de supériorité que les citoyens qui votent réservent à ceux qui manquent à leur devoir.

171

– L'élection a été annulée !

– Annulée ?

Il hocha gravement la tête.

– Par le tout-puissant Cicéron Bouche d'or en personne. Il a réuni le Sénat et l'a convaincu d'ajourner l'élection. Pourris d'Optimates !

– Mais pourquoi ? Quelle a été la raison ?

– La raison, ou plus exactement le prétexte, a été que Catilina prépare un terrible complot pour liquider le Sénat – comme si la plupart d'entre eux ne méritaient pas qu'on leur coupe la gorge – et qu'il n'est pas prudent, dans ces conditions, de tenir une élection. Tout cela s'est passé il y a quelques jours, mais tu vis dans une grotte ou quoi ? On a envoyé des messagers dans toute l'Italie pour prévenir les gens de ne pas se déplacer maintenant, les élections étant retardées. Beaucoup ne l'ont pas cru, pensant qu'il s'agissait d'une combine pour nous tenir à l'écart de la politique. Cela ressemble bien à l'une de ces magouilles que les Optimates aiment, non ? On est donc tous venus ! Devant un tel rassemblement, les sénateurs étaient prêts à tenir l'élection, mais la veille, on a vu des éclairs à l'horizon alors que le ciel était tout bleu et cette nuit-là, il y a eu un tremblement de terre. Le jour prévu pour le vote, on a pris les auspices et les augures ont déclaré que tous les présages étaient néfastes ; les enceintes électorales ont été démontées. Les élections ? Ajournées *sine die*, nous a-t-on dit. Qu'est-ce que ça veut dire, par l'Hadès ? Alors voilà : les gens quittent Rome, reviennent, ne savent pas où rester. La dernière chose que j'ai entendue est que l'élection consulaire aurait lieu après-demain.

– Quoi ?

– Ouais, le même jour que l'élection pour les préteurs. C'est pourquoi je suis revenu aujourd'hui. J'imagine qu'au lieu de l'organiser dans deux jours, ils vont essayer de la faire demain, pour nous tromper. Mais on ne va pas se laisser faire par ces gredins d'Optimates : je serai au champ de Mars demain, dès l'aube, devant les enceintes électorales, prêt à être décompté avec le reste de ma tribu et, s'il le faut, je serai encore là après-demain, et le jour d'après. Pour Catilina ! cria-t-il brusquement en levant le poing.

Autour de nous, dans le petit cercle qui pouvait entendre la voix de l'homme, je vis se lever aussi plusieurs poings et j'entendis acclamer le nom de Catilina, repris et amplifié jusqu'à former une sorte de rengaine. L'homme sourit de la démonstration partisane qu'il avait provoquée, puis il revint à moi. Son sourire avait disparu.

— Naturellement, tout le monde ne peut pas rester à Rome indéfiniment, dit-il. C'est pourquoi tu vois tous ces mouvements, dans tous les sens. Les gens du peuple ont besoin de revenir à leurs fermes, n'est-ce pas ? Il leur faut se soucier d'assurer leur subsistance et celle de leur famille. Pas comme ces salauds d'Optimates qui peuvent se déplacer par plaisir et qui ne manquent pas une élection.

Il me toisa de haut en bas.

— Je ne pense pas que tu sois l'un des Meilleurs, non ?

— Je n'ai pas à me justifier devant toi, citoyen, dis-je assez sèchement.

Puis je me rendis compte que je n'étais pas fâché contre cet homme, mais contre ce qu'il m'avait appris. Il était clair maintenant que ce que je voulais éviter par-dessus tout aurait lieu en ma présence, et que je serais à Rome le jour de l'élection consulaire ! Les dieux s'étaient divertis à mes dépens : pas étonnant que le voyage se fût déroulé sans encombre ; les dieux voulaient être sûrs que je serais bien dans la capitale pour subir les élections ! Je remis mon cheval en route, d'un léger coup d'éperons.

Nous avancions lentement dans la ville. De gros nuages de fumée et de poussière montaient du champ de Mars, où des milliers d'électeurs venus de toute l'Italie avaient installé leurs campements ; en temps normal, on y aurait vu des coureurs s'exerçant sur leurs chars ou des soldats à l'entraînement. La Villa Publica, espace où les électeurs se rassemblaient, et les enceintes électorales adjacentes, construites comme un dédale d'enclos à moutons, étaient fermées et vides. Le trafic ralentissait de nouveau à la porte Flaminia ; une fois passée cette porte, nous fûmes enfin dans Rome, à l'intérieur de l'enceinte primitive de la cité.

173

Le soleil déclinait à l'ouest, jetant une lumière rouge sur les toits, mais Rome restait très animée, spécialement dans la grande rue de Subure[1]. La célèbre voie conduisait au cœur vivant de la cité, pas là où se dressaient fièrement les temples et les palais officiels, mais au quartier des boucheries et des bordels, des tripots et des tavernes borgnes. Les odeurs de la ville assaillaient nos narines : crottin de cheval et fumée des braseros, poisson cru et parfums, urine et pain fraîchement cuit. Dans un seul pâté de maisons, je vis plus de visages que je n'en avais aperçus pendant toute une année, à la campagne ; des corps de tout acabit, vieux et gras, jeunes et souples, vêtus de somptueux habits ou presque nus ; un Éthiopien en robe rouge, la peau couleur d'ébène lustré, allait chercher de l'eau à la fontaine publique.

Cette dernière attira mon regard. Elle était là depuis mon enfance ; d'innombrables fois, j'avais collé mes lèvres à ce tuyau pour savourer une gorgée d'eau fraîche ; j'y avais rempli ma gourde, abreuvé mon cheval. Rien ne me semblait à la fois plus étranger et plus familier. J'avais quitté Rome pour de bon, croyais-je, et maintenant je revenais et il fallait me rendre à l'évidence : quelles que fussent la durée et la distance de l'éloignement, ce serait toujours chez moi, près de cette fontaine.

Nous arrivâmes à ma vieille demeure de l'Esquilin sales, fatigués et affamés. La lumière déclinante était passée du rouge au pourpre puis au violet ; on avait déjà allumé les lampes de la demeure. Nous arrivions plus tard que je ne l'avais escompté, mais Eco, connaissant le chaos du trafic romain, me dit qu'il était surpris de nous voir arriver si tôt.

— Tu as sans doute pris la voie Flaminienne, me dit-il en claquant dans ses mains pour appeler les esclaves chargés de nos bagages. Tu as bien fait. On nous a dit que les ponts de la voie Aurélienne étaient de véritables cauchemars.

Je regardai la maison dans laquelle je me trouvais, qui avait été la mienne pendant si longtemps, et celle de mon père aupa-

---

1. Subure était l'un des quartiers les plus populaires et les plus mal famés de Rome (N.d.t.).

ravant. Là était l'atrium et là le jardin où j'avais reçu tant de clients, à travers les années ; où j'avais reçu pour la première fois celui qui allait devenir mon ami et mon bienfaiteur, Lucius Claudius, venu me consulter après avoir rencontré un mort qui se promenait dans Subure.

— Le jardin a l'air admirablement tenu, dis-je avec une petite émotion dans la voix.

— Oui. Ménénia s'en occupe elle-même. Elle est passionnée de botanique.

— Les murs sont fraîchement repeints ; j'ai vu aussi que tu avais remplacé les tuiles cassées du toit et renforcé les charnières et les barres de la porte d'entrée. Même la fontaine semble fonctionner, à présent.

— Je voulais que tout soit en ordre pour l'anniversaire de Meto ; c'est un grand jour. Mais voici Ménénia !

Ma belle-fille s'approchait, les yeux baissés, et me salua avec toute la déférence due à un patriarche romain. Quelle vieille bête je faisais, pensai-je à part moi. Le ciel, au-dessus du jardin, vira bientôt au bleu nuit, piqueté d'étoiles qui scintillaient comme des cristaux de gel. Tables et lits furent installés en plein air, et les esclaves servirent un souper copieux, propre à réconforter des voyageurs fatigués, mais nous l'étions sans doute trop pour lui faire vraiment honneur. Avant que le ciel n'eût viré au noir, tout le monde était au lit, sauf Eco et moi. Une fois que nous fûmes seuls tous les deux, il me posa quelques questions sur Nemo et sur la visite de Catilina. Je lui répondis avec une certaine lassitude et, lorsqu'il eut appris que l'histoire paraissait arrivée à son terme, si peu satisfaisant qu'il fût, il ne me pressa plus de questions. Il m'informa que, aux dernières nouvelles, les élections auraient lieu le surlendemain, c'est-à-dire le lendemain de la cérémonie pour la prise de toge de Meto, alors que nous serions encore à Rome.

— Bon ! soupirai-je. Décidément, il n'y a rien à faire ! Rome, un jour d'élection ! Nous aurons pleinement profité de la grande ville !

Il me conduisit à mon ancienne chambre, où Bethesda dormait déjà, qu'il avait libérée pour nous. Meto et Diane dormaient dans la pièce à côté. Je m'allongeai à côté de Bethesda,

175

qui soupira dans son sommeil et bougea ses hanches pour me faire de la place, et je m'endormis sitôt la tête sur l'oreiller.

D'étranges sanglots m'arrachèrent à mon sommeil. Je m'éveillai progressivement, comme les gens de mon âge lorsqu'ils sont tirés des profondeurs du premier sommeil. Les sanglots provenaient de la chambre d'à côté.

Je pensai à Diane. L'image du cadavre décapité de Nemo surgit soudain dans mon esprit et je fus réveillé d'un coup, quoique toujours désorienté. Mon cœur battait la chamade, mais mon corps était encore engourdi ; je me levai, mon coude cogna contre le mur et je jurai par les parties intimes du vieux Numa ! Pourtant, ce n'était pas Diane qui sanglotait ; le son n'était pas assez aigu ni enfantin. Ce n'était pas exactement des sanglots, mais plutôt une sorte de cri ou de plainte rythmée qui sortait d'une bouche aux lèvres et aux dents serrées, le gémissement de quelqu'un qui fait un cauchemar.

Je gagnai le couloir. Le bruit cessa un moment, puis reprit de l'autre côté de la porte de la chambre que partageaient Meto et Diane. Une lampe brûlait dans le couloir. Je la pris, poussai le rideau et entrai dans la petite pièce. Diane était assise sur son petit lit, le dos contre le mur, se frottant les yeux comme si elle venait de s'éveiller. Elle remonta la couverture jusqu'au cou et regarda gravement Meto.

– Papa, qu'est-ce qu'il a ?

Meto s'agitait sur son lit ; sa couverture était tordue ; ses mains étaient emprisonnées dans le tissu. Son front était luisant de sueur et ses mâchoires serrées ; derrière ses paupières closes, ses yeux semblaient rouler. Il recommença de gémir.

– Papa, dit de nouveau Diane, Meto est-il...

– Il va bien, dis-je doucement. Il rêve simplement ; ce doit être un très mauvais rêve, mais c'est tout. Ne t'inquiète pas, je vais m'occuper de lui. Pourquoi ne vas-tu pas dormir avec ta mère, cette nuit ?

La suggestion lui plut beaucoup. Elle prit sa couverture, s'en drapa comme d'une stole de matrone et bondit de son lit. Elle s'arrêta pour que je l'embrasse puis se précipita vers la porte.

– Tu es sûr que tout va bien, papa ?

176

– Mais oui.

Diane rejoignit la chambre de sa mère et je restai près de Meto, observant son visage tourmenté éclairé par la lumière de la lampe, me demandant si je devais le réveiller. Il sursauta brusquement et ouvrit les yeux, aspira une bouffée d'air, et chercha à se couvrir le visage. Mais ses mains étaient prisonnières du tissu tordu et il paniqua un moment, gémissant comme s'il rêvait toujours et secoua violemment la couverture. Comme il ne faisait que s'empêtrer davantage, je posai la lampe et saisis ses bras pour arrêter son agitation. Il se détendit au bout d'un moment et nous libérâmes ses mains prisonnières. Il toucha son visage, puis écarta ses mains en regardant avec surprise la sueur sur ses doigts.

– Tu as fait un cauchemar, dis-je doucement.

– J'étais en Sicile, répliqua-t-il en gémissant.

– J'y pensais. Tu as fait le même cauchemar il y a longtemps.

– Ah ? Pourtant, je ne pense jamais à la Sicile. Je me rappelle rarement le temps que j'y ai passé. Pourquoi en rêver maintenant ?

Il s'assit et secoua la sueur qui lui coulait dans les yeux.

– Je ne sais pas. Tiens, prends la couverture pour te sécher le front.

– Regarde, l'oreiller est trempé ! J'ai terriblement soif.

Je regardai autour de moi et aperçus l'éclat d'une aiguière de cuivre ainsi qu'une coupe, sur une petite table, près de la porte. Je tendis une coupe d'eau à Meto, qui la but d'un trait.

– Ce n'était qu'un mauvais rêve, Meto !

– Mais si réel...

– Tu es à Rome, pas en Sicile ni à Baiae. Tu es dans notre maison, entouré par ta famille...

– Oh, papa, j'ai vraiment une famille ?

– Bien sûr que tu en as une !

– Non. C'est *cela*, le rêve, c'est *cela* qui ne peut pas être vrai. Je suis né esclave et ça ne changera jamais.

– Tu te trompes, Meto. Tu es mon fils, tout aussi sûrement que si tu avais mon sang dans les veines. Tu es libre, aussi libre que si tu étais né romain. Demain tu vas devenir un homme et, après-demain, tu ne devras jamais regarder en arrière. Tu me comprends ?

— Mais dans mon rêve, Crassus, le fermier de Sicile...

— Ces hommes t'ont possédé jadis, Meto, mais c'était il y a longtemps et tout cela est fini, maintenant. Ils n'ont plus de pouvoir sur toi et n'en auront plus jamais.

Meto fixait le mur d'un regard vide et pinçait les lèvres. Une larme roula le long de sa joue. Je l'embrassai un long moment et le serrai très fort contre moi, sachant que c'était sans doute la dernière fois que je pouvais le traiter ainsi, comme un enfant. Je le sentis enfin se détendre ; il se recoucha. Je proposai de lui laisser la lampe en partant, mais il dit qu'il n'en avait pas besoin. Je regagnai le couloir, raccrochai la lampe et laissai le rideau retomber ; puis je restai à marcher dans le couloir. J'entendis bientôt le bruit régulier et tranquille de sa respiration ; le rêve avait achevé de l'épuiser, après la longue journée de voyage.

Diane dormait à côté de Bethesda et le lit n'était pas assez large pour nous trois, de sorte que je retournai dans le jardin et m'allongeai sur l'un des lits de table. Morphée vint alors s'emparer de moi.

9

Le jour de la majorité de Meto se leva dans l'éclat de la clarté. Je me réveillai dès l'aube, dans le jardin, le visage caressé par les premières lueurs du soleil ; dans la maison, les esclaves du service matinal vaquaient déjà à leurs travaux. La journée commença par l'installation d'un vélum au-dessus des jardins : des esclaves montèrent sur le toit des portiques pourtournants et tendirent la toile pour en accrocher les angles à des crochets. Au-dessous, d'autres esclaves, plus nombreux encore, commencèrent à apporter des tables qu'ils recouvraient et des lits de repas qu'ils disposaient alentour. Plusieurs de ces lits étaient ravissants, avec des pieds finement sculptés et des coussins moelleux de mille couleurs ; les meilleurs de ces lits (et les meilleurs des serviteurs), Eco les avait empruntés à certains de ses clients aisés. De la cuisine arrivaient des bruits de marmites et les bavardages des esclaves qui s'affairaient aux préparatifs.

Notre déjeuner du matin fut d'une extrême frugalité, avec des figues fraîches et du pain. J'observai Meto mordant avec appétit dans son morceau de pain et ne constatai aucune trace des affres qui l'avaient torturé pendant la nuit ; il paraissait reposé, très excité et un peu nerveux. Bon, me dis-je en moi-même, ne lui gâchons pas cette journée par des questions. Après avoir déjeuné, la famille se rendit aux bains. Les deux servantes à la disposition de Bethesda et de Ménénia nous accompagnèrent, de même que le serviteur qui était chargé des

179

soins cosmétiques d'Eco. Meto allait se faire raser pour la première fois.

Nous n'allâmes pas à pied, car Eco avait loué pour la journée trois litières avec leurs équipes de porteurs ; elles nous attendaient au bas du chemin qui menait de la maison à la rue de Subure.

— Eco, dis-je à mi-voix, cela a dû coûter...

— C'est juste pour un jour, papa ! Et puis, je les ai eues à un tarif spécial, en arrangeant l'affaire il y a un mois.

— Quand même...

— Allez, monte ! Voilà, tu partageras celle-ci avec Diane, j'irai avec Meto et les femmes feront route ensemble. Les esclaves suivront à pied.

Je parcourus donc en litière les rues de Rome, avec Diane dans mon giron. Je mentirais en disant que ce fut autre chose qu'un plaisir absolu. Diane ouvrait sur tout des yeux fascinés. Elle humait avec bonheur l'odeur du pain en train de cuire, les effluves suaves de l'échoppe du parfumeur ; elle battit des mains et rit en voyant un groupe de paysans aux yeux fatigués sortir de ce qu'elle ne savait pas être un bordel, s'amusant de leur allure comme des acrobaties qu'une troupe de jongleurs à demi nus avait décidé de répéter sur une petite place. Elle sourit et fit un signe amical de la main à deux esclaves aux cheveux gris qui sourirent aussi, mais sans répondre au signe, trop chargées qu'elles étaient de leur marché matinal. Elle fit de même à une paire de brutes hirsutes, dont je savais qu'ils étaient des tueurs à gages ayant un certain nombre d'assassinats sur la conscience ; les truands parurent étonnés, mais répondirent par un petit signe.

Au bout d'un moment, nous quittâmes la rue de Subure et empruntâmes un réseau de rues plus petites qui contournaient l'Oppius[1], en coupant un moment la voie Sacrée[2]. Là, nous

---

1. Le *mons Oppius* était l'un des deux sommets de l'Esquilin (N.d.t.).

2. La *Via Sacra* traversait le Forum pour gagner le Capitole. Elle était empruntée par les grandes processions officielles, mais servait aussi à la parade des armées victorieuses, lorsque le Sénat décernait au général vainqueur les honneurs du triomphe (N.d.t.).

tournâmes à droite et nous arrivâmes rapidement au pied de l'escalier qui menait, en bordure du Forum, aux bains de Sénia[1]. Dans le hall d'entrée, à l'ombre d'un portique, les hommes et les femmes se séparèrent. Eco nous pilota dans les bains, récemment reconstruits et agrandis. Leurs dimensions étaient impressionnantes, presque égyptiennes par leur échelle. Eco se plaignait pourtant de la presse.

– Normalement, on a assez de place pour remuer les coudes, soupira-t-il, mais avec tant d'hommes dans la ville pour les élections, vous voyez, tout est plein.

Nous nous frayâmes un chemin jusqu'à la cour centrale, où deux lutteurs nus se mesuraient sur le gazon. Leurs camarades les entouraient, les stimulant par des railleries ou étirant leurs muscles au soleil. À l'ombre du portique, un groupe de stoïciens, entièrement habillés, étaient assis en cercle ; mais il me sembla que la plupart de ces respectables philosophes étaient plutôt intéressés par la plastique des jeunes athlètes nus sur la pelouse.

Nous allâmes d'abord dans la piscine tiède, suavement parfumée à la hyacinthe, puis dans la piscine chaude dont la température fit hurler Meto, qui eut tôt fait de retirer ses fesses de l'eau ; les hommes installés dans l'eau jusqu'au cou partirent d'un puissant éclat de rire, auquel Meto se joignit de bonne grâce, sans se vexer, avant de descendre une seconde fois, lentement mais résolument, dans l'eau fumante et bouillonnante. À la suite de quoi, décrassés à la strigile et la peau amollie par l'eau chaude, nous sortîmes de la piscine et laissâmes tour à tour le barbier s'occuper de nous. Meto passa le premier, car c'était son jour et la première fois qu'un rasoir approchait son visage. L'esclave comprit la solennité de la circonstance et se surpassa dans la minutie, alors qu'il aurait probablement suffi de trois ou quatre passages de lame. Meto frissonna plus d'une fois – la confiance envers l'esclave qui te rase ne vient qu'avec le temps et l'habitude – mais l'homme fit de l'excellent travail. Quand il eut fini, il n'y avait pas la moindre trace de sang sur

---

1. Les *Seniæ balneæ* étaient des bains publics réputés à Rome, équivalant aux *hammams* des villes musulmanes (N.d.t.).

le visage, sur la lame ou sur la serviette. Meto semblait presque désappointé de ne pas avoir été blessé, mais il goûta avec ravissement cette sensation – nouvelle pour lui – d'une peau parfaitement rasée.

Puis le barbier sortit la paire de ciseaux fins que Lucius Claudius m'avait donnée en cadeau et que j'avais laissée à Eco, en quittant la maison. Il coupa ensuite les cheveux de Meto, en lui dégageant bien les oreilles et la nuque. Pour finir, il oignit ses cheveux avec de l'huile parfumée.

Je permis au barbier de retailler un peu mes cheveux et ma barbe avec les ciseaux, mais refusai le rasoir. Puis ce fut le tour d'Eco.

– Voilà enfin l'occasion, dis-je, de te débarrasser de cette coiffure absurde et de cette barbe excentrique.

– Absurde et excentrique ? demanda Eco en riant ; mais, papa, regarde autour de toi !

Ce que je fis, pour constater que beaucoup de jeunes hommes, de l'âge d'Eco, affectaient le style qu'il avait adopté, à l'instar de Marcus Cælius.

– Tu sais qui est à l'origine de cette mode ?

– Mais oui, c'est Catilina. C'est toi qui me l'as dit et j'ai aussi entendu d'autres personnes dire la même chose. Catilina et son cercle font aujourd'hui la mode.

– Oui, mais sais-tu que Catilina lui-même a abandonné cette mode ?

– Vraiment ?

– Et cela s'est même passé sous mon toit. La veille au soir, il portait barbe fine et le lendemain matin (je fis un geste du doigt), disparue. Tu vois, c'est Meto qui est à la mode, maintenant. Tu devrais peut-être faire de même ?

Eco demanda le miroir au barbier et y étudia son visage, en dissimulant son collier de barbe avec le pouce et l'index.

– Tu penses vraiment que je devrais l'enlever ?

– Catilina l'a fait, dis-je avec négligence, comme si je m'en moquais éperdument, ce qui n'était pas tout à fait le cas, comme on sait.

– Ménénia n'a jamais spécialement aimé la barbe, avoua

Eco peu après en levant le menton pour contempler son visage dans le miroir de cuivre poli que lui tenait le barbier.

— Je croyais avoir entendu le contraire, dis-je pour le taquiner un peu.

— Elle m'aimera encore plus sans, j'en suis sûr !

Et de fait. À en juger par leur échange de regards, lorsque nous retrouvâmes les femmes dans le vestibule d'entrée, on aurait dit qu'Eco et Ménénia s'étaient quittés depuis des mois : tel est le feu de la passion, dans ses beaux jours. Bethesda caressa les joues de Meto et soupira, comme si elle sentait vraiment une différence ; Diane, avec la brutale franchise de son âge, assura d'un air grognon qu'elle ne voyait aucun changement.

Propres et rafraîchis, nous revînmes à la maison de l'Esquilin pour découvrir que les préparatifs étaient presque terminés. Un cadran solaire, dans la rue de Subure, nous avait appris, au passage, qu'il était presque midi. Les premiers invités arriveraient sous peu : il était temps pour Meto de revêtir sa toge.

L'agencement d'une toge n'est pas une mince affaire. L'esclave qui servait de barbier à Eco était aussi son « habilleur ». Il était parfaitement compétent et nous aida avec patience – Eco, moi, puis Meto – à nous habiller dignement. Eco avait acheté la toge de Meto dans une excellente boutique, au pied du Palatin. Il fallut deux essais pour l'ajuster, et un peu d'énervement avec les plis, mais le nouvel homme fut bientôt devant nous, parfaitement drapé dans sa première toge virile.

— Quelle allure ai-je ? demanda-t-il.

— Splendide ! dit Eco.

— Ton avis, papa ?

J'hésitais à parler, parce que je sentais comme un nœud dans la gorge.

— Je suis fier de toi, Meto. Extrêmement fier.

10

Dehors, dans le jardin, les invités avaient commencé d'arriver. Des plats délicieusement garnis avaient été placés sur les tables, et les lits de repas étaient disposés sans ordre, de façon à ce que les invités se servent et s'installent à leur guise, plutôt que de rester à une place fixe et de voir défiler les plats. Cela me parut un peu chaotique et peut-être même un peu disgracieux, mais Eco m'assura que c'était la nouvelle mode.

— C'est comme ta barbe, dis-je à mi-voix ; l'usage en disparaîtra comme il est venu.

Je circulais lentement au milieu de cette assemblée, m'arrêtant pour parler avec des voisins et des clients que je n'avais pas vus depuis des années, puis je tombai sur Eco, que je tirai à l'écart.

— C'est toi qui as invité tous ces gens ? murmurai-je.

— Mais oui ! Ce sont tous des amis ou des connaissances. La plupart d'entre eux ont connu Meto depuis son enfance.

— Mais tu ne prétends quand même pas que tous ces gens vont venir avec nous sur le Forum, pour revenir ensuite souper ici ? !

— Bien sûr que non, papa ! C'est seulement la réception générale. Ces gens sont invités à venir passer un bon moment, renouer connaissance avec la famille, voir Meto en toge virile, et partir quand bon leur semble...

— Invités aussi pour dévorer et gruger la maison ! Regarde donc là-bas !

Un homme à barbe grise, dont l'allure m'était vaguement familière – ce qui m'était assez désagréable, car j'avais l'impression de l'avoir eu comme adversaire, lors de quelque procès – avait accaparé une petite table de service et fourrait des feuilles de vigne farcies dans une sorte de poche, à l'intérieur de sa toge.

– Mais... Ah non ! Cette fois, c'est trop ! Regarde : cet infâme vole à présent les dattes au miel ! Il n'y en aura plus pour les autres invités ! Tu vois, tu as invité beaucoup trop de monde et ni toi ni moi ne savons qui est cet homme ; tout ce que nous savons, c'est qu'il se conduit comme un porc.

– Je suppose que je dois faire quelque chose, dit Eco. Je vais aller demander à ce type s'il a assassiné ses épouses ou empoisonné ses associés, récemment.

Il alla droit vers la barbe grise, qui sursauta et fit un écart en arrière lorsqu'il lui toucha l'épaule. Eco sourit en lui parlant et l'éloigna de la nourriture. Mais le soubresaut devait avoir dérangé la poche cachée du goinfre, car des feuilles de vigne farcie et des dattes au miel commencèrent à tomber de sa toge, laissant comme une piste en pointillé sur le sol.

Une main toucha mon épaule ; je me retournai et vis une crinière de cheveux roux, une myriade de taches de rousseur encadrant un nez de belle allure et deux yeux bruns brillants qui fixaient les miens. Un instant plus tard, Marcus Valerius Messalla Rufus et moi tombions dans les bras l'un de l'autre. Il me toisa ensuite de haut en bas.

– Gordien ! La vie de la campagne te réussit apparemment bien, tu as l'air en pleine forme !

– La vie de Rome semble te convenir aussi, Rufus, car tu ne vieillis pas, d'une année sur l'autre.

– J'ai trente-trois ans cette année, Gordien !

– Non ! Pourtant, quand nous nous sommes rencontrés...

– J'avais à peu près le même âge que Meto aujourd'hui. Le temps passe, Gordien, et le monde change.

– Jamais assez pour mon goût !

Nous nous étions rencontrés, voilà bien des années, dans la

186

maison de Cæcilia Metella[1], alors que Rufus assistait Cicéron dans sa défense de Sextus Roscius. Ce patricien de haute lignée n'avait alors que seize ans ; attiré de bonne heure par la politique et littéralement fanatique de Cicéron, il avait connu par ses ambitions déclarées, une belle carrière. Il avait été l'un des plus jeunes élus du collège des augures ; on l'appelait fréquemment, à ce titre, pour prendre les auspices et interpréter la volonté des dieux. Aucune transaction publique ou privée ne se fait à Rome, aucune bataille ne s'engage, aucun mariage ne se conclut sans la consultation préalable des augures. Pour ma part, je n'avais jamais beaucoup cru en ces prétendus messages délivrés par l'observation des oiseaux[2] ou l'interprétation des manifestations fulminantes de Jupiter. Beaucoup d'augures (ou la plupart d'entre eux ?) étaient des comparses politiques et des charlatans qui utilisaient leur pouvoir pour suspendre les réunions publiques et bloquer éventuellement le vote d'une loi gênante. Mais Rufus – exception d'autant plus remarquable – m'avait toujours paru sincère dans sa foi en la science augurale.

– Je suis heureux que tu sois venu, Rufus. Il y a vraiment peu de visages du Forum qui me manquent, mais le tien est de ceux-là. Je le dis comme je le pense. Mais qu'est-ce que je vois ? Tu portes une toge de candidat ?

Rufus prétendit s'épousseter, car la laine naturelle de sa toge avait été frottée de craie pour la blanchir, selon l'usage de ceux qui briguent un poste officiel.

– C'est que je suis candidat à un poste de préteur, cette année.

– J'espère que tu gagneras. Rome a besoin d'hommes de qualité comme toi, pour diriger la cité et faire triompher la justice.

– Nous verrons bien. Le vote aura normalement lieu demain, juste après le scrutin de l'élection consulaire. Norma-

---

1. Fille de Q. Metellus Creticus (consul en 69 av.. J.-C.) et épouse de l'orateur L. Licinius Crassus. Son tombeau célèbre est toujours visible sur la voie Appienne. La famille des Metelli était une des grandes familles patriciennes de Rome (N.d.t.).

2. C'est l'étymologie même des mots « augure » et « auspice » (N.d.t.).

lement, ces élections se déroulent à des jours différents, mais avec le report de l'élection consulaire... bref, ce sera une journée de folie. César est également en lice pour un poste de préteur, de même que le frère de Cicéron, Quintus.

— Je suppose que tu es toujours allié avec Cicéron, dis-je, avant de m'apercevoir, à l'expression de son visage, que j'avais dit une bêtise.

— Cicéron... (Rufus hésita.) Écoute, tu connais le cirque qu'il a fait l'été dernier pour gagner le consulat. Rideau de fumée et saut de cercle – en fait, ce n'était pas une surprise de le voir recourir aux tours les plus extraordinaires pour se faire élire. Les années passant, il a inversé ses positions sur presque tous les points, mais sa rhétorique est restée la même, comme si c'était elle, et non les principes, qui donne à un homme sa cohérence et sa consistance. Je me sens mal à l'aise en sa présence, actuellement. Il tourne le dos, hypocritement, aux enfants des victimes de Sylla qui demandent réparation ; il parle contre la réforme agraire de Servilius Rullus ; il manœuvre contre les tribunaux spéciaux pour les membres de l'ordre équestre ; maintenant, il fait reporter les élections... Cela fait longtemps que tu n'es pas venu en ville, non ?

— Je ne suis arrivé qu'hier soir.

— Un chaos épouvantable ! Des électeurs qui arrivent, après des heures ou des journées de voyage pénible, pour apprendre que le scrutin a été ajourné : imagine ! Les fermiers furieux, venus de l'Étrurie, campant sur le champ de Mars et allumant des feux qui pourraient réduire Rome en cendres. Quand les préteurs viennent les mettre en garde, les fermiers sortent les vieilles épées rouillées qu'ils avaient mises au service de Sylla ! Ce serait assez pour me convaincre de sortir de l'élection à ce poste. Et tout cela à cause d'une idée fixe et parfaitement ridicule de Cicéron : selon lui, Catilina s'apprête à massacrer la moitié du Sénat s'il n'est pas élu consul ! Et voilà, comme pour prouver qu'il n'a aucun sens des convenances et de la dignité, que Cicéron se promène sur le Forum en portant ostensiblement cette absurde cuirasse sous sa toge...

— Qu'est-ce que tu dis ?

— Excuse-moi, je ne supporte même plus d'y penser. Tu le

verras probablement toi-même, en descendant sur le Forum. Tu sais, Cicéron... Désormais, je m'aligne sur les positions de Caius Julius César.

Je hochai la tête en entendant prononcer le nom du jeune patricien qui avait remporté l'année précédente, contre toute attente, l'élection à la fonction de Grand Pontife, chef de la religion d'État. Ces dernières années, César était apparu de plus en plus comme le champion du parti du mécontentement et des réformes. Ses dépenses fastueuses, pour les banquets et les jeux publics, lui avaient naturellement gagné le cœur des masses (tout en l'accablant de dettes, à ce que l'on murmurait, malgré l'immense richesse de sa famille). On disait de lui qu'il était spirituel, charmant, sournois, méprisant envers les Optimates, et qu'il était doué de cette nature opiniâtre qui peut conduire, chez les hommes politiques, à la grandeur ou au désastre... ou aux deux.

— Plus j'ai affaire avec lui, plus il m'impressionne, dit Rufus. C'est lui qui voit l'avenir. L'empire doit judicieusement accorder le droit de vote à ceux qu'il conquiert, et pas simplement les exploiter. Il faut du sang et des batailles pour obtenir la stabilité, mais la compassion doit accompagner la victoire. César et moi avons mis nos ressources en commun pour faire campagne, mais je me sens un peu présomptueux de m'aligner sur les rangs, comme si j'étais l'égal d'un candidat de cette classe. Il est brillant, il n'y a pas d'autre mot. Lorsqu'il parle...

La voix de Rufus s'arrêta et il regarda à mi-distance.

— Ah, mais tu avais remarqué ma toge de candidat, dit Rufus. En fait, je m'apprêtais à en changer...

— Mais je t'en prie, tu n'as pas besoin d'arrêter ta campagne juste parce que tu es entré dans notre maison, dis-je pour le taquiner. Demander à un homme politique de mettre de côté sa candidature, c'est comme demander à un oiseau d'enlever ses ailes !

Il me regarda, avec l'air de ne pas comprendre.

— Mais enfin, il faut bien que je mette ma robe d'augure avant que nous commencions la promenade, n'est-ce pas ?

— Ah ça... Tu veux dire que tu vas prendre les auspices pour Meto ?

– Mais oui ! C'est pourquoi je suis ici, en ma qualité d'augure. (Ce qui ne signifie pas que je ne suis pas ici comme ami aussi, naturellement.) Eco ne t'a rien dit ?

– Non. Je pensais qu'il avait déniché un augure privé, le genre de prêtre qui s'occupe des cérémonies de mariage. Je ne savais pas... Et puis, pour toi, prendre du temps sur ta campagne, la veille de l'élection...

– Quelle meilleure publicité pour moi, au dernier moment, que de remplir solennellement mes devoirs d'augure, avec tout le Forum comme témoin ? J'aurai certainement l'air plus respectable que tous ces candidats qui vont mendier, dans la foule, les voix des électeurs.

Il souriait de sa ruse.

– Rufus, dis-je en riant, tu es une nouvelle race d'homme politique, je crois. L'idéalisme comme pragmatisme : le respect du devoir et de la vertu, plutôt que la violence et la corruption ouvertes, comme moyen de gagner une élection. L'idée est originale, mais elle pourrait bien fonctionner.

– Bon ! dit-il en souriant. Mais maintenant, il faut vraiment que j'aille me changer. Et puis, j'aurai une surprise pour toi et pour Meto, vers la fin de la journée ; mais nous en reparlerons à ce moment-là.

J'appelai l'un des esclaves d'Eco pour qu'il conduise Rufus à une chambre tranquille ; ses propres esclaves suivirent, portant sa robe et ses insignes sacerdotaux. Je regardai autour de moi, un peu perdu dans ce tourbillon de têtes. C'est alors que j'entendis près de moi, dominant le murmure de la foule, une voix de femme qui prononçait un nom familier.

– Ah ! mais tu dois avoir connu mon défunt cousin, Lucius Claudius. Oui, oui, c'est moi qui ai hérité de Lucius sa maison sur le Palatin, une immense vieille maison, extraordinaire et magnifique, mais beaucoup trop grande et trop fantasque pour mes humbles moyens. Quoique... je me sois laissé dire que je pourrais en tirer un bon revenu si je pouvais trouver un locataire assez riche pour se payer ça et si je voulais bien investir un peu pour améliorer les lieux. Quoique... mes cousins pensent que je devrais garder la maison vide comme pied-à-terre pour nous tous, à Rome, mais cela veut dire entretenir à demeure une troupe d'esclaves, même lorsque la maison est inoccupée, et je n'ai entendu aucun de mes chers cousins proposer de les entretenir... Oh, mais regardez, le voilà, notre hôte et mon cher voisin ! Gordien, tous mes vœux de bonheur et honneur à toi, pour l'anniversaire de ton cher fils !

— Claudia ! dis-je en prenant la main qu'elle me tendait et en embrassant sa joue rougie.

Je l'aurais à peine reconnue si je n'avais pas entendu sa voix, car au lieu de l'habit simple et vaguement hommasse qu'elle portait à la campagne, elle était vêtue d'une délicate stole de pourpre, dont le drapé sombre épousait les contours généreux de son corps. Ses cheveux avaient été passés au henné, pour leur donner une nuance plus foncée, et arrangés en un échafaudage si élevé sur sa tête qu'elle avait dû frôler le chambranle de la porte d'entrée.

— Compliments, Gordien, je ne m'attendais pas à tant de fastes ! La nourriture est magnifique – mais ce n'est pas celle de Congrio, je pense. Ce sera le cuisinier de ton fils ou quelque esclave convoqué spécialement pour l'occasion, exact ? En fait, je ne devrais pas être ici. Je quitte Rome pour retourner à la ferme, cet après-midi, et compte tenu de la circulation sur les routes...

— Quitter Rome ? Mais je croyais que tu projetais de passer tout le mois de quintilis ici, en ville, pour remettre en état la villa de Lucius, sur le Palatin.

— Nous y voilà ! J'ai les idées plus brouillées que jamais sur ce que je veux vraiment faire de cette propriété. Je suis dans une telle impasse que la meilleure chose à faire, selon moi, est de retourner au plus vite à la ferme et d'y rassembler mes esprits, avant d'essayer de prendre une décision... Et puis, très franchement, j'en ai plus qu'assez de mon cousin Manius et de sa femme à la voix de crécelle. Ce sont eux qui possèdent la propriété, au nord de la tienne, mais ils passent le plus clair de leur temps ici, à Rome. Ils insistent pour me voir tous les jours et m'inviter tous les soirs, et j'en ai plus qu'assez. Leur cuisinier est un désastre, d'abord, et puis leurs idées politiques sont vraiment trop réactionnaires, même pour moi.

Claudia baissa la voix et rapprocha son visage du mien.

– Toutefois mon séjour chez Manius a quand même eu un résultat positif, mon cher Gordien, et cela te concerne. En fait, c'est la raison pour laquelle je suis restée à Rome jusqu'à ce jour et pourquoi je suis venue aujourd'hui, au lieu de filer en Étrurie. Promets-moi, Gordien, de ne pas te mettre en colère, mais j'ai pris la liberté d'amener avec moi cousin Manius. Le voici, d'ailleurs... Manius ! Oui, cousin, viens rencontrer notre hôte !

Elle appelait quelqu'un dans mon dos. Lorsque je me retournai, qui découvris-je ? La barbe grise qui avait pillé les feuilles de vigne farcies et les dattes au miel ! Que faisait un tel homme dans notre maison, le jour de la toge virile de Meto ? Claudia était folle de l'avoir amené. Si j'avais été aussi superstitieux que Rufus, j'aurais trouvé que sa présence inattendue était un mauvais présage. Claudia semblait lire dans mes pensées. Comme Manius approchait, elle me prit par le coude et me dit à l'oreille :

– Écoute, Gordien, il n'est dans l'intérêt de personne de garder des rancunes entre nos deux familles. Manius t'en a voulu de ta bonne fortune et il a mal parlé de toi, comme l'ont fait tous mes cousins, mais lui et moi avons longuement évoqué ces affaires, durant mon séjour à Rome, et je crois que je l'ai convaincu de faire la paix. C'est pourquoi il est ici. Tu vas lui faire bon accueil, n'est-ce pas ?

Je n'eus guère le choix car, à l'instant même, l'homme était devant moi, avec une expression chagrine sur le visage et les yeux fuyants.

– Alors, c'est toi Gordien, dit-il finalement en me regardant. Ma cousine Claudia semble penser que nous devrions être *amis*.

Il avait détaché le mot d'un ton particulier, volontairement sarcastique. Je respirai profondément.

– « Amis » est un bien grand mot, Manius Claudius, qu'il ne faut pas manier à la légère. J'étais l'ami de ton défunt cousin Lucius et j'en suis très fier. C'est par sa volonté que toi et moi sommes voisins, à défaut d'être amis ; mais il me semble que des voisins, à la campagne, doivent au moins s'efforcer de vivre en harmonie, pour le bien commun, non ? Et puisque nous sommes voisins...

— Uniquement par suite d'un accident juridique, et par une lacune dans le bon sens de mon défunt cousin Lucius, pour ne rien dire de son bon goût, interrompit Manius avec acidité.

Je mordis ma langue un moment.

— Claudia, je croyais que tu m'avais dit...

— Mais oui, Gordien, et je ne comprends pas, dit Claudia, les dents serrées.

« Manius, avant de partir de la maison, ce matin, il avait été convenu...

— Tout ce dont je suis convenu avec toi, Claudia, était de venir dans cette maison, de me comporter d'une façon civile et de voir par moi-même si je trouvais ou non la famille de Gordien respectable, charmante et – pour reprendre tes propres termes – « tout à fait le genre de personnes que l'on désire comme voisins ». Bien. Je suis venu, Claudia. Je me suis comporté comme je me conduirais chez moi. Et je n'ai pas été charmé, bien au contraire ; mes pires suppositions sur ces gens ont été confirmées.

— Voyons ! dit Claudia à voix basse, en mettant ses doigts sur ses lèvres.

— J'ai discuté avec certains des autres invités, continua Manius. Il y a ici beaucoup trop de gens de la race des radicaux, populistes, révoltés, etc. ; mais enfin, il y en a aussi beaucoup trop à Rome, pour mon goût. Je ne nierai pas qu'il y a aussi un petit nombre de personnes respectables, et même quelques amis patriciens, bien que la raison de leur présence à une telle réunion m'échappe.

— Assez, Manius ! hoqueta Claudia. Mais Manius était lancé.

— Je disais donc que j'avais conversé avec d'autres personnes ici présentes et découvert quelle sorte de famille habite cette maison et réside présentement sur les terres de Lucius. L'année dernière, je ne me souciais pas de savoir quelle sorte de personnage était ce Gordien ; il fallait simplement l'empêcher d'engloutir une partie de l'héritage familial. Je savais que c'était un plébéien sans ancêtres dignes d'être mentionnés, engagé dans une activité plus ou moins douteuse, mais je n'avais pas la moindre idée de la famille qu'il avait constituée autour de lui. Et quelle famille, en vérité ! Sa femme n'est pas romaine, mais à moitié égyptienne et à moitié juive, et elle a été auparavant son esclave et sa concubine ! Leur fils aîné, celui qui vit aujourd'hui dans cette maison, est bien né romain, mais il n'est ni de lui ni de son épouse esclave : cet Eco – quel nom ridicule et grossier – était un mendiant abandonné, recueilli dans la rue. Quant au garçon dont on fête ici la naissance et l'âge d'homme, il semble qu'il soit né esclave du côté de Baiae et d'origine probablement grecque. Un esclave ! Et regarde-le se pavaner maintenant dans sa toge ! Du temps de nos grands-parents, aux grands jours de la République, une telle désacralisation aurait été impensable. Pas étonnant que ce garçon n'arrive pas à faire tenir correctement sa toge sur ses épaules !

J'écoutai cette tirade sans rien dire, mais avec les oreilles en feu, puis les poings serrés pour les empêcher de voler. Claudia, dont le regard nerveux allait de Manius à moi, posa timidement sa main sur mon coude, mais cela n'était pas nécessaire. Je n'allais pas faire un scandale dans ma maison et briser l'harmonie d'un si beau jour pour Meto. Manius continua donc.

– Pour finir, si j'ai bien compris, il y a aussi une fille, née libre et, apparemment, de ses deux parents. Une fille romaine, légalement parlant, et qui se mariera un jour dans une maison de Rome, apportant avec elle le sang égyptien et le sang juif qui se mêlent dans les veines de sa mère, ancienne esclave. Faut-il s'étonner que la République bascule à cette vitesse dans le chaos ? Qui est là pour représenter la vraie famille romaine et les valeurs qui étaient autrefois les siennes ? Même un Claudius aussi délicat que notre cousin Lucius a été séduit – « charmé » pour employer un de tes mots, Claudia – par cette décadence de basse-cour ; mais Lucius a toujours été un excentrique et je suppose que c'est aussi ton excuse, Claudia, l'excentricité. Reste que si tu trouves cette association excellente, bienvenue chez elle, mais garde-la pour toi. Je suis venu faire ici acte de bonne volonté et pour te plaire, Claudia, mais je

194

mesure à quel point j'ai fait erreur. J'ai complètement perdu mon temps.

Un moment de plus et il aurait tourné les talons, quittant les lieux avec un sourire de triomphe et me laissant ravaler ma fureur, pour ne pas me donner en spectacle à mes invités. Mais Némésis intervient parfois et ridiculise ceux qui le méritent.

– Oh, ta visite n'a pas été complètement perdue, à coup sûr, dis-je.

La menace dans ma voix dut alerter Manius, car il recula, mais pas assez vite. Du coin de l'œil, il dut saisir le mouvement de ma main et leva les bras, afin de détourner un coup que je n'avais nullement l'intention de lui donner au visage ou au ventre. En fait, plus ou moins inconsciemment, je visai la place où j'avais vu auparavant disparaître sa main dans le pli de sa toge pour y enfouir les friandises dérobées sur la table de service. Je donnai une tape sèche sur une forme gonflée dissimulée entre les plis ; Manius grogna et Claudia poussa un petit cri d'effroi, juste assez fort pour attirer l'attention des personnes placées à proximité, dont les têtes se tournèrent vers nous. L'instant d'après, le petit sac de toile que Manius avait attaché à sa ceinture tomba à ses pieds et s'ouvrit sous le choc ; des dattes au miel, des feuilles de vigne farcies, des noix et des gâteaux au sésame se dispersèrent sur le sol, comme sortis d'une corne d'abondance.

Claudia, qui avait d'abord crié de peur, partit d'un vaste rire, de même que les personnes qui nous entouraient ; le fou rire fut bientôt général ! Manius aurait pu garder une partie de sa dignité déjà bien malmenée, si son pied hésitant ne s'était pas posé sur une datte au miel... Le pas glissé le propulsa en avant, exactement comme si je lui avais mis mon pied dans le bas du dos, ce que je me retenais de faire. Je riais si fort que j'en pleurais et que je fus incapable de parler et de raconter à Eco et Meto, survenus sur ces entrefaites, ce qui était arrivé. Toute l'amertume et la colère qu'avaient provoquées en moi les paroles de Manius disparurent dans ce rire inextinguible, apanage des bienheureux habitants de l'Olympe, selon Homère.

Lorsque, enfin je repris mon souffle, en séchant mes larmes, je m'aperçus que Claudia s'était éclipsée, avec moins de fanfare que son cousin, mais sans doute avec autant d'embarras. Pauvre Claudia, pensai-je, son intention était bonne, mais tous ses efforts pour ramener la paix entre nos familles avaient été réduits à néant...

11

Je n'eus pas le loisir de gloser ni de réfléchir sur la sortie de Manius Claudius, car la réception continuait et l'on réclamait le *pater familias* avec insistance. Je multipliai sans trop savoir à qui je les adressais les bonjours, les amabilités, les au revoir. Finalement, après quelques erreurs embarrassantes, j'insistai pour qu'Eco restât auprès de moi, comme un homme politique sur le Forum qui a besoin de son nomenclateur ; il me soufflait les noms qui me manquaient. Le plus remarquable était en fait le respect dans lequel on semblait nous tenir à présent. La persévérance et la réussite apportent apparemment la crédibilité sociale ; avec le temps, un enquêteur peut devenir respectable, aussi longtemps qu'il réussit et qu'on ne le tue pas, d'autant plus qu'il est utile aux intérêts des classes montantes.

Mes pieds commençaient à me faire mal, à force d'être debout. Et pourtant, dans le même temps, j'étais ravi, je me sentais léger comme une plume. C'est le vin, me dis-je, qui me donne cette humeur légère, de plus en plus euphorique au fur et à mesure que le jour avançait. Mais aucun moment de cette journée ne fut de joie plus pure que celui où un rire éclatant frappa mes oreilles, imposant à ma mémoire un devoir de reconnaissance immédiate. Je détournai un instant mon attention de la conversation quelconque dans laquelle j'étais engagé et cherchai des yeux la source de ce rire que je connaissais bien, mais je ne vis pas d'abord le visage que je cherchais. Puis j'entendis de nouveau ce même rire, tout proche cette fois, et je me retournai pour apercevoir Meto, serré dans les bras musclés d'un gaillard à barbe poivre et sel ; derrière lui se tenait un autre individu en toge, un homme plus jeune et d'une beauté frappante, un énigmatique sourire sur les lèvres, comme une statue grecque en habit romain. L'homme relâcha enfin Meto, qui reprit son souffle et eut bien du mal à remettre en ordre les plis de sa toge. Meto sentit mon regard sur lui et prit une étrange expression en me retournant ce regard.

— Papa, appela-t-il avec un son de voix étrange, regarde qui est ici !

— Comme d'habitude, je t'ai entendu avant de te voir ! dis-je en riant et en fendant la foule vers le nouvel arrivant.

Je me jetai dans l'étreinte de fer de mon vieil ami, Marcus Mummius. C'était lui qui avait défié les volontés de Marcus Crassus, en allant chercher Meto en Sicile, pour arracher sa vie au champ de poussière où il servait d'épouvantail à corbeaux en attendant de mourir. Mummius avait délivré Meto de la ferme sicilienne le jour même où Diane était née. Il aurait toujours une place à part dans mon cœur.

Meto n'avait pas été le seul des esclaves de Crassus que Mummius avait sauvés au prix d'une recherche exténuante. Derrière lui se tenait Apollonius, que Crassus avait vendu à un maître égyptien cruel ; Mummius avait traversé la Méditerranée pour racheter l'esclave, l'avait ramené avec lui à Rome et l'avait finalement affranchi[1]. Apollonius était resté dans la maison de Mummius, homme libre et compagnon de tous les instants. Combien Crassus avait méprisé la passion qui avait conduit son lieutenant à se donner tant de mal pour le sort de simples esclaves ! Cette discorde avait contribué à approfondir le fossé entre les deux hommes, jusqu'à ce que Mummius allât faire allégeance à Pompée. C'était ce qu'il lui fallait : ce n'est qu'au service de Pompée, exterminateur des pirates méditerranéens et conquérant de l'Orient, qu'un soldat comme Marcus Mummius pouvait donner le meilleur de son génie.

— Marcus et Apollonius ! m'écriai-je. Comme c'est bon de vous voir tous les deux ici, en ce grand jour ! Mais quelle

---

1. Voir, du même auteur, *L'Étreinte de Némésis*, Ramsay, 1997 (N.d.t.).

surprise, aussi ! Je pensais que tu étais toujours en Orient, avec Pompée.

– Mais qu'y faire, puisque les combats sont terminés ? dit Mummius. Mithridate[1] est fini, les plus petits royaumes sont sous le contrôle de Rome. Il n'y a plus rien à faire, que des arrangements politiques. Mener une armée au combat, c'est à cela que je suis bon, quoique je pense par moments que je dois devenir trop vieux et trop lent pour un soldat – sauf que je voudrais bien mourir comme ça. Regarde plutôt !

Sans hésitation, il releva sa toge sénatoriale à bande de pourpre pour montrer ses cuisses musclées. Comme le port de la toge entraîne l'absence de tout sous-vêtement pouvant entraver les parties intimes, Mummius n'était pas très loin de montrer sa nudité. Je fis un geste nerveux pour l'arrêter mais autant essayer d'empêcher un ours de se gratter le ventre. Heureusement, la seule femme qui passait par là fut Bethesda qui se dirigeait vers la cuisine avec un air très affairé. Au spectacle de Mummius montrant ses cuisses et même un peu plus, elle s'arrêta, pencha la tête et jeta un regard d'une froideur calculée, comme si elle passait devant l'étal d'un boucher pour choisir quelque belle pièce de viande.

– Là, regarde celle-ci !

Mummius pointait le doigt vers une longue et fine cicatrice qui rayait la chair pâle, depuis le haut de la cuisse jusqu'à la hauteur du genou, où la peau devenait tannée et basanée comme celle d'un vieil Égyptien. Un peu gêné, je regardai Apollonius par-dessus son épaule, qui roula des yeux mais sourit avec indulgence. Il avait sans doute assisté maintes fois à ce genre de scène.

– Bataille de l'Abas, déclara Mummius en laissant retomber le pan de sa toge... Mais voilà, je parle de moi comme d'habitude, alors que cette journée appartient au jeune Meto ! Quelle allure tu as, dans ta toge virile ! Tu sais, je me rappelle toujours

---

1. Mithridate VI Eupator était le sixième souverain d'une dynastie d'origine perse, qui régna sur le Pont de 337 à 63 av. J.-C. Il s'opposa avec acharnement à la pénétration romaine dans cette région d'Asie Mineure (N.d.t.).

quand tu étais une petite chose, galopant autour de la villa de Baiae, portant des messages et harcelant les autres... euh... les autres...

Le dernier mot ne parvint pas à sortir. Il avait pensé dire « les autres esclaves », naturellement. Je vis de nouveau passer sur le visage de Meto l'étrange expression qu'il avait eue à l'arrivée de Mummius. C'est que, tant que ce dernier jouait son rôle habituel de foudre de guerre et conteur d'histoires, Meto pouvait se laisser aller à la fascination, mais dès que la conversation dérivait vers le passé, Mummius redevenait le souvenir tangible des circonstances dont il avait sauvé Meto. Mummius comprit qu'il s'était avancé sur un terrain délicat. Il tenta une retraite rapide, mais se retrouva piégé par ses paroles.

— Je veux dire... Tu te rappelles ce que Gordien disait de toi, à ce moment-là... que tu étais les yeux et les oreilles de toute la maison ? Tu te faufilais partout sans être vu, voyant et entendant toute chose. Il t'a même appelé le bras de Némésis, pour le rôle que tu as joué en sauvant les autres... euh... les autres...

Une nouvelle fois, comme un général perdu dans le brouillard qui se retrouve dans l'embuscade qu'il avait voulu éviter par un mouvement tournant, Mummius retombait sur le mot interdit. Je grognai.

— Les autres esclaves, dit Meto, très tranquillement.

— Quoi ? bégaya Mummius, qui avait entendu à coup sûr.

— Tu voulais dire : les autres esclaves. Tu parlais de mon rôle dans le sauvetage des autres esclaves, pour évoquer les autres qui étaient, comme moi, des esclaves de Crassus.

Mummius tordit sa bouche ; était-il aussi embarrassé lorsqu'il haranguait ses troupes ?

— Oui... Bien sûr... Naturellement... Je crois que c'est ce que j'essayais de dire.

Ou plutôt de ne pas dire, pensai-je. Meto baissa les yeux.

— Pas de problème, Marcus Mummius. Il n'y a aucune raison de cacher la vérité ; mon père me l'a apprise. Si l'on cache la vérité, on ne voit que ce qui est faux.

Il releva les yeux, d'un regard net et solide.

— Nous avons tous été bien des choses, pour devenir ce que

nous sommes. Cette toge ne cache pas ce que j'ai été ; ce n'est pas son rôle. Elle habille ce que je suis : le fils de Gordien. Aujourd'hui je deviens un homme et un citoyen de Rome à part entière.

Mummius recula et fronça les sourcils. Puis son visage rayonna d'un grand sourire.

— Magnifique ! s'écria-t-il. Quelle belle maîtrise des mots ! Tu feras notre fierté à tous dans les années qui viennent, j'en suis sûr !

La tension avait disparu. Il y eut des sourires de toutes parts. Eco saisit l'épaule de Meto et la serra. Mes fils n'étaient jamais très démonstratifs, l'un avec l'autre, et ce geste spontané d'affection me surprit et me ravit.

— Tu dois être très fier, dit une voix, tout près de mon oreille.

Je me retournai pour découvrir le beau visage d'un jeune homme au sourire complimenteur, une lueur de ruse dans ses yeux sombres, dont la barbe et les cheveux étaient taillés à la Catilina. Le possesseur de ce visage n'était pas à sa place ici et il n'avait certainement pas été invité. Je fus désorienté pendant un court instant, n'en croyant pas mes yeux.

— Marcus Cælius ! Mais que fais-tu ici ?

Je regardai autour de moi : Eco et Meto parlaient ensemble à voix basse ; Mummius et Apollonius étaient allés présenter leurs civilités à Bethesda. Je pris Cælius par le coude et je l'entraînai de côté. Il fit la grimace.

— Si j'étais de nature susceptible, je pourrais penser que tu n'es pas heureux de me voir.

— Je ne crois pas que tu aies été invité ici aujourd'hui, dis-je, essayant de garder une voix égale.

— Non, mais Cicéron l'était. Ton fils aîné a pris ses dispositions pour que le consul reçût une invitation, des mois à l'avance. Mais Cicéron ne peut pas venir aujourd'hui ; il est trop occupé à profiter des dernières occasions pour haranguer les gens sur le Forum, avant l'élection de demain. Et naturellement, il pourrait difficilement être vu dans cette réception, étant donné l'état supposé de vos relations. J'ai fait de mon mieux pour répandre ces rumeurs de profonde mésentente entre Cicéron et Gordien – pour mieux convaincre Catilina qu'il pouvait te faire confiance, naturellement.

— Tout est joué, maintenant, Cælius. Ou le sera demain, avec l'élection.

— Tout est joué, dis-tu ? Je ne pense pas. Cela ne fait que commencer, j'imagine. Quoi qu'il en soit, Cicéron te présente ses regrets, sachant que tu comprendras pourquoi il n'a pas pu venir en personne. Officiellement, bien sûr, pour quiconque le demanderait, je suis ici pour le compte de Catilina, afin de te présenter ses compliments à l'occasion de la majorité de ton fils.

— Combien de maîtres as-tu, Marcus Cælius ? demandai-je, utilisant délibérément le mot « maître » comme une insulte ; mais Cælius resta impavide.

— Catilina pense que je ne suis loyal qu'envers lui. Pareil pour Cicéron. Mais avec ce dernier, c'est la vérité.

— Je me le demande.

Son sourire de supériorité, comme celui d'un écolier qui détient un secret, s'effaça de ses lèvres ; la lueur malicieuse disparut de ses yeux. Il baissa la voix.

— Pardonne-moi, Gordien ! Nous sommes tous sur les nerfs après ces dernières journées.

— Marcus Cælius, pourquoi es-tu ici ? demandai-je avec lassitude.

— Mais pour les raisons que je viens de te dire. Pour te transmettre les compliments de Catilina, qui croit que je le représente alors qu'en fait il n'en est rien, et pour te présenter les excuses de Cicéron, puisque la fiction de votre mésentente doit être maintenue.

— Maintenue ? Et pourquoi ? J'ai fait ce que Cicéron et toi me demandiez : j'ai ouvert ma porte à Catilina, bien que je ne sache toujours pas dans quel but. Demain, les électeurs décideront de l'avenir de Lucius Sergius et j'en aurai fini avec vous tous, pour de bon. Que Catilina gagne ou perde, j'ai fait ce que vous me demandiez ; je me suis acquitté de ma dette envers Cicéron et c'est la fin de l'histoire.

— Pas tout à fait, dit Marcus Cælius.

— Que veux-tu dire ?

– Je veux dire que les choses ne sont pas aussi simples que cela, Gordien. Je veux dire que l'élection de demain – si Cicéron ne réussit pas à convaincre le Sénat, cet après-midi, d'ajourner une nouvelle fois le scrutin – est seulement le début de la partie qui va suivre.

– Quelle partie ? Est-ce que tu prétends que Cicéron attend toujours de moi que je prolonge cette mascarade d'hospitalité pour Catilina ?

– Ta coopération est plus importante que jamais.

– Marcus Cælius, tu commences à me mettre en colère.

– Excuse-moi, Gordien, je vais m'en aller.

– Cælius...

– Oui ?

– Cælius, que sais-tu du cadavre qui a été déposé dans mes écuries ?

– Un cadavre ? demanda Cælius, sans expression.

– Aussitôt après ta visite chez moi, à la ferme ; aussitôt après l'énigme du corps sans tête et de la tête sans corps – l'énigme de Catilina, disais-tu. Puis le corps est apparu dans mon domaine. Le corps sans tête.

Cælius parut perplexe. Sa consternation était-elle réelle ou feinte ? La lumière sembla se retirer de ses yeux, qui devinrent opaques, indéchiffrables, comme les yeux peints d'une statue.

– Je ne sais rien de cette histoire de cadavre, dit-il.

– Et Cicéron dirait la même chose, si je le lui demandais ? Et Catilina ?

– Crois-moi, Cicéron n'en sait pas plus que moi. Quant à Catilina...

– Eh bien ?

– Je ne vois aucune raison de le soupçonner d'une telle atrocité.

– Alors que j'hésitais à répondre à ta demande d'accueillir Catilina, le corps est apparu, sans tête, comme dans l'énigme, comme pour me persuader.

– Gordien, je ne sais rien de cette histoire, je te le jure, par Hercule. C'est parfaitement absurde...

Plus je regardais dans ses yeux, moins il était possible d'y lire. Mentait-il ? Et dans ce cas, pour le compte de qui ?

203

– Mais si tu veux entendre l'énigme de Catilina en entier...
– Oui ?
– Attends la réponse de Catilina à Cicéron, au Sénat, cet après-midi. Ce qu'il a à dire sera sur toutes les lèvres ; tout le monde à Rome connaîtra l'énigme.
– Dis-la-moi maintenant, Marcus Cælius...

À ce moment, il se fit un grand silence dans le jardin et les têtes se tournèrent vers le couloir qui menait aux chambres, d'où Rufus venait de sortir en costume d'augure. Il était resplendissant dans sa *trabea*, cette toge de laine sacerdotale ornée d'une large bordure pourpre et rayée de safran. Il tenait dans sa main droite une longue et souple verge d'ivoire[1], décorée de sculptures représentant des corbeaux, des hiboux, des aigles, des vautours et des poulets, ainsi que des renards, des loups, des chevaux et des chiens, tous les animaux d'après lesquels les augures interprètent la volonté des dieux. Rufus parla d'une voix pleine d'autorité.

– Le moment est venu pour Meto de mettre pied sur le Forum avec sa toge virile, et de monter avec moi au temple de Jupiter pour prendre les auspices.

Je regardai autour de moi : Marcus Cælius avait disparu.

---

1. Il s'agit de *Cituus*, à l'aide duquel l'augure délimitait fictivement dans le ciel, la portion d'espace où il allait observer le vol des oiseaux pour en déduire la volonté des dieux. C'était le symbole par excellence de la fonction augurale (N.d.t.).

12

Renouvelant à l'envi leurs vœux de bonheur et de prospérité, les invités se dispersaient petit à petit. Les esclaves de la cuisine, sous les ordres de Bethesda et de Ménénia, commencèrent à débarrasser les tables et à remettre les nourritures non consommées dans les jarres de réserve. Eco convoqua le reste du personnel de maison et les inspecta, pour s'assurer qu'ils fussent propres et présentables. Un Romain ne se fait respecter sur le Forum que s'il a un cortège avec lui – plus le cortège est imposant, plus le respect est grand – et, comme le disait Cicéron, un esclave occupe autant de place au sol qu'un citoyen. Notre cortège serait peu fourni, mais avec Rufus à sa tête, il serait extrêmement distingué ; Mummius déclara qu'il s'y joindrait avec Apollonius. Quelques citoyens et affranchis nous accompagneraient aussi, clients d'Eco ou personnes liées à notre famille par des relations d'obligation mutuelle.

Nous descendîmes l'étroit sentier qui conduisait à Subure, où nos litières attendaient. Diane fut laissée à la maison (sans grande protestation, grâce à quelque arrangement secret avec Ménénia), de sorte que je partageai ma litière avec Bethesda ; Eco alla avec Ménénia et Meto ouvrit la procession dans la première litière, avec Rufus. J'eus quelque chagrin de ne pouvoir offrir de place à Marcus Mummius, mais il prévint mes excuses en proclamant qu'il n'accepterait jamais de se promener sur le dos d'esclaves tant qu'il aurait deux bonnes jambes pour marcher. Suivit l'annonce prévisible des distances incroyables parcourues en campagne : soixante milles en un seul jour, une fois, sur une route de montagne, avec l'équipement lourd de bataille.

Nous nous installâmes dans les litières et fûmes emportés au-dessus de la foule, dans la rue principale de Subure ; le cortège des accompagnateurs suivait à pied. Bethesda resta silencieuse un moment, observant les gens dans la rue et scrutant les étals des marchands. Elle a manifestement besoin de cette agitation des rues, pensai-je.

— Tout s'est bien passé, finit-elle par dire.

— Oui.

— La nourriture était excellente.

— Tout à fait. Même pour nous, bien que Congrio nous gâte.

Pour une conversation aussi anodine, la voix de Bethesda était curieusement monocorde et son visage restait pensif, comme si elle regardait les allées et venues du peuple de Subure.

— Il y a eu un autre visiteur que notre voisine Claudia, à la réception...

— Oui ?

— Ce jeune homme qui nous avait rendu visite, il y a quelque temps déjà ; celui qui t'a convaincu de jouer l'hôte pour Catilina. Le beau garçon.

— Marcus Cælius.

— C'est ça. Je n'ai pas eu l'heur de lui parler.

J'essayai de ne pas sourire.

— Tu sais, Bethesda, je comprends ton regret d'avoir manqué une seconde opportunité de charmer un si beau jeune homme...

Elle détourna brusquement son regard de la rue ; l'expression de son visage me glaça.

— Époux, tu crois vraiment que je serais de cette humeur pour une occasion de fleurette perdue ? Qu'est-ce qu'il est venu faire dans notre maison aujourd'hui ?

Son visage était tendu et ses yeux avaient une expression de hantise qui me chavira le cœur. Elle n'était pas furieuse, mais terrorisée.

– Bethesda ! dis-je en m'approchant pour passer mon bras autour d'elle ; mais elle me repoussa.

– Ne me dorlote pas comme une esclave. Dis-moi pourquoi cet homme est venu à la réception de Meto. Qu'a-t-il exigé de toi ?

– Bon, écoute. Il venait, a-t-il dit, pour excuser Cicéron de n'être pas venu personnellement.

– T'a-t-il demandé d'autres faveurs ?

Comme j'hésitai un instant à répondre, les yeux de Bethesda clignèrent.

– Je le savais ! Qu'est-ce qui va nous arriver, cette fois-ci ? Cela implique-t-il encore Catilina ?

– Bethesda, j'ai dit à Cælius en termes plus que fermes que mes obligations étaient maintenant remplies.

– Et cela l'a satisfait ?

J'hésitai à nouveau et l'étincelle s'alluma derechef dans ses yeux.

– Je m'en doutais ! De nouveaux ennuis !

– Pas nécessairement, Bethesda.

– Comment peux-tu dire cela ? Est-ce que tu sais que je ne vis plus depuis que Diane a trouvé cet horrible corps dans l'écurie ? Je ne veux plus voir de telles horreurs.

– Alors nous devrions probablement faire tout ce que Cælius demande.

– Non !

– Mais si ! Satisfaisons-le – et quel que soit le parti qu'il représente, Cicéron ou Catilina...

Pour la première fois, je venais de penser que Cælius pourrait bien représenter une troisième faction.

– Tu ne dois pas traiter avec lui, insista Bethesda.

– Il demande peu de chose.

– Pour l'instant ! Mais il arrivera encore quelque chose d'horrible. Lorsque nous avons quitté Rome, tu as bien dit que tu laissais ce genre d'histoires derrière toi.

– Je les avais laissées, Bethesda. Mais elles m'ont suivi.

– Mais là, c'est différent. Ce n'est pas ton habitude d'agir sans savoir pourquoi. Tu as toujours été un honnête homme, même lorsque tu travaillais en secret.

– Oui, admis-je. La duplicité que Cælius m'impose ne me va pas bien. En vérité, j'en ai peur.

Involontairement, aussi naturellement qu'un enfant, je cherchai sa main et mêlai mes doigts aux siens. Elle me laissa faire.

– Moi aussi, j'ai peur, Bethesda. J'ai peur, je suis désemparé et dégoûté – mais en même temps, je suis fier et exalté, parce que c'est le jour de la majorité de Meto ! Si seulement nos vies pouvaient être une seule chose à la fois, au lieu d'être ce mélange dément...

Ce fut à mon tour de devenir pensif et de regarder l'animation de la rue.

– Lorsque j'étais jeune et que je commençais à faire mon chemin dans le monde, dans la voie que mon père avait tracée et parcourue, il me fit jurer de ne jamais faire une chose : utiliser mes talents pour la recherche d'esclaves fugitifs. Le serment était facile à faire et je ne l'ai jamais rompu, car je n'ai aucun goût pour ce genre de travail. Les années passant, je me suis fait un autre serment à moi-même : ne jamais devenir un espion pour l'État, ni le policier secret d'un dictateur si la République devait tomber aux mains d'un autre Sylla – Jupiter nous en préserve !

« Et voici que je me trouve forcé de devenir un espion ou, au moins, de m'associer avec des espions, sans être certain du parti pour lequel je travaille. Suis-je devenu l'agent de Cicéron et des Optimates, c'est-à-dire de l'État ? Suis-je l'instrument de Catilina, qui se fera certainement dictateur s'il le peut, car sinon, comment pourrait-il apporter les changements qu'il promet à ses partisans déshérités ? Pour finir, me dis-je, peu importe, pourvu que ma famille soit laissée en paix – mais mon propre cynisme me désespère ! Suis-je sage, ou simplement apathique ou lâche ?

Bethesda me regarda franchement et serra ma main.

– Tu n'es pas un lâche.

– Bon. Mais tu n'as pas dit que j'étais sage et cela ne me rassure pas.

Elle se rembrunit et reprit sa main. Elle regarda un instant dans la rue, puis parla d'une voix à la fois détachée et déterminée, et d'un ton qui n'admettait pas de réplique.

– Dans ton propre cœur, tu sais ce que je sais : que quelque chose de terrible nous menace. Je suis une femme : que puis-je faire ? Meto est à peine un homme. Eco est très jeune encore et il a sa propre vie ici, à Rome. Tout dépend de toi, époux. Tout dépend de toi.

Les litières nous déposèrent à l'extrémité est du Forum, non loin des bains de Sénia. Conformément à la tradition, les femmes restèrent à nous attendre. Meto prit pied sur la voie Sacrée, tout souriant, bien drapé dans sa toge. Quels qu'aient été ses propos avec Rufus, la conversation avait dû être plus joyeuse que la mienne avec Bethesda.

Conduit par Rufus en grande tenue augurale, notre petit cortège s'avança au cœur même de Rome. Au milieu de la foule des vendeurs, des électeurs, des politiciens et des mendiants, nous passâmes la demeure du Grand Pontife où officiait à présent le jeune César, et la maison des vestales, toute proche, scène du scandale Catilina. Vinrent ensuite le temple de Vesta, où le feu sacré brûle éternellement sur le foyer de la déesse ; puis le temple de Castor et Pollux, où sont gardés les poids et les mesures de l'État ; puis le tribunal criminel permanent, où justice avait été rendue dans l'affaire Asuvius du faux testament (ma première affaire avec Lucius Claudius). Nous arrivâmes aux Rostres, cette tribune décorée des éperons des navires de guerre ennemis capturés, où les hommes politiques haranguent les foules, et les avocats plaident leur cause. C'est là que le jeune Cicéron avait plaidé l'affaire qui avait décidé de sa carrière, en défendant Sextus de l'accusation de parricide ; je lui avais alors servi d'enquêteur. À cette époque, une grande statue équestre du dictateur Sylla dominait la place, mais le Sénat avait ordonné de l'enlever, quelques années auparavant. Derrière les Rostres se dressait le Sénat, où Cicéron, consul de Rome, allait proposer un nouvel ajournement de l'élection consulaire, tandis que Catilina devait se défendre contre l'accusation de trouble à l'ordre public.

Avec Rufus à sa tête, notre petit cortège inspirait le respect. Les gens s'écartaient et faisaient place à l'augure. Beaucoup, dans la foule, le connaissaient par son nom et le saluaient avec enthousiasme ; sa jeunesse et son charme, peu courants chez un augure, contribuaient assurément à sa popularité. Mummius était également un personnage familier et populaire ; on se rappelait son rôle décisif dans l'écrasement de la révolte de Spartacus et ses récents états de service sous Pompée lui valaient encore plus de respect.

Meto n'était pas ignoré. Le but de notre cortège était évident du premier coup d'œil pour beaucoup – un augure, un père, un fils et des accompagnateurs, en marche vers le Capitole – et des applaudissements spontanés éclataient au passage du jeune homme faisant ses premiers pas d'adulte sur le Forum. Meto souriait, heureux, étonné, sans comprendre qu'une partie de ces applaudissements était pour lui.

L'assemblée était si grande que nous dûmes nous arrêter plus d'une fois et attendre que la voie fût libre pour continuer notre marche. D'une extrémité à l'autre du Forum, je saisis des bribes de conversations assez vigoureuses. Je surpris une discussion entre un orateur, juché sur un piédestal de bois improvisé, et un citoyen qui l'empêchait de discourir en lui imposant un débat animé.

– La réforme agraire de Rullus aurait tout amélioré ! insistait l'orateur.

– Absurdité ! criait le citoyen. C'est l'un des pires projets de loi jamais pondus dans l'histoire de notre législation, et Cicéron a bien fait de parler contre.

– Cicéron est simplement le porte-parole des Optimates.

– Et pourquoi non ? C'est à eux qu'il appartient de prendre position contre ces machinations inventées par César, simplement pour se concilier les faveurs de la foule – et pour faire main basse sur l'Égypte, au passage.

– C'est Rullus qui a proposé la loi, pas César.

– Quand Rullus ouvre la bouche, ce sont les mots de César qui sortent.

– Bon, admettons que le débat n'oppose pas Rullus à Cicéron, mais César aux Optimates, concéda l'orateur.

– C'est ce que je dis !

– Et tu m'accorderas aussi que si la proposition de Rullus était devenue une loi, il y aurait eu une redistribution des terres aux gens qui en ont besoin, sans recourir à la violence ni aux confiscations indues.

— Stupidité ! Cela n'aurait jamais fonctionné. Qui voudrait aller habiter à la campagne et devenir fermier, aujourd'hui, quand on a à Rome les jeux du Cirque et les fêtes et les distributions de blé ?

— Ce sont des comportements de ce type qui ruinent la République !

— Ce sont les Romains qui ruinent la République, parce qu'ils sont devenus mous et paresseux. C'est pourquoi nous avons besoin des Optimates, pour avoir les mains sur le gouvernail.

— Les mains dans la caisse, tu veux dire. Il vaut mieux des mains d'honnêtes gens sur les mancherons de la charrue.

— Ridicule ! Regarde le gâchis avec les vétérans de Sylla, en Étrurie ! Pas un sur dix qui soit devenu un fermier correct ; ils ont tous fait banqueroute et maintenant ils lorgnent du côté de ce démagogue de Catilina pour les tirer d'affaire, par le fer et par le feu si nécessaire.

— Si je comprends bien, tu ne veux pas de réforme agraire et tu n'aimes pas Catilina...

— Je déteste Catilina. Lui et son entourage de dilettantes de bonne famille, gâtés et irresponsables ! Ils avaient la chance de pouvoir mener des vies décentes et ils ont tout gâché eux-mêmes, en s'endettant au-delà du possible auprès de citoyens plus sérieux. Leur proposition radicale d'effacer les dettes, ce n'est pas pour les masses, comme ils le prétendent, mais pour se tirer d'embarras eux-mêmes et pour piller les biens de ceux qui ont le droit de garder ce que leurs ancêtres et eux-mêmes ont acquis. Si des vauriens comme Catilina finissent à la rue, ils n'auront eu que ce qu'ils méritent. Mais si les électeurs de Rome ont perdu leur bon sens au point de voter pour leurs idées folles...

— D'accord, d'accord, loin de moi l'idée de défendre Catilina ! Mais tu parais avoir une opinion aussi défavorable au sujet de César...

— Parce qu'il est, lui aussi, couvert de dettes ! Pas étonnant qu'ils pompent tous les deux le fameux millionnaire : Catilina

211

et César sont comme des jumeaux pendus aux mamelles de Crassus. Ha ! Comme Romulus et Rémus tétant la Louve !

L'orateur émit quelques bruits obscènes avec ses lèvres, ce qui eut pour effet de déclencher à parts égales des rires et des insultes, selon que les assistants étaient sensibles au comique de l'image ou réagissaient au sacrilège du blasphème.

— Parfait, parfait, citoyen ! Tu insultes Catilina, tu insultes César, tu insultes Crassus, donc je suppose que tu es pour Pompée ?

— Je n'en ai rien à faire non plus. Ce sont tous des chevaux sauvages qui se moquent éperdument du char ; ils sont engagés dans une compétition individuelle et se fichent pas mal du bien commun.

— Et Cicéron s'en soucie, lui ?

— Cicéron, oui. Catilina, César, Crassus, Pompée... Chacun d'eux voudrait bien être dictateur, s'il le pouvait, et couper la tête aux autres. On ne peut pas en dire autant de Cicéron : il a parlé contre la tyrannie depuis la dictature de Sylla, quand il fallait du courage pour le faire. Tu l'appelles un « porte-parole », mais justement : c'est ce que doit être un consul, parlant au nom des membres du Sénat dont les familles ont fait de la République ce qu'elle est, et qui l'ont gouvernée depuis que les rois ont été chassés. Nous n'avons pas besoin du gouvernement de la populace ou des dictateurs, mais de la conduite sûre, lente et ferme de ceux qui sont au courant des affaires.

Cette dernière tirade déclencha les quolibets d'un groupe qui venait d'arriver et le débat dégénéra bientôt en un concours de vociférations. Heureusement, nous pûmes avancer. Un moment plus tard, Meto se retourna vers moi, le visage sérieux.

— Papa, je n'ai rien compris à leur discussion !

— Je n'ai pu la suivre que dans ses grands traits. La réforme agraire ! Tous les populistes la promettent, mais ils n'ont pas les moyens de la réaliser. Les Optimates en ont fait une sorte de gros mot à ne pas prononcer.

— Qu'est-ce que c'est que cette loi Rullienne dont ils parlaient ?

— Une mesure qui a été proposée au tout début de cette année par Servius Rullus. Je me souviens que notre voisine

Claudia fulminait contre elle. Mais je n'en connais pas vraiment les détails.

Rufus se tourna vers nous.

— Une idée de César, en liaison avec Crassus, typiquement brillante. Le problème est le suivant : comment trouver des terres pour ceux qui en ont besoin ici, en Italie ? La solution : vendre les terres d'État que nous avons conquises dans les pays étrangers et mettre de côté les revenus pour acheter, en Italie, des domaines sur lesquels installer les pauvres dans des colonies agricoles. Il ne s'agit donc pas d'une confiscation et d'une redistribution des terres, comme Catilina le propose, mais d'un investissement public pour rééquilibrer la société.

— Pourquoi l'homme a-t-il mêlé l'Égypte à cette affaire ? demanda Meto.

— Les terres étrangères à vendre incluent celles de l'Égypte que le défunt Alexandre II a léguées à Rome. La loi Rullienne proposait d'établir une commission spéciale de dix personnes qui seraient chargées de surveiller le processus, y compris une administration sur place, en Égypte...

— Et César aurait été l'un des commissaires, ajouta Mummius d'un ton sec en se joignant à la conversation. Il aurait cueilli l'Égypte comme une figue sur l'arbre.

— Si tu veux, concéda Rufus. Mais Crassus aussi aurait fait partie de la commission, car son soutien était vital. Avec l'Égypte sous leur contrôle, ils auraient eu un point d'appui contre le pouvoir de Pompée, en Orient. On aurait pu penser que les Optimates accepteraient le projet, puisqu'ils redoutent Pompée. Mais tant que ce dernier reste loin de Rome et mène campagne en Orient, ils ont encore plus peur de César et de Crassus.

— Pour ne rien dire de Catilina et de ce qu'ils appellent la « populace », ajoutai-je.

— Exact, mais Catilina a pris volontairement ses distances par rapport à la loi Rullienne, trop douce à ses yeux. Sa réputation de radical aurait été compromise s'il avait appuyé cette proposition. Son soutien n'aurait pas servi non plus la cause de la loi, car son enthousiasme aurait alarmé encore plus les Optimates, déjà très méfiants.

— Même ainsi, j'imagine que Catilina aurait accepté de faire

213

partie des commissaires territoriaux, en compagnie de César et de Crassus.

Rufus sourit finement.

— Ta compréhension de la politique est plus subtile que tu ne veux bien le laisser penser, Gordien.

— Mais la loi a été rejetée, dit Meto.

— Oui. Les Optimates y ont vu un simple outil imaginé par César et Crassus (et peut-être Catilina) pour augmenter leur pouvoir, et tout autre projet de réforme agraire les met désormais en alerte. Ils prétendent toujours soutenir l'idée, dans l'abstrait, mais aucune proposition concrète ne les satisfait, comme par hasard. Dans cette affaire, Cicéron est devenu leur porte-parole, comme il l'a toujours été depuis qu'ils l'ont aidé à décrocher le consulat. Mais Marcus Tullius ne s'est pas contenté de débattre le sujet dans l'enceinte du Sénat ; il est venu ici, en plein Forum, et il a porté l'affaire directement devant le peuple.

— Mais c'est pourtant le genre de lois que le peuple apprécie, non ? C'est bien pour cette raison qu'on appelle César un « populiste », n'est-ce pas ? demanda Meto. Pourquoi Cicéron voulait-il débattre ici même contre un projet supposé aider le peuple devant lequel il allait parler ?

— Parce que Cicéron est capable de convaincre un condamné de se couper la tête lui-même, dit Rufus. Il sait comment faire un discours ; il connaît les arguments qui impressionnent la foule. Je crois sincèrement qu'il pourrait persuader un mendiant qu'un caillou vaut plus qu'une pièce parce qu'il est plus lourd, et qu'un estomac vide vaut mieux qu'un estomac plein parce qu'il ne pose pas de problèmes de digestion.

— Mais Servius Rullus a bien dû défendre sa proposition de loi ? demanda Meto.

— Oui, mais il a mordu la poussière — rhétoriquement s'entend. César et Crassus, après avoir pris le vent, ont décidé de se tenir tranquilles, bien que chacun d'eux vaille Cicéron dans le débat, à ce que l'on m'a dit. L'occasion n'était pas venue et la loi a été rejetée. D'ailleurs, le peuple a été rapidement distrait par d'autres affaires, comme la nouvelle campagne de Catilina pour le consulat.

214

– Tu viens de dire que le temps n'était pas venu pour une telle réforme, dis-je. Mais à Rome et avec les Optimates contrôlant le Sénat, quand viendra le moment du changement ?

– Jamais, dit Rufus, avec un sourire triste.

Notre destination était le sommet de la colline du Capitole, où Rufus devait prendre les auspices. Nous réussîmes enfin à fendre la foule agglutinée devant les Rostres et parvînmes au large chemin dallé qui monte par paliers jusqu'au sommet de la colline sacrée. Là, nous dûmes faire une nouvelle pause, car un groupe d'hommes en descendait, si important qu'il occupait tout le passage. Comme il approchait, je vis le visage de Rufus s'éclairer ; ses yeux étaient meilleurs que les miens – profession oblige – et il avait déjà identifié les visages des deux hommes qui descendaient côte à côte, chacun d'eux à la tête d'un cortège imposant. L'un était vêtu d'une toge sénatoriale, blanche bordée de pourpre ; l'autre portait la toge à bande beaucoup plus large qui était celle du grand pontife. Tous deux sourirent à leur tour quand ils aperçurent Rufus et saluèrent de la tête Marcus Mummius. Meto, moi-même et le reste de notre petite troupe étions encore cachés à leurs yeux. Les toges bordées de pourpre se reconnaissaient et se saluaient ; les autres viendraient ensuite.

– Rufus ! dit le Grand Pontife.

– César ! répondit Rufus en courbant cérémonieusement la tête. Il eut la même posture déférente envers l'augure à barbe blanche qui se tenait derrière le Grand Pontife, vêtu comme Rufus d'une *trabea* rayée de safran. Dans le collège des augures, un cadet devait toujours faire preuve de respect vis-à-vis d'un aîné.

Je pus observer de près le visage de notre Grand Pontife. À moins de quarante ans, Caius Julius César s'était déjà imposé comme un personnage avec qui il fallait compter dans la République. Son ascendance patricienne était sans défaut [1] ; ses liens familiaux avec Marius, l'ancien rival de Sylla, qui avaient failli

---

1. Il prétendait descendre du fils d'Enée, Iule, par qui la *gens Julia* se rattachait à Vénus, mère du héros troyen fondateur de Rome (N.d.t.).

215

lui coûter la vie au temps des proscriptions, avaient établi une part de son crédit auprès du mouvement populiste. Si Cicéron était le maître de la rhétorique, capable d'obtenir ce qu'il voulait par la force du discours et de l'argumentation, César avait la réputation d'être le maître de la politique pure ; il avait le génie pour pénétrer les relations multiples et souvent obscures qui unissaient l'État et le clergé depuis des siècles. Il entendait à merveille les règles les plus secrètes et les plus compliquées de la procédure sénatoriale et pouvait les invoquer au moment le plus inattendu, pour embarrasser cruellement ses ennemis ; il connaissait aussi parfaitement les arcanes de la bureaucratie croissante qui appliquait – et souvent confondait – les volontés du Sénat et du Peuple romain. En tant que Grand Pontife, il avait la haute main sur les cérémonies religieuses et sur les confréries chargées d'interpréter les présages et les textes sacrés, exerçant ainsi son pouvoir sur le Sénat, l'armée et le commerce, en permettant à ces institutions de fonctionner ou non le jour donné. César n'était pas un bel homme, mais il n'était certainement pas quelconque. L'étroitesse de son visage était frappante, mais la beauté lui avait été refusée. C'était la vitalité de ses yeux qui impressionnait, ainsi que l'austérité patricienne de ses hautes pommettes et de son front, et la tension de ses lèvres minces qui semblaient perpétuellement sourire avec une fine ironie. Son port de tête élevé et sa démarche ferme dénotaient l'homme parfaitement maître de tous ses mouvements, pleinement conscient de la fluidité de sa grâce et tranquillement satisfait de l'image qu'il offrait au monde. Je n'ai rencontré que quelques hommes (et encore moins de femmes) doués d'une telle conscience d'eux-mêmes et tous étaient soit des patriciens éminents, bien formés et riches, soit des esclaves possédant le charme naturel de l'inculture et la beauté qui rendent toute autre considération secondaire. Nous autres, mortels de rang intermédiaire, ne pouvons jamais espérer posséder la grâce parfaite de ces grands seigneurs ou de ces inférieurs bénis des dieux. Cela vient, je suppose, de leur puissance politique ou sexuelle ; pas simplement du fait qu'ils la possèdent, mais aussi parce qu'ils savent instinctivement comment s'en servir et qu'ils ont la capacité d'en jouir pleinement quand ils l'utilisent. Il y avait aussi un peu de cette grâce chez Catilina, mais cela se mêlait chez lui à autre chose, une sorte d'imperfection – qui le rendait, du reste, d'autant plus fascinant. Chez César, cette grâce était sans mélange.

J'avais aperçu son compagnon du coin de l'œil, ou peut-être avais-je reconnu sa démarche à distance, car je savais que cet homme était Marcus Licinius Crassus, avant d'oser porter mes regards sur lui. Il y avait peu d'hommes que je ne souhaitais pas rencontrer par hasard, en ce grand jour, et Crassus était de ceux-là. Comme Rufus se tournait vers lui pour le saluer, le regard de Crassus tomba sur moi ; il me reconnut instantanément, bien que neuf années se fussent écoulées depuis notre affaire de Baiae. À cause de moi, les choses n'étaient pas allées comme il l'avait souhaité, et Crassus passait pour un homme qui ne s'embarrassait pas de manières avec les inférieurs ; l'éclat que je vis dans ses yeux me montra qu'il n'avait rien oublié.

Il avait considérablement vieilli depuis que je l'avais vu de près pour la dernière fois ; il était plus vieux, plus riche et plus puissant, mais ses ambitions étaient battues en brèche par celles, antagonistes, d'hommes aussi rusés et impitoyables que lui. Ses cheveux étaient devenus poivre et sel, et son visage était trop sévère pour être agréable. Sa contenance exprimait une sorte de perpétuel mécontentement ; il ne réussissait jamais assez pour être pleinement satisfait. « Crassus, Crassus, riche comme Crésus ! » disait un dicton populaire, le comparant au légendaire roi de Lydie, mais pour moi il était Sisyphe, roulant perpétuellement son rocher sur la pente de la colline, le regardant redescendre, puis recommençant sa tâche, accumulant richesse et influence bien au-delà des autres hommes, mais n'en ayant jamais assez pour pouvoir prendre du repos. Il avait rivalisé avec Pompée pendant des années pour le pouvoir suprême ; avec César, il paraissait dans les meilleurs termes, au moins pour le moment.

– Nous revenons à l'instant de l'*Arx*, dit César, indiquant par là le sommet nord de la colline du Capitole.

Comme l'acropole d'Athènes, l'Arx était le point culminant choisi par les fondateurs de Rome pour y construire leur citadelle et leurs temples les plus sacrés. Depuis l'Arx, un homme pouvait voir tout Rome à ses pieds et pouvait aussi être vu par les dieux sans que rien fît obstacle.

— Nous venons de prendre les auspices pour la séance d'aujourd'hui, au Sénat. Dommage que tu n'aies pas été disponible pour la circonstance, Rufus.

— Je prends aujourd'hui les auspices pour une cérémonie privée, répondit Rufus, désignant d'un léger signe de tête notre petite troupe. Je pense que les auspices ont été favorables pour la réunion du Sénat, comme tu le souhaitais.

— Ils l'ont été, en effet, dit César en gardant le sourire ironique qui semblait dire que les auspices auraient difficilement pu être d'une autre nature. Un faucon est arrivé de l'ouest, passant au-dessus de nos têtes, puis il a plongé vers le nord. L'augure Festus nous assure que cela présage un bon jour pour la réunion du Sénat.

— Les choses iront-elles bien, dans le débat d'aujourd'hui ? demanda Rufus à César.

— Certainement oui, soupira César. Cicéron n'a pas le nombre de voix suffisant pour censurer Catilina et il n'a pas non plus le soutien dont il a besoin pour ajourner une nouvelle fois les élections. Ce n'est pas la séance d'aujourd'hui qui m'inquiète, mais ce que les électeurs vont faire demain. Nous verrons bien. Mais pour quelle occasion vas-tu prendre les auspices ? La majorité d'un jeune homme ?

Il sourit aimablement dans notre direction, mais ne demanda pas à ce que nous lui fussions présentés.

— À propos de Cicéron, si vous continuez votre chemin vers l'Arx, vous allez croiser nos deux estimés consuls sur votre route. Cicéron devrait être juste derrière nous, ajouta-t-il en jetant un regard par-dessus son épaule. Il était pressé de savoir si les auspices permettraient la tenue de la séance du Sénat. Les débats vont commencer dans un moment, tu manqueras les discours d'ouverture, Rufus, et toi aussi, Marcus Mummius.

— Nous arriverons un peu plus tard, dit Rufus.

— Cela sera sans doute bref ; Cicéron le fait pour la parade. Il voudra probablement se débarrasser de l'affaire au plus vite, afin d'utiliser ce qui reste de jour pour haranguer la foule sur le Forum. C'est sa dernière chance de braquer les électeurs contre Catilina. Tu devrais faire campagne, toi aussi, pendant cette fin de journée. C'est ce que je vais faire de mon côté. Je compte bien t'avoir comme collègue à la préture avec moi, l'année prochaine.

— Ne t'inquiète pas, après avoir pris les auspices, je remettrai aussitôt ma toge de candidat, répondit Rufus en riant.

César et Crassus reprirent leur route. Notre petit cortège se rangea sur le bord du chemin pour leur faire place. Crassus n'avait pas dit un mot à son ancien associé Mummius et n'avait apparemment pas l'intention de le faire. Mais il me fixa un moment en passant devant moi, puis s'arrêta lorsque ses yeux tombèrent sur Meto.

— Est-ce que je te connais, jeune homme ? demanda-t-il.

Je regardai Meto et sentis un frisson de peur me parcourir, en me rappelant son cauchemar de la nuit passée.

— Tu m'as connu jadis, citoyen, dit-il d'une voix douce, mais ferme.

— En vérité ? dit Crassus en secouant la tête et en soulevant les épaules. Oui, je t'ai connu, quoique si peu. Te voilà un homme libre à présent, Meto ?

— Oui.

— Le fils adoptif de Gordien ?

— Je le suis.

— Intéressant. Oui, un de mes amis m'a informé, tout récemment, de tes aventures.

Voulait-il ainsi désigner Catilina ? Ou son ancien protégé, Marcus Cælius ? Qui que ce fût, je n'aimais pas l'idée de savoir ma famille objet de commentaires dans mon dos.

— C'est curieux à quel point ce détail de ton affranchissement et de ton adoption m'était sorti de la tête, pendant toutes ces années.

— Ce n'est guère un sujet digne d'intéresser un homme aussi éminent que toi, citoyen, dit Meto en répondant à l'examen de Crassus par un regard impavide.

Je regardai Meto, à la fois étonné et effrayé. Non seulement il avait dit exactement ce que j'aurais dit, mais il l'avait dit aussi justement que j'aurais essayé de le faire, avec les mêmes nuances dans la voix, nettes, sans mépris ni servilité.

— La dernière fois que j'ai entendu parler de toi auparavant, Meto, tu étais en Sicile, où j'avais pris des *dispositions* pour ton séjour, dit Crassus, évitant délicatement le vocabulaire brutal du commerce et de la propriété. Tout comme j'avais pris des dispositions pour expédier celui-là en Égypte, ajouta-t-il en indiquant Apollonius et en jetant un regard aigu à Mummius. J'ignore le rôle qu'a pu jouer Marcus Mummius pour contrarier ces délicats arrangements, mais peu importe. Je te rencontre aujourd'hui en toge, Meto, et en route vers l'Arx pour y célébrer ta citoyenneté.

Ses lèvres s'amincirent dans le plus ténu des sourires. Ses yeux se rétrécirent, en nous fixant tous les deux, Meto et moi.

— La déesse Fortune t'a souri, Meto. Puisse-t-elle te faire toujours bon visage ! dit-il d'une voix caverneuse. Puis il tourna les talons et invita son cortège à le suivre.

Nous repartîmes, pour en croiser bientôt un autre. Venant de la citadelle et suivant Crassus et César, Cicéron en personne, en compagnie de son collègue consul, l'inexistant Caius Antonius, était à sa tête. Au cours de la réception, Rufus avait mentionné en passant que Cicéron portait une armure – « cette absurde cuirasse », avait-il dit – avant de passer à un autre sujet, sans plus d'explication. Je comprenais à présent ce qu'il avait voulu dire, car une cuirasse de métal bruni, telle qu'un général peut en porter sur le champ de bataille, brillait sur la poitrine du consul, reflétant la vive lumière du soleil de l'aprèsmidi. La toge consulaire était ouverte à hauteur du cou, de sorte que les pectoraux de métal martelé et filigrané étaient parfaitement visibles. Autour de Cicéron marchaient plusieurs gardes du corps, gaillards solides qui avançaient, la main sur la poignée de l'épée rangée au fourreau. Il me vint à l'idée qu'un tel équipage était moins digne d'un consul de la République romaine que d'un autocrate soupçonneux : même le dictateur Sylla était toujours descendu sur le Forum sans armes et sans gardes, confiant dans la protection des dieux.

Avant que je pusse demander à Rufus la raison de la cuirasse et de l'imposante garde du corps, Cicéron était à notre hauteur.

Au milieu de sa conversation avec Antonius, il aperçut Rufus. Son visage passa rapidement par toute une série d'expressions : d'abord heureux, puis grave et dubitatif, il redevint ensuite aimablement rusé ; le visage d'un ancien mentor qui a perdu la direction spirituelle d'un ancien disciple, mais qui ne désespère pas de la regagner.

— Cher Rufus ! dit-il en souriant largement.

— Cicéron ! répondit Rufus, sans grande émotion.

— Et Marcus Mummius de retour d'Orient où il a si bien servi Pompée ! Et... Gordien ! ajouta Cicéron en me découvrant enfin.

Sa voix redevint un instant neutre, puis adopta l'affable familiarité du politicien.

— Ah, je comprends ! Vous êtes venus prendre les auspices pour la majorité du jeune Meto. Nous vieillissons tous, n'est-ce pas, Gordien ?

Certains plus que d'autres, pensai-je, quoique les années eussent fait beaucoup pour adoucir les traits peu agréables de Marcus Tullius.

— Combien je regrette de ne pas avoir pu assister à ta réception, me dit-il. Les devoirs d'un consul n'ont pas de fin, tu le sais. Mais j'ai envoyé Marcus Cælius pour présenter mes excuses. Il t'a porté mon message, n'est-ce pas ?

L'expression de ses yeux donnait une signification plus profonde à sa question.

— Cælius est venu, répondis-je assez sèchement, mais son message s'était trompé d'adresse. Il est parti sans être satisfait.

— Ah tiens ? !

La voix de Cicéron resta égale, mais ses yeux étincelèrent.

— Bon, mon collègue consul et moi-même devons nous dépêcher... Une affaire urgente au Sénat. Bonne chance pour ta campagne, Rufus ! Et bonne fortune à toi, Meto !

Comme ils passaient, je demandai à voix basse à Rufus

— Eh bien, augure, que dis-tu de cet éclair dans les yeux de Cicéron ?

— Y a-t-il un différend entre vous ?

— Quelque chose comme cela, apparemment. Mais qu'est-ce que c'est que cette cuirasse ? Et pourquoi se déplacer avec une garde aussi redoutable ?

— Il a l'air ridicule, souffla Mummius. Comme une caricature de militaire. Prétend-il singer Pompée ?

— Non, dit Rufus. Il a commencé de la porter du jour où il a fait ajourner l'élection, disant que Catilina complotait son assassinat dans le tumulte d'un jour d'élection. C'est une tactique, naturellement, pour attirer l'attention de la foule et inquiéter les électeurs, c'est du théâtre politique, du spectacle, rien de plus.

— La politique ! aboya Mummius. J'en ai eu assez dès mon année de préteur. Donnez-moi des ordres à suivre et des hommes à commander, et me voilà heureux.

— Bien, dis-je, suant et soufflant dans l'ascension qui était devenue raide, pour le moment au moins, laissons toutes ces mesquineries derrière nous.

Littéralement derrière nous, et même tout à fait au-dessous de nous, pensai-je en tournant la tête pour regarder en bas le grouillement du Forum.

— Nous voilà arrivés au sommet. Il n'y a plus rien que le bleu du ciel entre nous et les yeux de Jupiter. Et c'est ici que mon fils va devenir un homme, sous le regard des dieux !

13

Sur les champs de bataille et à la campagne, où il n'existe pas de lieu permanent pour l'examen des augures, il est d'usage de planter une tente sacrée. Sur le haut de l'*Arx* de Rome, en revanche, un lieu dallé semi-circulaire domine une falaise abrupte ; cet emplacement, spécialement destiné aux augures, s'appelle l'*Auguraculum*. La seule structure visible est une tente dressée en permanence et entretenue par le collège des augures ; comme leurs robes, elle est bordée de pourpre et rayée de bandes couleur safran. Elle est si petite qu'il faut se plier pour y entrer – bien que personne ne le fasse, pour autant que je le sache, la prise des auspices se déroulant dehors, dans un site ouvert sur le ciel. Cet usage date sans doute des campagnes militaires, quand le général devait obligatoirement obtenir l'avis favorable des augures avant d'engager la bataille. Ceux-ci ne se contentent d'ailleurs pas d'étudier le vol des oiseaux ou les pérégrinations des quadrupèdes, ils déchiffrent aussi le langage des éclairs et en déduisent le moment où il pleuvra. D'où la nécessité de la tente, peut-être...

Quoi qu'il en fût, nous nous trouvions donc rassemblés sur l'Arx, devant la tente augurale. Rufus prit sa verge d'ivoire et délimita dans le ciel un espace rectangulaire dans lequel il allait prendre les auspices. Cet espace comprenait la majorité du champ de Mars, une grande courbe du Tibre et une vaste étendue de terrain située au-delà.

Les augures divisent les oiseaux en deux classes : ceux dont

223

les cris expriment la volonté divine – le corbeau, la corneille, la chouette et le pic – et ceux dont le vol fait connaître le vouloir des dieux : le vautour, le faucon et naturellement l'aigle, oiseau favori du roi des dieux. Lors des expéditions militaires, on emporte des poulets dans des cages sacrées, au cas où les oiseaux sauvages ne seraient pas immédiatement disponibles. Pour déterminer la volonté des dieux, l'on répand un peu de grain devant les cages et on en ouvre les portes. Si les poulets sacrés manifestent un bon appétit, c'est un bon présage. En revanche, si les volatiles refusent de quitter la cage ou dédaignent les grains, c'est de mauvais augure.

Certains hommes publics – Cicéron en fait partie – pensent que les auspices et les augures sont de pures absurdités et ne manquent jamais une occasion de le dire et de l'écrire. D'autres politiciens, tel César, considèrent l'art augural comme un instrument utile au service du pouvoir, au même titre que les élections, les impôts ou les cours de justice, que personne ne songe à mépriser. D'autres enfin, comme Rufus, croient sincèrement en la manifestation de la volonté divine et en leur propre capacité d'en percevoir et déchiffrer les signes.

Quant à moi, debout sous un soleil si brûlant que je regrettais de ne pas avoir pris mon chapeau de campagne à large bord, je commençais à souhaiter vivement que la tente cérémonielle située derrière nous contînt quelques cages à poulets sacrés. Tous les oiseaux de Rome semblaient avoir quitté ciel et il n'y avait pas une nuée d'orage à l'horizon. Un augure ne connaît pas ces mouvements d'impatience : il sait que la volonté divine n'est pas aux ordres du prêtre, fût-il jeune et charmant. Les dieux ont parfois autre chose à penser que de faire croasser un corbeau ou d'expédier un vautour planer dans l'air chaud.

Mes pensées se mirent à vagabonder. Mes yeux quittèrent le ciel vide d'oiseaux pour se diriger vers l'extrémité orientale de l'Arx, d'où je pouvais lorgner sur le Forum. Il était toujours noir de monde, mais un grand silence paraissait envelopper la foule. Les sénateurs débattaient et le peuple de Rome attendait leurs décisions. Cicéron était probablement en train de parler ; César et Crassus risquaient de se joindre à la discussion, si cela servait leurs desseins personnels, de même que Caton, avec son souci constant de moralité, sans oublier Clodius, le pêcheur en eau trouble, et même l'autre consul de l'année, le non-être Antonius. Catilina serait là aussi, naturellement, pour se défendre, pour combattre les propositions de Cicéron et pour exiger que l'élection eût enfin lieu. Était-il vraiment possible qu'il fût élu consul ? S'il en était ainsi, pourrait-il forcer le Sénat à accepter son programme radical ? César et Crassus le soutiendraient-ils, et jusqu'à quel point ? L'État serait-il paralysé ? Mis de côté ? Retomberait-il dans une guerre civile sanglante ? Et qui, dans ces conditions, ramasserait la mise : Crassus, César, Pompée... Catilina ?

– Là ! cria une voix étouffée derrière moi.

C'était Eco qui pointait en direction d'un animal ailé dans le ciel. Je secouai la tête, clignai les yeux et regardai vers le point noir qui planait au-dessus de la Ville. Malheureusement, l'oiseau décrivit une spirale à basse altitude, puis s'éloigna, sans être entré dans l'espace délimité par Rufus. Pas de présage ! J'entendis autour de moi un soupir collectif de déception. Rufus restait debout, le dos au précipice. Ses épaules étaient droites, son menton levé vers le ciel. Il gardait sa confiance en lui-même, en sa foi, en sa science, et en la volonté des dieux.

Je n'aurais pas dû manger ni boire tant, à la réception. La pensée me vint que Cicéron avait raison : il faut toujours manger le plus légèrement possible, à midi. Mais Cicéron avait toujours eu des problèmes de digestion. Moi, je ne me sentais pas mal, j'étais simplement un peu lourd. L'ascension m'avait fatigué et la chaleur n'arrangeait rien ; j'avais une grande envie de dormir et le plus grand mal à garder les yeux ouverts...

La dernière fois que Rome avait été plongée dans la guerre civile, le résultat avait été épouvantable. Sylla avait triomphé et, avec lui, les forces les plus réactionnaires de l'État. Les législations rééquilibrant le pouvoir en faveur du peuple avaient été abrogées. La Constitution avait été réformée pour donner aux riches et aux puissants une influence encore plus grande sur les scrutins et les tribunaux populaires. Sylla avait fait de son mieux pour exterminer l'opposition dans les classes supérieures. Une génération plus tard, l'État était dans un chaos plus grand que jamais. Plusieurs des réformes syllaniennes avaient été abrogées et les forces populistes regagnaient du terrain, mais les spoliations continuaient et la politique agraire virait au cauchemar. Le mécontentement était partout, excepté chez ceux – peu nombreux – qui avaient toujours eu et qui auraient toujours trop de richesse et de pouvoir pour qu'ils puissent les épuiser au cours de leur vie. Leur condition, pensaient-ils, leur avait été donnée par les dieux ; Cicéron leur avait peut-être été octroyé, de surcroît, pour bercer et endormir les masses turbulentes de sa voix suave et puissante ...

Le pire de tout avait été les têtes, pensai-je ; les têtes des ennemis de Sylla, fichées sur des pieux, et alignées aux yeux de tous sur le Forum. Des chasseurs de primes en avaient fait leur spécialité. Qu'avaient-ils fait de tous ces corps, de tous ces corps sans tête ? Soudain, je vis le corps de Nemo, à mes pieds, dans la paille, avec le sang caillé sur l'horrible blessure béante. L'émotion du souvenir fut si puissante qu'un haut-le-corps secoua mes épaules.

– Ah ! enfin ! souffla Eco dans mon oreille, la main sur mon cou. Là-bas, au-dessus du fleuve.

Je clignai les yeux, ébloui par la lumière du ciel. Les dalles blanches étincelaient et le soleil semblait avoir envahi tout le paysage. Au milieu de cet embrasement, une petite masse noire prit forme, sur la gauche jusqu'à laisser voir un corps fuselé, doté de puissantes ailes largement étendues.

– Un faucon, murmura Eco.

– Non, dit Mummius, un aigle !

L'oiseau tournoya une fois au-dessus du champ de Mars, puis continua sa route. Sa vitesse était stupéfiante ; aucun cheval n'aurait pu galoper à cette allure. L'instant d'après, il vint se poser près de Rufus, si près que celui-ci aurait pu le toucher en se penchant, s'il l'avait osé. Nous restions figés et silencieux, littéralement pétrifiés par cette apparition. Je n'avais jamais vu un aigle de si près. Soudain, aussi brutalement qu'il était arrivé, il déploya ses ailes de géant, prit son envol au-dessus de nos têtes et fila vers le soleil. Je baissai les yeux, à demi aveuglé. Rufus se tourna vers nous, le visage empreint d'une gravité toute religieuse.

– Le présage était-il bon ? demandai-je.

– Bon ? fit-il, étonné, avant de sourire. Il aurait difficilement pu être meilleur !

Si la ville n'avait pas été bruissante des controverses courant sur Catilina et les élections, cet étonnant présage aurait suscité de grands commentaires. Si l'événement s'était produit par un jour d'été paresseux, où rien d'important ne se déroulait sur le Forum, le bruit aurait couru à travers les places et les tavernes : un aigle, oiseau de Jupiter, venu se poser sur l'*Auguraculum* pour la maturité d'un obscur jeune homme du commun, ancien esclave de surcroît ! Les superstitieux y auraient vu un motif de crainte et un signe de mécontentement des dieux, ou bien au contraire une marque éclatante de leur faveur. Mais, dans le chaos général de cette journée, l'incident passa inaperçu, sauf pour ceux qui y avaient assisté.

Sur le chemin du retour vers le Forum, Marcus Mummius était très excité.

– Un aigle, un oiseau militaire ! Cela présage une grande carrière dans l'armée !

Je remarquai que Meto souriait à ce genre de discours et j'aurais mieux aimé que Mummius restât silencieux. Je me tournai vers Rufus, qui entre-temps avait quitté sa *trabea* d'augure et repris sa toge de candidat.

– Est-ce cela, le présage ? demandai-je.

– Pas nécessairement.

Meto entendit et son sourire disparut, ce qui me réjouit. Je ne voulais vraiment pas que des pensées de gloire militaire envahissent sa tête : je ne l'avais pas tiré de l'esclavage pour le voir ensuite répandre son sang en faveur de quelque général ambitieux et avide. Rufus ralentit le pas et laissa le reste de la troupe prendre de l'avance. Il me toucha le bras et me fit signe de rester avec lui. Son enthousiasme avait fait place à l'incertitude.

– C'est un présage puissant, Gordien. Jamais une chose de ce genre ne m'est arrivée, et à aucun autre augure de ma connaissance.

– Mais c'est un bon présage ? dis-je, rempli d'espoir. Tu paraissais être de cet avis tout à l'heure.

– Oui, mais j'ai ressenti une sorte de terreur religieuse. Cela

227

peut aveugler un homme, même un augure. Tous les présages sont terrifiants, parce qu'ils viennent des dieux, mais leurs significations pour les mortels n'apportent pas toujours le bonheur.

– Rufus, qu'est-ce que tu es en train de me dire ?

– Je souhaiterais presque que les auspices eussent été moins prodigieux. La vue d'un simple vautour, d'un corbeau volant en spirale ascendante...

– Mais un aigle, envoyé par Jupiter, c'est sûrement bon...

– Un signe aussi puissant, apparaissant dans une occasion aussi modeste – pardonne-moi –, c'est troublant ; cela semble déplacé. Nous vivons à une époque où de petits hommes sont appelés à vivre de grands événements, qui parfois les élèvent, mais parfois les brisent. Meto est si simple et d'un si bon naturel... que veut donc dire un auspice aussi puissant pour la cérémonie de sa majorité ? Cela me préoccupe.

– Oh, Rufus !

Je faillis m'oublier et le gifler, si mon respect pour lui n'avait pas été aussi grand. Je me sentais pourtant en sympathie avec les mécréants comme Cicéron, qui secouent la tête devant les agitations des hommes pieux. Ou bien essayais-je de masquer ma propre anxiété ?

– Peut-être le présage s'est-il trompé de moment ou de destinataire ? Peut-être était-il destiné à César ou à Cicéron ? Peut-être l'aigle est-il arrivé une heure trop tard ? Les dieux se trompent, de temps en temps, tous les poètes le disent...

– Mais tu n'entendras jamais un prêtre ou un augure proférer ce genre de choses, dit Rufus, que ma remarque n'amusait pas.

Nous rejoignîmes le groupe qui descendait vers le Forum, dont la rumeur devenait plus perceptible. En tête, Mummius avait passé un bras autour des épaules de Meto et gesticulait de l'autre avec enthousiasme.

– Lorsque les Romains vont à la bataille avec leurs étendards, on voit toujours un aigle au-dessus des enseignes[1]. Pom-

---

1. Qui portent alors ce nom, au féminin : on parlera des « aigles romaines » (N.d.t.).

pée porte une cuirasse dorée, décorée d'un aigle sur les pectoraux, les ailes déployées – comme un oiseau de proie majestueux qui s'apprête à dévorer le royaume de Mithridate ! Je me rappelle aussi que, lors de la bataille de la porte Colline, j'étais un jeune lieutenant de Crassus et nous combattions pour Sylla, les augures ont vu trois aigles tournoyer au-dessus de Rome.

Meto paraissait totalement fasciné par ces discours de va-t-en-guerre. Je fus un peu soulagé lorsque nous fûmes arrivés au pied du Capitole et que Mummius nous quitta en hâte, disant qu'il voulait être là quand les débats au Sénat prendraient fin. Il ne s'éternisa pas en adieux, mais serra brièvement Eco et Meto dans ses bras et partit au pas de charge, Apollonius sur ses talons.

Il était temps que le cortège se disloquât. Je remerciai les amis et les connaissances qui étaient avec nous et les laissai aller aux affaires qu'ils pouvaient avoir sur le Forum. Il suffirait à Meto d'être accompagné de son père et de son frère pour retraverser le Forum et aller retrouver les femmes qui nous attendaient. Mais Rufus avait un autre plan.

– Rappelle-toi, avant la cérémonie, je t'ai dit que je pouvais avoir une surprise pour Meto.

Il semblait avoir mis de côté toutes ses appréhensions et souriait avec espièglerie (autant du moins que sa nature le lui permettait).

– Je vais vous emmener avec moi au Sénat !

– Quoi ? demandai-je en défaillant.

– Pour écouter les sénateurs débattre ? demanda Meto, qui semblait autant intéressé que par les propos militaires de Mummius.

– L'idée m'en est venue quand Eco m'a demandé de vous servir d'augure. Naturellement, dans l'ordre normal des choses, le Sénat ne doit pas accueillir tout le monde en ce jour, mais puisque l'occasion se présente... L'assemblée sera pleine et vous pourrez voir le spectacle. Nous sommes un peu en retard, mais...

– Mais, Rufus, seuls les fils et petits-fils de sénateur ont droit d'assister aux séances.

— Bah ! Il y a des multitudes de secrétaires courant dans tous les sens.

— Mais enfin, on ne laissera certainement pas des gens comme les Gordiani entrer au Sénat, objectai-je.

— Accompagnés par moi, si, dit Rufus avec le grand air de certitude propre aux patriciens.

— Écoute, Rufus, c'est un immense honneur, naturellement, mais je pense que nous devons refuser.

Meto me regarda comme si j'avais jeté sans y prendre garde l'un de ses cadeaux d'anniversaire dans le Tibre.

— Mais enfin, papa, pourquoi pas ?

— Oui, papa, pourquoi pas ? renchérit Eco.

— Mais parce que... oui, à coup sûr, Meto, tu te sentiras gêné en un tel endroit.

Meto esquissa une grimace, mais Rufus fit la réponse pour lui.

— Nous resterons dans le fond. On ne nous remarquera même pas.

— Écoute, Rufus, nous n'allons pas t'embarrasser davantage. Nous t'avons déjà détourné de tes devoirs de sénateur, en acceptant tes services comme augure.

— Et vous continuez à présent, en discutant pour rien. Voyons, Gordien, ceci est le jour, l'heure même à laquelle Meto devient un vrai citoyen de Rome. Quelle meilleure façon de célébrer cette occasion que de l'emmener au cœur même de la République ? Comment pourrais-tu refuser à ton fils cette inappréciable leçon de citoyenneté ? J'avoue que je n'ai pas trop su comment agir, jusqu'à l'arrivée de l'aigle sur l'*Augura-culum*, mais je suis à présent convaincu que c'est la seule chose à faire. Allons, venez, dépêchons-nous avant que les sénateurs n'aient bouclé leur affaire et ne se précipitent au Forum, pour aller à la pêche aux voix !

Il se détourna et fendit la foule. Meto me regardait avec un mélange d'imploration enfantine et d'impatience virile. Eco m'observait avec sympathie, car il me connaissait assez pour savoir combien j'étais révolté par l'idée de me plonger, moi et ma famille, dans une mer de politiciens ; dans le même temps, il savait parfaitement que je n'avais aucune raison de décliner l'offre généreuse et réfléchie de Rufus, ou de refuser à Meto l'occasion de voir une telle chose de ses propres yeux. Je suppose que j'aurais pu laisser mes fils partir avec Rufus et retourner auprès des femmes – mais alors, je n'aurais pas entendu Catilina poser son énigme.

Une vaste volée de marches conduit au portique du bâtiment du Sénat, où de hautes colonnes bordent l'entrée. Différents membres de la suite des sénateurs attendaient sur les marches, parmi lesquels je reconnus les gardes du corps qui escortaient Cicéron, à sa descente de l'Arx. D'autres gardes, attachés au Sénat, flanquaient les hautes portes restées ouvertes, comme le voulait la loi, afin que les débats fussent toujours tenus en public et sous l'œil des dieux. Il me parut de nouveau invraisemblable qu'on nous laissât pénétrer dans un tel lieu, même accompagnés par Rufus, mais c'était parce que je croyais que le Sénat n'avait qu'une seule entrée. Rufus connaissait mieux son affaire.

Contigu au bâtiment du Sénat, une autre construction abrite divers services de l'État. Je n'y étais jamais entré et je ne l'avais même pas remarquée. Les portes de bois en étaient largement ouvertes, étant donné la chaleur, et il n'y eut personne pour nous en interdire l'accès. À l'intérieur, un vaste couloir central régnait sur toute la longueur du bâtiment et distribuait des séries de petites portes, à droite et à gauche. Ces pièces étaient pleines de rouleaux, rangés dans des casiers le long des murs ou empilés sur des tables. Quelques fonctionnaires à moitié endormis se déplaçaient d'une pièce à l'autre. Aucun ne s'enquit des raisons de notre présence en ces lieux. Au centre du bâtiment, un escalier desservait les deux étages supérieurs. Rufus nous y mena par un dédale de petites salles vides. Je commençai à percevoir l'écho de voix parlant fortement, à la manière des orateurs, interrompues de temps en temps par un tumulte indistinct qui pouvait aussi bien recouvrir des protestations que des rires. Le son s'amplifiait au fur et à mesure que nous passions de pièce en pièce, jusqu'à ce que nous arrivions devant une porte de fer entrouverte. Rufus mit un doigt sur ses lèvres pour nous intimer le silence, bien qu'aucun de nous n'eût ouvert la bouche depuis que nous le suivions, puis il se glissa par l'ouverture ; d'une main, il nous fit signe de le suivre.

Le Sénat n'est pas un édifice ancien, puisqu'il a été rebâti et remeublé par Sylla au temps de sa dictature. Les matériaux employés reflètent, du reste, le goût parfait du despote : marbres colorés des murs, colonnes superbement sculptées, plafonds à caissons ornés. Un vestibule sépare la salle des réunions de l'entrée principale. La vaste salle est rectangulaire, éclairée de nuit (ou par temps gris) de grandes lampes suspendues au plafond ; de jour, par les minces fenêtres non fermées percées en haut des murs et recouvertes de grilles de bronze. Trois rangées de sièges occupent les longs côtés et le petit côté situé en face du vestibule, en forme de U ; nous étions entrés au sommet de la branche gauche du U, entre le vestibule à notre gauche et le troisième rang de sièges à notre droite. Là se tenait une dizaine de fonctionnaires, attentifs au débat et prêts à intervenir au cas où on leur aurait demandé de fournir un document ou de porter un message. Certains d'entre eux remarquèrent notre arrivée et nous jetèrent un œil soupçonneux, mais lorsqu'ils virent que nous étions avec Rufus, ils ne firent plus attention à nous. Ils paraissaient trop captivés par ce qui se passait dans l'assemblée.

Cicéron se trouvait au centre même de la salle, entouré par les sénateurs assis, tel un gladiateur dans un cirque. Si Meto avait besoin d'être instruit par l'exemple sur la façon de se tenir en toge, il aurait pu apprendre énormément de Cicéron ce jour-là : celui-ci paraissait capable de parler avec tout son corps et d'accompagner son discours des expressions corporelles les plus subtiles et les plus passionnées sans qu'un pli de sa toge consulaire fût dérangé. Il avait fait du chemin, l'orateur un peu gauche que j'avais rencontré des années auparavant. La technique et la force de son éloquence étaient immédiatement perceptibles.

Il ne faisait pas un discours formel à ce moment-là, mais paraissait plutôt engagé dans un débat spontané avec l'un des sénateurs assis dans les rangs. D'où nous étions, il fallait que je me torde le cou pour apercevoir l'homme, mais lorsque j'entendis sa voix, je n'eus plus besoin de le voir : c'était Catilina. Lorsqu'il avait fait reconstruire le Sénat, Sylla avait mis en œuvre tous les raffinements de l'esthétique, mais aussi ceux de l'acoustique. Grand amateur de musique et de théâtre, il avait retenu un ou deux principes de ces fameux théâtres grecs, où le murmure d'un acteur est parfaitement audible des spectateurs du dernier rang. Chaque mot échangé entre Cicéron et Catilina sonnait aussi clair que si les interlocuteurs avaient été devant nous.

– Catilina, Catilina, criait Cicéron d'un ton faussement blessé, si je demande que les élections soient repoussées, ce n'est pas pour ruiner tes chances d'être élu, si telle est la volonté du peuple. Je ne veux rien faire qui puisse contrarier la volonté du peuple romain ; mais aussi longtemps que je suis chargé de la surveillance de l'État, je ferai tout mon possible pour que l'État et le peuple soient préservés de tout péril. Cela vaut également pour les membres de cette auguste assemblée ! Dans les circonstances actuelles, si le scrutin a bien lieu demain, ce n'est pas une élection que nous aurons, mais un bain de sang !

Un peu de tumulte fit suite à ses paroles. Grâce à l'extraordinaire acoustique de la salle, je pouvais entendre distinctement les protestations qui se mêlaient aux approbations, dans le brouhaha général.

– Cicéron est obsédé par l'idée que l'on versera du sang le jour de l'élection, s'écria Catilina, uniquement parce qu'il redoute que ce soit le sien !

– Et nieras-tu que j'ai toutes les raisons de le redouter ? demanda Cicéron, dans un grand mouvement d'éloquence. Je t'ai déjà questionné sur les rapports que nous avons reçus et selon lesquels tu complotes contre la personne du consul...

– Je te rappelle que je les ai niés en bloc et je te demande à mon tour : quels rapports, et de quelles sources ?

– C'est toi qui es ici pour répondre aux questions, Catilina !

– Je ne suis pas en jugement !

– Tu veux sans doute dire que tu n'as pas été formellement accusé d'un crime, mais c'est parce que tu n'as pas encore eu l'occasion de le commettre.

Cette déclaration entraîna un nouveau tumulte, au-dessus duquel on entendit la voix de Cicéron.

— Et cela uniquement à cause de la vigilance de ta victime désignée !

Le consul saisit alors les plis de sa toge autour de son cou et les écarta, exposant la cuirasse étincelante. Ce geste déclencha une véritable tempête. Plusieurs sénateurs autour de Catilina — probablement ses alliés — se levèrent, certains riant, d'autres brandissant le poing et insultant Cicéron. Celui-ci, au lieu de reculer, s'avança froidement vers eux, découvrant davantage sa cuirasse. Une telle bravade entraîna un surcroît de tapage.

— C'est pire que la foule sur le Forum ! murmurai-je à l'oreille de Rufus.

— Je n'ai jamais rien vu de si chaotique, répondit-il. Même lors des débats les plus passionnés, il reste toujours une manière d'ordre et de respect mutuel, un certain humour pour adoucir les animosités, mais aujourd'hui, le Sénat tout entier paraît au bord de l'émeute.

Couvrant les cris prolongés des partisans de Catilina, Cicéron réussit à se faire entendre ; la puissance de ses poumons était étonnante.

— Nies-tu que tu as conspiré pour assassiner des membres de cette auguste assemblée ?

— Où sont les témoignages ? cria Catilina dont la voix ne perçait plus le vacarme de ses partisans.

— Nies-tu que tu as comploté d'assassiner le consul dûment élu de la République, et de le faire le jour de la prochaine élection consulaire ?

— Une fois encore, où sont les témoignages ?

— Nies-tu, Lucius Sergius Catilina, que ton but ultime est le démantèlement de l'État tel que nous le connaissons, et cela par n'importe quel moyen, si violent ou illégal qu'il puisse être ?

Catilina répondit, mais ses paroles se perdirent au milieu des vociférations de ses partisans, donnant à la trompette de la voix cicéronienne un avantage provisoire. Il réussit enfin à calmer ses alliés qui allèrent se rasseoir.

– Avec tout le respect que je lui dois, les accusations de notre estimé consul relèvent de la folie ! Il veille sur le salut de la République comme une mère qui a peur de laisser son enfant quitter la maison. La République est-elle si délicate qu'une élection honnête serait capable de la tuer ? Lui-même est-il si essentiel à l'État, sa perspicacité est-elle si unique que nous risquons de devenir aveugles sans lui ? Il est vrai que Cicéron voit des choses que les autres ne voient pas, mais je vous le demande : est-ce un bien ou un mal ?

Cette plaisanterie déclencha quelques rires épars et fit baisser sensiblement la tension. Catilina exploita cet avantage.

– Contrairement à ce que cet homme nouveau semble penser, l'histoire de la République n'a pas commencé avec son consulat et elle ne se finira pas avec lui.

Nouveaux rires, accompagnés cette fois de quelques applaudissements. Catilina sourit amèrement.

– Ce n'est pas moi qui cherche à contrecarrer la volonté du peuple, Cicéron, c'est toi !

À ces paroles, interpellations et protestations fusèrent de l'autre côté de l'assemblée. Mais Catilina poursuivait.

– C'est l'évidence, car qui d'autre que Cicéron est déterminé à ajourner les élections ? Et pourquoi ? Parce qu'il craint pour sa vie ? Absurde ! Si quelqu'un avait des raisons de tuer notre estimé consul, pourquoi attendrait-il le jour de l'élection de son successeur ?

– Pour répandre le chaos, répondit Cicéron. Pour éloigner par la peur les électeurs honnêtes des enceintes électorales, afin que tes propres partisans puissent détourner le vote.

– Absurde, dis-je ! Le véritable détournement se fait sous nos yeux et à la requête du consul : en laissant planer l'incertitude sur la date du scrutin, tu prives de leurs droits tous ceux qui doivent voyager jusqu'à Rome pour voter et qui ne peuvent se loger indéfiniment dans la cité. Le scrutin a déjà été ajourné une première fois ; ne l'ajournez pas une seconde !

– L'élection a été annulée à cause des auspices, rappela Cicéron. La terre avait tremblé, des éclairs inexpliqués avaient traversé le ciel.

Ce rappel provoqua des grognements et des lazzis, probablement de la part des sceptiques, suivis par une seconde bordée d'injures, de la part des hommes pieux qui vitupéraient les premiers.

– Il est typique, Cicéron, que tu changes de sujet, espérant détourner notre attention du vrai problème. Le premier ajournement est passé ; c'est une affaire réglée. Mais les auspices, aujourd'hui, sont favorables. Tu n'as aucune raison religieuse de demander un second ajournement.

Sur ces paroles de bon sens, certains sénateurs, qui étaient restés jusque-là silencieux, murmurèrent leur approbation en hochant gravement la tête.

– Allez, Cicéron, tu as débattu assez longtemps ! cria l'un des plus vieux sénateurs.

Ce cri fut repris par plusieurs autres. Cicéron parcourut les sièges du regard, comme pour supputer ses forces. Il parut mécontent de l'estimation mais, alors que les cris se faisaient plus insistants pour mettre un terme au débat, il revint sur ses pas et fit signe à son collègue, Caius Antonius, qui se mit à lire une proposition visant à ajourner une nouvelle fois la date du scrutin et à censurer Catilina pour « trouble de l'État » ; ceux qui votaient pour étaient priés d'aller s'asseoir à droite de l'assemblée, les autres à gauche, où Catilina et les siens étaient déjà assis.

À ce moment, Rufus nous quitta pour rejoindre le côté gauche ; je remarquai que Marcus Mummius était là aussi, de même que César et Crassus et leurs partisans. Lorsque tous furent assis, il était visible, même sans décompte, que Cicéron avait perdu la partie et que le scrutin aurait bien lieu. Caius Antonius proclama le résultat et congédia rapidement l'assemblée. Un murmure de conversation remplit la salle, au-dessus duquel on put entendre la voix de trompette de Cicéron.

– Nous verrons demain qui parlait sagement. Je prévois de dangereuses périodes pour la République.

– Quel œil tu as, Cicéron, pour voir ainsi beaucoup plus que nous autres ! persifla Catilina.

Beaucoup de sénateurs arrêtèrent aussitôt de parler, pour écouter ce qui se disait ; ils n'étaient sans doute pas lassés d'entendre leurs deux collègues débattre – moi, si. Je fis un geste à Meto et Eco qu'il était temps de partir, avant que nous ne fussions surpris dans le Sénat sans Rufus pour répondre de nous. Nous filâmes tous les trois par la porte de fer. Les échos de la voix de Catilina nous poursuivirent.

— Et sais-tu ce que je vois, Cicéron ? Sais-tu ce que mes yeux perçoivent lorsque je considère notre République ? Je vois deux corps...

Je m'arrêtai, soudainement alerté, et me retournai pour écouter. Meto m'imita, intrigué, mais je vis dans les yeux d'Eco que lui aussi avait entendu. La voix de Catilina était déformée par un effet d'écho, comme une voix venue d'un rêve.

— Je vois deux corps, l'un chétif et malingre, mais avec une tête solide, l'autre sans tête, mais grand et fort. L'invalide pourvu d'une tête mène l'autre comme un animal à l'attache. Demande-toi donc : qu'y a-t-il de si terrible si je deviens la tête du corps qui en est dépourvu ? L'histoire pourrait alors être toute différente, non !

Dans ce contexte, la signification de l'énigme était claire. Je restai stupéfait de l'audace de Catilina. Ayant eu gain de cause avec l'élection, il n'hésitait pas à se moquer non seulement de Cicéron, mais aussi du Sénat lui-même, et cela dans ses propres murs. Car qui pouvait représenter le corps débile pourvu d'une tête, sinon les Pères Conscrits ? Et qui était le corps solide mais sans tête, sinon les masses sans chef dont Catilina se proposait de prendre la direction et dont il entendait diriger le mécontentement vers ses propres fins ? Eco comprit de même.

— L'homme doit être fou, dit-il.

— Ou très sûr de son succès, répliquai-je.

— Ou les deux, conclut Meto, gravement.

14

Une fois l'assemblée dispersée, l'espace devant le Sénat devint presque infranchissable, à cause des cortèges des différents sénateurs. Je n'avais aucune envie de fendre la foule du Forum, de sorte que nous fîmes retraite par le réseau de petites rues latérales qui jouxtent le nord du Forum, jusqu'à la place où nous avions laissé les femmes.

Nulle excuse ne nous fut nécessaire pour la longueur de notre absence, car Bethesda elle-même revenait juste de son tour des boutiques du Forum. Elle avait acheté pour Diane une poupée de terre cuite avec des yeux de verre vert ; pour Ménénia un foulard bleu et jaune ; pour elle-même, un peigne en ivoire. Je grognai intérieurement contre ces petites extravagances, songeant au foin gâté et me demandant comment j'allais équilibrer les finances de la ferme durant l'hiver. Mais comment refuser à Bethesda le plaisir d'un après-midi de courses en ville, alors qu'elle avait été privée de ces délices depuis si longtemps ?

Notre dîner de ce soir-là fut formel, dans le triclinium situé à côté du jardin ; seule la famille y participait, les femmes en stole et les hommes en toge. Meto occupait naturellement la place d'honneur. Il n'avait jamais mangé couché et en tenue de citoyen, mais il s'en tira sans maladresse et ne renversa pas une seule goutte de vin sur sa toge.

La conversation roula essentiellement sur les affaires de la famille : aménagement de la maison par Ménénia et Eco, gestion de la ferme, relations d'Eco avec ses beaux-parents. Il y eut quelques discussions sur l'augure de l'après-midi, que tous s'accordèrent à reconnaître comme exceptionnellement favorable, à l'exception de Bethesda qui avait toujours déclaré – non sans quelque raison – que la religion romaine était passablement simpliste comparée aux raffinements de la religion égyptienne. Elle eut la gentillesse de ne pas critiquer la cérémonie et son seul commentaire sur l'aigle apparu à l'*Auguraculum* fut pour demander s'il avait quelque trait humain. Ménénia eut la courtoisie de dissimuler son sourire derrière un éventail de papyrus. On ne parla ni de Cicéron ni de Catilina, ni d'élections ni de corps sans tête et j'en fus extrêmement soulagé.

Une fois que toute la maisonnée fut au lit, je restai éveillé et allai dans le jardin. Le vélum jaune avait été enlevé et le jardin était baigné de lune. J'écoutai le doux murmure de la fontaine, étudiai les reflets brisés et ondulants de la lune et des étoiles dans l'eau noire. La lumière de l'astre des nuits transformait les dalles du sol en argent brillant et paraissait recouvrir les fleurs d'une fine couche de cendre grise. Au cours de combien de nuits avais-je trouvé, dans ce jardin, la paix, loin des tracas de la ville ? D'une certaine façon, j'avais l'impression d'être aussi éloigné des intrigues du Forum en cet endroit que dans ma ferme d'Étrurie ; je m'y sentais même plus en sécurité. Je m'assis sur un banc de pierre, près de la fontaine, adossé à un pilier, les yeux fixés sur la lune et la lente ronde des étoiles au-dessus de ma tête. J'entendis soudain un bruit de pieds nus sous le portique, si familier que je n'eus pas besoin de me retourner.

– Meto ? dis-je doucement.

– Papa !

Il vint dans le jardin. La toge avait été remisée dans le coffre et il ne portait qu'une sorte de caleçon autour des hanches. Je lui fis signe de s'asseoir à côté de moi, mais il préféra un banc situé en face du mien, à quelques pas de distance.

– Tu ne peux pas dormir, Meto ? Il fait trop chaud ?

– Non, ce n'est pas la chaleur.

L'ombre portée par la lune dissimulait partiellement son visage, laissant ses yeux dans l'ombre, mais soulignant son nez, ses lèvres et ses joues comme s'ils avaient été sculptés dans le marbre.

— Ce sera l'excitation du jour, alors, suggérai-je.

Il resta silencieux un bon moment, puis ouvrit la bouche.

— Papa, je suis un homme maintenant.

— Je sais, Meto.

— Je ne suis plus un enfant.

— Mais oui, Meto, je sais.

— Alors, pourquoi me traites-tu toujours comme un enfant ?

— Parce que... Mais que veux-tu dire ?

— Tu me caches des choses. Tu parles derrière mon dos. Tu dis tout à Eco, tu partages tout avec lui.

— Parce que Eco est...

— Parce que Eco est un homme et que je suis un enfant ?

— Mais non, Meto, ce n'est pas cela !

— Parce que Eco est né libre et pas moi ?

— Non, ce n'est pas ça non plus, dis-je en secouant la tête avec lassitude.

— Mais je suis un homme, papa. La loi le déclare, ainsi que les dieux. Pourquoi ne le crois-tu pas ?

Je regardai la douceur de ses joues, couleur de rose blanche sous la lumière de la lune, que le barbier avait rasées pour la première fois ce jour. Je regardai ses bras minces et sa poitrine étroite, aussi douce et lisse que celle d'une fille. Pourtant, ces bras n'étaient pas aussi minces que je l'avais pensé : en un an, le travail à la ferme les avait durcis et musclés. Sa poitrine n'était plus si plate ni si étroite ; elle aussi avait commencé de se muscler et de s'élargir. Le clair de lune soulignait le tracé de ses pectoraux et de ses abdominaux. Ses jambes étaient toujours un peu longues pour son corps, mais sans être grêles ; cuisses et mollets s'étaient renforcés. Quand ces transformations s'étaient-elles passées ? C'était comme si je regardais un étranger sous la lumière de la lune, ou comme si la lune elle-même l'avait transformé en un moment sous mes yeux.

— Tu me traites comme un enfant, papa, et tu le sais bien. Cette façon de ne pas vouloir que j'assiste à la séance du Sénat...

241

— Cela n'avait rien à voir avec ton âge, Meto. C'était ma propre aversion pour ce genre de choses.

— Et à propos du corps retrouvé dans l'écurie ? Tu m'as traité comme tu traitais Diane.

— Non. Je l'ai envoyée chercher sa mère, alors que je t'ai montré, à toi, ce que l'on pouvait apprendre en observant un cadavre, bien que, si j'ai bonne mémoire, tu fusses presque trop écœuré pour regarder.

— Mais j'ai regardé ! Et puis, je ne parle pas de cet examen du cadavre avec toi. Je te parle d'après, lorsque tu as commencé de ruminer à ce propos. Tu ne m'as jamais rien confié ; tu as envoyé immédiatement chercher Eco à Rome, de façon à partager tes pensées avec lui.

— Je n'ai pas envoyé chercher Eco.

— Ce n'est pas ce qu'il dit.

— Ah, je vois ! Vous avez parlé tous les deux, derrière mon dos...

— Nous avons confiance l'un en l'autre, papa, comme il est normal entre frères. Et comme j'aimerais que tu aies confiance en moi. Parce que je suis un homme maintenant. Parce que tu as besoin de moi, pour vous protéger, toi, maman et Diane...

— Me protéger, moi ?

L'image du petit garçon rencontré à Baïes, me protégeant de quelque brute assassine, était si absurde que je secouai la tête. C'était moi qui devais le protéger, comme je l'avais toujours fait. Naturellement, il n'était plus si petit, mais je restais plus fort que lui, du moins je le pensais, même s'il était sans doute plus rapide et sa résistance plus grande.

— Ton corps a changé, Meto, c'est vrai, mais sous d'autres aspects...

— Sous d'autres aspects, je suis toujours un enfant. Je sais que c'est ce que tu penses, mais où sont les témoignages ?

Ces mots sonnèrent étrangement à mes oreilles ; où les avait-il empruntés ?

— Tu ne sais pas tout ce à quoi je pense, lorsque je suis seul. Moi aussi, je suis inquiet à propos de ce corps que l'on a trouvé, et de l'arrivée de Catilina chez nous, et des choses terribles qui se passent à Rome. J'ai vu Marcus Cælius te parler

242

à la réception, aujourd'hui, et j'ai vu la tête que tu faisais. De quoi parliez-vous donc ? Que voulait-il ? Pourquoi ne me le dis-tu pas, afin que je puisse t'aider ? Tu vas en parler à Eco, non ?

— Meto, comment pourrais-je te demander de l'aide alors que je ne sais pas moi-même ce qu'il faut faire ?

— Mais précisément pour cette raison, papa. Peut-être pourrais-je, moi, penser à quelque chose ?

Il avança son visage dans le clair de lune et, à ce moment, toute transformation cessa. C'était de nouveau un jeune garçon, dégingandé et maladroit, sérieux et innocent, anxieux de plaire. Je ne pus résister au désir de le toucher et lui passai la main dans les cheveux. Comment pourrais-je le traiter comme quelqu'un qu'il n'était pas ?

— Papa, je demande ton respect. Quel que soit le danger qui nous menace, je veux être mis au courant ; je veux jouer mon rôle ; je veux participer. Je suis en droit de l'attendre, maintenant que je suis un homme. Ne peux-tu le comprendre ?

— Mais si, Meto, je comprends.

— Tu me traiteras différemment ?

— J'essaierai, dis-je en soupirant profondément.

— Bon. Alors nous pourrions commencer par aller assister aux élections demain.

— Oh, Meto ! protestai-je.

— Mais, papa, comment puis-je apprendre si je ne vois pas les choses de mes propres yeux ? C'est ça qui était extraordinaire, aujourd'hui : aller au Sénat, l'entendre parler... Je ne l'oublierai jamais.

— Entendre parler Cicéron ?

— Mais non, Catilina ! Beaucoup plus important pour moi que la cérémonie à l'*Auguraculum* ! Je dois absolument voir ce qui va se passer demain.

Il baissa les yeux.

— Je pourrais y aller seul...

— Jamais ! Les bandes, les rixes, les couteaux...

— Alors nous irons ensemble ?

— Mais je vais m'endormir, dis-je en faisant la grimace.

— Papa...

– Bon, bon, ça va, soupirai-je. Si tu veux voir Rome dans son pire état...

– Oh merci, papa ! s'écria-t-il en serrant mes mains dans les siennes, avant de s'éclipser vers son lit.

Dans mon enfance, la partie nord-ouest de la ville située en dehors de l'enceinte de Servius, le champ de Mars, était encore très peu développée. Les conducteurs de chars venaient s'y entraîner et les unités militaires s'exerçaient sur ces espaces nus et si vastes qu'ils pouvaient manœuvrer sans manger leur poussière réciproque. À l'extrémité du champ de Mars, au-dessus d'une courbe majestueuse du Tibre, se trouvent les sources chaudes de Tarentum, où mon père aimait se rendre pour soigner ses articulations. Je me rappelle être allé à pied jusqu'aux sources curatives, en passant par des zones boisées où les chèvres broutaient l'herbe le long de la route. Mes yeux d'enfant exagéraient peut-être l'ampleur de ces étendues pastorales vierges de toute maison.

La partie méridionale du champ de Mars la plus proche de l'enceinte de Servius était en revanche bâtie depuis longtemps. L'ombre matinale du Capitole tombait depuis des décennies sur les entrepôts et les quais du bord du Tibre, sur les marchés aux légumes fourmillant de monde du *forum Holitorium* et sur les immeubles surpeuplés mélangés aux boutiques et aux bains qui entouraient le cirque Flaminius. J'avais vu, au cours de ma vie, se développer le champ de Mars, avec davantage d'entrepôts sur les quais du Tibre, de nouveaux immeubles plus hauts se glissant entre les anciens, les derniers champs disparaissant au profit des constructions et de l'aménagement de nouveaux axes de circulation. La route vers Tarentum cessa petit à petit d'être un bref répit campagnard dans la ville. On murmurait même, pour lors, que Pompée, après avoir acheté un vaste secteur de terrain public au cœur du champ de Mars, projetait d'y construire un grand théâtre de marbre et de stuc. Ce projet suscitait une grande controverse, car cette structure, si elle devait être construite, serait le premier théâtre permanent à Rome, cette ville où les scènes improvisées pour le déroulement des fêtes avaient toujours été estimées plus convenables que les théâtres aux allures de temple des Grecs décadents, amateurs de drames. En raison de sa situation en dehors des murs de la ville et de son étendue plate, bien supérieure à celle des sept collines ou des vallées qui les séparent, le champ de Mars s'est vu, de très bonne heure, désigné comme lieu de réunion pour les assemblées politiques trop vastes – et souvent trop remuantes – pour être organisées au Forum. Depuis l'époque de la fondation de la République, les Romains s'y rassemblaient pour voter.

Très tôt ce matin-là, nous partîmes donc pour le champ de Mars. Je décidai de prendre Belbo avec nous : si Cicéron avait vu juste dans ses prévisions de violence, un garde du corps serait bien nécessaire. Nous dévorâmes en hâte un extravagant déjeuner composé des restes de la réception, et emportâmes avec nous un sac de nourriture et une outre de vin mêlé d'eau. Le ciel pâlissait à l'orient lorsque nous empruntâmes la rue de Subure, vers la porte Fontinale. Des groupes d'hommes circulaient déjà dans la rue, tous dans la même direction ; au moment où nous passions la porte, j'entendis les trompettes appeler le peuple à l'assemblée.

Juste en bordure de la voie Flaminienne, entre le secteur construit du champ de Mars et les espaces plus ouverts sur le nord se trouve la Villa Publica. L'enceinte fortifiée en est fort ancienne, comme les bâtiments qui se trouvent à l'intérieur. Outre les bureaux des censeurs qui tiennent le registre des électeurs, la Villa Publica est à Rome ce qu'un vestibule est à une maison : les ambassadeurs étrangers sont logés là, de même que les généraux romains avant la cérémonie du triomphe. C'est aussi l'endroit où les candidats se retirent en attendant les résultats d'une élection. À côté de la Villa Publica il y a une autre enceinte fortifiée, appelée très simplement l'Enclos à moutons. Le jour des élections, des cordes y sont tendues pour diviser l'espace intérieur en couloirs. Pour voter, les électeurs sont guidés à travers l'Enclos comme des moutons dans un parc. La métaphore est assez facile à comprendre...

Dans le soleil levant, les citoyens convergeaient vers les espaces ouverts entourant la Villa Publica. Les électeurs sont répartis en différentes classes en fonction de leur richesse, et ces classes elles-mêmes sont divisées en unités de vote ou centuries. Les organisateurs de chaque centurie travaillaient déjà à regrouper les membres de leurs unités ; beaucoup de centuries avaient des lieux de réunion fixés d'avance, mais la confusion était inévitable au milieu d'une telle foule. Le temps ajoutait sa gêne : il n'avait pas plu depuis plusieurs jours et une masse énorme de poussière remplissait l'air. La matinée était déjà chaude, annonçant un jour encore plus étouffant.

Il ne me fallut pas longtemps pour constater des signes de corruption manifestes. Je reconnus dans la foule plusieurs individus douteux, que je voyais se déplacer entre les chefs de centurie, souriant et serrant des mains, et tendant de petits sacs qui ne pouvaient être que remplis de pièces. Je reconnus des partisans de Crassus et au moins l'un des acolytes que j'avais remarqués dans la suite de César, la veille ; les sympathies agissantes de beaucoup d'autres, en revanche, m'étaient inconnues. Il y eut aussi quelques cas de violence, mais pas d'émeutes générales. Nous vîmes un fermier et ses fils rossés et expulsés par une bande de jeunes. Nous observâmes aussi deux Optimates à face rouge et cheveux gris, engagés dans un pugilat acharné. L'un soutenait Murena, l'autre Silanus : qui d'autre qu'un des Optimates aurait pu dire la différence ? Les esclaves de leur suite restaient à l'écart et regardaient, plus ou moins intéressés, certains ne dissimulant pas leur inquiétude, d'autres leur amusement. Nous tombâmes aussi sur la fin d'un duel au couteau, qui se termina par l'évacuation des deux parties en présence, saignantes et gémissantes, par les soins de leurs amis. L'un dans l'autre, c'était une foule plus paisible que je ne l'avais escompté. Il est toutefois possible qu'il y ait eu, hors de notre vue, bien d'autres accrochages sanglants dans la foule immense qui était rassemblée là.

Tout à coup un tumulte de cris s'éleva quelque part et s'approcha de nous. Je me tournai pour voir arriver Cicéron et son collègue, Caius Antonius. Cicéron était entouré de ses gardes armés et tenait sa toge ouverte pour bien montrer la cuirasse qu'il portait, dernier rappel aux électeurs de la traîtrise présumée de Catilina. Ils disparurent derrière les portes de la Villa Publica, pour réapparaître sur le podium en saillie dans le mur.

Caius Antonius annonça que les auspices avaient été dûment pris par les augures, dans la Villa Publica, et qu'ils avaient été déclarés favorables. Sans tremblement de terre et sous un ciel aussi bleu, il pouvait difficilement en être autrement, d'autant plus que le Sénat avait clairement manifesté sa volonté la veille. L'élection pouvait donc avoir lieu.

Peu de temps après, les candidats arrivèrent entourés d'un long cortège de partisans qui se frayaient assez violemment leur chemin à travers la foule. Chacun d'eux fit une apparition sur le podium, avant de disparaître dans la Villa Publica. Il y eut un mélange de sifflets et d'applaudissements pour Murena et Silanus, les deux Optimates favoris, qui apparurent l'un après l'autre. Plusieurs autres candidats se présentèrent ensuite sur le podium, ne suscitant généralement que fort peu de mouvements dans un sens ou dans l'autre. Puis Catilina arriva.

Nous l'entendîmes bien avant de le voir. Cela commença par un grondement qui paraissait venir de la porte Fontinale, et grandissait à mesure qu'il s'approchait de la Villa Publica. C'était comme une sorte de mur sonore, palpable et infranchissable, sur lequel on se serait immanquablement brisé. Difficile de dire, d'emblée, ce qui composait ce bruit immense, mélange indistinct de sifflets, d'applaudissements, de lazzis, de jurons et d'interjections. Les réactions physiques de la foule n'étaient guère plus faciles à interpréter : sur le passage du cortège, des hommes ouvraient la bouche pour crier, mais quoi ? Leur enthousiasme ou leur colère ? Ils brandissaient leur poing fermé, mais cela signifiait-il la haine ou le soutien rageur ? À travers la masse, je pus apercevoir Catilina lui-même. Son sourire semblait indiquer que chaque voix était un vote pour lui et chaque poing levé une approbation fiévreuse.

Lorsqu'il apparut sur le podium, le tumulte était à son comble. La foule commença de chanter son nom : « Catilina ! Catilina ! » Autour de moi, des jeunes gens sautaient en l'air en agitant leurs bras. Il me sembla que toute la foule l'adorait et que les injures et les sifflets n'étaient pas destinés à Catilina, mais à ses ennemis. Cicéron, dans l'angle le plus éloigné du podium, se dérobait aux regards. Puis Catilina se retira dans la Villa Publica avec ses rivaux et le scrutin put commencer.

Les classes les plus riches, qui votaient les premières, s'étaient déjà rassemblées devant l'Enclos à moutons. À l'entrée, on donne à chaque électeur une tablette de bois et un stylet, pour écrire le nom du candidat choisi. Le matériel de vote est ensuite ramassé à l'extrémité de chaque travée, les tablettes étant déposées dans une urne ; on procède au dépouillement une fois que toute la centurie a voté, le choix majoritaire de chaque centurie comptant pour une voix dans l'élection. En tout, on dénombre presque deux cents centuries, les deux classes les plus riches en monopolisant plus de cent à elles seules. Les classes inférieures ont ainsi beaucoup plus d'électeurs individuels, mais contrôlent beaucoup moins de centuries, si bien que la classe la plus pauvre – c'est-à-dire la majeure partie du peuple de Rome – ne compte que cinq centuries. Souvent, au moment où vient son tour de voter, l'issue du scrutin est déjà décidée et elle est dispensée de vote ; le peuple de la dernière classe vient donc plus pour le spectacle que pour le vote – lorsqu'il vient.

Nous avions trouvé un coin à l'ombre et étions adossés au mur ouest de la Villa Publica, où j'expliquais tout cela à Meto, lorsque Belbo, grattant sa chevelure couleur de paille, demanda :

– Et à quelle classe appartiens-tu, maître ?

Meto redoubla la question, sans tenir compte de ma répugnance à répondre.

– Oui, papa, au fait, à quelle classe ? Tu ne me l'as jamais dit.

– Parce que je ne me soucie plus de voter depuis longtemps déjà.

– Mais tu dois le savoir.

– Pour l'instant, oui. Nous avons changé de classe cette année, grâce à l'héritage de Lucius Claudius : nous appartenions naguère à la cinquième classe (juste avant celle des pauvres), alors que nous sommes maintenant dans la troisième (juste après celles des riches), avec presque toutes les familles qui possèdent, comme nous, une ferme et une résidence en ville.

– Et avec quelle centurie votons-nous ?

– Si nous votions, nous irions avec les membres de la deuxième centurie de la troisième classe.

– Et je pourrais voter, maintenant ?

– Tu voterais, en effet, si...

– Je veux voir cela.

– Mais voir quoi ?

– La deuxième centurie de la troisième classe. Les autres électeurs de notre centurie.

– Mais enfin, pourquoi ?

– Papa...

Il lui suffisait de parler avec une certaine inflexion de voix pour me rappeler notre conversation de la nuit dernière.

– Bon, bon. Mais rien ne presse. Il n'est pas encore midi et les deux premières classes n'ont pas encore fini de voter. Après viendra le tour de la classe équestre, qui compte dix-huit centuries, et après seulement la troisième classe. Nous allons boire un peu de vin et manger un morceau, puis nous irons retrouver nos compagnons de centurie. La foule aura diminué ; les gens commenceront à quitter la chaleur, la poussière et l'ennui de ce genre de réunion.

C'était inexact, car lorsque nous nous mêlâmes à la foule, il me sembla qu'elle avait encore augmenté. Aucune trace d'ennui ou de lassitude dans l'air mais, au contraire, une tension et une excitation, comme des rafales de vent avant la tempête. Les hommes allaient et venaient, anticipant et ruminant les résultats possibles du scrutin.

La troisième classe fut enfin appelée à voter. Un vaste groupe d'hommes, bien vêtus mais sans l'élégance des patriciens ni l'ostentation des chevaliers, se rassembla devant l'Enclos à moutons. La première centurie se rangea dans la première travée, la deuxième dans la deuxième, et ainsi de suite.

– Là-bas, ce serait notre centurie, n'est-ce pas ? dit Meto.

– Oui...

– Viens, papa, je veux voir !

Nous nous mêlâmes à la presse qui commençait à s'acheminer vers l'Enclos à moutons.

– Mais Meto, il n'y a rien à voir...

249

– Pas d'esclaves ici, citoyens ! dit un fonctionnaire électoral, placé à l'extérieur de l'enclos. Il désignait Belbo, qui hocha la tête et fit marche arrière.

– Mais non, protestai-je ; il peut rester avec nous. Nous sommes seulement...

– Pour Catilina ! murmura une voix à mon oreille. En même temps, je sentis que l'on glissait une pièce dans la paume de ma main.

Je me retournai et aperçus le visage de l'un des sbires de Crassus que j'avais déjà identifié dans la foule. Il me reconnut également.

– L'enquêteur ! Je croyais que tu avais quitté Rome pour de bon.

– J'ai quitté, effectivement.

– Et je croyais que tu ne votais jamais.

– Je ne vote pas non plus.

– Bon, dans ce cas ! dit-il en récupérant la pièce dans ma main.

Sans m'en rendre compte, je me trouvai entraîné avec les autres, porté par la foule et dirigé vers la deuxième travée de l'Enclos à moutons. Meto était devant moi ; il examinait une pièce neuve qui brillait entre son pouce et son index.

– Meto, il faut que nous...

– Mais, papa, nous y sommes presque !

Et nous y étions, en effet. Avant de pouvoir dire deux mots, nous fûmes à l'entrée de l'enceinte électorale ; un fonctionnaire du cens, l'air accablé d'ennui, vérifia l'inscription de Meto.

– Nom de famille ? demanda-t-il d'un air las.

– Gordien, répondit Meto.

– Gordien, Gordien... Ah, nous y voilà. Y en a pas beaucoup. Et lequel es-tu ? Tu ne parais guère en âge de voter.

– J'ai seize ans, protesta Meto, depuis hier.

– C'est ma foi vrai, dit le fonctionnaire en lorgnant sur sa liste. Bon, voici ta tablette et ton stylet ! Et toi, tu es Gordien le père, non ? fit-il en me regardant.

– Oui, mais...

– Voici ta tablette, ton stylet. Suivant !

Et c'est ainsi, comme un mouton, que je me trouvai conduit

devant l'urne. Devant moi, Meto griffonna sur sa tablette. Une nouvelle avancée. À l'extrémité de la travée, un autre fonctionnaire recueillit les stylets et veilla à ce que nous missions nos tablettes dans l'urne. Lorsque mon tour arriva, le fonctionnaire me jeta un drôle de regard.

Nous sortîmes de l'Enclos à moutons, pour rejoindre Belbo qui nous attendait. Je poussai un soupir de soulagement, mais j'entendis un appel derrière moi.

– Eh, toi, citoyen ! Avec la barbe !

Je me retournai.

– Oui, toi !

Le fonctionnaire avait pris ma tablette dans l'urne et il la brandissait.

– Tu as fait une erreur, citoyen ! dit-il en riant. Il n'y a pas de candidat du nom de Personne.

– Tant pis, dis-je en haussant les épaules. C'est pour lui que je vote quand même.

Meto ne voulait pas dire pour qui il avait voté, protestant que son bulletin était secret, mais sa position était claire d'après la tête qu'il fit lorsque l'on annonça que notre centurie avait voté pour Silanus. Il connut ainsi sa première déception électorale. Le désappointement fut encore plus amer pour la foule assemblée devant la Villa Publica lorsque plus tard, dans l'après-midi, on annonça que les centuries de la cinquième classe et les pauvres libres n'auraient pas besoin de voter : Silenus et Murena avaient gagné ; les Optimates avaient gardé la main sur les élections consulaires. Pour la seconde fois en deux ans, Catilina avait été vaincu par les urnes. Tout autour de nous, j'entendis marmotter des malédictions, et même proférer des cris de désespoir, au milieu des applaudissements ; l'air se chargea soudain d'une vive tension.

Silanus et Murena apparurent sur le podium, en compagnie de Cicéron et d'Antonius. Suivant la tradition, les consuls désignés devaient prononcer quelques paroles devant les citoyens assemblés, mais lorsque ce fut le tour de Murena, ses paroles furent noyées par une soudaine clameur : Catilina venait de sortir de la Villa Publica. D'après la réaction de ceux qui l'entouraient, on aurait juré qu'il était le vainqueur des élections,

251

et non un perdant pour la deuxième fois. Ses partisans se précipitaient sur lui, l'acclamaient, pleuraient ; beaucoup essayaient de le toucher et chantaient son nom à l'unisson : « Catilina ! Catilina ! » Son visage restait stoïque, les mâchoires serrées, les yeux fixés droit devant lui. Du haut du podium, Cicéron regardait, un mince sourire sur les lèvres.

Une fois Catilina passé, Murena et Silanus purent enfin parler. Leurs commentaires furent d'une affligeante banalité, comme on pouvait s'y attendre, et ils furent salués par de tièdes applaudissements. Aussitôt après, Cicéron déclara que l'élection pour les préteurs allait commencer immédiatement. J'aurais pu rester et voter pour mon ami Rufus, si Meto n'avait soudainement décidé qu'il en avait assez appris en une journée sur la politique. Nous quittâmes la foule et revînmes à la maison, par les rues désertes de Subure. Bethesda remarqua que Meto paraissait exceptionnellement las et pensif. Elle attribua cet état à la dépression naturelle qui suit tout événement aussi important qu'une prise de toge virile, mais je savais, moi, que la déception de Meto avait une cause plus profonde et plus politique.

15

Nous avons soupé simplement, ce soir-là, chacun allant se servir dans la cuisine ce qu'il voulait des restes de la veille. La chaleur du jour avait mis toute la maisonnée dans un état de lassitude heureuse. Les esclaves vaquaient paresseusement à leurs occupations et même Bethesda était trop molle pour les réprimander. Le soleil lui-même semblait paresser et il mit un temps bien long à passer derrière l'horizon. Le ciel devint d'un riche bleu foncé. Meto se retira dans sa chambre pour être seul. Diane se nicha contre sa mère et s'endormit sur notre lit. Eco et Ménénia se retirèrent dans une autre chambre pour se livrer aux jeux que la passion inspire aux jeunes époux, par les chaudes soirées d'été. Je restai seul dans le jardin, ce qui convenait bien à mon humeur. Les premières étoiles commençaient à briller dans le ciel, lorsque Belbo vint annoncer qu'un visiteur était à notre porte.

– Pour Eco ? demandai-je, en songeant qu'il n'aimerait guère être dérangé pour le moment.

– Non, c'est toi qu'il vient voir, maître. Mais je n'aime pas son allure.

– Pourquoi donc, Belbo ?

– Trop de gardes du corps, d'abord – un pour chaque doigt de la main, au moins – et puis, tous portent de grands glaives, sans fourreau.

Mon cœur battit un peu plus vite. Qu'avais-je donc fait, par Jupiter ? Pourquoi ne pouvait-on me laisser en paix ?

– Qui est ce visiteur, Belbo ?

– Je ne suis pas sûr ; il refuse de dire son nom et il se tient en retrait parmi ses gardes du corps, de sorte que je n'ai pas pu bien le voir. Sa toge est bordée de pourpre, je crois.

– Ah oui ? dis-je, intrigué, en pinçant les lèvres.

– Et lui-même est armé, ou du moins il porte une armure : j'ai aperçu comme une cuirasse sous sa toge...

– Ah ! je vois... Il vaudrait mieux que je reçoive ce visiteur, en effet. Mais demande-lui de laisser ses gardes du corps dehors ; il n'a rien à craindre dans notre maison.

Belbo se retira. Quelques instants plus tard, Marcus Tullius Cicéron me rejoignait dans le jardin.

– Gordien ! dit-il avec chaleur, comme si j'étais un ami perdu de vue depuis longtemps, ou un électeur indécis. Il y a si longtemps que je ne t'ai pas vu.

– Pas si longtemps que cela : tu m'as croisé hier, sur le chemin de l'Arx.

– N'en parlons pas, veux-tu ? Compte tenu des circonstances, si j'ai été brusque ou distant, hier... tu me comprends. Je n'étais pas en mesure de te saluer comme il convenait. Mais je saurai faire ce qu'il faut, quand tout cela sera terminé.

– « Tout cela » ?

– Tu sais bien ce que je veux dire.

– Vraiment ?

– Gordien ! dit Cicéron d'un ton doucement grondeur. Toujours aussi difficile, hein ?

– Qu'est-ce que tu veux, Cicéron ?

– Et cassant, de surcroît !

– Je ne suis pas un orateur, comme toi. Il faut que je dise ce que je pense.

– Oh, Gordien ! Tu dois être encore bien fatigué de ton voyage. Tu ne dois pas être dans ton assiette, loin de tes champs et de tes bœufs au pas tranquille. Je sais combien les rigueurs du Forum fatiguent un homme – crois-moi, je le sais ! – pour ne rien dire de l'épreuve d'aujourd'hui, avec cette élection. Enfin, cela s'est plutôt bien passé, tu ne crois pas ?

– Pour ceux qui ont gagné.

– Aujourd'hui, c'est Rome qui a gagné. Si les choses

avaient tourné autrement, nous aurions tous été perdants, toi y compris.

— Pourtant, il y avait beaucoup de citoyens, autour de la Villa Publica, qui paraissaient penser le contraire.

— C'est vrai. Il y a des émeutes, en ce moment, dans divers points de la ville ; tu as bien fait de te retirer de bonne heure et de fermer tes fenêtres. Les partisans de Catilina prennent n'importe quel prétexte pour se livrer à la violence et au pillage.

— Ils sont peut-être écrasés de désespoir et de frustration.

— Tu ne vas certainement pas sympathiser avec ce voyou, Gordien ! Un homme de ton intelligence et, de plus, un propriétaire ? Je suis très fier, sache-le bien, de t'avoir aidé à hériter ce qui t'était légitimement donné. Les dieux et Lucius Claudius ont décidé que tu devais t'élever dans ce monde et je suis heureux d'y avoir contribué. La plupart des gens finissent par avoir ce qu'ils méritent, à long terme.

— Vraiment ?

— Prends mon frère Quintus, par exemple. Élu préteur cet après-midi, et marchant sur mes traces !

— Quel a été le résultat pour Rufus ?

— Élu lui aussi, et c'est tant mieux !

Le sourire de Cicéron ne semblait pas dépourvu de sincérité. Il lui arrivait d'être généreux.

— Et Caius Julius César ?

Le sourire disparut.

— Lui aussi a été élu préteur. On ne saurait dire vraiment qu'il ne le méritait pas, d'une façon ou d'une autre. Mais tu étais à l'élection, non ? J'ai cru t'apercevoir, dans la foule.

— Nous sommes partis de bonne heure. Mon fils Meto voulait voir le scrutin ; il en a vite eu assez.

— Ah ! les devoirs de la paternité... Mon propre fils n'a que deux ans, mais c'est déjà un orateur : quel souffle ! Ses poumons sont plus forts que les miens !

— J'en doute, Cicéron. Mais dis-moi, pourquoi es-tu ici ? Ce n'est pas que je sois mécontent de recevoir la visite d'un consul de Rome, ou que je trouve anormale la présence de son escorte à ma porte, j'en suis naturellement très honoré, mais tu dis qu'il y a des émeutes dans les rues. Le danger, sûrement...

— Je ne me soucie pas du danger. Tu devrais déjà le savoir, Gordien. N'ai-je pas défié Sylla lui-même, au tout début de ma carrière ? Tu étais là, tu as vu comment j'ai pris position contre sa tyrannie. Tu crois vraiment que je permettrais à un voyou anarchique de m'empêcher de remplir mes devoirs de consul ? Jamais !

— Tu dois pourtant craindre quelque chose, pour porter une cuirasse aussi lourde et pour t'entourer de tant de satellites, partout où tu vas !

— Une armure te libère de la peur physique. Quant à mes gardes du corps, ce sont tous d'excellents jeunes gens de la classe équestre. Ils m'escortent parce qu'ils m'aiment, comme ils aiment Rome. Oui, certainement, il y a du danger ; il y en a toujours, lorsqu'un homme se dresse pour le droit – tu sais cela. Mais un vrai Romain garde les yeux fixés sur la droite voie et il ne s'en laisse pas détourner, ni par un voyou armé de pierres et de bâtons, ni par des conspirateurs agitant torches et poignards.

— Je croyais que tu avais jugé préférable que nous ne nous rencontrions pas publiquement ; c'est du moins ce que Marcus Cælius m'avait indiqué. Dois-je comprendre que ta venue ici, ce soir, marque la fin de notre brouille supposée ?

— Pas... exactement, dit-il.

— Mais la crise – si tant est qu'il y en ait en une – est finie.

— Pas aussi longtemps que certains individus continueront de menacer l'État...

— Mais Catilina est un homme fini. Tu l'as battu, une fois encore. Il ne pourra pas briguer une troisième fois le consulat : il est chargé de trop de dettes. Ses alliés vont le quitter, maintenant, de même que ses amis riches. Deux défaites à la suite signifient la fin des pièces d'argent à glisser dans les mains des électeurs. Catilina, c'est fini !

— Tu fais erreur, Gordien. L'ennemi de Rome n'est pas fini. Pas encore.

Je vis une expression de chasseur dans les yeux de Cicéron.

256

– Qu'est-ce qu'il y a de plus dangereux qu'un sanglier dans la forêt, Gordien ?

– Ah non, pas une énigme, pas comme Catilina !

– Un sanglier blessé. Catilina a été durement blessé, mais il est loin d'être achevé. Il a plus de ressources que tu ne l'imagines. Ses « alliés », comme tu les appelles, sont plus redoutables que tu ne le sais. Tu as raison sur un point : après l'échec d'aujourd'hui, il est coupé de ses sources de financement les plus légitimes ; mais c'est sur l'acier qu'il compte désormais, et non plus sur l'argent.

– Cicéron, il ne faut pas me demander une autre faveur, dis-je avec lassitude.

– Et pourquoi non ? Tu n'aimes pas la ferme dont je t'ai assuré la possession ?

– Cicéron, la gratitude a ses limites.

– Je ne te parle pas de gratitude, Gordien. Je ne fais pas appel à ton sens de l'obligation, mais à ton égoïsme. Si l'on n'arrête pas Catilina, tu es exactement le genre de propriétaire qui en souffrira le plus.

– Cicéron...

– Et tu aimes ta famille, non ? Pense à eux, et à leur avenir !

– C'est précisément ce à quoi je pense maintenant, dis-je en me contrôlant et en baissant la voix. Je suis las de les mettre en danger et je suis plus que las d'être menacé et intimidé.

– La menace vient de Catilina.

– Vraiment ?

Cicéron fronça les sourcils, comprenant enfin que si lui parlait en généralités vagues, je me référais de mon côté à quelque chose de très précis.

– Que veux-tu dire ?

– Je parle du cadavre décapité qui a été déposé dans mon écurie, alors que je ne répondais pas assez vite aux exigences de Cælius.

– Ah oui, le « corps sans tête ». Cælius m'a dit que tu avais évoqué cela, hier, mais qu'il ne savait pas de quoi il s'agissait. En vérité, je n'en sais pas davantage. C'est peut-être une machination ourdie par Catilina...

257

— Mais si Catilina en était responsable, alors que Cælius se prétend son agent, pourquoi Cælius n'en aurait-il rien su ?

— Parce que, je pense...

— À moins que Cælius ne sache des choses qu'il te cache ? Dans ce cas, comment peux-tu vraiment lui faire confiance ? Et si tu ne peux pas lui faire confiance, comment le pourrais-je moi ?

Cicéron réfléchit longuement avant de répondre.

— Gordien, je comprends ton inquiétude dans cette affaire...

— À moins que ce ne soit Catilina qui ne fasse pas confiance à Cælius ? Se pourrait-il que ses prétentions de loyauté n'aient pas trompé Catilina, qui saurait alors que Cælius est ton espion, et non le sien ? Cela voudrait dire que Catilina sait que je suis ton agent, et cela mettrait ma famille dans un danger encore plus grand.

— Ce sont manifestement des eaux dangereuses, Gordien. Mais ce n'est pas une raison pour flotter au fil de l'eau avant d'être envoyé par le fond ! Ne fais rien et tu couleras — nous coulerons tous ! L'État est un radeau de sauvetage que je pilote ; le gouvernail m'en a été confié. Or Catilina y mettra le feu si on ne l'arrête pas. Je dois faire tout ce qui est en mon pouvoir pour le maintenir à flot ; mais j'ai besoin de ton aide. Je réussirai à te hisser à bord, si seulement tu me donnes la main.

— Belle métaphore, et quelle rhétorique fluide...

— Gordien, ça suffit !

J'avais enfin réussi à le mettre en colère. Je pouvais attaquer son courage et me moquer de son allure pompeuse : il restait de glace ; mais il ne tolérait pas que je mésestime sa maîtrise de la langue.

— Que ça te plaise ou non, que tu comprennes ou non son importance, tu dois continuer à faire ce que je te demande. Catilina est une menace trop sérieuse pour que je me soumette à ton apathie.

— Est-il vraiment si vicieux ? Lorsqu'il était chez moi, j'ai quelquefois pensé qu'il paraissait plus sentimental que séditieux.

— Gordien, tu ne peux pas être aussi naïf.

Soudain, je vis le sourire revenir sur ses lèvres.

– Oh, mais je commence à comprendre le problème. Tu *aimes* Catilina ! Mais naturellement... Nous avons tous aimé Catilina, à un moment ou à un autre, et nous avons tous fini par le regretter. Demande à l'ombre de son beau-frère assassiné, ou à celle de son fils assassiné lui aussi, ou aux misérables familles des jeunes gens et des jeunes filles qu'il a corrompus. Avant de détruire ses victimes, Catilina s'assure toujours qu'elles l'aiment.

« Ah, Gordien, je sais bien que tu trouves ton vieil ami Cicéron un peu vaniteux et pompeux ; tu as toujours pensé ainsi. Ton œil est impitoyable pour toutes les prétentions – c'est l'un de tes talents – et je confesse que, à la faveur de mon succès, j'ai sans doute tendance à l'enflure et à l'outrecuidance. Mais si tu perces les voiles de la vanité des hommes, comment ne perces-tu pas à jour Catilina ? Se pourrait-il que sa vanité fût si énorme, si monstrueuse, que tu ne la perçoives pas, tout simplement ? Exactement comme un homme qui voit la mer ne peut pas voir une goutte d'eau ? T'aurait-il séduit, Gordien ?

– Tu dis des absurdités, Cicéron. Mais au moins, tes métaphores ont le mérite de la cohérence : je nage en plein désarroi.

Marcus Tullius me regarda d'un air finaud. Lorsqu'il baissait la tête de cette façon, le pli de graisse épais de son cou appuyait sur son menton, comme un coussin, et ses yeux semblaient s'enfoncer dans la bouffissure de ses joues. Je songeai à quel point il avait changé d'allure depuis notre première rencontre – mince, presque fragile, avec un cou qui paraissait à peine capable de supporter sa tête aux énormes sourcils. Son tour de taille avait augmenté au même rythme que son ambition.

– Oh, j'imagine aisément comment il a procédé avec toi, Gordien. Catilina sait voir dans le cœur des autres. Il devine leurs besoins et leurs désirs et il joue sur cette connaissance comme un flûtiste. Tu me diras si j'ai deviné juste. Il voit d'emblée comment flatter son hôte – il te complimente sur ta ferme et ta famille. Il prend note de ton ménage peu orthodoxe, comprend que tu as un faible pour les dépossédés et les frustrés et le voilà lancé : lui aussi est un homme du peuple, et il entend bien remuer les choses, à Rome, pour donner aux masses opprimées une meilleure chance de vivre. Il critique l'insuffisance

259

des Optimates et leurs détournements – mais il serait lui-même l'un d'eux s'il n'avait pas ruiné sa réputation en même temps qu'il a perdu sa fortune, méritant le mépris de tout ce que le Sénat compte comme honnêtes gens. S'étant ainsi glissé dans ta vie personnelle et t'ayant échauffé l'esprit avec une politique spécialement taillée à ta mesure, il te confie ensuite un secret à toi et à toi seul, en te faisant croire qu'il ne fait confiance qu'à toi, que tu comptes tout particulièrement pour lui.

Je pensai à la confession de Catilina concernant la vestale Fabia et je me sentis assez mal à l'aise.

– Catilina te dira tout ce que tu veux entendre ; il sera ton confident particulier. Il t'hypnotisera les yeux grands ouverts, si tu le laisses faire. Je le reconnais : Catilina est charmant. Pendant des années, je l'ai pensé moi-même, jusqu'à ce que je voie clair en lui.

« Tandis que moi, hélas, je suis sans le moindre charme. Crois-tu donc que je ne le sais pas ? Tu m'as montré ton hostilité très clairement, ce soir, Gordien. Tu me trouves irritant et abusif, et tu ne souhaites qu'une chose : que je m'en aille. Je t'ennuie. Je n'ai aucun charme et je n'en ai jamais eu ; je suis né totalement dépourvu de charme et cela ne peut pas s'imiter. C'est précisément pourquoi je dois m'appuyer sur la rhétorique et la persuasion – pauvres instruments à côté du charme naturel d'un homme comme Catilina, qui a déjà emporté la moitié du procès grâce à son visage aimable et à son sourire irrésistible. À côté de lui, je dois paraître grossier et rude. Mais réfléchis bien, Gordien ! Quelle est la valeur d'un charme, s'il cache une vérité hideuse ? Je dis cette vérité hideuse, Gordien, et tu fais la grimace ; Catilina sourit et te murmure de charmants mensonges, et tu le trouves fascinant. Gordien, tu le sais mieux que moi !

Qu'y a-t-il de pire, pour un homme de mon âge, que de commencer à douter de son propre jugement ? Catilina avait-il vraiment jeté un charme sur moi, me rendant stupide et rêveur ? Ou bien était-ce Cicéron qui pratiquait sa maudite magie oratoire, utilisant ce qu'il savait de Catilina et de moi-même pour trouver les mots exacts susceptibles de me désarçonner et de me plier à sa volonté ?

— Mes paroles ont-elles un sens pour toi, Gordien ? Entends-tu l'urgence dans ma voix ? Ne continueras-tu pas à m'accorder la seule faveur que je te demande : servir d'hôte à Catilina lorsqu'il le désire ? Fais-le au moins pour le bien de Rome, fais-le pour le salut de tes enfants !

Devant mon absence de réponse, Cicéron soupira profondément. Jouait-il ou était-il vraiment fatigué ? Et pourquoi ne pouvais-je le dire avec certitude, moi qui possédais un œil capable de percer n'importe quel mystère ?

— Réfléchis à tout cela, Gordien. Lorsque tu rentreras dans cette ferme charmante et si paisible, réfléchis et souviens-toi que Rome est toujours en danger, dans un terrible danger. Et si Rome brûle, ne doute pas un instant que l'incendie gagnera tout le pays.

Il baissa la tête, faisant ressortir son double menton. Il m'étudia un long moment, mais je n'avais rien de plus à dire.

— Je ne te reverrai plus face à face, au moins jusqu'à ce que la crise soit résolue. Marcus Cælius sera mon messager, comme avant. C'était un risque de venir te voir chez toi, ce soir, mais mes informateurs m'ont appris que les yeux de Catilina étaient ailleurs et Cælius m'a dit que tu étais hésitant. J'espérais pouvoir me prévaloir de ton jugement, si je pouvais parler avec toi d'homme à homme.

Il tourna les talons. Les plis raides de sa toge se balançaient doucement dans l'air encore tiède du jardin.

— Je vais m'en aller. J'ai encore beaucoup de visites et d'appels à faire, ce soir, avant d'aller dormir. Personne n'est en sécurité avec les bandes de voyous de Catilina dans les rues, mais je ne vais pas me laisser effrayer. Je connais mon devoir envers Rome ; je souhaiterais simplement qu'il fût aussi simple et facile que le tien.

Il partit sur ces mots. Je m'assis sur un banc, près de la fontaine. Le ciel était sombre et les étoiles brillaient au firmament. La lune avait commencé son parcours et sa lumière argentée chatoyait sur le toit de tuiles du portique.

— Tu peux sortir maintenant, Meto, dis-je doucement.

Il poussa le rideau de la porte de sa chambre et s'avança sous l'ombre du portique.

— Bethesda a-t-elle entendu ? demandai-je.

— Non. Je l'ai entendue ronfler, de loin en loin, à travers le mur.

Il s'avança dans la lumière de la lune, vêtu de son seul caleçon. Il me vint à l'esprit qu'il était d'âge à porter un peu plus que ce vêtement à l'intérieur de la maison.

— Bon. Eco et Ménénia semblent endormis ou trop occupés pour avoir prêté attention aux voix venant du jardin. Toi et moi sommes seuls à connaître la visite de Cicéron.

— Comment as-tu su que j'étais là ? J'ai pris tant de précautions pour ne pas faire bouger le rideau.

— Oui, mais l'orteil de ton pied gauche dépassait du bord du rideau et la lumière des étoiles se reflétait sur l'ongle. Dans des circonstances délicates, une telle inattention pourrait être fatale.

— Tu crois que Cicéron l'a remarqué ?

— Je ne pense pas, dis-je en riant. Autrement, il aurait appelé ses gardes du corps, de l'extérieur, et tu aurais été lardé de coups d'épée avant que je n'eusse pu prononcer un mot.

Meto me regarda, alarmé, puis sceptique.

— Et bien, que penses-tu de notre estimé consul, Meto ?

Il hésita un moment.

— Je pense que Cicéron est un sac à vent.

— C'est aussi mon avis, approuvai-je en souriant, mais cela ne signifie pas qu'il ne dise pas la vérité.

— Vas-tu faire ce qu'il demande, dans ces conditions ?

Je mis tant de temps à répondre que Meto renouvela la question.

— Vas-tu le faire, papa ?

— Si seulement je le savais !

16

Après l'élection, nous restâmes encore cinq jours à Rome. Je profitai de mon séjour plus que je n'aurais pensé. Je me promenais dans les sept collines, je voyais de vieux amis, je savourais les délices des petits marchands de nourriture sur les marchés, j'observais les allées et venues des gens, dans les rues de Subure, et me sentais envahi par le rythme incessant de cette grande ville. Ce ne fut pas entièrement une partie de plaisir. Un matin, alors que Bethesda écumait les boutiques de la rue des Orfèvres, j'allai consulter l'avocat qui défendait mes droits contre Publius Claudius, dans l'affaire de la rivière. Il s'appelait Volumenus et son bureau se trouvait au second étage d'un hideux bâtiment de brique, à un jet de pierre du Forum. L'immeuble tout entier était occupé par des avocats et respirait l'odeur moisie des vieux parchemins. Les murs du bureau de Volumenus étaient couverts de rouleaux, rangés dans des cases. C'était lui-même une sorte de rouleau de parchemin, mince et sec, avec un visage allongé et des manières plutôt brusques. L'affaire n'avait pas avancé d'un pouce, me dit-il, tout en m'assurant qu'il faisait tout ce qui était en son pouvoir pour l'ouverture du procès.

– Mais pourquoi est-ce si long ? me plaignis-je. Lorsque les Claudii ont contesté mon héritage de la ferme, l'affaire était certainement plus compliquée, mais Cicéron a réussi à régler le tout en l'espace de quelques jours ; il n'a pas mis des mois ni des années.

Le coin de la bouche de Volumenus se tordit légèrement.

– Tu préfères sans doute avoir Cicéron pour traiter toutes tes affaires légales, dit-il avec ironie. Mais peut-être est-il trop occupé pour cela maintenant ? Réellement, je fais tout ce que je peux. Évidemment, si j'étais l'un des politiciens les plus puissants de Rome, je suis sûr que je pourrais m'arranger avec les tribunaux pour expédier l'affaire, mais je ne suis qu'un honnête avocat...

– Je comprends...

– Non, vraiment, si tu penses pouvoir obtenir du puissant Cicéron qu'il s'occupe de cette affaire, tu es plus que bienvenu...

– C'était une faveur spéciale. Si tu me dis que tu fais tout ce que tu peux...

– Oh, mais Cicéron pourrait faire plus, j'en suis sûr, et mieux, et plus vite...

Je réussis à calmer son orgueil blessé avant de prendre congé et me retrouvai dans la rue, fort mécontent non pas tant de ses efforts que du souvenir de la grandeur de ma dette envers Cicéron. Sans son assistance et ses puissantes relations, la question de mon héritage – même liquidée à mon avantage – aurait pu traîner devant les tribunaux durant des années, tandis que je serais resté à Rome, à regarder ma barbe grisonner.

Au soir de notre septième jour à Rome, nous fîmes nos bagages pour retourner à la maison ; nous partîmes le lendemain matin, de bonne heure. Nous arrivâmes à la ferme tard dans l'après-midi, ankylosés et poussiéreux. Diane sauta du chariot d'un bond et courut d'enclos en enclos, pour saluer et caresser ses chevreaux et ses agneaux préférés. Meto, qui avait bridé son énergie et rongé son frein toute la journée, se précipita aussitôt jusqu'au sommet de la crête. Bethesda se mit en devoir de vérifier tout ce que les esclaves avaient abîmé en son absence ; puis, après les avoir grondés pour la forme, elle alla à son coffre à bijoux, dans notre chambre, afin d'y déposer ses récentes acquisitions.

Je me retirai avec Aratus dans mon bureau, pour savoir ce qui s'était passé en mon absence – fort peu de chose en vérité.

Le débit de la rivière avait diminué, ce qui était normal compte tenu de la saison, me dit-il.

— Il serait presque inutile de le mentionner, ajouta-t-il, sauf qu'il pourrait y avoir un problème avec le puits...

— Quel genre de problème ?

— Le goût de l'eau a changé. Je l'ai remarqué hier. Peut-être un chat a-t-il réussi à passer à travers la grille de fer, ou peut-être un animal fouisseur a-t-il percé la paroi du puits, puis est tombé et s'est noyé.

— Tu penses qu'il y a un animal crevé dans le puits ?

— J'en ai bien peur. Le goût de l'eau, comme je t'ai dit...

— Qu'as-tu fait à ce sujet ?

À la façon dont il pencha la tête, je compris que je lui parlais trop durement.

— La première chose à faire, en pareil cas, est de démonter la grille, puis de descendre un seau ou un crochet, et d'essayer de remonter la carcasse. Les corps morts flottent, après tout...

— Tu l'as fait ?

— Je l'ai fait. Mais nous n'avons rien pu remonter. À un moment, le crochet est resté coincé et il a fallu deux hommes pour le dégager. Il est possible que certaines pierres aient été délogées ; il se pourrait même qu'une bonne partie de la paroi soit effondrée dans le puits. Si le dommage est important (mais tout cela reste une supposition, bien sûr), le problème pourrait être sérieux. Des réparations dans le puits interdiraient toute utilisation et avec le bas niveau de la rivière...

— Comment saurons-nous si le puits a été endommagé ou non ?

— Il faudra que quelqu'un descende.

— Pourquoi cela n'a-t-il pas été fait hier ? Ou ce matin ? Pendant ce temps, le furet ou la fouine ou l'animal crevé continue d'empoisonner l'eau.

Aratus se tordit les mains et baissa les yeux.

— Hier, une fois que nos tentatives de récupération au crochet eurent échoué, il faisait trop sombre pour faire descendre quelqu'un dans le puits. Ce matin, il y avait des nuages de pluie approchant par l'ouest et il m'a semblé qu'il était plus important de rentrer dans la grange les balles de foin du champ nord, pour les empêcher de se mouiller.

– Il y avait encore des balles de foin dehors ? Je croyais que tout le foin avait été rentré ?

– Oui, maître, mais il y a quelques jours, j'ai ordonné aux ouvriers de reporter le foin au soleil : cela aurait pu sauver du foin contaminé, en l'exposant à la chaleur du soleil.

Je secouai la tête, doutant une nouvelle fois de sa compétence.

– Et a-t-il plu ce matin ?

– Non, fit-il en tordant sa bouche. Mais les nuages étaient très noirs et menaçants, et nous avons entendu le tonnerre pas loin. Même si les esclaves n'avaient pas été occupés avec le foin, j'aurais hésité à faire descendre un homme dans le puits sous la menace d'une tempête, compte tenu du danger. Je sais combien tes esclaves te sont précieux, maître, et je ne voudrais pas les perdre.

– Très bien, dis-je en maugréant. Est-il encore temps de faire descendre quelqu'un dans le puits avant la nuit ?

– J'allais le faire quand tu es arrivé, maître.

Je me rendis donc avec Aratus jusqu'au puits, où un groupe d'esclaves était déjà rassemblé. Ils avaient fabriqué une sorte de harnais, qu'ils avaient attaché à une longue corde solide. Meto nous rejoignit, tout souriant, les joues rouges de son aller et retour jusqu'à la crête. Lorsque je lui eus expliqué ce qui se passait, il se porta immédiatement volontaire pour descendre dans le puits.

– Non, Meto.

– Mais pourquoi, papa ? J'ai la taille idéale, je suis agile et je ne suis pas lourd.

– Pas de caprice, Meto !

– Mais, papa, je pense que cela pourrait être intéressant.

– Meto, ne sois pas ridicule ! dis-je en baissant la voix. C'est beaucoup trop dangereux. Il ne saurait être question de te laisser faire cela ! C'est...

Je m'arrêtai juste à temps. J'avais failli dire : « C'est le genre de travail pour lequel sont faits les esclaves. » Étais-je vraiment devenu si dur envers les esclaves que je possédais ? J'avais hérité d'une ferme ; avais-je hérité, en même temps, de la dureté et du mépris de propriétaires comme Publius Claudius ou le défunt Caton ? « Emploie l'outil humain jusqu'à ce qu'il se casse, dit ce dernier dans son livre, puis jette-le pour en prendre un nouveau ! » J'avais toujours détesté des hommes comme Crassus, qui n'attachaient aucune valeur à la vie des esclaves. Et voilà, pensai-je : donne une ferme et des esclaves à un homme, et regarde-le devenir un petit Caton ! Donne-lui des mines, des terres et des vaisseaux de commerce, et il devient un petit Crassus. Je m'étais détourné de Cicéron précisément parce qu'il était lui-même devenu ce qu'il avait méprisé auparavant. Mais peut-être cette évolution était-elle inévitable dans la vie ? La richesse rend nécessairement l'homme avare, le succès le rend vain et la parcelle la plus infime de pouvoir le rend méprisant envers les autres. Pouvais-je prétendre être différent ? Ces pensées traversaient ma tête comme des éclairs.

— Tu ne peux pas descendre dans le puits, Meto, parce que je vais y descendre moi-même.

Ces mots me causèrent presque autant de surprise qu'à Meto.

— Oh, papa ! Qui est le plus déraisonnable des deux, protesta-t-il. C'est à moi de descendre. Je suis beaucoup plus jeune et plus souple.

Les esclaves, pendant ce temps, nous regardaient avec le plus vif étonnement. Aratus posa une main sur chacune de nos épaules et nous prit à part.

— Maîtres, je vous déconseille à tous les deux de faire une pareille chose. C'est beaucoup trop dangereux. Les esclaves sont là pour ça. Si vous prenez sur vous ce travail, vous ne ferez que les embarrasser.

— Les esclaves sont là pour faire ce que je leur dis ou, en mon absence, ce que Meto leur dit, corrigeai-je. Et quand je serai dans le puits, c'est Meto qui vérifiera que tu les contrôles bien, Aratus.

— Maître, dit-il en faisant la grimace, si tu venais à être blessé – que les dieux nous en gardent ! –, les esclaves seraient exposés à de terribles punitions. En leur nom et pour leur propre sécurité, je te demande de laisser l'un d'eux faire ce travail.

267

— Non, Aratus, ma décision est prise. Ne me contredis pas davantage. Voyons, comment s'attache ce harnais ?

Qu'espérais-je prouver par cette fuite en avant ? Si je voulais montrer que je n'étais pas comme les autres propriétaires d'esclaves, j'aurais difficilement pu choisir une solution plus déraisonnable, car les esclaves étaient dans une angoisse misérable. Si j'avais besoin de me prouver à moi-même que j'étais toujours assez jeune pour faire face au danger sans flancher, j'aurais dû me regarder dans un miroir pour revenir au sens des réalités. Peut-être pensai-je gagner le respect renouvelé de Meto, alors que j'écartais une fois encore l'affirmation de sa jeune virilité. En fait, je cédai à une simple impulsion et ne me dis que plus tard : « C'est exactement le genre de folie que Catilina aurait pu faire ! »

Aratus, plus soucieux que je ne l'avais jamais vu, surveilla le déroulement des opérations, testa les cordes et ajusta le harnais sur mes épaules. Meto, déçu, n'avait que fort peu de chose à faire. Les esclaves ôtèrent la grille de fer qui fermait le puits et firent la grimace lorsque je descendis dans le trou. Je tenais une torche à la main. Les esclaves se mirent en ligne et relâchèrent lentement la corde attachée au harnais. Le ciel ne fut bientôt plus qu'un rond clair au-dessus de ma tête. Ce n'était pas aussi dur que je l'avais pensé ; il suffisait de faire attention où je posais les pieds, doucement, l'un après l'autre. La corde restait tendue ; au-dessus de moi, je pouvais voir Aratus et Meto surveiller ma descente, tous les deux clignant de l'œil à cause des cendres fuligineuses qui montaient de ma torche incandescente.

— Maître, sois prudent ! gémit Aratus.

— Oui, papa, sois bien prudent ! renvoya Meto, en écho.

Au-dessus de ma tête, le trou rapetissait, jusqu'à n'être plus que de la taille d'un plat.

— Du mou ? demanda Aratus.

Je regardai vers le bas ; je ne voyais pas encore l'eau.

— Oui, encore de la corde !

Je continuai de descendre pas à pas, jusqu'à ce qu'une surface circulaire commençât de briller sous mes pieds, éclairée par la torche que je tenais. Il me sembla que quelque chose de pâle se trouvait au centre, comme une grosse pierre immergée dont on n'aurait vu que la surface. Les parois alentour étaient intactes, mais plus je descendais, plus il devenait difficile de se tordre le cou pour examiner la surface de l'eau. Je descendis jusqu'à sa proximité immédiate.

— Corde tendue ! criai-je.

— Oui, maître ! répercuta Aratus, dont la voix me parvenait comme dans un écho.

Son visage était un petit point noir, là-haut, sur le halo de lumière brillante. Je voulus me retourner, mais mes pieds rencontrèrent une pierre déchaussée et mes jambes plongèrent subitement. Les esclaves n'étaient pas préparés à un mouvement aussi brutal. La corde se relâcha un bref instant et je glissai dans l'eau jusqu'au cou. Puis la corde se tendit de nouveau, remontant mes épaules au-dessus de la surface. Je crachai et toussai.

J'avais réussi à garder la torche au-dessus de l'eau, mais les reflets de lumière étaient brisés par mes déplacements dans l'eau, et brouillaient ma vision. De mon bras libre, je cherchai quelque chose à quoi me raccrocher. Il y avait un grand objet immergé dans l'eau avec moi, vers la paroi opposée à celle contre laquelle je me trouvais ; il bougea lorsque je l'agrippai, puis il commença de dériver contre moi. Le contact en était charnu et froid. Horreur ! C'était le dos d'un cadavre nu ! Il bascula dans un remous provoqué par mes jambes, et la nausée se fit plus forte : entre les épaules, un trou béant, plus de tête...

J'eus un violent haut-le-cœur, je laissai tomber la torche qui grésilla en plongeant dans l'eau et je criai – non un cri de terreur, mais un cri suraigu comme celui que font les chiens lorsqu'on leur marche sur la queue. Ce cri dut paraître horrible, parvenu en surface, car je sentis aussitôt la corde se tendre et l'on commença de me remonter, mes genoux et mes coudes raclant au passage les parois du puits.

Troisième partie

Ænigma

1

L'obscurité était tombée lorsque le corps fut remonté du puits. Un esclave avait été descendu avec une corde qu'il arrima tant bien que mal autour des épaules du cadavre. On remonta d'abord l'esclave tremblant, nauséeux et pâle, puis le corps. La vue du cadavre nu, ballonné et décapité, sortant du puits était si affreuse que plusieurs esclaves hurlèrent d'horreur et lâchèrent la corde. Elle glissa en sifflant, brûlant les mains de ceux qui essayaient de la retenir. Du fond du puits monta le bruit de la lourde chute et de l'eau qui gicle contre les parois, puis l'extrémité de la corde disparut à son tour. Ce désastre acheva de paniquer les plus superstitieux des esclaves. J'entendis des voix murmurer le mot « lémure ». Dans la lumière incertaine du couchant, je n'aurais pu dire lequel des esclaves l'avait prononcé, tous paraissant également effrayés. C'était comme si le mot avait été suggéré par la brise du soir elle-même.

Ce fut alors que je compris que le puits avait été doublement empoisonné. D'abord matériellement, par la pollution due à la chair pourrissante du cadavre immergé, ensuite religieusement, par la présence même d'un cadavre. Les esclaves considére-raient désormais l'endroit comme maudit ; ils allaient fuir les lieux, refuser tout travail à proximité, détourner les yeux au passage et refuser de boire de cette eau, comme si elle était hantée par l'ombre de l'homme mort.

Cependant, grâce à la maîtrise d'Aratus vis-à-vis de ceux qui

273

restaient, on put faire une seconde tentative, une fois le soleil couché. L'esclave qui était descendu dans le puits la première fois renâclait à recommencer ; aucun autre n'était volontaire. Aratus désigna alors un homme qui d'abord refusa. Le régisseur menaçant de le battre et lui donnant quelques coups en guise d'avertissement, l'homme finit par accepter de se mettre dans le harnais. Il n'y avait guère d'autre possibilité. Il était hors de question que j'y allasse de nouveau, étant blessé, et j'interdis à Meto de tenter l'aventure. Je finis donc par autoriser Aratus à contraindre l'un des esclaves et je crus entendre l'ombre du vieux Caton ricaner...

Cette fois, l'apparition du cadavre avait perdu de sa force d'impact et les hommes gardèrent leur prise sur la corde, bien que la vue fût toujours effroyable : la chair cireuse et boursouflée, la blessure béante du cou, l'absence effroyable de tête. Le corps fut tiré sur les dalles de la margelle. L'eau gicla dans toutes les directions et forma une mare ; les esclaves crièrent et sautèrent en tous sens, pour éviter ces écoulements impurs. Je regardai vers la maison et vis la silhouette de Bethesda se profiler à l'une des fenêtres. Je lui avais envoyé dire de garder Diane à l'écart, aussi bien qu'elle-même. Que pensait-elle, maintenant, en regardant le groupe d'esclaves effrayés rassemblés autour du puits, dans la nuit tombante ? Elle saurait bien assez tôt la vérité, comme tout le monde à la ferme. Cette fois, il n'y avait pas moyen de garder l'horreur secrète.

J'ordonnai à Aratus d'apporter davantage de torches, pour que l'on vît mieux le cadavre. Les esclaves ne tenaient pas en place, tous désirant quitter cet endroit au plus vite ; je dis à Aratus de les renvoyer pour l'instant, mais de veiller à ce qu'ils fussent tous rassemblés devant l'écurie, d'ici à une heure. Puis je m'accroupis à côté du corps, grimaçant de la douleur ressentie dans les épaules et des écorchures que les parois du puits avaient faites à mes coudes et à mes genoux. Meto, une torche à la main, s'agenouilla à côté de moi.

— Alors, Meto, que peux-tu dire ?

Sa respiration était difficile ; même à la faible lumière des torches, on voyait sa paleur.

274

– La chair est si boursouflée, c'est difficile à dire. Je ne sais pas par où commencer.

– Fais une liste dans ta tête, selon le principe du tiers exclu, comme disent les philosophes : ou bien, ou bien. Homme ou femme ?

– Homme, évidemment.

– Vieux ou jeune ?

– À peu près le même âge que Nemo, avança-t-il, hésitant.

– Pourquoi dis-tu cela ?

– Les poils gris mêlés aux noirs, sur la poitrine. Et la façon dont toutes ses jointures sont nouées. Pas un jeune garçon, mais pas un vieil homme non plus.

– Brun ou blond ?

– Difficile à dire d'après la peau, toute gonflée et décolorée, mais je dirais brun, tanné par le soleil. Les poils autour de son sexe sont foncés.

– Esclave ou homme libre ?

– Esclave, dit-il sans hésitation.

– Pourquoi ?

– De là où j'étais, j'ai vu son dos lorsque les esclaves l'ont tiré du puits.

Je me penchai pour retourner le corps, mais le poids était trop lourd pour mes épaules endolories. Meto posa sa torche et m'aida à retourner le cadavre.

– Ici, dit-il, en reprenant sa torche et en montrant.

Dans la lumière blafarde de la poix brûlante, nous vîmes les preuves de l'esclavage : son dos et ses épaules étaient couverts de cicatrices ; certaines anciennes et presque effacées, d'autres récentes et même fraîches. Il avait été régulièrement battu, sa vie durant.

– Cause de la mort ? demandai-je.

Meto réfléchit en penchant la tête.

– Manifestement, il a été tué avant d'être jeté dans le puits, puisque sa tête n'est plus là. À moins qu'elle ne soit, elle aussi, dans le fond, là.

Il regarda vers le puits et déglutit avec difficulté.

– Je ne pense pas. Je ne l'ai pas vue, ni aucun des esclaves qui sont descendus après moi. Mais de nouveau, comme pour

275

Nemo, tu supposes qu'il a été assassiné : cela, nous l'ignorons. Il ne porte pas de blessure visible, sauf que la tête a été coupée et probablement après la mort, comme pour Nemo. Qui nous dira comment il est mort ?

— À moins de découvrir qui il est...

— Et d'où il vient.

— Celui qui a déposé Nemo dans l'écurie a sûrement aussi laissé... Mais comment allons-nous appeler celui-ci, papa ?

Je regardai à nos pieds la pauvre masse de chair meurtrie et sans vie.

— Ignotus, dis-je, « Inconnu ».

Quelques instants plus tard, un esclave arriva de la maison.

— La maîtresse a hâte de vous voir, dit-il en jetant un regard furtif sur le cadavre. Et Congrio dit que votre dîner va refroidir.

— Va avertir ta maîtresse que je n'ai pas d'appétit ce soir. Et pendant que tu y seras, dis à Aratus de rassembler tous les esclaves devant l'écurie.

— Même Congrio.

— Oui, même Congrio.

À la lueur de la torche de Meto, nous cheminâmes jusqu'aux écuries. Les esclaves commençaient à se rassembler et bavardaient entre eux. Un moment après, Aratus arriva de la maison, suivi des esclaves de la cuisine et de Congrio. Il s'approcha de moi et me parla à voix basse.

— Ils sont tous là. Tu veux leur parler toi-même, maître, ou dois-je le faire ?

— Je vais leur parler moi-même.

— Silence ! s'écria Aratus en s'avançant. Quelque chose d'important s'est passé et le maître veut nous parler à nous tous.

Il s'écarta ensuite de moi, mais ne se mêla pas aux autres esclaves. Congrio également resta à l'écart, tandis que ses aides de cuisine se joignaient aux autres. Même parmi les esclaves, il y a des hiérarchies...

Je ne m'étais pas adressé à l'ensemble des esclaves depuis mon arrivée à la ferme. À la lueur des torches, je pouvais distinguer nettement leurs visages anxieux. Lucius Claudius,

276

avant moi, avait été un maître doux ; je l'avais été davantage encore, trop peut-être si je considérais que quelques-uns d'entre eux m'avaient certainement trahi.

— Un cadavre a été trouvé dans le puits, dis-je.

Cela ne surprit personne, puisque la nouvelle avait déjà couru toute la ferme, mais il y eut quand même un murmure d'excitation.

— Qui d'entre vous sait comment il est arrivé là ?

Silence général.

— Vous prétendez donc n'avoir aucune idée à ce sujet ?

Ils me regardèrent, puis se regardèrent entre eux, en se grattant la gorge et en secouant la tête. Pour finir, l'un d'eux leva la main et s'avança ; c'était le plus vieil esclave de la ferme, Clementus.

— Bien, parle ! dis-je.

— Il y a quelques nuits, je crois que j'ai entendu quelque chose...

— Oui ?

— Un bruit venant du puits. Je me réveille souvent la nuit — je ne dors jamais d'une seule traite, il faut que je me lève pour aller faire de l'eau. C'est comme ça depuis que je suis jeune homme. Les autres se plaignent toujours, en me reprochant d'avoir une petite vessie, mais il n'y a pas de différence, qu'elle soit vide ou pleine au moment d'aller au lit, et comme je suis devenu vieux...

— Aux faits ! interrompit Aratus. Qu'as-tu entendu ?

— C'était tard dans la nuit, plus près de l'aube que du crépuscule. La lune était déjà couchée et il faisait très noir. Je dormais sous l'appentis, derrière l'écurie, lorsque j'ai été réveillé. C'est un bruit qui m'a réveillé — un bruit d'éclaboussement venant de vers le puits, je crois. Un grand « plouf » plutôt sourd, comme si l'on avait jeté quelque chose de lourd dans le puits. Je me suis levé pour pisser dans mon pot habituel, puis je suis retourné dormir.

— Quelle nuit était-ce ? demandai-je.

— Il y a trois nuits, ou peut-être quatre, je ne sais plus trop. J'avais oublié tout ça, mais ça m'est revenu maintenant, en entendant cette histoire de corps trouvé dans le puits.

– Ridicule ! coupa Aratus. Il se lève pour soulager un besoin naturel et il entend un bruit d'eau dans le puits ! Il a rêvé.

– Il me semble que tu l'interromps sans raison, Aratus, dis-je abruptement. Pourquoi n'aurait-il pas entendu ce bruit et pourquoi pas dans le milieu de la nuit ? Après ce bruit, Clementus, as-tu vu ou entendu quelque chose d'autre ?

Il se gratta la barbe.

– Peut-être. Il me semble que quelqu'un marchait dans le noir, après que je suis allé pisser, mais je n'y ai pas réfléchi sur le moment. C'était une nuit chaude, le genre de nuit qui te tient éveillé, et je suppose que je ne suis pas le seul à avoir des faiblesses de vessie. Pourquoi un autre des esclaves ne se serait-il pas levé pour marcher dans la nuit ?

– Mais as-tu vu cet homme ? Te rappelles-tu quelque chose à son sujet ? Parlait-il ou murmurait-il ? Était-il habillé d'une certaine façon ou avait-il une démarche caractéristique ?

Clementus se gratta de nouveau la barbe pensivement, mais finit par secouer la tête.

– Non, je ne me souviens pas de quelque chose comme ça. Il me semble seulement me rappeler avoir entendu quelqu'un marcher, dans les environs du puits. Mais peut-être l'ai-je rêvé ? Peut-être était-ce une autre nuit ?

– Rien à en tirer, marmonna Aratus.

– Au contraire, il me semble plus vif et conscient de ce qui se passe ici que ceux qui devraient être responsables de la gestion de la ferme et de la sécurité de ceux qui y vivent, dis-je à voix basse.

Personne d'autre ne sortit des rangs ; à l'exception de Clementus, aucun autre esclave n'avait vu ni entendu quoi que ce fût. Autant valait questionner une troupe de sourds et d'aveugles ! Je les avertis que je n'hésiterais pas à punir tout esclave dont je viendrais à découvrir qu'il m'aurait caché la vérité. En disant cela, je cherchais des éclairs de culpabilité dans leurs yeux, mais je ne vis que la peur naturelle propre aux esclaves. Je leur assurai que le puits serait purifié ; en tant que chef de la maison, ce devoir rituel m'incombait, bien que je n'eusse aucune idée des rites à accomplir. Caton ne traitait pas le sujet dans son livre. Je ne savais pas davantage comment l'on pourrait purifier le puits matériellement et combien de temps le danger de pollution durerait. Je n'avais que le seul Aratus en guise d'informateur et de conseil et, comme toujours, je ne lui faisais pas entièrement confiance. Je pouvais aussi demander à Claudia, mais je n'avais guère envie de partager cet incident avec elle.

Je chargeai un groupe d'esclaves d'emporter le corps d'Ignotus dans un petit enclos, à côté de l'écurie, et renvoyai les autres. Comme ils se dispersaient, Aratus revint près de moi.

— Il faudrait les faire torturer, maître !

— Quoi ?

— Ce sont des esclaves, maître. Tu leur parles comme s'ils étaient des soldats ou des hommes libres. Des esclaves communs comme ceux-là ne diront jamais la vérité, sauf si on les y force. Il n'y a rien à en tirer sans cela. Tu sais ce que la loi dit : on ne peut recevoir le témoignage d'un esclave que s'il est obtenu par la torture.

— Selon cette logique, je devrais commencer par toi, Aratus ? Qu'en dis-tu ?

Il pâlit, se demandant si j'étais sérieux ou non. Je n'aurais pas su le dire moi-même.

Même s'il faisait chaud dehors, l'atmosphère fut glaciale cette nuit-là dans ma chambre à coucher. Bethesda était dans une fureur froide. Elle consentit à mettre un baume apaisant sur mes coudes et mes genoux râpés, et même à me masser les épaules, mais lorsque je lui parlai, elle ne répondit pas. Au lit, elle me tourna carrément le dos, avant d'exploser.

— Quoi qu'ils exigent de toi, donne-le-leur ! Plus de corps sans tête, comprends-tu ? Ravale ton orgueil et songe à tes enfants ! Et finies les excentricités qui ne sont plus de ton âge, comme l'exploration des puits !

Je ne dormis pas bien cette nuit-là. Dans mes rêves, des fantômes sans tête sortaient du puits et partaient se promener dans les champs. Ce fut Meto qui m'éveilla, le lendemain. Sa tunique était chiffonnée et ses cheveux étaient encore ébouriffés de la nuit ; il respirait fort, comme s'il venait de courir.

— Papa, réveille-toi !

279

Je repoussai sa main et le regardai d'un œil glauque.

– Papa, je sais la vérité. Je me suis réveillé en la connaissant ! Je viens juste d'aller vérifier sur le corps, en courant.

– Mais de quoi parles-tu ? D'Ignotus ?

– Il n'y a plus d'Ignotus, Papa. Je connais le nom de l'homme et toi aussi. Viens, je vais te montrer, je vais te le prouver.

Il attendit impatiemment que j'enfile mes sandales et passe une tunique sur mes épaules. Bethesda tira la couverture sur sa tête. Meto me précéda sur le chemin de la cabane, courant devant puis revenant m'attendre. Dans la cabane, le cadavre d'Ignotus avait été placé sur un banc ; son odeur envahissait tout l'espace. Il allait falloir le déplacer et l'ensevelir avant que le soleil ne fût trop haut, sinon nous ne nous débarrasserions jamais de cette puanteur.

– Là, papa, tu vois ?

– Quoi ?

– Là, sur le dos de sa main gauche !

Je me penchai, en grognant à cause de mes muscles endoloris, et dus me tordre la tête pour distinguer effectivement une petite marque, de forme approximativement triangulaire, à peine plus grande qu'une pièce de monnaie, et d'une riche couleur pourpre, comme la teinture du murex.

– Une marque de naissance, reconnus-je. Oui, je l'avais remarquée hier soir et je comptais que tu la découvrirais par toi-même ; mais tu ne l'as pas fait tout de suite et le détail m'est sorti ensuite de la tête. Effectivement, cela pourrait constituer un excellent indice d'identification si nous avions la chance...

– Mais je l'ai, moi. Tu m'entends ? Je sais qui c'est. Lorsque j'ai vu cette marque de naissance, hier soir, elle m'a immédiatement rappelé quelque chose, mais je ne pouvais pas dire quoi. Tu m'as posé une série de questions qui me l'ont fait complètement oublier. Mais ce matin, je me suis réveillé en m'en souvenant. Est-ce que ça t'arrive aussi, papa ?

– Je commence chaque jour par de grandes révélations, bien sûr.

– Je ne plaisante pas, papa ! Alors tu ne te rappelles pas quand nous avons vu cette marque récemment ? Moi, si.

Il semblait très content de lui.

– Si je l'ai déjà eue sous les yeux, tu as raison, je l'ai oubliée. Mais tu crois vraiment que tu l'as déjà vue ? demandai-je, sceptique.

– Oui, je sais que je l'ai déjà vue et, si tu avais été observateur, tu l'aurais vue aussi. C'est Forfex !

– Forfex ? murmurai-je, cherchant à situer le nom.

– Le chef chevrier du mont Argentum ! L'esclave de Gnæus Claudius, celui qui nous a emmenés voir la vieille mine d'argent et qui s'est blessé à la tête.

– Celui qui a emmené Catilina, tu veux dire ; nous ne sommes venus qu'en accompagnateurs, rectifiai-je. Non, je ne me souviens pas d'avoir vu cette tache sur le dos de sa main.

– Mais moi, si ! Je l'ai bien remarquée ce jour-là. Je me rappelle avoir pensé qu'elle avait l'air d'une tache de sang, comme s'il s'était pincé. Je croyais que tu l'aurais remarquée, puisque tu remarques tout.

– Forfex !

Je me rappelais les manières aimables du chevrier en chef, puis la panique qui l'avait chassé de la mine, son affreuse blessure à la tête et la fureur de son maître. Je secouai la tête, dubitativement.

– Y aurait-il un autre élément d'identification ?

J'étudiai de nouveau le corps. Il paraissait à peu près du même âge que Forfex, de la même taille et de la même couleur. Mais la chair morte que nous avions sous les yeux était si horriblement différente de l'esclave vivant qui nous avait conduits à travers la montagne que je pouvais difficilement imaginer la transformation.

– Et les marques sur son dos, papa ! Te souviens-tu comment Gnæus Claudius a commencé de le battre, alors que nous partions de chez lui ? C'est le type même du maître qui bat ses esclaves régulièrement, tu ne crois pas ? Rien d'étonnant à ce qu'il y ait toutes ces cicatrices sur le dos de Forfex.

– Oui, je me rappelle les coups. Mais pas la tache de naissance...

281

– Mais quelle importance, du moment que l'un de nous deux s'en souvient ? L'important est que nous savons maintenant qui il est et d'où il vient : il s'agit de Forfex et, d'une façon ou d'une autre, il vient de chez Gnæus Claudius.

– Si seulement nous pouvions en être sûrs...

– Mais nous pouvons l'être ! Comment deux hommes pourraient-ils avoir la même marque de naissance ? C'est Forfex, tu ne le vois pas ?

Il me souriait en attendant mon approbation, puis se renfrogna en voyant l'expression persistante du doute sur mon visage.

– Tu ne me crois pas, papa ?

– Non, ce n'est pas cela...

– Tu n'as pas confiance en ma mémoire ; tu doutes de mon jugement.

– Si tu te souvenais réellement de cette marque de naissance, pourquoi cela ne t'est-il pas revenu hier soir ?

– Parce que hier soir...

Il cherchait ses mots et ne les trouvait pas.

– Parce que c'est comme ça, voilà tout ! Mais maintenant, je m'en souviens.

– Meto, la mémoire change avec le temps et l'on ne peut pas toujours lui faire confiance.

– Oh, papa, tu as toujours un proverbe sous la main !

Il était vraiment en colère.

– Si c'était Eco qui t'avait dit cela au lieu de moi, tu l'aurais cru instantanément ! Tu ne l'aurais pas mis en doute !

– Peut-être, dis-je en soupirant et pensant à part moi : « Parce que Eco, c'est Eco, et que toi, c'est toi. »

– Tu es jaloux, reprit Meto.

– Quoi ?

– Mais si ! Parce que tu ne te rappelles pas toi-même. Tu n'as jamais repéré la marque de naissance, tu n'as pas été assez observateur, mais moi si. Ou bien tu l'as remarquée et tu l'as oubliée, alors que moi, je l'ai remarquée et je m'en suis souvenu ! Pour une fois, mes yeux et ma mémoire sont meilleurs que les tiens et tu ne veux pas l'admettre !

Cette accusation me frappa d'abord par son absurdité. Elle

confirmait, si besoin en était, que Meto était encore un adolescent plus qu'un homme. Pourtant, à la réflexion, je me sentais quand même gêné. Il était possible, après tout, que Meto eût raison et que le corps décapité fût bien celui de Forfex. S'il en était ainsi, je serais dans l'obligation de demander une explication à Gnæus Claudius. Mais si Meto s'était trompé ? Jusqu'où pourrais-je pousser l'affaire contre Gnæus Claudius ? Et même s'il s'agissait de Forfex ? Gnæus Claudius était-il aussi responsable de l'arrivée de Nemo dans mon écurie ? Qui l'avait aidé, parmi mes esclaves ? Son intention était-elle simplement de me harceler et de me chasser de la ferme ? Quel était le lien avec l'énigme de Catilina ? N'était-ce que pure coïncidence ? Ou bien le fait que Catilina et Forfex se fussent rencontrés était-il une coïncidence encore plus inexplicable ? Même si le corps était bien celui de Forfex, le fil rouge pouvait ne pas conduire à son maître, mais à Catilina – ou, par extension, à Marcus Cælius – ou à Cicéron... Mes pensées empruntaient les mêmes pistes que pour Nemo. Avais-je toujours été aussi impuissant à concevoir les choses, et Meto avait-il raison de suggérer que j'étais devenu moins rapide et plus négligent ?

Je compris soudain que j'étais tombé dans une longue rêverie, les yeux fixés sur la marque pourpre de la main du cadavre. Je relevai la tête, pour constater que Meto me regardait, les bras croisés, les yeux fixes, le pied frappant nerveusement le sol, attendant ma réponse.

– Pour l'instant, dis-je en me forçant au calme, nous supposerons qu'Ignotus est Forfex. Si Gnæus Claudius est responsable, on peut s'attendre à ce qu'il nie toute responsabilité, si bien que nous devrons essayer d'obtenir la vérité de ses esclaves, si nous le pouvons.

Je n'avais pas compris l'énervement dans lequel était Meto, quand je vis ses épaules et ses bras se détendre. Je pensais qu'il allait sourire de cette petite victoire, mais il parut sur le point de pleurer.

– Tu verras, papa, dit-il d'une voix terriblement sérieuse, tu verras que j'ai raison et que ma mémoire est bonne.

– Je l'espère, dis-je.

Mais je continuais d'en douter.

2

— Nous pourrions l'affronter directement, suggéra Meto en enfourchant son cheval.

— Pas avant d'avoir essayé de tirer la vérité de ses esclaves, dis-je en calmant ma monture.

— Mais comment allons-nous l'éviter ? Il n'y a qu'une seule route qui mène de la voie Cassienne à sa propriété. Si Gnæus est chez lui, il peut nous voir arriver à cheval, ou l'un de ses esclaves peut courir le prévenir. Il n'a pas l'air d'un maître dont les esclaves laissent les étrangers pénétrer sur son domaine sans l'informer.

— Non ? Forfex nous a bien permis de parcourir sa montagne...

— Oui, et tu vois ce qui est arrivé à Forfex !

Si le cadavre de notre puits est bien le sien, pensai-je. Nous prîmes ainsi la longue piste droite qui menait des écuries à la voie Cassienne.

— J'ai une idée pour notre approche, dis-je. Nous n'allons pas prendre la piste principale qui conduit à la cabane des chevriers et à la villa de Gnæus.

— Quoi alors ? Les hauteurs rocheuses qui encadrent la voie Cassienne sont trop escarpées pour nos chevaux, mais aussi difficiles à parcourir à pied.

— Mais il y a un autre accès. Tu te souviens, quand nous étions sur la crête, à surveiller Catilina et Tongilius ?

— Et que Claudia est venue nous surprendre ?

– Précisément. Catilina connaissait, par Forfex, l'existence d'un autre chemin, inutilisé depuis longtemps et caché par les frondaisons ; ce chemin part de la voie Cassienne et monte directement à la mine. Souviens-toi : ils ont dû le trouver, car après quelques recherches Catilina et Tongilius ont disparu, pour réapparaître beaucoup plus haut sur le mont Argentum. Je pense que nous pourrions retrouver, nous aussi, ce chemin : nous pourrions ainsi éviter la villa de Gnæus et partir en quête de quelque chevrier gardant ses bêtes, parmi les rochers et les ronces.

Nous arrivâmes à la voie Cassienne et tournâmes non à gauche, ce qui nous aurait conduits vers la porte principale du domaine de Gnæus, mais à droite, en direction de Rome. Nous laissâmes la crête sur notre droite et je nous sentis alors curieusement vulnérables, sachant d'expérience combien nous étions visibles pour un observateur placé sur la hauteur où je me tenais si souvent pour contempler le paysage. Mais il n'y aurait naturellement personne, sauf peut-être Claudia, et elle saurait très rapidement ce qui s'était passé, si je venais à découvrir que Gnæus avait jeté le corps décapité de Forfex dans notre puits.

Il n'y avait aucun trafic sur la voie Cassienne. Au point de l'ensellement où la voie passait entre le pied de la montagne et celui de la colline, je fis une pause et regardai alentour. Rien devant nous, que le long ruban de voie disparaissant vers le sud ; derrière nous, une masse lointaine, qui devait être un troupeau d'esclaves ou de bétail que l'on menait à Rome, se déplaçait à l'horizon, mais il était bien trop loin pour que nous nous en préoccupions. Nous continuâmes. La crête s'abaissait à notre droite, mais des collines basses nous dissimulaient toujours la vue de la ferme de Claudia. À notre gauche, le terrain s'élevait fortement et de hauts arbres et des amoncellements de rochers nous protégeaient également.

– C'est quelque part, tout près d'ici..., murmurai-je.

Nous ralentîmes le pas des chevaux et regardâmes attentivement les taillis du bord de la voie ; le sous-bois paraissait impénétrable. Nous poursuivîmes doucement, jusqu'à ce qu'il devînt certain que nous avions dépassé le lieu où Catilina et

Tongilius avaient disparu. Les collines basses s'étaient réduites, à notre droite, et l'on pouvait voir les esclaves travailler dans les champs de Claudia.

— Nous sommes allés trop loin, dit Meto.

— Oui. Rebroussons chemin.

La vue dans l'autre sens n'était guère différente et je commençai à désespérer, lorsque j'entendis un léger bruit de sabots sur les dalles de la voie. Je me retournai pour apercevoir un jeune cerf sorti de la forêt, du côté de la crête. Il nous regarda un long moment, immobile comme une statue, puis bondit du côté du mont Argentum. Il sembla d'abord absorbé par les taillis, puis je le vis se glisser entre un énorme bloc et le tronc épais d'un vieux chêne, et il disparut tout à fait, comme s'il s'était évanoui dans un rayon de soleil. C'était un signe comme en décrivent les poètes, une sorte de présage.

— Là où va le cerf, dis-je doucement, il y a souvent une trace.

Nous allâmes à cheval jusqu'au gros rocher, près duquel nous mîmes pied à terre. Le passage emprunté par le cerf était juste assez large pour que nous nous y glissions, nos chevaux derrière nous ; il débouchait sur une petite clairière, complètement cachée de la route. À partir de cet endroit, on pouvait voir les vestiges de l'ancien chemin qui partait à l'assaut de la montagne.

— Le rocher a dû tomber à un moment, remarquai-je, sous l'effet de la pluie ou d'un tremblement de terre, bloquant l'issue du chemin et le dissimulant totalement de la voie Cassienne. Le chemin lui-même est parsemé de blocs rocheux, qui conviennent peut-être à un cerf, mais certainement pas à des chevaux. Nous attacherons nos montures ici et continuerons à pied.

Le chemin, escarpé et délaissé par les hommes, était devenu un ruisseau d'écoulement. À certains endroits, la végétation avait complètement envahi le passage ; il fallait alors se pencher et écarter les branches. Ici et là, de petits rameaux avaient été brisés récemment, signe que quelqu'un d'autre était passé avant nous.

Meto commençait à souffler et à suer, même s'il modérait

287

son allure naturelle, qui m'aurait laissé à la traîne. Mon cœur cognait dans ma poitrine et mes pieds étaient de plomb, lorsque nous atteignîmes la clairière d'où j'avais vu, naguère, le départ de ce même sentier que nous venions d'emprunter et que Forfex nous avait signalé. Nous rejoignîmes la piste que nous avions suivie avec Catilina et Tongilius ; à gauche, elle redescendait vers la villa de Gnæus et la cabane des chevriers ; à droite, elle continuait vers la cascade et la mine.

Mon corps refusait l'idée de reprendre l'ascension, mais c'était là que nous avions le plus de chance de tomber sur un chevrier, de préférence seul et sans méfiance. Nous n'attendîmes d'ailleurs pas longtemps : comme nous approchions des marches taillées dans le rocher qui mènent au sommet de la cascade, j'entendis le bêlement grêle d'un chevreau, auquel répondait la voix douce d'un chevrier essayant manifestement de rassurer l'animal. Nous sortîmes du sentier en direction des bruits qui se mêlaient à ceux de la cascade. Vus d'en bas, éparpillés dans les fentes des rochers ou emprisonnés dans les racines des grands arbres, les crânes et les ossements que nous avions découverts la première fois semblaient encore plus terrifiants. Un frisson me parcourut : le lieu était humide et froid, même par un jour d'été accablant de chaleur.

Enfin nous aperçûmes le chevrier, un garçon plus jeune que Meto. Il venait de trouver l'animal qu'il cherchait et le portait sur ses épaules, les pattes croisées et solidement maintenues dans ses poings serrés. Le bruit de la cascade avait couvert celui de nos pas ; lorsqu'il nous vit, le jeune esclave eut un sursaut en arrière, si brusque qu'il faillit en perdre l'équilibre. Il serait tombé à l'eau si Meto n'avait pas bondi pour le retenir par le coude. Le jeune garçon se rétablit tout en se libérant vivement de la prise de Meto. Le chevreau se débattait et bêlait, mais l'esclave serra de plus belle les pattes de l'animal, jusqu'à ce que ses articulations devinssent aussi blanches que la toison de la jeune bête. Ses yeux craintifs allaient de Meto à moi.

– Qui êtes-vous ? demanda-t-il finalement avec timidité. Êtes-vous vivants ou morts ?

Étrange question, pensai-je, jusqu'à ce que je me rappelle que le bassin de la cascade, avec ses crânes et ses ossements, était hanté par les lémures des esclaves assassinés. Forfex lui-même nous l'avait dit.

— Nous sommes bien vivants, dis-je en songeant que les lémures n'avaient certainement pas mes problèmes d'articulation et de respiration.

— Mais qui êtes-vous et que faites-vous ici ? Amis du maître ?

— Et toi, que fais-tu ici ? demandai-je en retour.

— On m'a envoyé parce que je suis le plus jeune. On a entendu l'un des chevreaux bêler par ici, près du bassin, si bien qu'on m'y a envoyé. L'un de ses sabots s'était coincé entre deux rochers, près du torrent. Personne n'aime venir ici, à cause d'eux.

Il jeta un regard circulaire sur les ossements épars.

— Qui t'a envoyé, demandai-je. Forfex ?

— Forfex ? fit-il en réprimant un sanglot.

— Oui ! C'est bien Forfex, le chef des chevriers ?

— Non, plus maintenant. Plus depuis...

Il s'interrompit pour nous regarder d'un œil soupçonneux.

— Le maître sait-il que vous êtes ici ?

— Raconte-nous plutôt ce qui est arrivé à Forfex, dis-je en mettant dans ma voix autant d'autorité que je le pouvais. Les esclaves de Gnæus Claudius étaient du genre à réagir à ce ton de voix, facilement intimidés et incapables de continuer leur discours face à une volonté plus forte. Ce comportement en disait long sur leur maître et sur la façon dont il les traitait.

— Forfex... Le maître n'a pas voulu faire cela, pas vraiment. Il nous bat tous, à un moment ou à un autre, mais il n'a jamais... Au moins pas de ses propres mains... Pas depuis que je suis ici, et j'y suis depuis mon enfance...

— Tu es en train de nous dire que Gnæus Claudius a tué Forfex, n'est-ce pas ? demanda Meto en me regardant avec une ébauche de sourire sur les lèvres. Il avait sans doute des raisons de se sentir vengé, mais son interruption fut une erreur. Il n'était ni assez vieux ni assez redoutable pour faire trembler le jeune esclave. Le chevrier recula de nouveau, partagé entre la peur de répondre et la peur de ne rien dire. Le chevreau maintenu sur ses épaules bêlait de façon pathétique.

289

– Comment ton maître a-t-il tué Forfex ? demandai-je sévèrement en m'avançant vers le chevrier pour le tenir sous l'emprise de mon regard.

C'était encore un enfant, et régulièrement maltraité par son maître. Il n'avait aucune défense contre une question directe – même de la part d'un homme qui n'avait aucun droit à lui en poser – aussi longtemps que je le tenais sous mon regard, en durcissant ma voix.

– Sa tête... Forfex s'était blessé à la tête, peu de temps auparavant...

Je me rappelai le choc contre la « cervelle de mineur », le sang dégoulinant de son visage, ses visions de lémure, ses gémissements pitoyables pendant que nous le transportions sur la piste de la montagne...

– Continue !

– Après cet accident, il est devenu un peu confus et maladroit, plus lent que d'habitude, avec des maux de tête qui le faisaient parfois si souffrir qu'il se réveillait la nuit en bêlant comme un chevreau.

Pauvre Forfex, pensai-je. Si seulement Catilina ne t'avait pas acheté, pour aller là où tes peurs les plus profondes t'avertissaient de ne pas aller...

– Le maître n'a jamais été très patient. Il a toujours battu Forfex pour sa stupidité, mais après l'accident, il était plus souvent furieux contre lui. Il lui en voulait de s'être blessé, répétant qu'il n'aurait jamais dû prendre sur lui de montrer la mine à des étrangers... Mais vous devez être...

Il nous regarda en ayant soudain l'air de prendre conscience.

– Aucune importance, continue ! lui intimai-je d'un ton bref.

– Il y a quelques jours, le maître a ordonné à Forfex d'égorger l'une de ses chèvres, mais Forfex n'a pas tué la bonne. Le maître est entré dans une rage terrible, comme l'éclair lorsqu'il frappe la montagne. Il a fouetté Forfex sur le dos, si durement qu'il lui a déchiré la tunique ; il y avait du sang sur la lanière du fouet. Puis il y eut un changement affreux dans le visage du maître. J'étais assez près pour le voir et j'en ai eu les sangs glacés. Comme s'il avait décidé que Forfex était fichu et ne valait plus rien, comme une jarre d'argile fêlée que l'on pourrait briser par énervement. Et c'est ce qu'il a fait avec Forfex : il a retourné le fouet dans sa main et s'est mis à le frapper avec le manche ; c'est une lanière de cuir enroulée autour d'une pièce de fer, avec des clous de fer. Il a commencé à frapper Forfex à la tête, en riant et en disant : « Puisque c'est ta tête qui ne va pas, je vais te l'arranger une fois pour toutes ! » Et Forfex n'arrêtait pas de gémir et de crier, puis on a entendu d'autres bruits. Oh, non...

Sous l'horreur du souvenir, son visage était devenu couleur de craie, ses yeux rouges de larmes. Le chevreau sur ses épaules se débattit soudain si violemment que le garçon lâcha prise ; l'animal sauta en l'air, puis bondit dans le torrent et s'enfuit du côté de la piste. Le jeune chevrier s'appuya contre une paroi de rocher et se laissa glisser à terre, tenant son estomac à deux mains.

— Ça me rend malade d'y penser, dit-il faiblement.

— J'en suis sûr, dis-je gravement.

Quelle tête aurait-il faite en découvrant ce qu'il était advenu de Forfex ?

— Quand cela s'est-il produit ?

— Il y a cinq jours.

— Tu es sûr ?

— Oui. C'était juste après les ides. Le maître était parti quelques jours à Rome, pour les élections ; il en est revenu aussitôt après. On dit que le vote a donné les résultats qu'il souhaitait, mais il était quand même de très mauvaise humeur. Peut-être une mauvaise affaire, à Rome ? Je crois qu'il voulait s'en prendre à Forfex, pour n'importe quelle raison...

— Il y a cinq jours, dis-je en échangeant un regard avec Meto. Et Clementus nous a dit hier soir qu'il avait entendu le bruit dans le puits il y a trois ou quatre nuits : cela correspond parfaitement. Qu'a-t-on fait du corps de Forfex ?

— Porté ici, dit le chevrier, sourdement. Quand tout a été fini, quand Forfex a été par terre, sans vie, le sang et le reste coulant de sa tête...

Il s'interrompit et déglutit avec difficulté.

— Continue !

291

– Le visage du maître a changé de nouveau. Je pense qu'il ne savait pas trop ce qu'il avait fait jusqu'à avoir le résultat sous les yeux. Son visage, l'expression de ses yeux – je n'ai jamais rien vu de tel, sauf dans les yeux d'un esclave. Comme s'il était effrayé de ce qu'il avait fait. On dit qu'il y a une déesse qui punit les hommes, même les hommes libres, quand ils vont trop loin. Il y a un mot grec pour dire cela...

Il cherchait, en plissant le front.

– *Hybris*, dis-je. L'outrecuidance confinant à la folie, l'arrogance qui passe les bornes de la décence. L'*hybris* est punie par la déesse Némésis qui se charge de châtier les méchants.

– En certaines régions peut-être, mais je ne pense pas que la déesse vienne jamais dans cette montagne. Pourtant, pendant un moment au moins, je crois que le maître a compris qu'il était allé trop loin. Il a jeté le fouet en tremblant. Mais il a bien vite serré les dents et les poings, en clignant les yeux autour de lui, comme s'il faisait trop sombre, alors que le soleil était déjà haut dans le ciel. Son regard est tombé sur moi, sans doute parce que j'étais alors le plus proche. « Nettoie-moi ça ! a-t-il ordonné, comme si c'était une fiente laissée par les chèvres sur le sol. Nettoie ça et porte ce qu'il reste de lui à la cascade. Jette-le du haut de la falaise et qu'il aille rejoindre les autres ossements ! »

– Et c'est ce que tu as fait ?

– Bien sûr, sauf que nous ne l'avons pas précipité de la falaise. Nous l'avons transporté ici, près du bassin. L'un des plus vieux esclaves a dit qu'il fallait déshabiller le corps et le nettoyer de son sang, pour le mettre en état de se présenter dans l'Hadès. Il a prononcé quelques mots sur le corps, une prière à l'un ou l'autre dieu ; même les esclaves ont des dieux, vous savez, bien que je ne pense pas qu'aucun d'eux ne vive sur cette montagne, et certainement pas ta Némésis. Puis nous l'avons porté de l'autre côté du torrent, vers ce chaos de blocs, là-bas, et nous l'avons déposé dans une sorte de niche, entre les rochers. Nous l'avons recouvert de quelques grandes dalles et nous l'avons laissé. Il commençait à faire sombre et personne ne vient ici après le crépuscule.

– Pauvre Forfex ! dis-je. Être laissé parmi les lémures qu'il craignait tant. Devenir l'un d'entre eux...

– C'est bien pourquoi personne ne voulait venir ici aujourd'hui pour chercher le chevreau perdu. Ils ont toujours eu peur des ombres errantes qui habitent ici, et maintenant il y a celle de Forfex, en plus. Comment son lémure peut-il trouver le repos après une mort aussi horrible ? Il ne pourra jamais se venger du maître, qui est trop puissant. Mais sur un autre esclave, seul et sans défense...

La voix du jeune chevrier se fit murmure et il regarda de l'autre côté du torrent, en direction de l'amas de rochers et des creux d'ombre.

– Il doit être là, maintenant, et il nous observe.

– Je ne crois pas, si du moins les lémures accompagnent les restes mortels. Viens, montre-nous où vous avez mis le corps.

Le chevrier pâlit.

– Viens, dis-je impérieusement. Si j'ai raison...

Meto toussa légèrement.

– Si mon fils a raison, le corps est parti depuis longtemps. Viens, montre-nous !

On devait à la cruauté de Gnæus Claudius la docilité de ses esclaves, à la moindre expression d'ordre ; il aurait fallu quelques coups, ou au moins la promesse de violence, pour obtenir l'obéissance d'un autre esclave, moins soumis. Alors qu'il lui fallait repasser le torrent et revoir un lieu funèbre qu'il croyait hanté, le jeune chevrier obéit sans hésiter, même s'il se mit à trembler violemment de tous ses membres lorsque nous abordâmes les rochers.

– Juste de l'autre côté de ce gros bloc, dit-il d'une voix défaillante.

Il montrait le chemin, mais refusait d'aller plus loin. Meto et moi le laissâmes sur place et atteignîmes la fissure qu'il nous avait indiquée, pour découvrir ce à quoi nous nous attendions.

– Le corps a disparu, dis-je.

– Disparu ?

Le jeune chevrier avait grimpé sur nos talons, malgré sa terreur, et regardait l'emplacement vide, avec une expression de crainte superstitieuse sur le visage.

— Ce ne sont ni les dieux ni les lémures qui l'ont emporté, le rassurai-je. Des hommes l'y ont mis et ce sont aussi des hommes qui l'ont enlevé.

— Le même homme qui l'a tué ! déclara Meto.

Je détournai mon regard du chevrier et fronçai le sourcil en regardant Meto. Nous n'avions encore aucune preuve de ce qu'il disait. En outre, il est imprudent de parler de son maître devant un esclave, car il peut répéter ce qu'il a entendu, et avoir ensuite à le regretter. Meto me retourna un regard noir. Il avait eu raison au sujet de Forfex, après tout, malgré mes doutes. Pour bien marquer sa victoire, il demanda au chevrier :

— Y avait-il une marque spéciale sur l'une des mains de Forfex ?

— Une marque ? Tu veux parler de la petite tache de naissance rouge qu'il avait au dos de sa main gauche ?

Le visage de Meto s'illumina de triomphe.

— Mais où le corps a-t-il été emporté ? demanda l'esclave.

— Tu n'as pas besoin de le savoir, au moins pas maintenant, dis-je. Tu ne dois pas le savoir. Tu as déjà bravé assez de dangers en nous parlant et en nous racontant la fin misérable de Forfex. Je devrais te récompenser, mais je n'ai rien à te donner.

— Tu ne peux rien me donner. Le maître ne nous laisse rien avoir par nous-mêmes. L'homme qui voulait voir la mine avait donné à Forfex quelques pièces, mais le maître les a trouvées et les a prises.

— Cet homme qui a vu la mine, est-il revenu depuis ?

— Je ne sais pas. Je ne l'ai jamais vu. Je surveillais un troupeau de l'autre côté de la montagne quand il est venu. Mais on dit qu'il y avait d'autres hommes avec lui. C'était vous ?

— Je n'ai répondu à aucune de tes questions jusque-là, dis-je en souriant. Je ne pense pas que je doive commencer maintenant. Moins tu en sauras, mieux cela vaudra pour toi. Tu devrais même oublier que tu nous a vus en ces lieux.

— Comme des lémures dans le brouillard, dit-il.

— Si tu veux.

— Il y a une autre question que nous devons te poser, dit

294

Meto. Lorsque vous avez apporté le corps de Forfex dans les rochers, comment était sa tête ?

— Réduite en bouillie, je vous l'ai déjà raconté, dit l'esclave en pâlissant de nouveau.

— Oui, mais elle était toujours attachée à son corps ?

— Naturellement !

— Pas coupée ? Après avoir été si maltraitée, peut-être...

— Le corps était d'une seule pièce, protesta le chevrier.

— Inutile d'insister, dis-je à Meto en posant ma main sur son bras. Mais dis-nous : y a-t-il eu une autre mort chez les chevriers, voici un mois environ ?

Je pensais naturellement à Nemo. L'esclave secoua la tête négativement.

— Chez les autres esclaves de ton maître, alors ?

— Non. L'un des esclaves de cuisine est mort de fièvre, mais il y a plus d'un an de cela. Il n'y a eu qu'une mort depuis, celle de Forfex.

Nous descendîmes l'amas de rochers jonché d'ossements et repassâmes le torrent. Le jeune chevrier partit de son côté, tandis que Meto et moi restâmes un peu sur place, avant de quitter le vallon. Ce lieu est beau quand même, pensai-je, malgré la présence des ossements et le souvenir de tant de morts et de souffrances. Ce n'était pas un mauvais lieu de repos pour les lémures des esclaves morts, qui avaient sans doute été infiniment plus misérables de leur vivant à peiner sous les brûlures du soleil ou à creuser les profondeurs sombres de la terre.

3

— Nous devrions l'affronter directement, dit Meto, comme nous redescendions le sentier de montagne.

— D'accord.

— Nous savons maintenant, sans l'ombre d'un doute, que le corps jeté dans le puits est bien celui de Forfex ; nous savons que c'est Gnæus qui l'a tué ; et nous savons aussi qu'il nous déteste. Il pensait hériter de la ferme de Lucius Claudius, n'est-ce pas ? D'où le motif : empoisonner le puits et essayer de nous chasser d'ici.

— Il y a quelques lacunes dans ton raisonnement, observai-je avec une certaine ironie, tout en arrachant une branche au passage.

— Par exemple ?

— Pourquoi aurait-on coupé la tête de Forfex ?

— Pour que nous n'imputions pas le coup à Gnæus. Il savait que nous avions rencontré Forfex et que nous pourrions le reconnaître, malgré ses blessures, donc en déduire d'où il venait. Gnæus est de la pire race des lâches, qui commet des crimes et cherche à les dissimuler. Il a coupé la tête pour que ne nous ne sachions pas d'où le corps venait. Il n'avait pas compté sur l'acuité de mon regard, pour reconnaître la tache de naissance sur le dos de la main de Forfex, n'est-ce pas ?

— Le vrai coupable, certainement pas. Mais pourquoi Gnæus aurait-il ordonné de jeter le corps à la cascade s'il avait l'intention de l'utiliser ailleurs ?

Je guettais la réaction de Meto, qui haussa les épaules.

— L'idée ne lui est venue que plus tard. Manifestement, il n'a pas tué Forfex pour jeter le corps dans notre puits : ce meurtre n'a pas été prémédité, pas plus que l'outrage contre nous. Mais une fois qu'il a eu le cadavre à sa disposition, l'idée lui est venue qu'il pouvait s'en servir.

— Le jeune chevrier ne nous a pas dit qu'on leur avait ordonné de récupérer le corps.

— Il ne savait rien non plus de Catilina. Gnæus a sûrement des hommes de main plus convenables pour ce genre de besognes.

— Et qu'en est-il de Nemo ?

— Ce doit être aussi un coup de Gnæus. Il a fait mettre Nemo dans notre écurie pour nous effrayer, mais il ne nous a pas fait assez peur. Il a donc essayé de refaire le coup, mais en plus corsé cette fois, en empoisonnant le puits. Quelle ordure !

— Mais d'où venait Nemo ? Le chevrier nous a dit qu'il n'y avait pas eu d'autres décès sur le domaine.

— Qui sait ? Peut-être Gnæus a-t-il attaqué un voyageur ou assassiné un visiteur venu de Rome ?

— Tu veux dire un étranger. Quelqu'un que nous ne connaîtrions pas ?

— Oui.

— Mais alors, pourquoi couper la tête de Nemo ? Tu supposes que la tête de Forfex a été coupée pour dissimuler son identité, et cela a un sens. Mais qu'en est-il de Nemo ? Qui était-il et pourquoi a-t-on coupé sa tête ?

Meto resta silencieux. Pendant de longs instants, les seuls bruits que j'entendis furent le craquement des branches, les raclements de nos semelles sur le chemin caillouteux et mon propre souffle.

— Je n'ai pas de réponse à cela, admit finalement Meto. Mais quelle importance pour Nemo ? Nous savons à présent d'où le cadavre du puits est venu, et c'est le plus important. Gnæus Claudius est coupable, il devrait être fouetté et jugé pour meurtre, s'il y avait une justice. Mais il n'y a pas de loi contre un homme qui tue son esclave, n'est-ce pas ? Je crois que le mieux que nous ayons à faire est d'entreprendre contre lui une action en justice pour la pollution de notre puits.

— Difficile à prouver, puisque nous n'avons pas de témoins.

— Mais, papa, les circonstances sont évidentes et les indices concordants !

— Un tribunal exigera davantage que des circonstances et de simples indices.

— Il nous faudra donc trouver un témoin. Il a difficilement pu le faire sans la complicité d'au moins un de nos esclaves, non ? Qui que ce soit qu'il ait retourné contre nous, il faudra le forcer à parler !

— Quel moyen voudrais-tu que j'utilise contre les esclaves ? Je les ai déjà interrogés, et tu as vu le résultat. Beaucoup de maîtres utiliseraient en pareil cas la torture systématique, pour obtenir la vérité. C'est d'ailleurs ce que m'a conseillé Aratus.

— Je n'aimerais pas que tu fasses cela, papa.

— La torture est indispensable avec les esclaves, au regard de la législation. Suppose que nous trouvions un témoin parmi nos esclaves. Un tribunal romain n'acceptera son témoignage que s'il a été dûment obtenu sous la torture. Voudrais-tu que j'impose pareille chose à un autre homme, même si c'est un esclave qui a comploté contre nous ? Et qu'en serait-il si l'un des esclaves avait simplement assisté à la scène, sans être coupable de complicité ? Il faudrait aussi le faire torturer pour qu'il puisse porter témoignage. Pas étonnant que les esclaves hésitent tellement à parler : admettre avoir été témoin de quelque chose, c'est comme être volontaire pour la torture.

— Je n'avais pas pensé à ça.

— Mais eux y pensent, je te le garantis. Selon tes suppositions, les meilleurs témoins seraient les esclaves de Gnæus Claudius lui-même, tel que notre jeune ami le chevrier. Mais là encore, la loi nous joue des tours. Aucun esclave ne peut témoigner devant un tribunal sans la permission de son maître, ce qui revient à dire qu'aucun esclave ne peut servir de témoin contre son maître.

— Mais si l'on pouvait demander à Cicéron de nous représenter ? Il est si intelligent et si puissant, il trouverait peut-être un moyen...

– Je t'en prie, je ne veux pas d'autres dettes envers Marcus Tullius. En outre, je ne pense pas que notre estimé consul ait du temps à dépenser sur une affaire de ce genre – et pour longtemps encore !

Sur la voie Cassienne, un groupe d'esclaves avançait péniblement, le cou lié par une forte corde, menés par une équipe de surveillants à cheval. Ils étaient nus ou couverts de haillons avec, en guise de chaussures, des morceaux de cuir vaguement attachés aux pieds. Ni esclaves ni surveillants ne firent attention à nous. Je me tournai vers Meto et dis dans un murmure :

– Tes arguments contre Gnæus Claudius sont assez précis, même s'ils présentent des lacunes. Pourtant, mes pensées vont encore vers Catilina.

– Tu le juges mal, papa ! dit Meto avec une surprenante véhémence.

– Réfléchis à sa rencontre avec Forfex, à l'étrange coïncidence entre les corps décapités et son énigme sur les « corps sans tête ». Considère également que Nemo est apparu juste après la première visite de Cælius, venu me demander d'offrir l'hospitalité à Catilina, en me forçant la main. Depuis Cælius et Cicéron ont renouvelé leurs insistances en ce sens, j'ai renâclé et Forfex est apparu dans notre puits. Catilina est un homme aux abois...

– Mais pourquoi incriminer Catilina ? Ou Cælius ou Cicéron ? Tu as eu faux sur toute la ligne, papa. Tu viens juste de dire qu'aucun tribunal n'accepterait comme preuve un faisceau de circonstances, mais tu laisses les coïncidences t'aveugler et te masquer l'évidence : Gnæus Claudius est coupable. Il doit, en ce moment, s'estimer très malin et rire de nous sous cape. Si nous l'affrontons directement, je parie qu'il va reconnaître sa culpabilité et fanfaronner.

– Tu pourrais avoir raison, admis-je. Il faut lui donner sa chance aujourd'hui.

Le dernier des esclaves encordés, à la peau comme du vieux cuir et aux cheveux couleur paille, passait alors devant nous ; il buta sur une pierre et tomba à genoux, essayant de retenir la corde ; il lança un cri de détresse à ceux qui le précédaient. Un garde-chiourme à cheval revint rapidement en arrière et le frappa de son fouet pour qu'il se remît plus vite sur ses pieds et repartît.

– Quand ce monde changera-t-il ? murmura une voix, qui aurait pu être, dans ma tête, une voix intérieure.

C'était celle de Meto, qui regardait partir les esclaves les yeux pleins d'une infinie tristesse. Il enfourcha sa monture sans un regard pour moi. Je fis de même et nous galopâmes jusqu'à la ferme.

Je voulais une escorte convenable pour remettre les pieds sur le domaine de Gnæus Claudius. J'ordonnai à Aratus de venir avec moi, parce que cela me paraissait normal, mais aussi pour surveiller ses réactions tandis que je m'entretiendrais avec Gnæus : à dire vrai, je n'avais toujours pas confiance en lui. Je choisis aussi quelques hommes solides, en pensant que nous pourrions avoir besoin de protection.

Nous partîmes après la sieste. J'espérais trouver Gnæus après un bon repas, circonstance qui rend souvent les hommes plus maniables, encore que l'expérience m'eût enseigné le contraire avec Publius Claudius. À notre approche, ses chiens se levèrent et aboyèrent, tandis que les poules se dispersaient en caquetant, comme saisies de panique. La porte de la villa s'ouvrit et une voix cria aux chiens de se taire ; les bêtes gémirent et se turent, mais restaient nerveuses. L'esclave apparu à la porte regarda notre compagnie et fit aussitôt retraite. Je pensai que son maître devait recevoir peu de visites, et surtout peu de groupes aussi impressionnants (du moins l'espérais-je). Quelques instants plus tard, la porte s'ouvrit de nouveau et le propriétaire parut en personne ; il avait l'air d'aussi méchante humeur que lorsque nous l'avions vu en compagnie de Catilina, punissant le malheureux Forfex. Il était toujours aussi hideux, avec sa tignasse de cheveux roux et son étrange absence de menton, mais sa taille et ses épaules lui donnaient quand même une présence assez imposante. Les chiens recommencèrent à aboyer ; Gnæus grogna après eux, comme s'il était chien lui-même. Il tenait à la main un os dont il avait tiré la viande, et il le jeta au milieu des chiens, déclenchant une mêlée générale.

301

– Stupides bêtes ! marmonna Gnæus. Meilleurs pourtant que la plupart des esclaves, et incapables d'insolence, au moins.

Sa voix de crécelle était aussi désagréable à entendre que son visage à voir. Il lorgna de notre côté. Claudia avait dit qu'il avait une mauvaise vue, mais il sembla nous reconnaître assez facilement.

– Encore vous ? Et cette fois sans votre vaurien d'ami de la ville ? Venus pour m'espionner de nouveau, je suppose ? Par l'Hadès, que veux-tu, Gordien ?

– Je pensais que tu avais déjà la réponse à cette question, Gnæus.

– N'essaie pas de jouer au plus fin avec moi, reprit Gnæus. Je n'aime pas les intellectuels ; demande à mes esclaves, si tu ne me crois pas. Personne ne t'a invité à venir ici, Gordien ; tu pénètres par effraction sur mon domaine. J'aurais parfaitement le droit de t'arracher à ton cheval et de te faire battre comme un esclave. Explique-toi ou fiche le camp ! Tu veux une rossée ? Je pourrais aussi bien en donner une à ce garçon, non ?

– Papa ! murmura Meto, dont je pris le bras pour le rassurer.

– Nous sommes venus, Gnæus Claudius, parce que quelqu'un a commis une atrocité sur ma ferme. Une profanation. Une offense contre la loi et contre les dieux.

– Si les dieux sont offensés, c'est peut-être parce qu'un rien-du-tout de plébéien romain a mis la main sur une propriété qui était dans ma famille depuis des générations ! Tu aurais peut-être dû y penser avant de poser tes fesses là où il ne fallait pas.

– Papa, nous n'allons pas supporter cela ! dit Meto.

– Calme-toi ! Reconnais-tu ta responsabilité, Gnæus Claudius ?

– À propos de quoi ?

– De la profanation.

– Je ne sais pas de quoi tu parles. Mais si quelque catastrophe t'est tombée sur la tête, c'est une bonne nouvelle pour moi. Raconte ! Tu m'amuses, plébéien.

– Toi, tu ne m'amuses pas, Gnæus ; pas plus que la petite farce que tu as jouée il y a quelques jours.

– Assez d'énigmes ! Sois clair ou fiche le camp !

– Je parle du cadavre que tu as jeté dans mon puits.

302

– Quoi ? Tu es resté trop longtemps au soleil sans chapeau, Gordien. C'est la première chose que tu aurais dû apprendre, si tu voulais devenir fermier : sous le soleil on porte un chapeau.

– Tu nies l'affaire ?

– Mais quel cadavre ? Quel puits ? Donne donc une bonne claque à ton père, petit ! Il débloque !

Meto paraissait avoir bien du mal à se retenir ; je voyais les jointures de ses mains blanchir, à force de serrer les rênes.

– Je parle du corps de ton esclave Forfex. Nies-tu que tu l'as tué il y a cinq jours ?

– Pourquoi le nierais-je ? Il était mon esclave depuis des années et il avait été auparavant l'esclave de mon père. J'avais parfaitement le droit de le tuer, et que Jupiter me frappe s'il ne l'avait pas mérité !

– Tu es un impie, Gnæus Claudius !

– Et toi un dingue et un parvenu, Gordien. Tu as trouvé un cadavre dans ton puits, c'est ça ? Bien fait pour toi et bien joué pour celui qui l'a jeté. Mais ne viens pas m'en faire un crime. Je n'ai rien à voir avec ça.

– Le corps était celui de Forfex.

– Impossible. Mes esclaves ont disposé du corps. J'ai donné moi-même les ordres, et ils n'ont pas coutume de me désobéir.

– Et pourtant, le corps a fini par arriver dans mon puits.

– Mais ce n'est pas Forfex !

– Mais si, c'est précisément Forfex !

– Aurais-tu seulement reconnu le chevrier si tu l'avais vu vivant ? Oh, mais c'est vrai, tu étais avec l'autre, lorsque Forfex lui a fait visiter la mine, non !

– Qui, moi ?

– Mais oui ! C'est ce que Forfex a dit par la suite ; il déclarait que l'un des visiteurs était appelé Gordien, bien que je ne t'aie pas reconnu dans l'obscurité, ce soir-là. Si j'avais su que c'était toi, je t'aurais jeté à bas de ton cheval et je t'aurais fouetté.

– Tu es prodigue de menaces et d'insultes, Gnæus Claudius. Tu parais très fier de confesser que tu as tué un esclave sans défense. Pourquoi es-tu si hésitant quand il s'agit de reconnaître que tu as jeté Forfex dans mon puits ?

303

— Parce que je ne l'ai pas fait ! cria-t-il.

Les chiens commencèrent à aboyer et à hurler.

— Je dis que tu l'as fait. Si cela avait été un autre que Forfex...

— Tu y tiens ! Prouve-le donc ! Montre-moi le cadavre !

— Et si je fais cela, reconnaîtras-tu ton acte ?

— Non, mais au moins je pourrais te croire lorsque tu dis que c'est Forfex que tu as trouvé dans ton puits.

— Mais comment puisque tu t'es arrangé pour que je ne puisse pas prouver l'identité de l'esclave ?

— Que veux-tu dire ? J'ai peut-être ratatiné son crâne, mais pas au point de le rendre méconnaissable. Tu dois l'avoir reconnu toi-même, puisque tu l'as dit.

— Je n'ai jamais dit cela.

— Alors comment sais-tu que c'est Forfex ? cria Gnæus, soudain en fureur.

— J'ai mes indices.

— Que veux-tu dire ? Es-tu venu de nouveau sur mes terres, parler à mes esclaves, distiller des mensonges dans leurs oreilles ? Au fait, comment as-tu su que j'avais tué Forfex ? Qui te l'a dit ? Qui a osé ?

— Je suis aussi au courant pour l'autre corps, dis-je, en partie pour changer de sujet, en partie pour voir sa réaction. Dans le même temps, je regardai Aratus dont le visage resta impassible ; je n'avais pas vu un seul regard échangé entre lui et Gnæus : s'ils avaient partagé quelque secret ou s'étaient seulement connus, leurs regards et leurs visages l'auraient trahi.

— Quel autre corps ? hurla Gnæus, cette fois hors de lui.

— Tu proclames ton ignorance trop vite, Gnæus Claudius – ce qui est la marque la plus sûre de ta culpabilité. Tu sais parfaitement de quoi je parle. De plus, j'ai de très solides preuves de ton forfait, pour le puits, et tu regretteras ton impudence.

Gnæus secoua sa tête et fit une horrible grimace. Il cracha par terre et brandit les deux mains vers moi.

— Tu es fou, complètement fou, Gordien ! Tu me débites tes absurdités et maintenant tu me menaces à la porte même de ma demeure. Fiche le camp tout de suite ! Décampe avant que je lâche les chiens. Ils savent attraper un homme par la jambe et le jeter à bas de son cheval en un instant et lui ouvrir la gorge encore plus vite. Et il n'y a pas de loi pour m'empêcher de le faire, aussi longtemps que tu es sur mes terres, comme tu le sais bien. Et maintenant, du vent !

Je le fixai pendant un moment, puis empoignai les rênes et fis faire demi-tour à mon cheval.

— Mais papa..., protesta Meto.

— Nous avons fait ce que nous devions, Meto, murmurai-je. Je crois que sa menace des chiens est bien réelle. Viens !

Meto fit faire volte-face à son cheval, non sans avoir jeté un regard fulminant à Gnæus ; Aratus et les autres esclaves en avaient déjà fait autant à mon signal. Nous partîmes au grand galop jusqu'à la voie Cassienne. Meto chevauchait à mon côté.

— Mais, papa, nous avons quitté Gnæus Claudius avant qu'il n'ait reconnu sa culpabilité !

— Nous aurions attendu longtemps avant qu'il n'admît pareille chose !

— Je ne comprends pas.

— Tu as vu l'homme de tes propres yeux, Meto, et tu l'as entendu de tes propres oreilles. Tu crois vraiment qu'il sait quelque chose à propos du corps dans le puits ?

— Il a reconnu avoir tué Forfex !

— Sans hésitation, ce qui rend ses protestations d'innocence, pour le reste, d'autant plus convaincantes. Je le crois, lorsqu'il dit qu'il ne sait rien à propos du cadavre dans le puits. Il a tué Forfex et commandé à ses esclaves de disposer du corps, et c'est la dernière chose qu'il a sue de l'histoire. Tu as noté, je suppose, que je n'ai jamais mentionné que le corps n'avait pas de tête, même si j'y ai fait allusion. Il n'a manifesté aucun signe de compréhension et supposé que nous avions reconnu Forfex par son visage, non par sa tache de naissance.

— Mais il a pu mentir !

— L'homme n'est pas vraiment un acteur : son visage trahit tout ce qu'il pense. Je connais ce genre d'individus. Il a été élevé dans l'orgueil du patricien, mais sans la politesse de sa classe. Il menace et méprise les autres hommes sans complexe, parce qu'il pense que c'est son droit de naissance. Ce n'est ni un fourbe ni un menteur. Il ne connaît pas l'usage du mensonge, parce qu'il n'a jamais honte de ce qu'il fait, si outrageant que cela puisse être pour les autres. Il dit ce qu'il veut, parce qu'il compte toujours se tirer d'affaire, et c'est probablement ce à quoi il réussit.

— Il n'a pourtant pas réussi à t'empêcher d'avoir la ferme.

— Exact, mais s'il voulait sérieusement nous attaquer, je pense qu'il le ferait de façon moins indirecte. Et s'il avait été impliqué dans ces forfaits, je pense qu'il aurait reconnu son rôle quand nous l'avons accusé, tu ne crois pas ? Il s'en serait même vanté. C'est un homme vulgaire, dépourvu de toute subtilité — tu as vu la façon dont il traite ses esclaves et ses chiens. Celui qui nous a « déposé » Nemo et Forfex a l'esprit retors, presque joueur, quoique dévoyé. Ce n'est guère le portrait de Gnæus Claudius.

— Oui, mais avant de partir, tu l'as accusé froidement d'être aussi responsable pour Nemo ; tu as dit que tu pouvais affirmer qu'il mentait, que tu avais des preuves !

— Un ultime coup de bluff, mais aussi un dernier essai pour me convaincre qu'il ne sait rien sur les deux cadavres dans notre propriété. Non, crois-moi, Gnæus n'est pas notre tourmenteur. Il a tué Forfex, ça oui, et je prie pour que Némésis le punisse de ce crime. Forfex est arrivé, d'une façon ou d'une autre, dans notre puits, sans tête — et je t'accorde que tu as bien reconnu sa marque de naissance et je confesse que j'ai fortement douté de toi. Mais entre l'enterrement sommaire du corps, sa décapitation et son apparition dans le puits, il y a quelqu'un d'autre dans le circuit.

— Mais qui, papa ?

— Je ne sais pas. Nous risquons de ne jamais le savoir, s'il n'y a pas d'autre crise.

Je pus voir, à l'expression de son visage, que cela ne suffisait pas à Meto ; ce n'était pas satisfaisant pour moi non plus, mais les années m'avaient appris la patience.

— Je maintiens que nous devrions lui intenter un procès, dit Meto.

— Cela ne vaut pas la peine d'ennuyer Volumenus avec ça. Tu as vu combien de temps cela lui prenait pour obtenir un jugement sur notre litige de rivière avec Publius Claudius ?

Quel intérêt d'engager un procès, lorsque l'on n'a pas de pièces à conviction ?

– Mais nous avons des pièces à conviction !

– Non, Meto : nous n'en avons aucune. Je t'accorde que nous pourrions corrompre un jury, ce qui est une des façons de gagner un procès, à Rome, mais mon cœur n'y serait pas : je ne crois pas que Gnæus soit responsable.

– Mais enfin, il faut bien que quelqu'un ait fait le coup. Nous devons trouver qui !

– Patience, Meto ! conseillai-je avec lassitude, tout en me demandant à part moi comment je pouvais prêcher la résignation, vu le nombre de mystères qui ne trouvent jamais de solution.

Aratus m'aida pour la purification rituelle du puits. Certes il n'était pas prêtre, mais il paraissait avoir une expérience pragmatique des choses et il avait vu d'autres maîtres purifier des puits pollués par des rongeurs ou des lièvres, à défaut d'esclaves morts. Il jugeait important que Forfex eût été correctement enseveli. Selon lui, le lémure du malheureux avait ainsi trouvé le repos avant que le corps ne fût déterré et il y avait toute chance pour qu'il fût resté près de la cascade au lieu de suivre un corps profané et décapité, transporté dans un lieu inconnu. Ces arguments semblaient convenir aux esclaves, qui perdirent leur terreur du puits. J'ignore si Aratus lui-même croyait aux arguments qu'il mettait en avant, mais je lui sus gré de son efficacité et de l'habileté avec laquelle il avait traité la question.

Restait cependant le problème de la pollution matérielle du puits. Avec ou sans lémure, un corps pourrissant avait été en contact avec l'eau et l'avait contaminée. Hommes et bêtes pouvaient tomber malade, voire mourir en buvant cette eau. Aratus croyait que le puits se régénérerait et se purifierait de lui-même, avec le temps ; il recommandait, en attendant, d'y jeter des pierres brûlantes, pour faire bouillir et évaporer l'eau souillée de la surface. Cela me rappelait la cautérisation des blessures au fer rouge, et me paraissait parfaitement stupide pour un puits, mais je suivis ses avis. Dans le même temps, nous avions encore quelques réserves d'eau stockées dans des jarres et la rivière n'était pas complètement asséchée, mais des journées de sécheresse étaient annoncées.

La majeure partie de notre foin pour l'hiver était pourrie et nous étions en grand danger de manquer d'eau. Je commençai à comprendre, avec un certain malaise, que si une nouvelle catastrophe venait à nous frapper, je risquais fort d'être contraint de vendre la ferme. Pour un homme riche, une exploitation agricole est un divertissement et, même s'il y perd de l'argent, il considère que c'est le prix à payer pour celui-ci. Pour moi, en revanche, la ferme était l'entreprise à laquelle j'avais accroché mon avenir : il était essentiel que je réussisse ou je serais ruiné. Cet été-là, il semblait bien que les dieux eux-mêmes conspiraient à me faire perdre le don que Lucius Claudius m'avait généreusement fait et dont Cicéron avait confirmé la légitimité.

Chaque jour, Aratus donnait un peu d'eau du puits à l'un des animaux, un petit généralement. Cela ne le tuait pas, mais le faisait vomir ; l'eau restait impropre à la consommation. Je poursuivais, de mon côté, la construction du moulin sur la rivière. Aratus avait fait abattre un petit édifice inutilisé, pour récupérer des pierres taillées et des poutres. Jour après jour, le moulin prenait forme dans mon esprit ; mon vieil ami Lucius Claudius en aurait été surpris et fier.

J'escomptais une visite de Catilina, ou de Marcus Cælius, mais le reste de quintilis et une bonne partie de sextilis s'écoulèrent sans qu'elle eût lieu. Chaque nuit, des esclaves prenaient leur tour de garde, comme des soldats dans un camp. Pour cette raison ou pour une autre, nous n'eûmes aucune mauvaise surprise pendant tout ce temps. Un seul incident vint troubler cette période. Ce fut juste après les ides de sextilis, presque un mois après notre retour de Rome.

La journée avait été particulièrement active. Nous avions atteint un moment critique dans la construction du moulin ; les engrenages ne voulaient pas fonctionner, malgré d'innombrables calculs, mesures et contre-mesures. Une tempête s'était également abattue sur nous durant la nuit, sans apporter de pluie, mais en dispersant des branches brisées et d'autres débris sur toute l'étendue de la propriété que les esclaves avaient passé toute la journée à nettoyer. À la fin de l'après-midi, je prenais un peu de repos dans mon cabinet de travail quand Aratus apparut à la porte.

– Je n'ai pas voulu te déranger auparavant, parce que je pensais que cela allait passer, mais comme son état empire, je crois qu'il faut t'en parler maintenant, dit-il.

– De qui parles-tu donc ? demandai-je.

– Du vieux Clementus. Il est malade, très malade même, semble-t-il. Il a commencé à se plaindre ce matin, mais comme il allait mieux par la suite, je n'ai pas voulu te déranger. Mais maintenant il a l'air d'être sur le point de mourir.

Je suivis Aratus jusqu'au petit appentis, près de l'écurie, où Clementus dormait la nuit et somnolait une bonne partie de la journée. Le vieil esclave gisait dans la paille, couché sur le côté, ses genoux ramassés contre sa poitrine. Il geignait douce-ment. Ses joues étaient rouges, mais ses lèvres étaient légère-ment bleues. Une esclave veillait sur lui et humectait de temps en temps son visage avec un linge mouillé. Il était secoué de spasmes par intervalles, au cours desquels il se contractait encore davantage, avant de se détendre un peu, avec un gémis-sement pathétique.

– Qu'a-t-il ? murmurai-je.

– Je ne sais pas, dit Aratus. Il a vomi de bonne heure ; main-tenant, il ne peut apparemment plus avaler quoi que ce soit et, lorsqu'il essaie de parler, ses mots sont comme brouillés.

– D'autres esclaves sont-ils atteints des mêmes symptô-mes ? demandai-je en songeant qu'une épidémie sur la ferme pourrait bien être la catastrophe finale.

– Non. C'est peut-être simplement parce qu'il est vieux, murmura Aratus. Des tempêtes comme celle que nous avons eue la nuit dernière sont souvent des présages de mort, pour les personnes de cet âge.

Alors que nous l'observions, Clementus eut soudain des con-vulsions ; il étouffait. Il ouvrit les yeux et nous regarda avec plus d'étonnement que de douleur. Il ouvrit les lèvres pour lâcher un long râle gémissant. Au bout d'un moment, l'esclave qui l'assistait toucha ses paupières de ses doigts tremblants ;

les yeux restèrent ouverts et fixes. La femme retira la main, dont elle pressa les jointures sur ses lèvres. Clementus était mort.

Il était vieux, naturellement, et les vieux peuvent mourir à tout moment, pour une cause ou pour une autre. Mais je ne pouvais oublier que c'était lui qui avait entendu un bruit sourd de plongeon dans le puits, lorsque le corps de Forfex y avait été jeté, et qu'il avait aperçu ensuite une vague silhouette se déplaçant dans la nuit.

4

Le moulin à eau ne voulait pas fonctionner. Je me dis piteusement que je n'étais pas ingénieur – pas plus que tu n'es fermier, me murmura une autre voix dans ma tête – et qu'il n'y avait rien d'étonnant à ce que mes plans ne fussent pas réalisables. J'avais fait le dessin aussi clairement que possible. Aratus lui-même, qui n'hésitait jamais à jeter le doute sur tel ou tel point, avait jugé la construction saine. Mais lorsque je mis les esclaves à tourner la roue à aubes (il n'y avait pas assez de force dans le courant, en sextilis, pour l'actionner), les engrenages s'avancèrent de quelques degrés, puis se bloquèrent. La première fois que cela se produisit, les esclaves continuèrent de pousser la grande roue, jusqu'à faire éclater deux axes de bois, dans un bruit de tonnerre. Je fis plus attention la fois suivante, mais le moulin ne fonctionna pas davantage.

J'en rêvais la nuit. Parfois, je voyais le moulin en parfait état de marche, la rivière coulant le long de son mur, la roue à aubes cliquetant et les meules broyant avec aisance le grain. Dans d'autres rêves, plus sombres, je le voyais comme une sorte de monstre vivant et cruel, tournant à son gré et broyant des esclaves sans défense.

Pourquoi dépenser tant d'énergie et d'imagination à la réalisation de ce moulin ? Je me disais que c'était une offrande à l'ombre de mon bienfaiteur, Lucius Claudius, la preuve de ma complète adaptation à la vie rurale, mais aussi un geste de défi envers Publius Claudius qui croyait pouvoir me priver du droit d'utiliser l'eau de la rivière. C'était tout cela, bien sûr, mais c'était aussi une diversion. Les mystères de Nemo et de Forfex restant sans solution, je préférais m'intéresser à quelque chose de concret et de tangible. Dans le même temps, j'échappais aux autres problèmes : l'eau et le foin.

Mes soucis pouvaient paraître ridicules, comparés à la grande crise qui se préparait autour de nous, à Rome et en Étrurie, mais aussi dans toute l'Italie, dont je voulais ignorer à peu près tout bien que j'eusse une petite idée du devenir de la lutte entre Catilina et Cicéron.

Vers la fin du mois de sextilis, Diane atteignit son septième anniversaire. L'anniversaire des petites filles n'est guère célébré chez les Romains mais ce jour – le vingt-sixième de sextilis, quatre jours avant les ides de septembre – était important à double titre : non seulement c'était le jour où Bethesda avait donné naissance à Diane, mais c'était aussi celui où Marcus Mummius nous avait amené Meto, qu'il venait de délivrer de son esclavage en Sicile. Nous avions donc fait de cette journée une fête familiale, que nous célébrions depuis par un repas spécial. Plusieurs jours auparavant, Bethesda commença de surveiller les préparatifs de Congrio dans la cuisine. Eco avait toujours été présent pour la circonstance et cette année ne ferait pas exception : de même que nous étions allés à Rome pour la toge virile de Meto, de même Eco et Ménénia viendraient de la Ville pour se joindre à nous.

Ils arrivèrent en chariot la veille de l'anniversaire, accompagnés de Belbo et de cinq autres esclaves. Ces derniers, remarquai-je, étaient parmi les plus solides de la maisonnée d'Eco et tous étaient armés de longues dagues passées à leur ceinture. Je me moquai gentiment de mon fils aîné qui sortait accompagné d'une garde du corps, sans doute pour rivaliser avec Cicéron, mais Eco ne rit pas, et me fit comprendre par un énigmatique « Plus tard ! » qu'il m'expliquerait le moment venu. Bethesda fit tout pour que Ménénia se sentît chez elle. La chaleur de la relation entre les deux femmes paraissait vraiment sincère et faisait plaisir à voir. Meto et Diane étaient ravis d'avoir leur grand frère à la ferme, même pour une brève visite.

312

Je profitai des effusions des retrouvailles pour me glisser dehors. Je trouvai Belbo se reposant à l'ombre, à côté de l'écurie, les autres esclaves d'Eco jouant à la pile trigone, et lui demandai de me suivre.

— Mon fils s'entoure d'une garde du corps bien considérable, pour protéger, sur un trajet aussi court et sur une route aussi fréquentée, deux personnes qui n'ont rien de précieux sur elles.

Belbo sourit et hocha la tête.

— Le vieux maître remarque tout, comme toujours.

— « Comme toujours »... Belbo, j'aimerais avoir gardé la moitié de ma vigilance et de mon acuité d'esprit. Mais dis-moi, pourquoi tant d'armes ?

— La tension est grande à Rome, en ce moment.

— C'est terriblement vague. Qu'est-ce que mon fils a à voir là-dedans ?

— Ne devrait-ce pas être à lui de te le dire ?

— Si tu étais nouveau dans la maisonnée, je comprendrais que tu ne pas parles pas de ton nouveau maître à l'ancien, mais tu me connais trop bien pour vouloir me cacher quelque chose, Belbo. Eco est-il sur une affaire dangereuse ?

— Maître, tu connais la vie. Tu te rappelles sans doute les dangers que tu as vécus au jour le jour.

Je le regardai posément, sans me laisser impressionner par ses échappatoires. Il était aussi fort qu'un bœuf et aussi loyal qu'un chien de chasse, mais il savait mal garder les secrets. Je le vis rougir jusqu'à la racine de ses cheveux couleur paille.

— C'est le nouveau travail qu'il fait, avoua-t-il.

— Pour qui ?

— Pour le jeune homme qui était à la réception de Meto, tu sais, tu lui as parlé. Il est revenu plusieurs jours après, pour louer les services du jeune maître. L'homme avec la barbe et les cheveux à la mode.

— Ce jeune homme a-t-il un nom ? demandai-je, alors que je le savais déjà.

— Marcus Cælius, dit Belbo.

— Par les couilles de Numa, je m'en doutais ! Ils ont mis aussi le grappin sur Eco.

Une fois vaincue sa faible résistance, Belbo semblait avide de parler.

— C'est une affaire de conspiration, un complot pour assassiner Cicéron et mettre le gouvernement par terre. Le jeune maître est allé à des réunions secrètes, la nuit. Je n'ai pas appris grand-chose, car je restais dehors avec les autres esclaves et les gardes du corps. Mais il y a du beau monde à ces réunions, je peux te le dire : des sénateurs, des patriciens, des chevaliers, des gens que j'ai vus sur le Forum depuis des années. Marcus Cælius y va souvent aussi.

Tandis qu'il parlait, je secouai la tête en serrant les dents. Eco aurait eu mieux à faire que de se laisser entraîner dans les histoires de Marcus Cælius et de son maître, que celui-ci fût Cicéron ou Catilina. Enquêter sur les circonstances d'un meurtre ou rechercher la vérité dans une contestation de propriété était une chose ; se mettre un bandeau sur les yeux et se laisser mener au gré des complots et des contre-attaques entre Cicéron et Catilina en était une autre. C'était plus qu'il n'en fallait, en fait de danger et d'incertitude. J'avais appris à Eco à être enquêteur, pas espion. Selon moi, il y a du mérite et de l'honneur à découvrir la vérité et à la révéler aux yeux de tous, mais il n'y en a aucun à dissimuler et à murmurer dans l'ombre. Il me vint à l'esprit qu'on avait peut-être forcé la main à Eco. L'idée d'un corps sans tête apparaissant dans la maison de Rome me fit agripper brutalement la tunique de Belbo.

— A-t-il été menacé ? intimidé ? A-t-on cherché à lui faire peur pour Ménénia ou pour nous autres, à la ferme ?

Belbo fut surpris de mon agitation.

— Je ne crois pas, maître, dit-il doucement. Marcus Cælius est venu à la maison peu de temps après ton départ de Rome. Tout semblait cordial : le jeune maître est comme tu étais, il n'aime pas se charger d'un travail pour quelqu'un en qui il n'aurait pas confiance, même s'il peut le faire. Il m'a paru tout à fait volontaire pour faire ce que Cælius voulait. S'il y a eu des menaces ou des choses de ce genre, je n'en ai jamais rien su.

Entendre ces paroles de la voix apaisante d'un géant me parut soudain d'une absurdité totale, presque autant que la vue

314

de ma main agrippée au col de sa tunique. Je lâchai prise et me remis sur mes pieds.

– Regarde, les autres esclaves ont gardé leurs dagues sur eux, même lorsqu'ils jouent à la balle ; et il y en a un qui surveille en permanence le chemin qui vient de la voie Cassienne. Si Eco pense qu'il a besoin d'une garde du corps, j'ai confiance en son jugement. Mais il doit savoir, et toi aussi, qu'il n'est pas plus en sécurité ici qu'à Rome.

Je fis une longue promenade autour du domaine, le temps de reprendre mes esprits. Lorsque je revins à la maison, je trouvai la famille rassemblée dans l'atrium pour échapper à la chaleur de l'après-midi. Bethesda et Ménénia étaient sur des lits de repos, l'une en face de l'autre ; Diane était assise par terre, jambes croisées, et jouait à la poupée entre elles deux. Eco et Meto étaient assis côte à côte sur un banc, à côté du bassin ; entre eux se trouvait le petit jeu que Cicéron m'avait donné et que j'avais passé à Meto, *Éléphants et Archers*. Ils avaient fini leur partie, car toutes les pièces de bronze avaient été poussées d'un côté de la planche de jeu. En approchant, j'entendis Meto dire quelque chose au sujet d'Hannibal.

– Et de quoi parlez-vous donc tous les deux ? demandai-je, le plus négligemment possible.

– De l'invasion de l'Italie par Hannibal, dit Meto.

– Avec des éléphants, ajouta Eco.

– En fait, les éléphants n'ont jamais atteint l'Italie, expliqua Meto, qui semblait ravi de jouer les pédagogues avec son grand frère. Ils sont morts dans la neige, en traversant les Alpes, comme des milliers de soldats d'Hannibal. Tu te rappelles, voici quelques années, l'un des magistrats avait organisé un spectacle dans le Grand Cirque, *Hannibal traversant les Alpes*. Il avait fait empiler des tas de déblais pour simuler les montagnes et des milliers de morceaux de tissu blanc, pour imiter la neige ; des esclaves dissimulés dans les coins agitaient de grands éventails pour la faire voleter. Les éléphants étaient bien réels, mais on ne les tuait pas : les bêtes avaient été dressées pour se coucher et faire le mort.

Son sourire s'effaça soudain.

– Mais l'un des esclaves qui jouaient les soldats carthaginois a été pris sous un éléphant et horriblement écrasé. C'était affreux, ce sang rouge sur la neige blanche, tu te souviens, Eco ?

— Naturellement, oui.

— Tu te rappelles, papa ?

— Vaguement.

— De toute façon, Eco, comme Marcus Mummius le dit toujours, la victoire dans les batailles ne dépend pas seulement de la supériorité numérique, de la bravoure et de la tactique, mais aussi des éléments : la pluie, la neige, la boue, une tempête de sable inattendue. « Les éléphants et les éléments comptent autant », dit-il, et encore : « Les hommes font la guerre, mais les dieux font le temps ». Tu devrais parler de cela avec Mummius, parfois : il sait tout ce qu'il faut savoir sur les grands généraux et les batailles célèbres.

Je hochai la tête.

— Mais comment en êtes-vous arrivés à parler d'Hannibal ? Ah, je vois... *Éléphants et Archers*.

— Tu sais, papa, dit Eco, Meto est très féru d'histoire militaire.

— Ah oui ? Bon, si tu peux quitter la bataille un instant, Eco, j'aimerais avoir ton opinion au sujet du moulin à eau.

Eco soupira et se leva. Meto fit mine de l'imiter, mais je le retins.

— Reste ici, tiens compagnie à Ménénia ; essaie de garder ta petite sœur tranquille. Tu en as sûrement assez du moulin.

Meto voulut parler, mais se retint et baissa les yeux. Il se rassit sur le banc et commença à jouer avec les petits guerriers de bronze.

— Il est réellement fasciné par les choses militaires, dit Eco alors que nous marchions vers la rivière. Je ne sais pas où il a acquis cet intérêt, quoique je sache qu'il a toujours été fou de Marcus Mummius...

— Revenons à nos moutons, à quoi travailles-tu à Rome, ces temps-ci ?

— Je me doutais bien que, d'une façon ou d'une autre, tu ne m'avais pas appelé pour regarder ton moulin à eau.

– Il n'y a pas grand-chose à voir, du reste. C'est un échec, comme beaucoup de choses dans cette ferme.

– Des ennuis ?

Nous avions atteint le moulin. Je trouvai un coin à l'ombre et lui fis signe de s'asseoir à côté de moi. Nous contemplâmes un moment le mince filet d'eau qui coulait entre les pierres.

– Je te raconterai d'abord mes ennuis, dis-je, puis ce sera ton tour.

Je lui fis un récit complet de tout ce qui s'était passé depuis que nous étions revenus de Rome : la découverte de Forfex, la pollution du puits, la rencontre avec Gnæus Claudius, la mort de Clementus.

– Papa, tu aurais dû me faire savoir tout cela ; tu aurais dû m'écrire.

– Et toi, tu aurais dû me faire savoir tes affaires avec Marcus Cælius.

Eco me regarda, l'air interrogateur.

– J'ai tiré les vers du nez de Belbo ; ça n'a pas été difficile.

– Je t'avoue aussi que je savais déjà l'histoire du corps dans le puits.

– Comment ?

– Meto m'a raconté la majeure partie de l'histoire.

– Et tu m'as laissé t'en faire le récit en entier, comme si tu ne savais rien !

– Je voulais l'entendre de ta bouche, du début à la fin. La version de Meto était plus dramatique, la tienne est plus cohérente. Meto semble très fier d'avoir pu identifier Forfex par sa tache de naissance sur la main. Tu as glissé là-dessus, dans ta version, je crois...

– Vraiment ? Meto reste convaincu, je suppose, que Gnæus Claudius est le coupable.

– Il incline vers cette opinion.

– Même si c'était le cas, je ne pourrais pas lui intenter un procès. Mais il sait à présent que nous le soupçonnons, de sorte que s'il est coupable et sensible aux intimidations, la démarche n'aura pas été inutile. Mais il y a quelque chose d'autre dont je voulais te parler...

– Papa, tu agis comme si cela n'était rien d'avoir trouvé un autre corps sans tête sur le domaine. Mais cette fois, c'était une volonté perverse de destruction, pas simplement d'intimidation. En vérité, si l'affaire ne peut pas être résolue, je pense que tu devrais ramener la famille à Rome, avant qu'une catastrophe vraiment terrible n'arrive...

— Eco, nous avons déjà parlé de cela, coupai-je impatiemment. Il n'y a pas de place pour nous tous et, de plus, je n'ai vraiment plus le goût de vivre en ville. Non. Au lieu que nous quittions la ferme, je suggère plutôt que vous veniez vivre ici. Cela vaudrait mieux que de te mettre dans les mains de Marcus Cælius. Pourquoi lui avoir permis de t'envoyer personnellement dans les réunions secrètes de Catilina et de son cercle ? Est-ce que tu es conscient des dangers ?

— Papa, je travaille pour un consul romain !

— Faible protection si tu es pris sur le fait avec ces criminels et massacré sur-le-champ, ou encore s'ils découvrent que tu es un espion et qu'ils te tendent un piège. Cicéron sera-t-il là pour te défendre ?

— Je sais que tu as désormais une très mauvaise opinion de Cicéron, papa. Tu sembles avoir perdu toute estime et tout respect pour lui, depuis qu'il a gagné son élection contre Catilina. Mais tu dois lui reconnaître une qualité : il est fidèle à ses amis.

— Ne me dis pas que tu espionnes Catilina par amitié !

— Mais non, papa, je le fais pour de l'argent. Toi, tu serais homme à le faire par amitié.

Il y avait, dans sa voix, une dureté que je n'avais jamais entendue encore. Nous n'avions jamais eu de véritable opposition et je compris soudain que nous étions sur le point d'en avoir une. Je pris une profonde respiration ; Eco fit de même.

— Je pense que cela soulagerait un peu mon anxiété si tu voulais bien m'expliquer les circonstances exactes de ton engagement, dis-je finalement. Qu'est-ce que prépare Catilina, exactement ?

— Marcus Cælius a dit la vérité : Catilina et ses complices conspirent pour abattre l'État. Ils avaient espéré qu'il gagnerait l'élection consulaire, auquel cas il aurait entamé le processus révolutionnaire par le haut, en utilisant ses pouvoirs consulaires et celui de ses amis, au Sénat, pour faire passer leur programme de lois radicales, et par la guerre civile si cela ne marchait pas. Cette solution avait la préférence de Catilina, qui semble avoir pensé, lui aussi, qu'il avait de bonnes chances d'être élu. Aujourd'hui que la seule solution qui lui reste est celle de la révolte armée, il hésite ; il se trouve pris dans le doute et l'incertitude.

— Comme je le comprends, dis-je en aparté.

— Jusqu'à présent, les conspirateurs n'ont rien fait d'illégal, ou du moins rien qui permette de leur intenter un procès. Ils ne mettent rien par écrit et se retrouvent en secret. Catilina fait accrocher une rose – symbole de discrétion – au plafond des salles où ses partisans se rencontrent, pour leur signifier que leurs paroles ne doivent jamais transpirer au dehors. Mais Cicéron est au courant de tout.

— Parce que tu espionnes pour lui.

— Je suis loin d'être le seul et je n'appartiens pas au premier cercle des intimes de Catilina. Je suis au nombre de ceux dans lesquels il pense pouvoir avoir confiance, et susceptibles d'être utiles, le moment venu. Je sais pourtant pas mal de choses et je réussis assez bien à démêler la vérité parmi toutes les rumeurs fantastiques qui circulent. Ces gens sont remplis d'illusions ; je me demande parfois s'ils présentent vraiment un danger quelconque.

— Surtout ne va pas dire cela à Cicéron : ce n'est pas ce qu'il veut entendre !

— Tu es vraiment un incorrigible cynique, papa, soupira Eco.

— Non, c'est Cicéron qui en est un. Ne vois-tu pas qu'il a besoin du rôle que cette crise lui donne ? S'il n'y avait pas de complot contre l'État, je crois qu'il en inventerait un !

Eco grinça des dents ; nous étions de nouveau au bord de la rupture. Je battis en retraite.

— Donne-moi des détails ! dis-je. Qui sont ces conspirateurs ? Est-ce que je les connais ? Qui d'autre espionne pour Cicéron ?

— Tu veux vraiment que je te dise tout cela ? Ce qui est dit l'est irréversiblement, tu le sais. Je croyais que tu voulais oublier Rome.

— Mieux vaut savoir qu'ignorer.

— Mais les secrets sont dangereux. Celui qui les détient est susceptible de se les voir arrachés. Tu veux vraiment être dans ce cas ?

— Je veux savoir en quelle compagnie se trouve mon fils aîné. Je veux savoir ce qui menace ma famille, et pourquoi.

— Tu as donc renoncé à te cacher la tête dans le sable ?

— Les plumes de l'autruche sont d'un grand prix, mais faciles à cueillir. Mettre sa tête dans un trou ne lui laisse aucune liberté d'action.

— Et laisse son long cou exposé aux épées, dit Eco.

— Fine observation !

Nous fîmes tous deux la grimace puis éclatâmes de rire. Je lui pris la main un moment.

— Eco, tu disais que ces conspirateurs sont remplis d'illusions, mais j'en avais deux fois plus qu'eux en pensant que je pourrais échapper à Rome. Nul ne le peut ! L'esclave qui s'enfuit jusqu'aux colonnes d'Hercule [1] ou jusqu'à la frontière des Parthes sera repris et ramené à son maître dans une cage. Nous sommes tous esclaves de Rome, où que nous soyons nés et quoi que dise la loi. Une seule chose libère les hommes : la liberté. J'ai essayé de lui tourner le dos, croyant que l'ignorance me permettrait d'échapper au Destin. Mais j'aurais dû me méfier : un homme ne peut pas tourner le dos à sa nature. J'ai passé ma vie à la recherche de la justice, tout en sachant qu'elle est rare et difficile à trouver. Pourtant, à défaut de trouver la justice, on peut du moins entrevoir parfois la vérité et s'en contenter. Désormais, j'ai renoncé à la justice et j'ai apparemment perdu mon envie — ne parlons pas de mon instinct — de trouver la vérité. Mais je ne saurais renoncer à la rechercher. Ces divagations ont-elles un sens pour toi, Eco ? Ou bien suis-je trop vieux et toi trop jeune ?

J'ouvris les yeux que j'avais fermés en prononçant ces dernières paroles et vis Eco me regarder avec un sourire un peu triste.

---

1. C'est ainsi que les Anciens appelaient le détroit de Gibraltar (N.d.t.).

– Je pense que tu oublies parfois à quel point nous nous ressemblons, papa.

– Peut-être, surtout lorsque nous sommes séparés. Lorsque tu es avec moi, je me sens plus fort et meilleur.

– Aucun fils ne pourrait demander mieux. Je souhaiterais seulement que tu éprouves le même sentiment...

Il n'acheva pas sa phrase, mais elle était parfaitement claire. Il pensait à celui qui n'était pas avec nous – à Meto, resté à la maison avec sa mère et sa sœur, exclu une fois de plus des affaires de son père.

5

— Allons, demandai-je en m'installant confortablement sur l'herbe, dis-moi ce que tu sais de Catilina et de son cercle.

Eco prit un air chagrin.

— J'accepte la responsabilité de savoir, dis-je.

— Ce n'est pas seulement à toi que je pense, mais à moi-même. Si Catilina venait à savoir qu'il y a eu une brèche dans son secret et que j'en suis responsable...

— Tu sais que tu peux te fier à ma discrétion.

— Très bien, dit-il en soupirant. Tout d'abord, ils sont plus nombreux que tu ne peux croire. Cicéron et Marcus Cælius parlent toujours de leurs ennemis comme s'ils étaient légion, mais tu sais à quel point Cicéron a tendance à l'exagération.

— Cicéron, exagérer ? Allons donc ! dis-je en me moquant.

— Oui. Mais dans ce cas, il a vraiment de bonnes raisons de s'alarmer.

— Que trament donc ces conspirateurs ?

— Cela reste encore imprécis dans le détail, même entre eux, mais une sorte d'insurrection armée paraît définitivement décidée, et l'assassinat de Cicéron est la première de leurs priorités.

— Tu veux dire que tous ces gardes du corps et cette ridicule cuirasse n'étaient pas simplement pour la montre ? Je pensais que c'était un truc vulgaire pour effrayer les électeurs.

— Je ne suis pas sûr que Catilina ait voulu la mort de Cicéron avant les élections, car s'il les avait remportées, les choses auraient pu aller très différemment. Mais à présent, ses parti-

323

sans sont unanimes sur ce point : il faut éliminer Cicéron, en partie par vengeance, en partie pour donner une leçon aux Optimates et à leurs partisans.

— Qui sont ces hommes ? Des noms !

— Le premier est Catilina, bien sûr. Il ne se déplace jamais sans la compagnie d'un jeune homme, du nom de Tongilius.

— Je les connais tous les deux, pour les avoir eus sous mon toit. Qui d'autre ?

— Après Catilina, le chef est Publius Cornelius Lentulus.

— Lentulus ? Lentulus la Jambe ? Non ! Ce vieux débauché, sali de tous les vices ?

— Lui-même.

— Catilina a choisi un personnage haut en couleur comme collaborateur principal. Tu connais l'histoire de ce type ?

— Tout le monde la connaît, dans l'entourage de Catilina. Et tout le monde sourit, comme toi, en entendant son nom.

— C'est un vieil enchanteur, je le reconnais. J'ai travaillé pour lui, il y a six ou sept ans, aussitôt après son expulsion du Sénat. Tout en lui trahissait la crapule, mais je n'ai pas pu me défendre d'une certaine sympathie pour lui. Je crois que ses collègues du Sénat l'aimaient aussi, d'une étrange façon, même en votant son expulsion du Sénat. Est-ce que quelqu'un l'appelle la Jambe en face ?

— Seulement ses amis patriciens, dit Eco.

La Jambe était le surnom que Lentulus avait gagné sous la dictature de Sylla, alors qu'il exerçait la fonction de préteur. Une importante somme d'argent avait disparu des caisses de l'État, lorsqu'il était en charge. Le Sénat l'avait convoqué pour explications ; Lentulus se présenta, déclara effrontément qu'il n'avait pas de comptes à rendre mais qu'il leur offrait cela, et il montra sa jambe dans un geste de provocation enfantin. Il s'en tira avec cette parade, largement grâce à ses liens de parenté avec Sylla, sous la dictature de qui le détournement de fonds était un jeu d'enfant, mais le surnom lui est resté. À un autre moment de sa carrière, Lentulus a été jugé pour un autre délit, mais acquitté avec une majorité de deux juges en sa faveur. On l'a entendu alors se plaindre qu'il avait dépensé inutilement son argent, en achetant un juge de trop. Une crapule, comme je l'ai dit, mais non dépourvue d'un certain sens de l'humour.

Les scandales qui l'entouraient ne l'ont pas empêché de poursuivre le *cursus honorum* classique, puisqu'il a fini par atteindre le consulat. Malheureusement pour lui, ce fut au pire moment, dans le temps de la révolte servile conduite par Spartacus. La quasi-totalité du pouvoir fut alors discréditée par la conduite catastrophique des opérations. Un an après son consulat, dépourvu d'alliés et vulnérable à ses ennemis politiques, Lentulus a été chassé du Sénat pour mauvaise conduite notoire. Mais il a persévéré : à un moment de la vie où la plupart des hommes auraient été brisés par l'humiliation et trop fatigués pour récupérer, il reprit son parcours politique à zéro, comme un jeune homme. Un an plus tard, il obtenait une charge de préteur, plus de dix ans après la première, gagnant du même coup le droit de revenir au Sénat, dû à sa hardiesse effrontée mais aussi à un certain nombre d'autres facteurs : le grand nom patricien de la famille des Cornelii (celle des Scipion et de Sylla) ; des antécédents populistes dus à un fameux grand-père, mort soixante ans plus tôt, lors des émeutes anti-Gracques ; son mariage avec l'ambitieuse Julia, parente de César, avec qui il avait un jeune fils, Marc Antoine ; enfin, un style oratoire apparemment relâché, en fait savamment calculé, qui combinait le charme de son humour ravageur et les visées de son ambition agissante.

— Quels sont donc les motifs de Lentulus pour conspirer contre l'État ? demandai-je. Après tout, il a récupéré son rang sénatorial ; il pourrait même briguer de nouveau le consulat.

— Sans aucun espoir de l'emporter. Derrière son sens aigu de l'humour, il y a une bonne dose d'amertume et une impatience fébrile. Voici un homme qui a dû tout recommencer au milieu de sa vie ; il cherche fiévreusement un raccourci pour atteindre son destin.

— Son destin ?

— Il semble y avoir du nouveau dans son personnage depuis peu de temps : une faiblesse pour les diseurs de bonne aventure et autres devins plus ou moins charlatans. Ils lui ont fait gober des vers prétendument issus de livres sibyllins, selon lesquels

325

trois hommes de la famille des Cornelii gouverneraient Rome. Nous en connaissons tous déjà deux : Cinna, le collègue de Marius, et Sylla. Qui pourrait être le troisième, sinon lui ?

— Ces charlatans ont annoncé sans rire à Lentulus qu'il était promis à la dictature ?

— Pas aussi clairement. Ces devins sont des gens intelligents. Tu sais que les oracles sibyllins comportent des acrostiches, les premières lettres de chaque vers du bref poème composant un mot à découvrir. D'après toi, quel était ce mot ?

— Cela commence par un L ?

— Naturellement : *L-E-N-T-V-L-V-S* ! ! ! Ils ont eu l'habileté de le faire découvrir à l'intéressé lui-même. Il est convaincu aujourd'hui que les dieux le destinent à gouverner Rome.

— Il est fou, et je comprends mieux ce que tu veux dire par « illusions ». Pourtant, un homme comme lui, parvenu si haut et tombé si bas, puis relevé, devrait sentir que la Fortune lui garde quelques surprises. Ainsi, Lentulus est la jambe sur laquelle s'appuie Catilina.

— L'une des deux, mais l'autre est loin d'être aussi solide.

— Je t'en prie, plus d'énigmes sur les parties du corps !

— La seconde jambe est un autre sénateur de la famille des Cornelii, Caius Cornelius Cethegus.

— Pas de surnom, celui-là ?

— Pas encore. Peut-être est-il trop jeune pour en avoir acquis un... Mais ce pourrait être Tête Brûlée !

— Jeune, dis-tu, mais s'il est au Sénat, il doit avoir au moins trente-deux ans ?

— À peine ou tout juste. C'est un patricien comme Catilina et Lentulus, avec les mêmes défauts. Les hommes élevés dès l'enfance dans une haute opinion d'eux-mêmes sont bien différents.

— Certes ! approuvai-je en songeant à l'aisance naturelle de Cicéron et à la jalousie qu'il devait éprouver devant cette affectation si naturelle de supériorité.

— Comme Lentulus, Cethegus est du clan des Cornelii, pourvu de puissantes relations et d'obligations anciennes. Mais il n'a pas la persévérance de longue haleine dont est doté Lentulus ; il est jeune, impétueux, impatient, avec une réputation de violence. Il ne joue pas un grand rôle au Sénat parce que ce n'est pas un orateur ; il brûle d'agir, mais il est fâché avec les mots. Il est également brouillé avec sa famille immédiate : il a un frère aîné au Sénat, à qui il ne parle pas. On dit qu'il y a là-dessous une affaire d'héritage. Cethegus estime qu'il a été doublement floué et par sa famille et par le Destin.

— C'est le candidat idéal pour une révolution...

— Il attire, malgré son manque de charme, les jeunes gens de bonne famille qui lui ressemblent, contempteurs de la rhéto-rique, qui haïssent les manœuvres des politiciens et l'ostra-cisme qu'ils subissent de la part des Optimates ; ils n'ont pas l'argent nécessaire à leur carrière, mais ils sont d'autant plus avides de pouvoir.

— Ceux-là sont les principaux conspirateurs ?

— Oui. Lentulus en raison de sa persévérance, Cethegus pour son énergie et sa vigueur.

— Ce sont les jambes, avons-nous dit, et Catilina est la tête. Mais entre celles-là et celle-ci, il doit y avoir un tronc, sans compter les bras, les mains et les pieds...

— Je croyais que tu en avais assez des métaphores anatomi-ques !

— Je croyais aussi que je ne voulais rien savoir de tout cela et pourtant je te questionne, tu vois comme on se trompe...

— Très bien. Le tronc pourrait être le peuple de Rome, natu-rellement. *Si* Catilina réussit à l'entraîner derrière lui, et *si* Len-tulus et Cethegus mènent les affaires comme il faut, le corps risque d'être puissant. Pour ce qui est des bras et des mains, un grand nombre de personnages sont en contact avec Catilina et ses amis : des sénateurs, des chevaliers, d'anciens riches désireux de se refaire, des riches actuels qui veulent le devenir davantage, des citoyens ordinaires et des affranchis. Certains semblent attirés par la simple excitation du danger de l'entre-prise, d'autres sont fascinés par la personnalité de Catilina. Je crois même que l'on trouve des idéalistes songe-creux, sincère-ment convaincus qu'ils vont changer le monde.

— Eco, te voilà devenu aussi blasé que ton père ! Peut-être vont-ils changer le monde, mais qui peut dire si ce sera en bien ou en mal ? Des noms, Eco !

Il me débita une longue liste. Certains de ces noms m'étaient familiers, d'autres non.

— Mais tu reconnaîtras certainement les noms de Publius et de Servius Cornelius Sylla, dit-il.

— Les neveux du dictateur ?

— En personne.

— « Grandeur et décadence ! », dis-je en citant une des maximes orientales de Bethesda.

— Les liens avec l'ancien parti syllanien sont profonds. On compte, parmi les plus chauds partisans de Catilina, les anciens soldats du dictateur, qu'il a établis dans les colonies de l'Étrurie et du nord. La plupart d'entre eux n'ont pas réussi comme fermiers et rongent leur frein, en se rappelant les grandes et glorieuses campagnes d'Orient, avec Sylla, puis les triomphes de la guerre civile. Le monde entier était naguère à leurs pieds ; aujourd'hui, ils sont dans la boue jusqu'au cou et le fumier de leurs fermes en faillite. Ils pensent que Rome leur doit plus que ce qu'ils ont reçu. Maintenant que leur champion attitré – Catilina – a perdu sa dernière chance d'être élu consul, ils sont sans doute prêts à prendre les armes pour ce que l'on voudra. Ils remisent leurs charrues pour leur vieille armure ; ils fourbissent leur cuirasse et leurs jambières, aiguisent leurs glaives et fixent de nouvelles pointes à leur javelot.

— Mais ces vétérans décatis peuvent-ils vraiment mener une révolution par les armes ? J'imagine que toutes ces vieilles cuirasses sont un peu rouillées, sans compter qu'elles serrent le ventre ! Sylla a peut-être commandé jadis la meilleure armée du monde, mais ses soldats survivants ont dû grisonner et faire de la graisse depuis.

— Leur chef est un vieux centurion du nom de Gaïus Manlius. C'est lui que Catilina va régulièrement voir à Fæsulæ. Il représente les intérêts des vétérans depuis des années et il est devenu leur chef naturel. C'est Manlius qui les a conduits en masse à Rome, pour voter Catilina ; c'est lui qui les a contrôlés pour les empêcher de se livrer à des violences, à l'annonce de son échec. Un bain de sang après l'élection aurait été prématuré et Manlius a gardé la discipline dans les rangs. Ses cheveux sont couleur de neige, mais l'on dit qu'il est dans une forme splendide, avec des épaules de taureau et des bras qui peuvent tordre une barre de fer. Il a entraîné les vétérans et il a constitué en secret des caches d'armes.

— Manlius est-il vraiment en mesure de lever une véritable armée ?

— C'est ce que pensent les conspirateurs à Rome, à moins que ce ne soit encore une de leurs illusions nées du désespoir.

— Ils ont peut-être bien raison, quand même. Sylla a eu jadis une armée imbattable. Ils ont combattu pour la gloire et le butin lorsqu'ils étaient jeunes ; ils pourraient maintenant combattre pour leur argent et leur famille... Qui d'autre encore soutient Catilina ?

— Il y a des femmes, naturellement.

— Des femmes ?

— Une certaine coterie, surtout dans la haute société romaine, qui aime les intrigues politiques. Pour ses ennemis, Catilina est une sorte de maquereau qui leur fournit des jeunes gens de son entourage en échange de bijoux à vendre ou de secrets honteux au sujet de leurs maris. Mais je soupçonne que beaucoup d'entre elles – riches, bien éduquées et délicieuse- ment languissantes – sont aussi avides de pouvoir que les hom- mes, tout en sachant qu'elles ne l'auront jamais par des voies ordinaires. Qui sait les promesses que Catilina a pu leur faire ?

— Des politiciens sans avenir, des soldats sans armée, des femmes sans pouvoir. Quelle assemblée ! Qui d'autre soutient Catilina ?

Eco hésita un moment.

— Des rumeurs insistantes font état d'hommes bien plus importants que Lentulus et Cethegus, beaucoup plus puissants que Catilina lui-même.

— Tu veux dire Crassus ?

— Oui.

— Et César ?

— Oui. Mais comme je l'ai dit, je n'ai aucune preuve de leur implication directe. Les conspirateurs, eux, croient dur comme fer qu'ils soutiendront tout ce qu'entreprendra leur chef.

— Crois-moi, dis-je en secouant la tête, Crassus est bien le dernier qui profiterait d'une révolution armée. César le pourrait sans doute, mais uniquement si cela servait ses intérêts spécifiques. Toutefois, s'ils sont impliqués ou même s'ils se contentent de soutenir tacitement Catilina...

— Tu mesures à quel point on change d'échelle.

— Oui. Pas étonnant que Cicéron soit si nerveux et remplisse la ville d'espions à sa solde.

— Cicéron sait toujours tout ce qui se passe en ville – et je dis bien tout ; on dit qu'il n'est jamais pris par surprise, que l'affaire soit une émeute au théâtre ou une insulte contre lui, proférée sur le marché aux poissons. Il a une passion pour le renseignement.

— Dis plutôt une obsession. Typique d'un homme nouveau : les patriciens n'ont pas besoin de vérifications constantes pour se sentir sûrs de leur situation. Et cela a commencé avec moi, lorsque j'ai mené l'enquête sur Sextus Roscius pour un jeune avocat prometteur, avec un nom bizarre. Je suppose que j'ai été le premier agent du réseau cicéronien. Et maintenant, c'est ton tour ! Mais qui sont les autres ?

— Cicéron est un chef de réseau trop astucieux pour que ses agents se connaissent entre eux. Comme je lui fais mes rapports, je sais seulement que Marcus Cælius est à coup sûr l'un d'eux...

— Si tant est que nous puissions être sûrs de lui.

— Je pense que oui, à moins qu'il ne soit plus intelligent que Cicéron et Catilina réunis. Mais il lui faudrait être un dieu incarné pour brouiller les cartes.

— Au point où nous en sommes, cela ne m'étonnerait qu'à moitié. Toute cette affaire sent le vilain. Donne-moi plutôt un bon vieux meurtre, bien honnête, à débrouiller.

— C'est notre époque qui veut ça, papa !

— Et quelle est exactement l'imminence de la crise ?

— Difficile à dire. C'est comme une marmite qui bout sur le feu. Catilina est méfiant. Cicéron mise sur le temps, espérant que ses ennemis commettront quelque faux pas qui lui donnera un témoignage irréfutable contre eux. Et, Marcus Cælius dit que tu as accepté de jouer le rôle que tu as déjà joué, en acceptant de recevoir Catilina.

— Je n'ai jamais accepté cela !

— Tu l'as refusé à Cicéron, lorsqu'il est venu te voir, à Rome ?

— Et de plus d'une façon ! dis-je.

— Pour Marcus Tullius, tout ce qui n'est pas un non franc et massif signifie « oui », et même un non signifie pour lui « peut-être » ! Il aura mal compris : Cælius paraît certain que tu as accepté de continuer comme si de rien n'était. Papa, fais ce que Cicéron te demande. Il se peut que Catilina ne revienne jamais, mais s'il revient, accorde-lui l'hospitalité. Tu n'as même pas besoin de prendre parti. J'ai joint mon sort à celui de Cicéron et tu devrais peut-être en faire autant, au moins par un concours passif. Au bout du compte, ce sera pour le bien de tous ceux que tu aimes.

— Je suis surpris, Eco, de t'entendre dire que je dois mettre tout le monde en danger ici, parce que cela servirait à long terme.

— Le tracé de l'avenir est déjà établi, papa. Tu l'as dit toi-même : tu ne saurais éviter complètement le danger, pas plus que tu ne peux renoncer à ta quête de la vérité.

— Mais que fais-tu de mon exigence de justice ? Où est-elle au milieu de tant de confusion ? Comment la reconnaîtrais-je, même si je la trouve ?

Eco n'avait pas de réponse à ma question. Il fallut l'arrivée de Diane, qui avait chaussé les sandales de Meto, pour nous sortir du silence. Meto suivit bientôt sa petite sœur, qu'il empoigna par les épaules en hurlant : « Mes sandales, petite harpie ! » Il la secoua pour les récupérer et il les enfila rapide-ment avant de disparaître, non sans m'avoir jeté un regard noir. Diane, maintenant pieds nus dans l'herbe, hurlait que c'était son anniversaire, qu'elle voulait aller se promener en sandales et en toge, que ce n'était pas juste, etc.

Comment lui expliquer que son anniversaire n'avait rien à voir avec les seize ans de Meto ? Et où était la justice, en vérité ?

6

Il avait sans doute été maladroit – une maladresse de plus – d'exclure Meto de ma conversation avec Eco. Toutefois, la puérilité de son comportement avec Diane contredisait totalement ses prétentions à l'état d'adulte. Je ruminai là-dessus le reste de la journée, tandis que Meto boudait d'avoir été mis à l'écart. Eco méditait sur l'apparition de Forfex et sur l'entêtement de son père, et Ménénia s'interrogeait sur le trouble dans lequel elle voyait son mari. Quant à Bethesda, elle n'était guère heureuse de la morosité ambiante, surtout au moment de l'anniversaire de sa fille. En revanche, une fois qu'elle eut cessé de crier et de pleurer, Diane recouvra d'un coup toute sa bonne humeur.

Heureusement, le jour même de l'anniversaire se passa sans contrariétés. Congrio se surpassa et sa cuisine nous fit oublier nos soucis. Ménénia avait fait quelques emplettes à Rome et Diane fut comblée de petits cadeaux : un ruban bleu pour ses cheveux, un peigne de bois, une écharpe bleue et jaune comme celle que Bethesda avait achetée pour Ménénia et que la petite convoitait. Elle fut l'objet de toute notre attention, ce qui permit à chacun de chasser ses idées noires.

Eco retourna à Rome dès le lendemain. Les derniers jours de sextilis passèrent rapidement et septembre [1] arriva en un clin

---

1. Il s'agit ici de l'ancien calendrier romain, antérieur à la création et à l'insertion des mois de juillet (pour César) et d'août (pour Auguste). « Septembre » est donc, comme son nom l'indique, le « septième » mois de l'année, soit l'équivalent de la seconde moitié de l'été (N.d.t.).

d'œil. C'était un mois chargé pour la ferme, avec les préparatifs de la moisson et des autres récoltes. Les longues journées n'étaient pas de trop pour reprendre les activités délaissées au printemps et au début de l'été. Chaque jour amenait un lot de travaux supérieur à ce que l'on pouvait exécuter. Terminées les journées passées dans mon cabinet ou sur la crête de la colline à essayer de résoudre les mystères Nemo et Forfex. Je trouvais dans l'épuisement physique un refuge salutaire et tombais chaque soir dans un sommeil sans rêve. Les esclaves ne savaient que penser d'un maître qui se donnait tant de peine ; j'imaginais mal que Lucius Claudius eût poussé l'effort jusqu'à cueillir une olive sur un arbre. Grâce à ce déploiement d'énergie, je finis par gagner le respect d'Aratus ; inversement, en travaillant quotidiennement à ses côtés et en voyant comment il gérait les problèmes et traitait les esclaves dont il avait la charge, je finis par me fier à la fois à son jugement et à sa loyauté.

J'essayais de déléguer autant de responsabilités que possible à Meto, cherchant à adoucir son ressentiment d'avoir été mis à l'écart de ma longue conversation avec Eco, mais toutes les tâches que je lui confiais étaient à moitié faites. Il s'ennuyait de plus en plus à la ferme, à moins qu'il n'ait décidé de saboter son travail, par négligence ou dépit. Plus je cherchais à l'inclure dans la direction de l'exploitation, plus le fossé entre nous semblait se creuser ; il me devenait de plus en plus incompréhensible. Mes relations avec Bethesda, en revanche, entrèrent dans une phase délicieusement suave. Elle laissait, le soir venu, descendre ses cheveux en cascade de ses épaules jusqu'à ses reins, et savait à merveille réveiller la force qui restait en moi après une dure journée de labeur.

Le niveau de la rivière continuait à baisser et l'eau du puits restait impropre à la consommation, mais Aratus jura que nous pourrions tenir jusqu'aux pluies d'automne. Je décidai d'acheter du foin à Claudia afin de nourrir les bêtes cet hiver, mais elle n'en avait malheureusement pas assez pour m'en vendre. Il était hors de question que je demande à mes autres voisins et les fermiers de la région n'étaient pas prêts à vendre leurs stocks (quand ils en avaient), préférant attendre les moments de vraie pénurie pour en tirer de meilleurs prix. Le problème se réglerait le moment venu, à supposer que j'eusse l'argent nécessaire pour acheter ce dont j'aurais besoin. Sinon je me résoudrais à abattre une partie de mon troupeau. Mais j'étais surtout, pour l'heure, préoccupé par mon moulin à eau. Aratus n'avait pas de solution et Meto, invité à réfléchir avec moi, ne manifestait aucun intérêt. L'échec de ce projet n'aurait pas été si important si je ne l'avais fait en mémoire de Lucius Claudius. De plus, j'avais commis l'imprudence d'en parler à Publius Claudius et je n'osais imaginer les sarcasmes et les commentaires qu'il n'allait pas manquer de faire.

Le matin des ides de septembre, je fis un saut jusqu'au village voisin. Nous construisions alors un nouveau mur de pierre, sur l'un des côtés de l'écurie, et j'avais besoin de quelques travailleurs supplémentaires pour la journée. Or il y avait, au village, un marché où l'on pouvait se procurer de la main-d'œuvre journalière. J'aurais pu envoyer Aratus régler seul l'affaire, mais compte tenu des horreurs que la ferme avait connues, je préférais vérifier moi-même la provenance de mes journaliers avant de les introduire dans ma propriété.

Aratus et moi quittâmes donc la ferme le matin de bonne heure et revînmes quelques heures plus tard à la tête d'une petite troupe de six journaliers. C'étaient des esclaves sans chaînes, des hommes de confiance loués par leur maître moyennant finances. J'aurais préféré des affranchis mais l'entrepreneur qui contrôlait le marché du travail, dans le village, m'avait dit qu'ils étaient de plus en plus rares. Par ces temps de pénurie, ils en étaient souvent réduits à vendre la seule chose qu'ils possédaient – leur liberté, parfois si durement conquise – pour se vendre comme esclaves et échapper ainsi à la disette et à la mort.

Comme nous quittions la voie Cassienne, Aratus qui chevauchait à mon côté dit soudain : « De la visite, maître ! » En effet, deux chevaux étaient attachés au mur de l'écurie. Je laissai les ouvriers sous la conduite d'Aratus et partis au galop. J'avais chargé Meto de la responsabilité de la ferme en mon absence, pensant que cela flatterait son orgueil, mais il n'était pas en vue lorsque j'arrivai près de la maison et ne vint pas quand je l'appelai. L'esclave qui était de garde – depuis la découverte de Forfex, j'avais ordonné une surveillance permanente du domaine – sauta du toit de l'écurie quand il m'aperçut.

– Où est Meto ? demandai-je assez brusquement.

– En bas, près du moulin, maître.

– Les visiteurs ?

– Également en bas, près du moulin.

– Deux seulement ?

Il acquiesça puis remonta à son poste de guet, tandis que je partais au galop. En approchant du moulin, je ralentis, m'arrêtai et mis pied à terre. Je laissai le cheval partir en quête d'herbe fraîche et continuai à pied. Arrivé au seuil du moulin, j'entendis une voix familière.

– Le problème doit donc être là. Il est manifeste que ces deux pignons n'ont jamais été faits pour travailler ensemble, comme si l'on voulait atteler un âne et une chèvre.

Cette affirmation péremptoire fut suivie de rires francs, celui de Meto, que je n'avais pas entendu si clair depuis des jours, et un autre. Je franchis le seuil et aperçus Tongilius le dos appuyé au mur, les bras croisés. Sa tunique était poussiéreuse et ses cheveux soufflés par le vent de la chevauchée. Meto se tenait à côté de lui et tous deux regardaient Catilina qui rampait parmi les roues, les pignons et les axes de bois. À mon entrée, tous regardèrent de mon côté.

– Gordien ! dit Catilina. Quelle œuvre tu as créée ! Tu as fait les plans toi-même ?

– Avec l'aide d'Aratus.

– Stupéfiant ! On te savait déjà intelligent, mais personne ne peut plus dire que tu manques d'ambition. Je croyais que tous les ingénieurs étaient occupés à construire des catapultes et des tours de siège pour les légions, ou bien des ponts et des aqueducs sur ordre du Sénat. Tu as du talent ; qui t'a appris ?

– Les livres et le bon sens. Avoir des yeux et des oreilles aide aussi beaucoup. Mais pas assez, hélas ! Le moulin ne veut pas marcher.

– Ah, mais il va marcher ! Il n'y a qu'une seule chose qui le bloque.

– Que veux-tu dire ?

– Regarde cet axe. Il est faux.

336

— Comment cela ?

Son assurance tranquille m'irritait mais, dans le même temps, je soupçonnais qu'il savait de quoi il parlait.

— Il devrait partir d'ici, dit-il en pointant l'endroit, et être précisément perpendiculaire au dispositif actuel.

— Mais cela impliquerait de tout modifier alentour, de changer totalement la structure ! répliquai-je, refusant de croire à la facilité de la solution.

— Pas du tout ! Les deux pignons vont s'engrener latéralement, en parallèle, au lieu de se rencontrer à angle droit. Tel quel, le dispositif se bloque après un tour, mais avec ce petit changement...

— Par Hercule ! Pourquoi n'ai-je pas vu ce qui crevait les yeux ?

Catilina avait raison, absolument raison, sans l'ombre d'un doute. Il posa sa main sur mon épaule. Content et sûr de lui, il ressemblait à un jeune homme, et pas du tout à un conspirateur tortueux.

— Tu vois, Gordien, de temps en temps, un simple changement de perspective peut aider considérablement un homme. Tu n'es pas le seul à en avoir besoin.

Sa voix se fit plus grave. Il me regarda intensément tout en resserrant son étreinte. Je contemplais les engrenages, cherchant à me convaincre moi-même de la simplicité de la solution trouvée par Catilina. Sa déduction était-elle aussi simple et logique qu'il le disait, ou était-il un génie ? Comment avait-il fait pour saisir en un instant ce qui me bloquait depuis des semaines ? J'étais tout à la fois irrité, impressionné, heureux et encore sceptique.

— Tu as chevauché longtemps, dis-je machinalement. Directement de Rome, ce matin ?

— Non, du nord, dit Tongilius.

Catilina était allé conférer avec son « général » Manlius et les vétérans de Sylla à Fæsulæ, pensai-je.

— Ton invitation tient toujours, n'est-ce pas ? demanda Catilina avec un grand sourire ; c'est du moins ce que Marcus Cælius m'a laissé entendre.

337

— Mais oui, naturellement, dis-je en me plongeant dans les rouages du moulin pour dissimuler ma gêne.

— Merci. Tu serais surpris – ou peut-être pas ? – par le nombre de mes « amis » et collègues qui n'ont soudain plus de place pour m'accueillir sous leur toit, après mon dernier échec aux élections. Mais d'autres amis surgissent, pour compenser l'équilibre.

Catilina et Tongilius se retirèrent dans la villa pour se changer et se reposer. J'étais trop excité à l'idée de terminer enfin mon moulin pour les rejoindre. Au lieu de construire le nouveau mur de l'écurie, j'employai l'équipe de journaliers à réaligner les axes et les engrenages. Nous travaillâmes jusqu'à la nuit. Bethesda envoya Diane me chercher pour dîner, mais je lui dis de revenir avec un peu de pain et de fromage. Le nouveau dispositif fut finalement en place. En l'absence d'eau en quantités suffisantes, les esclaves actionnèrent manuellement la roue à aubes : les axes tournèrent, les dents s'engrenèrent, la meule accomplit un tour, puis un autre, puis encore un autre, sans à-coups.

De petits ajustements seraient nécessaires, l'édifice était à compléter et l'usage apporterait son lot d'améliorations, mais le moulin marchait. Ce moment me remplit d'une plénitude plus grande que je n'aurais imaginé. Aratus arborait un sourire comme je n'en avais jamais vu sur son visage ; même Meto oublia sa bouderie habituelle et sembla partager mon excitation. Catilina aurait dû être avec nous ; je regardai du côté de la maison dont les fenêtres étaient toutes éteintes, et je m'étonnai une fois encore de la simplicité de son génie.

7

Bien que le jour eût été long et chaud, la nuit fut agréable. J'étais couvert de poussière, de sueur et de crasse ; il était tard, mais excité comme je l'étais, je n'avais pas sommeil. Alors que je travaillais encore au moulin, j'envoyai des ordres à la maison pour que l'on me préparât un bain chaud. Étant donné les restrictions d'eau, c'était une extravagance ; depuis des jours nous nous lavions parcimonieusement, à l'éponge et à la strigile. Mais je méritais bien une récompense.

Meto déclara qu'il était trop fatigué pour partager le bain avec moi. Il se passa rapidement une éponge mouillée sur le corps puis alla droit au lit. Lorsque j'ouvris la porte des bains, un nuage de vapeur enveloppa mon corps nu ; je glissai douce-ment dans le bassin, jusqu'au cou, mais comme j'étendais les jambes, j'en touchai une autre sous l'eau. Je sursautai à peine, car ce n'était pas vraiment une surprise de trouver Catilina dans l'eau chaude. Je l'aperçus enfin, à travers la vapeur ; il souriait en buvant de petites gorgées de vin.

— Tu ne t'attendais pas à me trouver ici, n'est-ce pas ? Je veux dire, dans ton bain.

— Quel hôte serais-je pour refuser ce plaisir à un invité ?

— J'ai entendu tes esclaves transmettre l'ordre d'allumer l'hypocauste et je n'ai pas pu résister. J'ai tant chevauché que j'ai les fesses dures commes les pierres.

Il gémit en émergeant un peu de l'eau.

— Où est Tongilius ?

339

– Au lit. Alors ton moulin, il marche ?

– Oui. C'est magnifique ! Tu aurais dû être là. Je voulais envoyer quelqu'un te chercher, mais j'ai pensé que tu devais dormir.

– Ça ne risquait pas ! J'y ai renoncé, depuis peu, pas de temps pour cela !

– Tu as toujours autant d'activités ?

Je pensais – ou faisais mine de penser – que, après avoir perdu des élections, un homme a quelque temps libre.

– Plus que jamais ! Exactement comme si j'avais gagné les élections. Je doute qu'un autre homme, dans la République, ait un calendrier aussi chargé que le mien.

– J'en connais pourtant au moins un, dis-je.

– Le consul ? D'accord, mais Cicéron peut, de temps en temps, fermer l'œil : il en a tant d'autres – ainsi que des oreilles – dans tout Rome pour veiller à sa place quand il dort.

Je scrutai un long moment le visage de Catilina, mais n'y décelai aucun sous-entendu dans cette référence aux espions de Cicéron. C'était manifestement un sujet qui hantait mon interlocuteur, dans quelque compagnie qu'il se trouvât : le cercle de ceux à qui il pouvait faire confiance se réduisait sans doute de plus en plus.

– Tu es venu du Nord ? dis-je pour faire diversion.

– Oui. Fæsulæ et Arretium.

– Et tu redescends sur Rome ?

– Demain.

Comme l'eau se refroidissait un peu, j'appelai un esclave pour lui ordonner de remettre du bois dans le feu ; je lui fis également apporter deux coupes de vin frais.

– Tu dois être très heureux ici, Gordien, dit Catilina s'un air désenchanté.

– Assez heureux, en effet.

– Je ne me suis jamais consacré à la gestion quotidienne d'une ferme ; j'en possédais quelques-unes en dehors de Rome, mais je les ai vendues depuis longtemps.

– Tu sais, ce n'est pas exactement le rêve bucolique que les poètes se plaisent à imaginer...

— Je suppose, dit-il en riant doucement, que la réalité a des angles plus durs.

— Oui. Il y a des problèmes, des grands et des petits, mais toujours plus que tu ne peux en faire rentrer dans la boîte de Pandore, quels que soient tes efforts.

— Diriger une ferme, ce n'est pas si différent de diriger une République, en somme.

— Tout est affaire de taille et d'échelle. Naturellement, certains problèmes sont communs à tous les hommes : quelle confiance accorder à un esclave ? Comment apaiser une femme exigeante ? Comment essayer de faire au mieux avec un fils qui pense qu'il est un homme alors qu'il n'est encore qu'un adolescent...

— Ah, Meto ! Tu as des difficultés avec lui, n'est-ce pas ?

— Depuis qu'il a revêtu sa toge virile, nous ne nous entendons plus. Il m'intrigue ; à dire vrai, mon propre comportement envers lui me rend perplexe. Je me dis qu'il est à un âge difficile, mais je finis par me demander si ce n'est pas le mien qui pose problème.

— Quel âge as-tu donc ? demanda Catilina en riant.

— Quarante-sept ans.

— J'en ai quarante-cinq. Un âge difficile, en effet ! Qui sommes-nous, où avons-nous été, vers quelle fin nous dirigeons-nous ? Tout bien pesé, je crois qu'il est plus difficile d'avoir quarante-cinq ans que seize, ne serait-ce que parce que l'on voit alors beaucoup plus clairement toutes les possibilités qui sont à jamais devenues hors d'atteinte ! J'ignore quels sont tes problèmes avec Meto, mais je pense quand même que tu as beaucoup de chance de l'avoir. Mon propre fils étant mort...

Il laissa sa pensée inachevée. Cicéron avait beau parler de la ruse et de la séduction conscientes de Catilina, le soupir de ce dernier n'avait rien de calculé ni de faux.

— Étais-tu à Rome le jour de l'élection ? demanda-t-il doucement.

— Mais oui ! Toute la famille y était, pour la fête de la majorité de Meto.

— Ah oui, je me rappelle, Cælius m'a raconté que ton garçon venait d'avoir seize ans.

— Il a même rempli son premier bulletin de vote.

— Pour moi, j'espère.

— En effet. Mais notre centurie a donné sa voix à Silanus.

Nous restâmes un moment silencieux, chacun perdu dans ses pensées. Puis Catilina reprit la parole.

— As-tu jamais été accablé par les doutes, Gordien ? Je devine seulement ton visage à travers les vapeurs du bain, mais je crois bien que oui...

Il aspira une petite gorgée de vin.

— Est-ce parce que nous avons presque le même âge que nous nous comprenons toi et moi ? Qu'avons-nous en commun ? Tu es un plébéien, je suis un patricien ; j'aime la ville, tu vis à la campagne ; je m'abandonne à tous les appétits, tu respires la sobriété ; je suis vif en politique, tu lui tournes le dos. Tu détestes le pouvoir en place — je le sais par Marcus Cælius — et même si tu ne veux pas faire plus, je te suis reconnaissant de m'accorder refuge ici lorsque j'en ai besoin. Cælius a également attiré mon attention sur ton fils aîné, Eco : un homme de valeur, aussi capable que son père, dit-on. Cælius et Eco m'ont demandé, tous les deux, de ne pas trop t'ennuyer avec mes plans et je ne le ferai pas. Tu fais assez en me laissant venir ici un soir de septembre, boire ton vin, profiter de ton bain et te raconter les états d'âme d'un candidat battu. Aurais-tu l'amabilité de rappeler ton esclave ? Je voudrais encore un peu de vin.

Je compris soudain que Catilina était légèrement ivre ; pas étonnant que sa langue fût si déliée et sa garde ainsi baissée. J'appelai l'esclave et fis servir du vin.

— Dois-je lui dire de faire réchauffer l'eau ? demandai-je.

— C'est plus que chaud, tu ne trouves pas ? Pour ma part, je suis cuit à point. Il serait peut-être temps d'un plongeon dans l'eau froide, non ?

— Pas de piscine froide, ce soir !

— Comment ? Un bain chaud sans un bain froid à la suite ?

— J'ai un petit problème d'eau avec mon puits.

Je guettai en vain sur le visage de Catilina un signe indiquant qu'il savait.

342

– Jusqu'aux pluies d'automne, nous serons à court d'eau dans la ferme. Le puits a été pollué voici un mois.

– Pollué ?

– Nous y avons trouvé un corps pourri.

– Quelle horreur ! C'était une chèvre ?

– Ce n'était pas le corps d'un animal.

– Que veux-tu dire ?

– Je veux dire que c'est un homme que nous avons trouvé dans le puits.

– Quoi ? L'un de tes esclaves est tombé dedans ?

– Pas l'un des miens. L'esclave d'un voisin. Tu connaissais cet homme.

– Cela m'étonnerait fort.

– Mais si, je t'assure. Je le sais bien, puisque j'étais là. C'était Forfex.

– Le nom ne me dit rien...

– Tu ne te rappelles pas le chevrier de mon voisin, sur la montagne ? Il nous a montré la mine abandonnée.

– Oh mais oui ! Naturellement ! Forfex. Mais mort, dis-tu ? Dans ton puits ? Pourri, en plus de ça ?

– Le corps n'a été trouvé qu'au bout de quelques jours.

– Je n'aurais pas aimé le voir quand vous l'avez tiré de l'eau.

– Le corps était tout gonflé et putréfié.

– Comment as-tu fait pour le reconnaître, malgré cela ?

– Malgré quoi ?

Je le regardais avec attention : allait-il se trahir et parler de la décapitation ?

– Eh bien malgré la pourriture ! J'ai déjà vu ce qui arrive aux cadavres abandonnés dans la nature, spécialement dans l'eau.

– Nous avons pu l'identifier, en effet.

– Mais de toute façon, que faisait-il dans ta ferme ?

– Nous ne sommes sûrs de rien.

– Un drôle de type, déplaisant au possible, ton voisin. Il pourrait garder ses esclaves chez lui...

– Tu aurais plus de facilité à en convaincre Gnæus Claudius, si tu n'avais pas pénétré par effraction sur ses terres.

343

— C'est exact, je l'ai fait, dit Catilina avec un rire si naturel et si franc que je ne pouvais pas envisager qu'il me cachait quelque chose. Et je vous ai même emmenés avec moi, non ?

Il se replongea un instant dans l'eau chaude, puis sortit brusquement du bassin.

— En as-tu assez aussi, Gordien ?

— Je pense que oui. Je vais devoir sortir, sinon Congrio me servira demain sur un grand plat, une pomme dans la bouche.

— Bon, alors, allons nous sécher en plein air, puisqu'il n'y aura pas de bain froid !

— Je pensais me sécher avec ma serviette...

— C'est absurde ! La nuit est magnifique. Sur l'horizon lointain où le soleil est descendu, le dieu du vent d'ouest s'agite dans son sommeil ; il rêve de printemps. Viens ! Allons faire un tour et laissons Zéphyr nous sécher de son aimable souffle !

— Quoi ? Sans nous habiller ? Sans même nous sécher ?

— Oui, mais nous allons prendre nos souliers ! Regarde, j'ai déjà enfilé les miens. Et je vais emporter ces serviettes, comme ça nous pourrons nous asseoir.

Étourdi par la chaleur conjuguée du vin et du bain, comme subjugué par l'impérieuse volonté de Catilina, je sortis du bassin, enfilai les sandales qu'il me tendait et le suivis, d'abord dans l'atrium, puis hors de la maison.

— Catilina, où allons-nous ? murmurai-je.

Il ne me répondit pas, mais d'un geste m'invita à continuer à le suivre. J'entendis soudain du bruit sur le toit de l'écurie, où se tenait l'esclave chargé du tour de garde. Je répondis à son « Maître ? » inquiet et incertain par un signe de tête sans ambiguïté qui parut le rassurer, bien qu'il continuât de regarder, les yeux écarquillés, l'étrange spectacle offert par son maître et l'invité de celui-ci, se promenant, nus et fumants de vapeur, sous le clair de lune.

— C'est complètement fou, dis-je en suivant Catilina, qui se dirigeait en parfaite connaissance du terrain.

— Qu'est-ce qui est fou ? Se promener nu sur la face de la terre ? Mais quoi de plus pieux, en vérité, que de respecter la volonté des dieux – qui nous ont faits à leur image – en nous montrant à eux tels que nous sommes ? Lorsque j'étais jeune,

344

après un bain chaud par une douce nuit d'été, j'ai souvent fait cela.

– À Rome ?

– Sur le Palatin, en dehors de ma maison. Parfois seul, parfois avec un autre. Rome est remplie de statues qui n'offensent la dignité de personne : pourquoi pas des hommes nus ? Me croiras-tu ? Cela n'a jamais causé le moindre scandale !

– Si tu n'avais pas été si beau que tu l'es encore aujourd'hui, cela aurait pu en faire, non ?

– Crois-tu ? Je ne pense pas... Mais, soit dit en passant, tu n'es pas mal non plus : Tongilius me le faisait remarquer encore récemment.

Tout en plaisantant ainsi, nous avions gravi la colline sur laquelle j'aimais à venir rêver – mais de jour et vêtu. La campagne nocturne, éclairée par la lune, était une splendeur. Je regardai la carrure athlétique de Catilina.

– Si tu avais une barbe, dis-je, tu ressemblerais à Jupiter.

La pensée parut l'amuser.

– Si seulement je pouvais lancer des éclairs, comme le roi des dieux ! Cicéron le peut, lui. Le savais-tu ? Des éclairs émanent de ses doigts quand il parle ; une sorte de foudre, à tout le moins. Il les darde sur la foule, dans le Forum ; des étincelles bleues virevoltent autour de ses doigts et éclatent en flamme bleue. Il envoie ainsi la foudre dans les yeux et les oreilles du peuple, le rendant aveugle et sourd à la raison.

Il mimait la scène, en ayant pris la pose d'une statue.

– Index de Cicéron : « Les vierges vestales doivent être protégées de Catilina ! » Crac ! L'éclair frappe les électeurs de terreur et de répulsion superstitieuse. Médius de Cicéron : « Catilina séduit les jeunes hommes ! » Nouvel éclair, grimace de mépris (et peut-être de jalousie ?) des électeurs. Annulaire de Cicéron : « Catilina est le maquereau des riches matrones ! » Éclair, et hurlement de dégoût des électeurs. Auriculaire : « Sous couvert de servir Sylla, Catilina a assassiné de bons citoyens, violé leurs femmes et leurs enfants ! » Les électeurs tremblent d'épouvante et le tour est joué. Et de son autre main, qu'est-ce qu'il fait, Cicéron, hein ? Eh bien, de son autre main, il se masturbe, non ?

J'éclatai de rire et Catilina en fit autant. Puis il redevint sérieux, et se rassit sur sa souche.

— Cicéron et sa crapule de frère m'ont détruit l'année passée, par leurs mensonges et leurs calomnies, et la foule l'appelle le Premier citoyen de Rome ! Ça ne fait rien, j'aime mieux être Catilina que Cicéron ! Et toi, Gordien ? Qu'aimerais-tu être ? Cicéron ou Catilina ?

— Tu joues toujours à poser des questions, Catilina !

— Et toi tu t'arranges toujours pour ne pas y répondre, n'est-ce pas ? Je pense, moi, que tu aurais peur d'être Catilina.

Il se leva à nouveau, étendit une grande serviette devant lui et se coucha sur le dos, face aux étoiles.

— Viens donc à côté de moi, Gordien ! Même si tu n'aimes pas les garçons...

— Tu ne réussiras pas à me faire changer de camp, Catilina, je te préviens, si décoratif que soit, par exemple, Tongilius...

— Dommage, dommage, dit Catilina dans un grand rire. Tu es pourtant bel homme. Même Tongilius le dit.

Il se tut un instant, puis reprit en adoptant un ton mi-sérieux mi-plaisant d'analyste moralisant.

— Au fond, quel homme étrange que ce Gordien ! Il n'est vraiment pas comme les autres Romains et trouve d'autres voies pour réaliser ses désirs. Il a besoin de relations sexuelles, naturellement, comme tout le monde, mais il évite, là aussi, la convention : il consacre sa passion à une femme esclave pour finir par en faire sa femme légitime, l'élevant au lieu de la dégrader. Son comportement est presque une satire du dicton romain selon lequel il faut choisir une épouse pour son statut et une putain pour sa beauté. De plus, pour autant qu'on le sache, il est plus fidèle à cette femme que quatre-vingt-dix-neuf Romains sur cent.

« Pour ce qui est du plaisir avec les jeunes gens, il ne veut pas en entendre parler. Ou plutôt, il le contourne : il a trop de respect pour eux, qu'ils soient citoyens ou esclaves, pour suivre bestialement la formule selon laquelle l'un ne s'élève que pour abaisser l'autre. Il préfère au contraire le rôle de chaste mentor. Ce comportement est rare, mais je l'ai déjà rencontré. Gordien n'exploite pas et ne viole pas ses esclaves ; il ne fréquente pas non plus les milieux interlopes. Non, il enseigne, il nourrit, il élève ; il fait du sentiment son idole et ses gestes sont grandioses. Il va jusqu'à adopter un gamin des rues et un esclave pour faire d'eux ses héritiers. Quelle famille peu conventionnelle ! Il reste sensible à la beauté des jeunes gens, mais il n'y touche pas. C'est vraiment un homme hors de ce monde qui encourage le fort à dévorer le faible, qui récompense la cruauté et punit la gentillesse, qui mesure la virilité à la volonté de dominer hommes, femmes, enfants et esclaves – et le plus impitoyablement sera le mieux. Ce Gordien, c'est un type finalement beaucoup plus étrange que Catilina !

Un long silence suivit. Les paroles de Catilina avaient déplacé les lignes du petit univers où nous étions. Je demandai ensuite :

– Et Catilina ? Comment rentre-t-il dans un tel monde ?

– À l'instar de Gordien, Catilina se fait ses propres lois, pour qu'elles lui conviennent.

Puis le silence retomba et nous nous endormîmes sous le regard des étoiles.

Lorsque je me réveillai sur la colline, j'étais seul. La serviette avait été repliée sur moi comme une couverture ; Catilina n'était plus là. À l'est, Lucifer, l'étoile du matin, scintillait juste au-dessus du mont Argentum. Je redescendis doucement vers la ferme. L'esclave de garde ouvrit de nouveau de grands yeux en me revoyant, drapé dans ma serviette.

– Où sont mes invités ? demandai-je pour me donner une contenance, mais aussi pour satisfaire ma curiosité. Ceux qui sont arrivés hier ?

– Déjà partis, maître. Ils ont pris leurs chevaux voici une heure. Ils ont tourné vers Rome en arrivant à la voie Cassienne.

Puis, après quelques hésitations :

– J'ai été assez ennuyé lorsque je l'ai vu redescendre seul de la colline. J'ai aussitôt envoyé quelqu'un pour vérifier là-haut. Tout était apparemment en ordre. Tu dormais comme une pierre. J'ai bien fait de ne pas t'éveiller ?

J'approuvai aussi gravement que le permettait ma tenue, puis

347

8

Cette étrange nuit de septembre sur la colline avec Catilina fut l'un des derniers moments de calme avant la tempête. La sécheresse et la douceur se prolongèrent ; les premiers jours d'octobre mirent de l'or sur les feuilles et hâtèrent les récoltes. Le problème du moulin étant résolu, je me consacrai à plein temps à la gestion de la ferme ; cela me permettait d'oublier un peu les menaces de pénurie en eau et en foin, mais aussi la froideur prolongée de Meto à mon égard.

Catilina revint nous visiter une fois en septembre et trois fois en octobre. À chacune de ses visites, il était accompagné par d'autres hommes, outre Tongilius, mais jamais plus de cinq ou six, solides et bien armés : des gardes du corps. Ils couchaient à l'écurie, mangeaient la même pitance que les esclaves et ne se plaignaient pas. Catilina se montrait de moins en moins communicatif et de plus en plus distant ; plus de bavardages dans l'atrium ni de promenade de gymnosophiste au clair de lune. Il allait dormir aussitôt après avoir soupé et partait le matin à l'aube. Cet éloignement était celui d'un homme profondément préoccupé, qui ne partageait plus ses doutes ni ses spéculations. Il ne prit même pas le temps de revisiter le moulin, après mes aménagements.

Vers la fin d'octobre, je décidai de faire visiter le moulin à Claudia. Après tout, c'était elle qui m'avait appris le projet de Lucius et, sans elle, cette construction n'aurait très probablement jamais vu le jour. Je lui envoyai donc un message l'invitant à partager une collation simple sur la colline, en lui disant aussi que j'avais quelque chose à lui montrer.

J'apportai du fromage, du pain et des pommes ; Claudia, du miel, des gâteaux, du vin et la gâterie suprême : une jarre d'eau fraîche. Je lui dis que son vin et ses gâteaux étaient délicieux, mais que c'était l'eau surtout qui ravissait mon palais.

— C'est vraiment devenu sérieux ton manque d'eau ? demanda-t-elle.

— Oui. On peut encore en recueillir un peu dans la rivière, mais il n'y en a pas assez pour tous les esclaves et les animaux. La petite source de la colline ne donne presque rien : une demi-urne par jour, tout au plus ! Pour les gros animaux, on leur donne donc de l'eau du puits, bien qu'elle leur provoque de terribles coliques. Bien sûr, il y a abondance de vin, mais il faut aussi de l'eau, parfois.

— L'eau du puits est au moins bonne pour se nettoyer ?

— Aratus le déconseille, mais nous l'utilisons quand même, avec parcimonie. Je crains que nous ne commencions à sentir mauvais, même si Bethesda s'inonde de parfums. Les habits que nous portons auraient aussi besoin d'une grande lessive.

— Malheureusement, le niveau de mon propre puits est dangereusement bas, à ce que dit mon régisseur, et je n'ai pas de réserves à te passer. Profite donc de l'eau que j'ai apportée — mais veille à ne pas t'en enivrer, ajouta-t-elle en riant. Où est donc le jeune Meto ?

— Il travaille, je crois, et il a préféré ne pas venir.

— Je ne l'ai pas vu depuis longtemps. Je ne serais guère surprise d'apprendre qu'il n'est pas très heureux ici.

Nous mangeâmes un moment en silence. C'était un jour d'automne magnifique et le paysage était splendide.

— Y a-t-il jamais eu un jour comme cela, à la ville ? demandai-je doucement.

— Sans doute pas. Mais ton messager m'a dit que tu voulais me montrer quelque chose.

— Oui, dès que nous aurons fini de manger.

— Moi, j'ai terminé. Où allons-nous ?

— À la rivière.

– Tu vas me montrer ton moulin à eau ? dit-elle, avec un air bizarre.

– Mais oui.

– Je t'ai vu le construire, tu sais. Le bâtiment a l'air très bien.

– Oh, il est fait avec les morceaux d'un autre édifice. Ce n'est pas un temple, mais je crois qu'on peut le regarder sans déplaisir. Enfin le plus important est à l'intérieur. Le mécanisme fonctionne, tu sais ?

– Alors, c'est vraiment fini ?

– Oui, mais sans eau dans la rivière pour l'actionner...

Alors que nous nous levions pour descendre de la colline, je remarquai deux cavaliers venant du sud, sur la voie Cassienne. Rien d'exceptionnel, mais je ressentis une vague inquiétude, tandis que Claudia et moi marchions vers le moulin. La voie Cassienne fut bientôt cachée par les arbres.

Claudia fut vivement impressionnée, mais les multiples questions qu'elle posait m'indiquèrent bientôt qu'elle n'y comprenait rigoureusement rien. Lorsque je demandai aux esclaves de mettre en route le mécanisme, elle sursauta et son sourire un peu niais disparut.

– Oh non ! s'exclama-t-elle. Quelles dents horribles !

Au fond d'elle-même, je crois qu'elle était profondément conservatrice, et comme tous ceux de sa classe, incapable d'apprécier les nouveautés. Publius Claudius me l'avait bien fait comprendre, lorsque je lui avais proposé d'utiliser le moulin : il y avait des esclaves pour moudre le grain, alors...

– C'est magnifique, papa ! fit soudain une voix que je connaissais.

Je me retournai et vis Eco dans l'encadrement de la porte, Belbo derrière lui : les deux cavaliers de la voie Cassienne, assurément. Je courus l'embrasser. Les esclaves cessèrent de pousser la roue et le mécanisme s'arrêta dans un grincement sonore qui fit sursauter Claudia. Eco voulait encore le voir fonctionner, mais je lui fis comprendre, d'un signe de tête discret, que mon invitée n'appréciait pas beaucoup.

– Mais comment as-tu fait pour résoudre les problèmes que tu avais ? Ne me dis pas que l'inspiration t'est venue en dormant, comme lorque tu résolvais des énigmes apparemment insolubles !

– Non, pas cette fois. C'est une de mes connaissances qui m'a suggéré la solution.

– Une connaissance ?

– Un hôte de passage, dis-je en faisant un nouveau signe à Eco.

Il comprit aussitôt la nécessité du secret et hocha la tête.

– Ah ! Cet homme de la ville...

– Lui-même. Mais salue plutôt notre invitée, veux-tu ?

Eco salua Claudia d'un signe de tête.

– Oh, Eco, comme c'est agréable de te voir. Quelles nouvelles de la Ville ?

– Eh bien... C'est précisément ce pourquoi je suis venu. L'atmosphère a été très tendue à Rome, tout l'été, comme tu dois le savoir.

– Oh oui ! Mes cousins ont prédit que les troubles commenceraient après les élections, dit Claudia.

– Alors, ils pourraient travailler comme devins, répliqua Eco.

Le commentaire était dit sur le mode plaisant, mais Claudia n'était pas d'humeur à plaisanter ; les engrenages du moulin l'avaient mise à cran.

– On parle même de révolution armée en ville, continua Eco. Cicéron a obtenu du Sénat qu'il lui vote des pouvoirs exceptionnels, en vertu du « décret suprême de sûreté générale de l'État »...

– Ah oui, coupa Claudia, ce décret que nos ancêtres ont imaginé, il y a soixante ans, pour se débarrasser de ce voyou factieux de Caius Gracchus.

– Caius Gracchus a été tué par la foule, dans la rue, avec bon nombre de ses partisans, parce qu'il avait été décrété hors la loi, dis-je avec gravité. Est-ce ce qui attend Catilina ?

– Personne ne sait, dit Eco. Les termes du décret sont assez vagues : il donne essentiellement aux consuls en exercice un pouvoir de vie et de mort, qui est normalement l'apanage de l'assemblée du peuple ; ils peuvent aussi lever une armée et employer une force « illimitée » – c'est le mot – contre les citoyens qui menacent la sûreté de l'État.

– En d'autres termes, les Optimates ont noyauté toutes les influences modératrices qui auraient pu se manifester dans le jeu normal des institutions, dis-je.

– Et pourquoi non ? interrompit assez brutalement Claudia. Lorsque l'État est en danger, quoi de plus normal que de recourir aux décrets extrêmes ? Il est seulement regrettable qu'un tel pouvoir échoie à un homme nouveau comme Cicéron, qui ne mérite pas cet honneur et que son origine a si peu préparé à cette responsabilité.

– En tout état de cause, précisa Eco, chacun sait que le collègue de Cicéron, Antonius, est un parfait incapable. Peut-être même est-il de mèche avec Catilina, de sorte que tout repose sur les épaules de Cicéron.

– Les autres sont trop contents de lui refiler l'affaire, dis-je.

– Exact ! En ce moment, au moins en théorie, Cicéron a plus de pouvoir que quiconque, depuis la dictature de Sylla.

– Il aura finalement obtenu ce qu'il voulait, constatai-je. Seul maître à Rome !

– Bah ! S'il peut nous débarrasser une fois pour toutes de cette vermine de Catilina, alors il mérite ce poste, dit Claudia abruptement. Quelles autres nouvelles, Eco ?

– Des rumeurs de guerre. Le « général » de Catilina, Manlius, a ouvertement mobilisé ses troupes, à Fæsulæ. On parle aussi de révoltes serviles, fomentées par les agents de Catilina, naturellement. Une en Apulie, une autre à Capoue...

– Capoue ? Là où Spartacus avait lancé sa révolte ! s'exclama Claudia, les yeux exorbités.

– Toutes les écoles de gladiateurs ont reçu l'ordre de mettre leurs stocks d'armes sous clef et de disperser leurs équipes dans les fermes des alentours, enchaînées. Cela a même été l'un des premiers actes de Cicéron, sous le régime du décret d'exception.

– Remuer les souvenirs de Spartacus ! dis-je, songeur.

La manœuvre était intelligente. C'était un excellent moyen de terroriser le peuple et de gagner son soutien : la terreur et le chaos qui avaient accompagné la révolte de Spartacus étaient

353

encore dans toutes les mémoires. Dans le même temps, cet amalgame servait à faire passer habilement le pur patricien qu'était Catilina pour un esclave thrace rebelle. Je commençai à entrevoir ce que voulait dire Lucius Sergius, lorsqu'il parlait des foudres de Marcus Tullius.

— Entre-temps, des accusations ont été portées contre Catilina.

— Quelles sortes d'accusation ?

— Quelque chose de beaucoup plus grave que la corruption ou le détournement de fonds. L'un des Optimates l'a accusé de violence politique, selon les termes de la loi Plautia.

— Qu'a fait Catilina ?

— Il s'est volontairement assigné à résidence dans la maison d'un ami, ce qui veut dire qu'il ne devrait pas quitter Rome.

Eco me jeta un regard chargé de sous-entendus.

— Parfait, dis-je.

Ces nouvelles me troublaient plus que je ne voulais le laisser voir, mais je pouvais au moins espérer que je serais à l'écart de toute implication.

— Parfait ! répéta Claudia en écho. Tout cela pourra peut-être se régler sans effusion de sang. Si Catilina peut être jugé et envoyé en exil, sa bande de voyous se dissoudra d'elle-même dans sa crasse fangeuse. Coupez la tête et le corps blanchira !

— Curieux, dis-je.

Je pensais à la même image.

Claudia nous quitta peu après, pour aller informer ses cousins et voir s'ils avaient des nouvelles de leur côté. Une fois que nous fûmes seuls, je fis refaire une démonstration du mécanisme pour Eco, puis nous rentrâmes à la maison pour le souper. Après avoir mangé, nous nous installâmes autour du brasero qui avait été disposé à la place de la fontaine, car les nuits devenaient fraîches. Meto et Bethesda se joignirent à nous, une fois Diane mise au lit.

— Telle est la situation ! dit Eco. Le Sénat lève une armée pour marcher contre Manlius à Fæsulæ, afin d'engager la bataille en Étrurie ou, au moins, de l'empêcher de descendre sur Rome. À Rome, la garnison a été mise en alerte, avec des rondes de nuit renforcées dans toute la ville. Catilina est assigné à résidence, mais ses complices de conspiration sont tous en liberté : Cicéron n'a aucun témoignage contre eux. Soulèvement ou pas soulèvement en ville ? Batailles ou pas batailles entre les forces du Sénat et celles de Manlius ? Révoltes ou pas révoltes, dans le reste de l'Italie ? Personne ne peut le dire.

— Le Sénat est-il réellement en danger ? demanda Meto.

— Partout en Italie règnent la pauvreté, les dettes et l'esclavage forcé pour banqueroute, dis-je. Notre famille a été favorisée par la Fortune, et par la volonté de Lucius Claudius, mais tout autour de nous, de simples citoyens meurent de faim, tandis que beaucoup de nobles se retrouvent ruinés. Un petit nombre de possédants mobilisent la richesse et le pouvoir, dont ils dispensent chichement les miettes à ceux qui luttent pour survivre. La corruption des puissants s'étale cyniquement. Les gens ont soif de changement et savent parfaitement qu'il n'y en aura jamais tant que les Optimates maintiendront leur emprise sur le Sénat. Catilina et ses alliés peuvent-ils déclencher une révolution générale ? Manifestement, le Sénat le croit, sinon il n'aurait jamais voté les pleins pouvoirs à Cicéron. Combien ce dernier doit apprécier l'honneur suprême que lui ont fait ses collègues ! ! ! Reste à savoir si ce geste a été spontané ou bien si Marcus Tullius a tiré quelques bonnes vieilles ficelles, afin d'arranger le vote ?

— D'accord, papa ! reconnut Eco. Tu peux être sûr que Cicéron a fait pression pour obtenir le vote du décret d'exception. Mais il a été aidé par les lettres anonymes qu'il a produites au cours du débat.

— Des lettres ? Tu ne les as pas mentionnées jusqu'ici.

— Non ? Je crois que j'ai dû tenir instinctivement ma langue, devant Claudia. La veille de l'examen du décret d'exception, plusieurs membres de l'élite sont venus le voir, dans la soirée, dont Crassus lui-même. Ils sont allés frapper à la porte de Cicéron, vers minuit, en demandant qu'on le tirât du lit si besoin était. Il semble que chacun de ces hommes ait reçu une lettre anonyme, peu avant, l'avertissant d'un bain de sang imminent.

— Comment ces lettres sont-elles parvenues à leurs destinataires ?

355

— Selon un scénario identique. Un messager, le visage caché, a remis le rouleau de correspondance aux portiers, avant de disparaître sans un mot. La lettre à Crassus lui était personnellement adressée, mais non signée ; elle disait : « Dans quelques jours, les riches et les puissants de Rome vont être massacrés. Fuis pendant que tu le peux ! Cet avertissement est une faveur pour toi, de la part d'un ami. Ne le méprise pas ! »

— Et Crassus a apporté cette lettre à Cicéron ?

— Oui, comme beaucoup de ceux qui en avaient reçu de semblables, cette nuit-là. Tu comprends que cette lettre met Crassus, entre autres, dans une position très compromettante. Il est déjà soupçonné de connivence avec Catilina, en raison de leurs alliances passées ; beaucoup pensent qu'il est partie prenante dans la conspiration, voire qu'il est l'une des puissances qui la commanditent en sous-main. Pour détourner la suspicion, il a préféré porter la lettre à Cicéron, désavouant ainsi toute connaissance de son origine, comme du massacre qu'elle annonce.

— Mais ces lettres n'étaient pas signées ?

— Non, bien sûr ! Mais chacun pense qu'elles émanent d'un proche de Catilina.

— C'est ce qu'elles sont censées signifier !

— Mais qui d'autre aurait pu les envoyer ?

— Qui, en effet ? Qui pouvait tirer profit de cette panique des puissants, tout en verrouillant la position douteuse de Crassus ? Je suppose que c'est largement grâce à ces lettres que Cicéron a obtenu du Sénat le vote du décret ?

— Cela, et la nouvelle de la levée de l'armée par Manlius.

— Nouvelle dont la connaissance est due...

— À Cicéron et à ses informateurs, bien sûr. Et puis, il y avait ces rumeurs de soulèvement d'esclaves...

— Des rumeurs, dis-tu, pas des rapports ?

Eco regarda longuement le feu dans le brasero.

— Papa, es-tu en train de prétendre que Cicéron pourrait avoir envoyé lui-même ces lettres anonymes ? Qu'il a créé une situation de panique pour arriver à ses fins ?

— Je ne prétends rien. J'expose des questions et des doutes – comme notre estimé consul lui-même...

9

Octobre s'acheva avec un vent du nord incessant et un ciel gris perle. Le jour des calendes de novembre fut froid et blafard, entrecoupé de rapides averses de pluie qui n'allaient jamais jusqu'à la bourrasque, mais semblaient tomber du ciel d'un coup, comme des larmes, avec cette parcimonie propre aux dieux, lorsqu'ils daignent pleurer. Cela continua jusqu'au huitième jour de novembre, dont la lumière ne fut jamais plus forte que celle de l'aube. Une masse de nuages noirs s'amoncelait au nord ; de grandes rafales de vent parcouraient la vallée. Les animaux furent regroupés dans l'étable. La voie Cassienne était déserte, à l'exception de quelques rares troupes d'esclaves en déplacement, conduites par des hommes à cheval.

Mis à part quelques sorties pour vérifier périodiquement que les portes restaient bien fermées et que tout le matériel était soigneusement rangé, tout le monde resta à la maison. Bethesda passait son temps à consoler Diane que chaque coup de tonnerre terrorisait, mais se montrait d'une humeur de dogue avec tous les autres membres de la maisonnée. Meto s'était enfermé dans sa petite chambre, où je le découvris, un jour, entouré d'un rouleau de Thucydide et de ses petits soldats de métal disposés en ordre de bataille sur le sol. Comme je lui demandais en souriant quelle bataille il reconstituait ainsi, il parut gêné, puis agacé et repoussa ses soldats.

La dernière bonne chose que l'on pût attendre de cette épouvantable journée était une bonne pluie, pensai-je. De temps en

357

temps, j'allais dans le petit jardin pour surveiller le ciel. Le mont Argentum était enveloppé dans un épais manteau de nuages noirs, zébré à intervalles réguliers de lueurs d'éclairs. Il devait pleuvoir épouvantablement sur les hauteurs de la montagne, mais la vallée ne connaissait que le vent et les ténèbres. La pluie commença finalement après le coucher du soleil. Cela débuta par un doux murmure sur les tuiles des toits, mais tourna bien vite au torrent d'eau. Nous découvrîmes alors quelques nouvelles fuites dans la toiture ; Bethesda, avec l'autorité retrouvée d'un général qui a rongé son frein, loin de la bataille, fit apporter de la cuisine des pots et des marmites pour recueillir l'eau. Diane retrouva soudain toute sa gaieté, ouvrit une fenêtre et, protégée par un volet, regarda avec délice la pluie tomber. Même Meto parut de meilleure humeur ; il vint reporter le manuscrit de Thucydide dans mon cabinet de travail et nous parlâmes un moment, tranquillement, des Spartiates et des Perses. Je rendais silencieusement grâce aux dieux de cette rémission.

Ayant été enfermés toute la journée à ne rien faire, nous fûmes bien éveillés ce soir-là et, après le souper, je demandai à Meto de nous faire un peu de lecture à voix haute : Hérodote, avec ses récits de terres et de coutumes étranges, me parut un bon choix. Les heures passèrent, mais personne ne semblait vouloir aller au lit. La pluie continuait de tomber à seaux. J'avais disposé un guetteur, comme chaque nuit, mais comme il ne pouvait se tenir sur le toit de l'écurie, en raison du temps, il s'était mis dans le grenier d'où il pouvait faire son devoir, depuis une petite fenêtre protégée par des volets. Lorsque les hommes arrivèrent de la voie Cassienne, il les vit donc parfaitement.

Personne ne l'entendit d'abord frapper à la porte de la maison, avec le martèlement de la pluie. Nous ne nous aperçûmes du bruit que lorsque le guetteur commença de crier et de frapper en agitant la serrure. Bethesda se mit aussitôt en alerte : quelques expériences pénibles, à Rome, l'avaient rendue très méfiante face aux visiteurs nocturnes. Son inquiétude se communiqua aussitôt à sa fille, qui s'agita sur ses genoux. Meto rangea le rouleau qu'il nous lisait et vint avec moi dans l'atrium. J'ouvris le judas et regardai. L'esclave criait en indiquant frénétiquement du doigt la direction de la route ; nous enlevâmes les barres de la porte et il se précipita à l'intérieur, ruisselant d'eau.

– Des hommes ! dit-il d'une voix rauque. Venant de la grande route ! Toute une armée à cheval !

Il exagérait : trente hommes ne font pas une armée, mais ils offrent quand même une perspective très inquiétante, lorsqu'on les voit galoper dans l'obscurité, enveloppés de manteaux sombres. Ils étaient à moins de cent pieds.

– Catilina ? cria Meto, dans la bourrasque de pluie.

– Je ne saurais le dire, répondis-je.

– Papa, ne devrions-nous pas barrer la porte ?

J'approuvai et fis rentrer l'esclave trempé de pluie avant de bloquer la porte avec les barres. La protection était toute relative : la porte pouvait résister à des voleurs ou des brigands mal équipés, mais pas à une troupe bien armée. De plus, les entrées de la bibliothèque et de la cuisine étaient plus faciles encore à forcer. Des coups violents ébranlèrent soudain la porte, si forts que je reculai un instant. Puis je risquai de nouveau un œil par le judas grillagé.

– Catilina ? murmura Meto.

– Je ne crois pas, répondis-je.

Je distinguais mal les visages au dehors, en raison de l'obscurité et des manteaux qui enveloppaient les cavaliers.

– Des esclaves échappés ? reprit Meto.

En me retournant, je vis la peur dans ses yeux. Je mis ma main sur son épaule et le serrai contre moi. Les coups, manifestement frappés avec un objet contondant qui devait être le pommeau d'une épée, recommencèrent. Je criai par le judas :

– Qui êtes-vous ? Que voulez-vous ?

L'un des hommes qui était resté à cheval – le chef, supposai-je – fit signe à celui qui frappait à la porte d'arrêter.

– Nous voulons l'homme que vous cachez ici, cria-t-il.

– Quel homme ? Qui voulez-vous ? répondis-je, un peu réconforté. Tout cela devait être une bizarre méprise. Mais je dus déchanter aussitôt.

– Catilina ! Amenez-le-nous !

— Catilina n'est pas ici ! criai-je.

— Catilina est ici !

— Papa, qu'est-ce qu'il raconte ?

— Je ne sais pas.

Je regardai Bethesda, non loin de là, dans l'atrium, figée comme une statue, Diane serrée contre elle. Je remis ma bouche à l'ouverture.

— Qui vous envoie ?

Pour toute réponse, le martèlement redoubla. L'instant d'après, j'entendis un fracas de bois brisé venant de l'intérieur de la maison. Je me retournai et vis Bethesda regarder avec terreur en direction de la bibliothèque, puis hurler. Les hommes étaient dans la maison. Je courus auprès de Bethesda et de Diane, Meto sur mes talons. Aratus apparut, le visage paniqué. Un nouveau craquement, cette fois du côté de la cuisine, et ce fut le tour de Congrio de gagner l'atrium, hurlant d'effroi. Un violent éclair illumina soudain la maison, très rapidement suivi d'un brutal coup de tonnerre qui roula longuement, comme une gigantesque meule. Par-dessus les échos du tonnerre et le martèlement de la pluie, je percevais le fracas des tables renversées, des rideaux déchirés et de la vaisselle brisée. Les hommes armés fouillaient brutalement la maison et affluaient de tous côtés dans l'atrium, de longues épées à la main. Certains allèrent déverrouiller la porte dont ils maintinrent les battants ouverts.

Leur chef sauta à bas de son cheval. Il tira son épée et pénétra dans la maison, ; il était si grand qu'il dut se courber pour franchir le seuil. Il arriva dans l'atrium.

— Gordien ? demanda-t-il en haussant la voix pour se faire entendre dans ce vacarme.

Je me redressai de toute ma hauteur, en attirant Bethesda plus près de moi ; Meto vint se placer à mon côté.

— Je suis Gordien, dis-je. Qui es-tu et que veux-tu ?

— Nous voulons le renard sauvage que nous avons traqué jusqu'ici ! Où est-il ? dit-il dans un grognement de rage.

— Si tu parles de Catilina, il n'est pas ici, dit Meto, d'une voix légèrement cassée.

— Ne me mens pas, petit !

360

— Je ne suis pas petit !

L'homme rit, d'un rire qui me glaça le sang : c'était le rire cruel et triomphant du chasseur qui est sur le point de sonner l'hallali. Quelques hommes avaient ôté leur manteau et leurs visages me paraissaient vaguement familiers...

— Les gardes du corps de Cicéron, murmura soudain Meto à mon oreille. Tu sais, le jour de ma toge virile...

— Que chuchotes-tu ? aboya l'homme, l'épée menaçante. Où l'avez-vous caché ?

— Catilina n'est pas ici, dis-je.

— Impossible ! Nous savons que cet endroit est son refuge. Nous l'avons suivi d'une traite, depuis Rome. Ce fou pensait pouvoir nous échapper. Mais nous sommes là pour le ramener, d'une façon ou d'une autre !

— Il n'est pas ici. Pas dans la maison, en tout cas. Peut-être dans l'écurie ?

— Nous avons déjà cherché ! Livre-le-nous maintenant !

L'un de ses compagnons vint lui dire quelque chose à l'oreille.

— Impossible ! cria-t-il. Ils le cachent quelque part.

— Mais il y avait au moins neuf hommes avec lui, dit l'autre d'une voix un peu hésitante. On ne peut pas dissimuler dix hommes et dix chevaux dans une maison comme celle-ci...

— Dix hommes et neuf chevaux, corrigea le chef. Tu as oublié celui que nous avons trouvé sans cavalier, sur la route.

Puis il se tourna vers moi, l'air soudain accablé.

— Nous lui avons donné la chasse pendant quatre heures. Il avait une bonne avance, au départ, mais nous avons vite été sur ses talons, même si la nuit était noire comme de la poix et mouillée comme un lac. Il y a eu, tout à l'heure, une déchirure dans les nuages et nous avons pu les apercevoir devant nous, juste comme ils passaient l'ensellement entre la montagne et la colline, non loin d'ici. Puis les ténèbres les ont de nouveau engloutis – à l'exception d'un cheval que nous avons trouvé sur la route, sans cavalier. Est-ce la monture de Catilina ? Est-ce la raison pour laquelle ils se sont arrêtés ici, se croyant en sécurité ? Où est-il ? Livre-le-nous !

L'homme criait toujours, mais le ton de désespoir dans sa

361

voix me rendit ma confiance. Ce n'était plus le chasseur sur le point d'égorger sa proie ; c'était un poursuivant berné, à qui le gibier avait échappé. Il était furieux, mais pitoyable. J'essayai de profiter de ce moment de faiblesse et de fatigue.

— Catilina ne s'est pas arrêté ici cette nuit, dis-je. Crois-tu que je ne te le dirais pas, s'il l'avait fait ? N'ai-je pas été aussi loyal que toi envers le consul ? Si tu connais mon nom et si tu sais que Catilina a trouvé refuge ici par le passé, tu dois également savoir le rôle que j'ai joué pour Cicéron, non ? Que pensera-t-il lorsqu'il apprendra le saccage de ma maison, la peur infligée à ma famille ? Catilina n'est pas ici, je te le répète ! Nous ne l'avons pas vu depuis de longs jours. Il vous a échappé, voilà tout. Si vous souhaitez encore le coincer, vous feriez mieux de repartir au plus vite sur la voie Cassienne.

L'homme tremblait – de rage ? – mais je m'aperçus que, en fait, il grelottait de froid. Il se passa la main dans les cheveux, découvrant son visage soigneusement rasé ; malgré sa stature, il était très jeune. Le tumulte s'apaisait graduellement dans la maison ; les gardes du corps se regroupaient progressivement dans l'atrium, attendant les ordres. Leur chef me regarda sombrement.

— Les sbires de Catilina ont essayé d'assassiner le consul, hier matin. Ils sont venus à l'aube chez lui, sous couvert de demander de l'aide pour une démarche officielle, pensant qu'ils pourraient abuser les esclaves et pénétrer dans la maison. Mais le consul était sur ses gardes et ne les a pas laissés entrer.

« Aujourd'hui, Cicéron a rassemblé le Sénat dans le temple de Jupiter et il a exposé en détail tous les crimes de Catilina contre la République – un discours si violent qu'il ébranlait le temple même, a-t-on dit ! Catilina se tenait dans un coin, entouré de ses partisans, mais conspué par tous les autres sénateurs dans un grand élan de patriotisme. Chaque fois qu'il a essayé de prendre la parole, les sénateurs l'ont fait taire par leurs cris. Il a compris alors le destin qui l'attendait et, ce soir, le lièvre a quitté sa tanière.

— Tu as dit que c'était un renard, tout à l'heure, grommela Meto avec un aplomb que je ne lui connaissais pas.

Je respirai un grand coup et le retins.

– Vraiment ? dit le chef des gardes du corps. Bah, peu importe ! On l'écorchera bientôt et une belle peau de lièvre vaut une belle peau de renard.

Puis il se tourna vers son compagnon.

– Vous avez fouillé tous les bâtiments ? Même les enclos à bétail ?

– Aucune trace d'eux, pas même des empreintes fraîches dans la boue.

L'homme remit le capuchon de son manteau sur son visage et fit signe aux autres de remonter promptement à cheval. Il s'enveloppa de son manteau, puis me regarda avec gravité.

– Si Catilina devait revenir, ne lui donne plus l'asile et le couvert. Le temps des faux-semblants est passé. Catilina est un homme mort, comme le sont aussi tous ses partisans. Personne n'aurait pu le dire plus éloquemment que Cicéron ne l'a fait aujourd'hui devant le Sénat, en présence même de Catilina : « Le temps du châtiment est venu. Morts ou vifs, nous les porterons en holocauste sur l'autel des dieux, en sacrifice perpétuel ! »

– Non, non et non ! dit Bethesda. Aucun de vous deux ne sort à présent ! Êtes-vous devenus fous ?

Une fois certains que les hommes en armes étaient repartis vers le nord, sur la voie Cassienne, Meto et moi avions commencé à nous préparer pour sortir. Nous étions arrivés à la même conclusion, sans avoir à prononcer une seule parole. C'était bon de me retrouver en communion avec mon fils ; cette harmonie m'aida beaucoup à atténuer le choc des émotions subies auparavant. Mais Bethesda ne voulait rien savoir.

– Ôte-moi cette lourde tunique, époux ! Et toi, Meto, enlève ce manteau ! Où voulez-vous donc aller ?

– Si Catilina et ses hommes ont été vus dans l'ensellement entre la montagne et la colline, commença Meto, sans se soucier de la présence et des vociférations de Bethesda.

– Puis s'ils ont disparu soudainement, relayai-je.

– Et qu'un de leurs chevaux ait été retrouvé sans cavalier...

– C'est qu'ils ont dû trouver refuge quelque part en dehors de la route !

– Cet espace derrière le gros rocher, est-il assez vaste pour abriter neuf chevaux ? demanda Meto.

– Je pense que oui. Mais nous le saurons assez vite.

– Tu ne vas pas lui proposer de venir avec toi, objecta Bethesda, fermement. Que se passera-t-il si les autres abandonnent la poursuite et reviennent sur leurs pas ? S'ils revenaient et qu'ils le trouvent ici – tu as entendu ce que leur chef disait : « Ne lui donne plus l'asile ni le couvert ! » Pense à ta femme et à ta fille !

– De la nourriture ! dit Meto. Nous allions l'oublier. Que pouvons-nous leur emporter ?

– Je l'interdis ! s'écria Bethesda.

– Femme, dis-je, songe au beau Catilina et au ravissant Tongilius. Voudrais-tu les voir réduits à l'état de squelettes blanchis, faute de quelques restes de la cuisine de Congrio ?

Cette facétie – quoique un peu déplacée de ma part – eut la bonne fortune d'adoucir Bethesda.

– Nous avons du pain, cuit de ce matin. Et des pommes en quantité...

– Je vais les chercher, dit Meto.

– Ces hommes doivent avoir froid et être trempés, reprit Bethesda. Une ou deux couvertures sèches...

– Il y a des couvertures sur notre lit, fis-je observer.

– Non, pas celles-ci ! Nous en avons d'autres, un peu usées ; je vais les chercher moi-même.

Et c'est ainsi que Bethesda nous aida pour secourir Catilina et les siens.

Nous évitâmes la route qui menait à la voie Cassienne pour couper à travers champs et vergers. Le terrain était fangeux et glissant, mais nous atteignîmes la voie Cassienne sans encombres. Contre toute attente, nous n'eûmes guère de mal à retrouver le départ de l'ancienne piste de la mine, malgré l'obscurité et la pluie, comme si la main de quelque dieu nous avait guidés. Nous mîmes pied à terre pour nous glisser entre le vieux chêne et le gros rocher, non sans peine, car j'étais chargé d'un rouleau de couvertures et Meto d'un sac de pommes et de pain. Nous tirâmes nos chevaux derrière nous et découvrîmes bientôt, comme nous l'avions escompté, la petite clairière remplie de chevaux attachés à des troncs, des rochers ou des branches. À la faveur d'un éclair, je les comptai : ils étaient neuf.

La clairière était devenue un véritable marécage et la raison en était simple : l'ancien chemin qui menait à la mine s'était transformé en torrent.

— Impossible de monter ! dis-je, atterré.

— Mais Catilina et ses hommes l'ont bien fait, rétorqua Meto.

— Nous sommes alourdis par ces provisions et ces couvertures...

— Viens, papa, ce n'est pas si dur qu'il y paraît, dit Meto en prenant résolument les devants.

Il n'y avait pas d'autre solution que de le suivre. Mais la montée, déjà pénible en temps normal, se révéla vite périlleuse ; et comment redescendrions-nous ? Meto marchait devant moi, agile comme une chèvre malgré la boue et les cailloux glissants. Nous arrivâmes assez vite au point de jonction avec le chemin qui montait de la ferme de Gnæus Claudius.

— La question est maintenant de savoir si Catilina est allé à droite ou à gauche, dis-je.

— À droite, bien sûr, vers la mine, trancha Meto.

— Tu crois ? Pourtant, un lien secret entre Gnæus et Catilina expliquerait bien des choses ; le meurtre de Forfex, par exemple...

— Comment pourrait-il y avoir un lien ?

— Je ne sais pas ; j'ai trop froid et je suis trop mouillé et trop fatigué pour réfléchir à cela. Mais pourquoi Catilina n'aurait-il pas gagné incognito la maison de Gnæus ?

Nous suivîmes un instant le chemin qui y menait, mais je dus vite reconnaître mon erreur : aucune trace de pas n'était visible sur le sentier. Quand nous eûmes repris la montée vers la mine, nous trouvâmes aussitôt les empreintes. Gravir l'escalier, près de la cascade, fut des plus pénibles, mais une surprise autrement plus grave nous attendait en haut : le torrent avait considérablement grossi et sa traversée, à deux pas du précipice de la cascade, était vraiment périlleuse.

Dans quelle aventure nous étions-nous engagés, sur un coup

de tête ? Mais il fallait aller jusqu'au bout, même si je ne devais rien à Catilina : les gardes du corps de Cicéron étaient allés trop loin.

– Prends ma main, Meto. Nous serons plus forts contre le courant en traversant ensemble.

Après un instant d'hésitation, nous accrochâmes solidement nos poignets et nos mains, et avançâmes dans l'eau froide. Au prix de violents efforts, nous réussîmes à gagner l'autre rive. Comme nous abordions la longue montée finale, je me rendis compte que la pluie avait fortement diminué d'intensité et que nos pas alourdis par la fatigue faisaient crisser les cailloux du chemin. En approchant de la mine, je murmurai à Meto de marcher moins fort. Mais il était trop tard : un javelot volait déjà à notre rencontre.

10

C'est une singulière expérience de voir un javelot arriver sur soi dans l'obscurité, dardé vers un point que l'on devine situé entre ses deux yeux. On ne perçoit pas vraiment un javelot, du reste, mais simplement quelque chose de rapide qui luit faiblement dans la nuit – et l'on en sait assez, instinctivement, pour se jeter à terre d'un seul coup ! En tombant à genoux, je pus vérifier que c'était bien un javelot, à pointe acérée et longue hampe ; il émit un sifflement aigu en passant au-dessus de ma tête, puis je perçus un choc sourd, dans mon dos. À côté de moi, Meto hurla : mon cœur cessa de battre un instant, car je pensais qu'il avait été blessé, mais en le regardant, je vis que c'était pour moi qu'il craignait. Nous essayâmes de ramper vers les taillis les plus proches, mais je me sentis vite prisonnier des branches et je compris cette gêne, en m'apercevant que le javelot était venu se ficher dans le rouleau de couverture que je portais sur le dos, au moment où j'avais baissé la tête pour l'éviter.

– Amis ! criai-je, espérant que le mot irait plus vite que le javelot suivant.

Il y eut un moment de silence. Puis, à la faveur de la foudre qui frappa la montagne, j'aperçus l'homme aux javelots, perché sur une saillie de rocher, au-dessus de l'entrée de la mine, qui s'apprêtait à lancer un second trait ; sous lui, à l'embouchure même de la mine, se tenait Catilina, le bras levé, la bouche ouverte.

– Arrête ! cria-t-il.

Puis les ténèbres nous enveloppèrent de nouveau. Je pensai qu'il était trop tard mais, un moment plus tard, une main touchait amicalement mon épaule ; je relevai la tête et vis le visage souriant de Catilina.

– Gordien ! Tu as l'air d'un épouvantail ! dit-il doucement. Viens donc te mettre à l'abri !

De l'autre côté du mur qui interdisait l'accès de la mine, il faisait très sombre. Un petit feu brûlait, mais sa lueur était mangée par de sombres silhouettes ; l'ombre était leur royaume et la lumière était une intruse.

Catilina s'accroupit et tendit ses mains à la flamme.

– Heureusement, nous avons eu la chance de trouver quelques morceaux de bois. La fumée ne pose pas de problème : l'ingénieur qui a construit la mine a ingénieusement prévu des bouches d'aération. Crassus a été fou de rater cette propriété ; je lui ai dit qu'elle valait l'investissement, mais il m'a rétorqué qu'il avait déjà traité avec cette branche des Claudii et qu'il ne voulait plus avoir affaire à eux. Mais pourquoi parler de Crassus ? Il m'a abandonné maintenant, lui aussi.

– Regarde, Lucius, dit Tongilius, ils ont apporté du pain et des pommes : on peut les rôtir sur des broches, pour manger quelque chose de chaud ! Et un rouleau de couvertures ! Celles du dedans sont presque sèches !

Les autres hommes de la suite de Catilina restaient dans l'ombre. J'en avais déjà vu certains dans mon écurie, lors des précédentes visites de Lucius Sergius ; d'autres m'étaient inconnus. Tous paraissaient plus vieux que Meto, mais beaucoup plus jeunes que Catilina. Ils étaient très solidement armés et allaient monter la garde à tour de rôle, à l'orée de la mine.

– Je ne crois pas que vous risquiez d'être découverts, au moins cette nuit, dis-je. Aucun chevrier ne sortira avec ce temps et les hommes qui vous poursuivaient depuis Rome sont partis vers le nord – après avoir saccagé ma demeure.

– À moins qu'ils ne vous aient suivis jusqu'ici, dit Catilina, sans aucun ton de reproche dans la voix. Je ne suis pas venu aussi loin pour me faire égorger dans un trou par les gardes du corps de Cicéron : aussi longtemps que nous serons ici, nous serons vigilants.

Tongilius lui tendit une pomme piquée sur un javelot. Catilina sourit.

— De la nourriture ! Des couvertures ! Auriez-vous apporté aussi une bassine d'eau chaude, par hasard ?

— Le croiras-tu ? J'ai oublié !

— Par Hercule, quel dommage ! Quel délice ce serait, par une nuit pareille, d'être dans les bains avec toi et de bavarder jusqu'à l'aube !

— Nous pourrions rentrer à la maison ? hasarda Meto.

— Cela serait trop dangereux pour toi et pour ta famille, Meto. Non, je crois que je ne reviendrai jamais chez vous, au moins tant que cette crise ne sera pas passée. Je me demande comment ils ont eu l'idée de venir me chercher là ? Crois-tu que Marcus Cælius m'ait trahi ?

En voyant l'expression de mon visage, puis celle de Meto, Catilina se mordit les lèvres.

— C'est donc Cælius ! Mais toi, tu ne m'as pas trahi ? me demanda-t-il en fixant les yeux sur moi, puis sur l'entrée de la mine. Tu as pensé que j'étais ici, mais tu ne leur as rien dit, n'est-ce pas ?

— Non, Catilina. Nous sommes venus ici en secret.

Il regarda le jeu des flammes, illuminant la pomme piquée sur le javelot.

— Pardonne-moi ! J'ai reçu de rudes coups ces derniers jours. Des hommes que je croyais mes amis m'ont carrément tourné le dos ; d'autres, dont je pensais n'avoir rien à craindre, m'ont souhaité la mort en face ! Cicéron ! Que ses yeux pourrissent !

— Et que sa langue noircisse ! renchérit Tongilius, avec une véhémence que je ne lui connaissais pas. Il lança une des pommes qui alla exploser contre la paroi voisine.

— Sa langue est déjà noire, dit Catilina, à en juger par les ordures qui ont coulé de sa bouche aujourd'hui.

— Alors, qu'elle soit mangée des vers, cria Tongilius, qui serra les poings et se mit à marcher nerveusement, incapable de se contrôler.

Au bout d'un moment, il alla droit au mur qui fermait la mine et le sauta d'un bond.

— La pluie va le calmer, dit Catilina, les yeux toujours fixés sur le feu.

— Mon fils Eco est venu me voir, il y a quelques jours, dis-je. Il m'a appris que tu t'étais volontairement assigné à résidence chez toi, suite à l'accusation portée contre toi aux termes de la loi Plautienne. Pourquoi as-tu quitté Rome ? Que s'est-il passé ?

Catilina détourna son regard des flammes.

— Ton fils aîné t'a dit que j'étais assigné à résidence ? Que t'a-t-il raconté d'autre ?

— Que Cicéron avait obtenu des sénateurs un décret exceptionnel sur la sûreté de l'État.

— Oui, le même outil que leurs ancêtres ont utilisé pour se débarrasser de Caius Gracchus. Je devrais en être flatté, sans doute. Naturellement, tous les témoignages que Cicéron a produits ont été inventés.

— Comment ?

— Il leur a dit que j'avais planifié de massacrer la moitié du Sénat, le vingt-huitième jour d'octobre. En guise de preuves, il a produit des lettres anonymes reçues par certains Optimates, leur conseillant de fuir Rome. Tu imagines ? Quelles preuves sont-ce là ? Tu sais qui a écrit ces lettres, selon moi ? Le secrétaire chéri de Marcus Tullius, Tiron, sous la dictée de son maître. La sale bête !

— Ne dis pas de mal de Tiron devant moi, s'il te plaît, Catilina ! Je garde d'excellents souvenirs de lui, lorsqu'il m'a aidé à débrouiller le cas de Sextus Roscius.

— C'était il y a des années ! Depuis, il est devenu aussi corrompu que son maître. Les esclaves suivent la trajectoire de leur patron, tu sais cela !

— Peu importe ! Tu prétends donc que les lettres sont de Cicéron lui-même ?

— Penserais-tu, par hasard, que je les aurais écrites moi-même ? Ou quelque plumitif félon, parmi mes partisans ? C'est absurde ! Toute la manœuvre est signée Cicéron, avec deux objectifs : d'abord, créer l'hystérie et la crainte dans les rangs

370

des sénateurs, toujours prêts à croire que quelqu'un va les assassiner – et ils ont toutes les raisons de le craindre, soit dit en passant ; ensuite, tester ceux qui auront reçu les lettres. Crassus était de ceux-là ! J'avais pensé pouvoir compter sinon sur son soutien ouvert, du moins sur sa neutralité discrète, mais dès qu'il a eu l'occasion de me tourner le dos, il s'est empressé de la saisir. Pour se tirer d'affaire et bien séparer son destin du mien, il est allé directement chez Cicéron parler de cette lettre d'avertissement, alors qu'il devait pertinemment savoir qu'elle venait du consul ! Imagine la farce, ces deux-là jouant la comédie pour les beaux yeux du Sénat ! Comment un homme aussi fier que Crassus supporte-t-il qu'un Cicéron le manipule de cette façon ? Mais il saura bien prendre sa revanche, tôt ou tard, sur l'« homme nouveau » d'Arpinum.

« Pour garder les sénateurs dans l'état d'hystérie qui convient à ses plans, Cicéron a fait des révélations plus affreuses encore, toutes fondées sur son réseau prétendument infaillible d'espions et de mouchards. Il a commencé par proclamer qu'un certain jour – le vingt-septième d'octobre – mon collègue Manlius prendrait les armes à Fæsulæ. Qu'est-ce à dire ? Manlius a entraîné les vétérans de Sylla pendant des mois ? Il n'y a rien d'illégal à cela. Mais naturellement, le jour même prédit par Cicéron, l'un des sénateurs a donné connaissance d'une lettre qu'il venait de recevoir, disant que Manlius et ses soldats avaient pris les armes et commencé le combat. Le combat ! Où et contre qui ? Tout cela est un tissu d'absurdités, mais les sénateurs ont tout gobé comme un seul homme : Cicéron l'a prédit, donc c'est vrai ; la lettre le prouve. Une *lettre*, tu saisis ? Un autre chef-d'œuvre artisanal de Tiron, réalisé sous la dictée de son maître.

« Vint ensuite l'accusation la plus outrageante : je projetais une attaque surprise sur la ville de Préneste, pour les calendes de novembre. Pour y faire échec, Cicéron y a dépêché la garnison de Rome (c'est tellement commode, n'est-ce pas, cette proximité de Préneste, au sud de Rome !). Naturellement, point d'attaque surprise, puique aucune n'avait été projetée ; mais le consul en profite sans vergogne pour se proclamer le "sauveur de Préneste" ! Quel puissant et habile général, qui prévoit et déjoue des attaques auxquelles personne n'a jamais songé !

« Toute tactique, pour lui, est bonne à prendre et il fait flèche de tout bois. Il a fait ordonner la fermeture provisoire et la dispersion des écoles de gladiateurs dans toute l'Italie, comme si j'allais être l'instigateur d'une révolte servile ! Il a offert de très fortes récompenses à qui viendrait donner des informations sur la prétendue conspiration : l'affranchissement et mille sesterces pour un esclave, deux mille sesterces et l'indulgence totale pour un homme libre ! Pourtant, il ne s'est encore trouvé personne pour profiter de l'aubaine. Qu'à cela ne tienne : ce silence, dit Cicéron, montre bien la terreur que ces monstres – c'est-à-dire moi et mes amis – inspirent !

Catilina secoua la tête.

– Lorsque l'un de ses laquais m'a intenté un procès en vertu de la loi Plautienne, j'ai pensé que le mieux serait de me soumettre et de me montrer entièrement coopératif : un procès de plus ou de moins, qu'importe ! Je me suis même payé la tête de Cicéron, pour l'occasion...

– Comment cela ?

– Eh bien, je suis allé droit chez lui et lui ai proposé de me mettre sous son contrôle : puisque je devais être assigné à résidence, que cela fût dans la maison même du consul ! Où pouvais-je être mieux surveillé et séparé de mes complices ? Tu aurais dû voir la tête de Cicéron ! D'un côté, puisque j'étais – à l'en croire – une telle menace pour tout l'État, cela semblait de son devoir de me contrôler personnellement ; de l'autre, s'il m'avait eu en permanence sous son toit, comment aurait-il pu continuer à dénoncer mes intrigues et complots ? Il a donc décliné mon offre, mais il s'est arrangé pour tourner l'affaire à son avantage ! N'étant pas en sûreté dans la même ville que moi, a-t-il déclaré, comment pourrait-il l'être en m'ayant chez lui ? Je l'assassinerais immanquablement avec toute sa famille, dès que j'en aurais l'occasion, au besoin à mains nues ! D'autres patriciens ont aussi refusé de me recevoir en résidence surveillée. Je me suis donc mis sous le contrôle de Metellus, un homme aussi impartial que l'on peut le souhaiter : Cicéron en a profité pour dire que j'avais trouvé refuge chez l'un de mes partisans. Pauvre Metellus ! Maintenant que je me suis échappé, tout le monde va penser les pires choses à son sujet !

– Pourquoi as-tu fui la ville ? demanda Meto.

– Parce que, aujourd'hui, en plein Sénat, Cicéron a déclaré qu'il aimerait me voir mort, comme je vous le dis ! Je n'ai aucune raison de ne pas le croire : j'ai fui pour sauver ma peau !

– Les hommes armés que Cicéron a dépêchés à ta poursuite racontaient une autre histoire, dis-je. Selon eux, tu avais envoyé des hommes pour assassiner Cicéron, hier matin.

– Les hommes que Cicéron m'a envoyés *me* tueront, *moi*, s'ils m'attrapent !

– Mais ce qu'ils ont raconté, c'est vrai ? insista Meto.

– Nouveau mensonge ! soupira Catilina. Cicéron est allé proclamant que, il y a deux nuits, j'étais sorti secrètement de la maison de Metellus afin de participer à une réunion, destinée à fixer un plan pour l'assassiner. Deux de mes amis - Caius Cornelius et Lucius Vargunteius – devaient se présenter à sa porte, pour une visite du matin, et le poignarder une fois introduits auprès de lui. Comme si aucun des deux pouvait espérer en réchapper après un tel acte ! Mais Cicéron est un malin : au milieu de la nuit, il convoque certains sénateurs qui continuaient à douter de ses dires à venir tout de suite chez lui. Lorsqu'ils arrivent chez Cicéron, les lampes sont allumées partout et la maison est pleine de gardes du corps, armés jusqu'aux dents. Tu apprécieras la mise en scène. Il leur annonce qu'une information terrible vient de lui parvenir : Catilina et ses complices, réunis cette même nuit dans une maison de la rue des Dinandiers, avaient mis au point son assassinat. Les sicaires seraient Caius Cornelius et Lucius Vargunteius, amis connus de Catilina et fauteurs de troubles notoires. « Attendez seulement, ajoute-t-il, ils arriveront au matin, assoiffés de sang. Vous serez mes témoins. »

« Et de fait, au matin, Cornelius et Vargunteius se présentent à la maison de Cicéron ! Pourquoi ? Non pas pour l'assassiner, bien sûr, mais parce qu'ils ont été tirés de leur lit par un message anonyme – un de plus ! – les enjoignant de se rendre sur-le-champ chez le consul s'ils tenaient à leur vie ! Tu comprends la ruse infernale ? Cornelius et Vargunteius frappent à la porte ; les esclaves refusent de leur ouvrir ; le ton monte, on échange des insultes, les gardes du corps arrivent, l'épée nue, avec les sénateurs présents dans la maison. Mes deux amis, déjà peu rassurés par le message anonyme, prennent peur et s'enfuient. Et notre Cicéron peut annoncer au Sénat, aujourd'hui, qu'il a déjoué une tentative d'assassinat sur sa personne, en présence de témoins dignes de foi qui hochent gravement la tête !

« Tu vois, lorsqu'il avait prétendu sa vie menacée, en été, en essayant de faire ajourner une seconde fois l'élection consulaire, personne ne l'avait cru : ses satellites armés, sa cuirasse sous la toge, c'était trop ! Mais cette fois, il a mis au point une machination plus subtile : aujourd'hui, au Sénat, j'ai eu du mal à en croire mes oreilles, n'étant au courant de rien. Puis j'ai parlé avec Cornelius et Vargunteius, et j'ai tout compris.

Tongilius réapparut sur ces entrefaites, trempé.

— La tempête ne donne aucun signe de faiblesse ; il pleut plus fort que jamais et le ciel est flamboyant d'éclairs. Tiens, ta pomme est cuite, Lucius ; il est temps de la tirer du feu. Ne te précipite pas pour la manger, car tu risquerais de te brûler la langue. Puisse celle de Cicéron racornir dans sa bouche immonde !

— Tongilius a ses raisons pour en vouloir à Cicéron, dit Catilina. Le consul n'a pas hésité à faire courir le bruit qu'il était mon mignon ! Il est curieux de voir des individus asexués comme Cicéron aimer ce genre de détails d'une intimité qu'ils feignent de trouver si répugnante. Chacun sait que le consul ne touche jamais à sa femme et qu'il s'est débarrassé de sa pauvre fille avant sa treizième année ! Et le voilà bavant des injures graveleuses sur Tongilius ; pas plus de honte que de couilles chez cette crapule !

— Que s'est-il passé aujourd'hui au Sénat ? demandai-je.

— J'ai reçu avis que Cicéron allait faire un discours contre moi. Je pouvais difficilement être absent, non ? Je pensais me défendre moi-même et montrer le ridicule et la folie du consul mais les sénateurs m'ont réduit au silence par leurs cris. Je me suis retrouvé abandonné et presque seul dans mon coin, à l'exception d'une poignée d'amis sûrs. C'était désespérant :

j'ai prié les sénateurs – mes collègues, après tout – de se rappeler mon nom : un Sergius était aux côtés d'Énée, lorsqu'il est venu de Troie en Italie. Et qui est Cicéron ? Qui a jamais entendu parler de la famille Tullius d'Arpinum, ce bourg pourri avec une gargote entre deux porcheries ? Un parvenu, un intrigant, à peine mieux qu'un métèque ! Un immigrant – voilà ce que je lui ai dit au visage !

– Des mots très durs, Catilina !

– Pas assez, sans doute, étant donné qu'il menaçait ma vie : « Pourquoi un tel homme est-il toujours en vie ? », ce sont ses propres paroles devant le Sénat ! Il a rappelé les circonstances du passé au cours desquelles les anciens sénateurs avaient fait mettre à mort les réformateurs et il a fustigé ceux d'aujourd'hui, les blâmant de manquer de ressort moral pour les imiter. Il a mentionné les lois qui interdisent aux consuls ou au Sénat de faire exécuter un citoyen et proclamé que je m'étais mis hors du cadre de ces lois, que je n'étais plus un citoyen mais un rebelle. Il les a poussés au meurtre ! À défaut, il fallait au moins, a-t-il dit, m'exiler avec tous mes partisans : « Prends ta vermine avec toi et va-t'en ! Débarrasse Rome de ta pestilence et laisse-nous en paix ! » Il n'a cessé de répéter clairement que je n'avais que deux solutions : l'exil ou la mort !

« Naturellement, il n'a pas pu résister au plaisir vicieux de ressasser toutes les calomnies qu'il avait déjà répandues sur mon compte et il m'a fallu tout entendre à nouveau, jusqu'au prétendu assassinat de mon fils. Il cherchait à me pousser à bout, à me faire perdre la tête et j'ai honte d'avouer qu'il y a réussi. La joute oratoire a tourné à l'échange de cris et, lorsque Cicéron a suggéré que les opinions politiques de tous devraient être inscrites sur leur front, je suis sorti de mes gonds : "Pourquoi ? ai-je dit. Cela te permettrait sans doute de choisir plus facilement les têtes à faire couper ?"

« Tempête dans le Sénat. Mais les poumons de Cicéron sont terribles et l'on a entendu sa voix dominer le tumulte : "Les ennemis de Jupiter, dans le temple de qui nous sommes réunis, seront capturés et conduits au sacrifice sur son autel. Nous les brûlerons, morts ou vifs – morts ou vifs !" Ses paroles ont été suivies de telles acclamations que j'ai vraiment craint pour ma vie et celle de mes amis. Je me suis levé de mon siège en me composant un visage le plus arrogant possible, et j'ai gagné la sortie. "Me voici entouré d'ennemis, ai-je dit avant de partir. Je suis réduit au désespoir. Mais je vous déclare ceci : si vous allumez un feu pour me consumer, j'en viendrai à bout – non par l'eau, mais par la destruction !"

Sa voix vibrait encore d'émotion et ses yeux étincelaient. Tongilius lui posa la main sur l'épaule. Nous restâmes un long moment silencieux. Il fallait alimenter la flamme, mais nul ne bougeait. Je finis par prendre la parole.

– Es-tu en train de me dire, Catilina, que tu es totalement innocent ? qu'il n'y a pas de conspiration ? que toutes tes allées et venues, ton alliance avec tous les mécontents de Rome, tes liens avec Manlius, que tout cela n'existe que dans l'imagination fiévreuse de Cicéron ? Es-tu en train de me dire que tu n'as pas l'intention de subvertir l'État ?

Les yeux de Lucius Sergius parurent étinceler de l'intérieur.

– Je ne revendique pas une fausse innocence, Gordien. Mais j'affirme que mes ennemis ont manœuvré pour me mettre dans une position où il n'existe plus d'autre solution pour moi et les miens. J'ai toujours agi, jusque-là, dans le cadre du système politique de l'État romain. Mais j'ai subi trop de procès iniques, de calomnies odieuses, de campagnes infâmes. La République est une pile de briques branlantes au sommet de laquelle sont jalousement assis les Optimates. Qui la jettera à terre pour la reconstruire ? Pourquoi ne serait-ce pas moi et pourquoi refuserais-je d'utiliser les outils qui sont faits pour cela ?

« C'est vrai, il m'est arrivé d'envisager le recours à la violence, parfois. J'ai réuni et consulté mes amis, mais personne n'est d'accord sur les moyens du changement : Manlius brûle de lâcher ses vétérans ; Lentulus voudrait pousser les esclaves à la révolte, une folie que je rejette absolument ; quant à Cethegus, cette tête brûlée, il rêve d'incendier Rome ! Tu sais à quoi je rêve, parfois ? À une révolte pacifique des plébéiens, comme dans les premiers temps de la République, lorsqu'il leur suffisait de quitter la ville et de laisser les Optimates se débrouiller seuls un moment pour les amener à composer. Mais la révolution sans verser de sang est une folie sentimentale : les Optimates, j'en suis convaincu, ne lâcheront jamais un pouce de leur pouvoir ; les chefs d'un soulèvement populaire pacifique seraient impitoyablement massacrés et leurs partisans réduits en esclavage.

« C'est Cicéron qui a conduit la situation dans une impasse. C'est lui qui a inventé un complot, forgé les pièces à conviction. Maintenant, c'est lui ou nous ; il n'y a pas de troisième solution. Il pense que, s'il peut nous réduire pendant son mandat consulaire, le peuple l'adorera, les Optimates lui baiseront les pieds et il sera appelé le sauveur de Rome. Moi, j'hésite toujours. Mon exil suffirait-il à le satisfaire ? Comment savoir ? Que faire ?

— Finalement, vas-tu partir en exil ou vas-tu prendre les armes ? demanda Meto en se rapprochant du feu.

— L'exil... ? dit Catilina, comme pour tester la valeur du mot. Avant de quitter Rome, j'ai envoyé une série de lettres à plusieurs hommes de qualité – des anciens consuls, des patriciens, des magistrats. Je leur ai annoncé que je quittais Rome pour Massilia, sur la côte sud de la Gaule, non comme un coupable, mais comme quelqu'un qui veut préserver la paix civile et qui ne peut plus se défendre contre l'accumulation de persécutions, d'accusations et de mensonges. Je pourrais aller à Massilia, si l'on ne bloque pas les passages vers la Gaule. Prendre les armes ? Je ne suis pas prêt : c'est le faux pas auquel Cicéron voudrait m'acculer, pour parachever sa démonstration et son triomphe.

— Et ta femme, dans tout cela ?

Catilina détourna le visage.

— J'ai confié Aurelia et notre fille à Quintus Catulus. C'est l'un des Optimates les plus endurcis, mais c'est un honnête homme, un vrai. Elles seront en sécurité chez lui et personne ne pourra l'accuser de collusion avec moi !

Au dehors, la tempête redoublait. Le vent hurlait comme un chœur de lémures et les éclairs frappaient la montagne. Bethesda devait être morte d'angoisse. Que se passerait-il si les poursuivants de Catilina, renonçant devant les intempéries, repassaient à la maison et découvraient mon absence et celle de Meto ? Les heures s'écoulèrent lourdement. Les hommes de Catilina montaient la garde à tour de rôle, mais avec un certain relâchement : qui se serait aventuré sur le mont Argentum, au milieu d'un tel cataclysme ? Tongilius somnolait, recroquevillé dans une couverture, contre Catilina qui ne dormait pas.

Meto aperçut soudain un objet appuyé contre une paroi, non loin de là ; le tissu qui l'enveloppait s'était défait et laissait voir un éclat argenté qui avait attiré son attention.

— Qu'est-ce que c'est ? demanda-t-il.

Catilina tourna lentement la tête.

— L'aigle de Marius, dit-il à voix basse. Marius l'avait comme étendard, lors de sa campagne contre les Cimbres et les Teutons. Nous étions alors des enfants...

Meto tendit la main, sans oser toutefois la toucher.

— C'est affreusement lourd, murmura Tongilius d'une voix ensommeillée. Je le sais : c'est moi qui l'ai portée jusqu'ici.

Catilina passa affectueusement sa main dans les cheveux du jeune homme.

— Si l'on en vient à se battre, je la prendrai comme étendard. Un bel objet, non ?

— Comment est-elle arrivée en ta possession ? demandai-je.

— C'est une longue histoire.

— La tempête fait rage, nous avons toute la nuit...

— Disons qu'elle m'est revenue au temps des prescriptions syllaniennes ; c'est une histoire assez sanglante...

— Une aigle, dit Meto, le visage fasciné.

— Oui, murmurai-je, soudain terrassé par le sommeil.

— Mais c'est une *aigle*, papa, tu ne comprends donc pas ?

— Oui, oui, une aigle, répondis-je en fermant irrésistiblement les yeux.

11

La tempête cessa brusquement pour laisser apparaître des nuages déchiquetés, éclairés de la pâle lumière orangée des premières lueurs de l'aube. Les hommes de Catilina levèrent le camp et commencèrent à descendre avec agilité la piste. Courbatu et transi de froid, je m'efforçai de joindre mon rire à ceux des autres pour ne pas avoir l'air trop vieux.

À l'endroit où la piste bifurquait, d'un côté vers la ferme de Gnæus, de l'autre vers la voie Cassienne, je retins un instant Catilina.

– Quel chemin allons-nous prendre ? lui demandai-je.

– Le même qu'à l'aller, naturellement, pourquoi ?

Ses hommes attendaient effectivement à l'entrée du chemin de gauche ; il leur fit signe de commencer à descendre sans lui.

– Sinon nous aboutirions chez ton épouvantable voisin, avec tous ses chiens hurlants. Tu te rappelles sûrement...

– Oui. Mais je me souviens aussi d'autre chose.

– De quoi veux-tu parler, Gordien ?

– Tu ne peux pas revenir chez moi : tes ennemis t'y guetteront, désormais...

– Je comprends.

– Ma famille... Je dois songer à sa sécurité.

– Mais naturellement ! Et moi, je dois prendre garde à conserver ma tête sur mes épaules !

– Catilina, je t'en prie, pas de plaisanteries, pas d'énigmes !

– Gordien... ? dit-il, surpris par la détresse de mon visage.

379

– Tu viens, Lucius ? interrompit Tongilius, qui attendait avec Meto à l'orée du sentier.

– Partez sans nous, dit Catilina d'une voix faussement joviale. Les vieux doivent reposer un instant leurs jambes fatiguées.

Une fois qu'ils furent partis, Catilina me regarda dans les yeux.

– Maintenant dis-moi, Gordien, que se passe-t-il ?

– Depuis que Marcus Cælius est venu me demander de t'accueillir chez moi, d'étranges choses se sont passées dans ma ferme. Cela a commencé par un corps décapité, retrouvé dans mon écurie

Je ne vis que la stupeur sur le visage de Catilina, que j'observais en disant cela.

– Puis il y a eu le cadavre – décapité, lui aussi – dans le puits.

– Ça, je sais : tu m'en as déjà parlé. Ce pauvre chevrier qui nous avait fait visiter la mine...

– Qui était-il, pour toi, « ce pauvre chevrier » ? Ton espion, ton complice, ta dupe ? Pourquoi est-il mort ? Pourquoi a-t-on coupé sa tête avant de le jeter dans mon puits ?

Catilina me regarda gravement.

– Tu me fais injure en me posant ces questions, Gordien. Je n'en ai aucune idée.

– Tu n'as aucune relation secrète avec Gnæus Claudius ?

– Ton affreux voisin ? Je ne l'ai vu qu'une fois et c'était avec toi, tu te souviens ? Après quoi j'ai parlé de cette mine avec Crassus, mais – comme je te l'ai dit – il n'était pas intéressé et refusait de traiter avec cette branche des Claudii. Je ne suis jamais revenu, jusqu'à hier.

– Mais te voilà pourtant ici, caché sur le domaine de Gnæus.

– À son insu, voyons ! Mais peut-être pas pour très longtemps encore, si nous nous attardons ici : l'un de ses chevriers va venir et donner l'alerte. Lorsque j'ai vu la mine pour la première fois, j'ai tout de suite su que cela ferait une cachette idéale, surtout si Crassus achetait le terrain. Mais même si Crassus m'a trahi comme les autres, l'endroit s'est révélé utile, non ? Pour ce qui est des étranges événements que tu évoques, qu'est-ce que j'ai à voir là-dedans ?

— Ils se sont produits à des moments où je résistais aux pressions de Cælius.

— Des pressions ? Tu veux dire que tu n'as jamais désiré m'avoir chez toi ?

Impossible de répondre à cette question : comment lui avouer que l'idée en revenait à Cicéron ?

— Gordien, je te jure que je n'ai jamais demandé à Cælius de te forcer la main pour m'accueillir. Cælius m'a dit que tu étais heureux de le faire.

— Mais ton énigme au Sénat, sur les corps sans tête et inversement ? La double coïncidence avec les cadavres retrouvés sur mon domaine...

— Gordien, es-tu en train de me dire que, pendant tout ce temps, tu ne m'as accueilli que parce que Cælius t'avait forcé la main ? Le coupable, c'est donc lui : si quelqu'un a suggéré aux sbires de Cicéron de venir me chercher chez toi, ce ne peut être que Cælius, bien sûr ! Sa loyauté n'était que pour Cicéron. Par Jupiter, quand je pense aux confidences que je lui ai faites...

Il secoua la tête, l'air profondément navré, puis reprit :

— Gordien, n'as-tu donc aucune sympathie pour ma cause ? Exécutais-tu simplement les volontés de Cælius en m'accueillant chez toi ?

Ce fut à mon tour d'avoir l'air atterré, quoique la réponse ne fût pas si simple.

— Peu importe, au fond. L'essentiel est que tu ne m'aies pas trahi la nuit dernière, alors que tu le pouvais. À moins que...

Son visage devint gris.

— À moins que Tongilius et les autres ne soient descendus vers une embuscade !

Il porta instinctivement la main à la garde de son épée et je vis dans ses yeux une lueur criminelle. Je mesurai d'un coup à quel degré de désespoir il était parvenu : dans son esprit, les dieux et les hommes l'avaient trahi. J'eus toutes les peines du monde à le calmer.

— Non, Catilina, tes hommes sont en sécurité. Je ne t'ai pas

381

trahi ! Réfléchis : Meto est avec eux ; je n'aurais pas envoyé mon fils dans un piège.

Il se détendit et ses lèvres esquissèrent un pâle sourire.

— Tu vois ce qu'on a fait de moi ? soupira-t-il. Cependant mes compagnons continuent à puiser en moi leur force ! Allons, viens, il faut se dépêcher !

La descente se révéla plus traîtresse encore que la montée ; le sentier était un mélange glissant de boue et de cailloux, parsemé de débris de branches. Catilina et moi fîmes une descente glissée, saluée en fin de parcours par les sifflets affectueusement moqueurs des jeunes hommes déjà arrivés à bon port. Nous débouchâmes enfin dans la clairière où les chevaux, détrempés, étaient attachés.

— J'ai fait une reconnaissance sur la voie Cassienne, dit Tongilius. La route est dégagée.

Nous conduisîmes nos bêtes par l'étroit passage, entre le chêne et le rocher ; pour compenser la perte d'un des chevaux du groupe, je donnai le mien ; Meto et moi reviendrions sur le même cheval. L'excitation de la descente et son côté joyeusement absurde avaient restauré la bonne humeur de Catilina. Sa monture se cabra et hennit, apparemment heureuse d'être sortie de la boue et de l'humidité. Il s'approcha de nous.

— Tu es sûr que tu ne veux pas venir avec nous, Gordien ? Non, rassure-toi, je plaisante ! Ta place est ici, avec ta famille. Tu as un avenir, toi...

Il fit une volte et revint, encadré de ses compagnons. Crottés jusqu'au cou, ils souriaient comme s'ils venaient de remporter une bataille.

— Tongilius, tu as bien l'aigle d'argent ? Parfait ! Gordien, je te remercie pour ce que tu as fait pour moi ; et pour ce que tu aurais pu faire contre moi, mais que tu n'as pas fait, je te remercie encore plus !

Piquant des deux, la troupe partit au galop. Meto et moi les regardâmes disparaître vers le nord.

— Le reverrons-nous jamais, papa ? demanda Meto.

Un haussement d'épaules fut ma seule réponse. Qui d'autre que le Destin pouvait répondre à une telle question ?

Lorsque nous revînmes à la maison, Diane fut ravie, comme si nous étions allés jouer dans la boue, son frère et moi. Bethesda, d'abord alarmée, fut vite rassurée. Elle me nettoya avec une éponge et me laissa ensuite m'effondrer sur notre lit. Elle m'y rejoignit dans la journée et me fit l'amour avec une férocité dévorante que je ne lui avais pas connue depuis long-temps.

Ce même jour, pendant que je dormais et que Catilina et sa troupe fonçaient vers le nord, Cicéron avait fait un second dis-cours contre le fugitif ; il ne s'était pas adressé au Sénat, mais directement au peuple massé sur le Forum. Je l'appris le lende-main par une lettre d'Eco qui m'avertissait – trop tard – de la fuite de Lucius Sergius. Cicéron avait repris largement ses pro-pos devant le Sénat, deux jours plus tôt, mais de façon encore plus venimeuse et avec des hyperboles d'une grande crudité qui montraient au fond le peu d'estime qu'il avait pour l'esprit de son auditoire. Eco citait de longs extraits du discours, sans doute parce qu'il était aussi étonné que moi devant les excès de cette rhétorique ampoulée qui se passait de commentaires, mais également parce qu'il savait que cela m'amuserait.

Cicéron s'était attardé longuement sur ses propres mérites et sa vigilance, mais plus longuement encore sur les crimes et les débauches de Catilina et de ses partisans. Je me demandai com-ment la foule du Forum, pourtant friande de ce genre de « révéla-tions », avait pu avaler de telles exagérations : « De quel crime et de quelle perversité Catilina ne s'est-il pas rendu coupable ? À travers toute l'Italie, il n'est pas un empoisonneur, pas un gladia-teur, pas un voleur, pas un assassin, pas un parricide, pas un escroc au testament, pas une prostituée, pas un inverti, pas un corrupteur de jeunesse qui n'ait été son intime. Quel meurtre a été accompli sans lui, ces dernières années ? Quelle débauche impie sans sa participation ? »

Après ce tableau effroyable, Cicéron avait développé le con-cert de vertus de ses partisans et finit son discours en appelant modestement « les dieux immortels eux-mêmes » à donner la force et la victoire à « ce Peuple invincible, ce glorieux Empire et cette Ville, la plus belle de toutes les cités ». Le succès ne pouvait être que garanti devant tant de raffinements ! La lecture de ces extraits me laissa, en revanche, profondément déprimé. La République en est arrivée là, me dis-je, atterré.

Le messager venu porter la lettre d'Eco repartit avec ma réponse. J'écrivais à mon fils aîné que l'hôte dont il s'était enquis était passé par la voie Cassienne, mais sans s'arrêter sous notre toit ; que d'un commun accord, nous avions décidé qu'il ne reviendrait plus à la maison. Eco n'avait plus à se faire de souci de ce côté-là.

Les pluies continuèrent et le niveau de la rivière remonta. Nous allions manquer de foin, mais l'approvisionnement en eau redevenait normal. Quant au moulin, il pouvait désormais tourner sans intervention de la force humaine et le voir ainsi fonctionner harmonieusement me fit repenser à mon ami et bienfaiteur Lucius Claudius. Je songeai aussi à Catilina, qui avait trouvé la clef du bon fonctionnement du moulin, alors que j'y avais renoncé. J'espérais de tout cœur qu'il se déciderait à s'exiler temporairement à Massilia, le temps de calmer l'agitation et pour éviter des événements plus tragiques encore, mais tel n'avait pas été le cas, selon la lettre que je reçus d'Eco quelques jours après les ides d'octobre.

Très cher papa !

Les événements qui se bousculent ici m'empêchent de venir vous voir, sinon je l'aurais fait sûrement. Tes conseils si avisés et le son de ta voix me manquent. Bethesda me manque aussi, ainsi que Diane et Meto. Donne-leur mon affection.

Les nouvelles, ici, sont que Catilina a définitivement pris les armes avec Manlius et ses troupes, à Fœsulæ. On dit qu'il s'est arrêté d'abord à Arretium et qu'il y a fomenté des troubles. Tous les jours parviennent des rumeurs de soulèvements et d'émeutes, au nord comme au sud. La population de Rome est dans un état de grande agitation et d'anxiété ; je ne me rappelle rien de tel depuis la révolte de Spartacus. Les gens ne parlent de rien d'autre ; pas un poissonnier, pas un boutiquier qui n'ait son mot à dire.

Sur demande expresse de Cicéron, le Sénat a déclaré Cati-

lina et Manlius hors la loi et ennemis du peuple. *Tout homme qui les accueillera sous son toit connaîtra le même sort. Je sais que tu comprends.*

On lève actuellement une armée sous le commandement du consul Caius Antonius ; nous aurons certainement une guerre. On dit que Pompée revient en hâte d'Orient pour sauver la situation, mais l'on dit toujours cela de Pompée en temps de crise, non ?

Je t'en prie, papa, viens à Rome avec toute la famille. La ferme n'offre sans doute guère d'agréments en cette saison. Les riches quittent bien leur ferme pour venir en ville l'hiver, alors pourquoi pas toi ? Si la guerre éclate, il est très probable qu'elle se déroulera en Étrurie et je suis rongé d'inquiétude en sachant la vulnérabilité de ta position. La Ville sera bien plus sûre pour vous tous.

Si tu ne veux pas venir pour un long séjour, viens au moins très vite nous rendre visite, ne serait-ce que pour que je puisse te parler en termes plus francs qu'une lettre ne l'autorise.

Tel est le désir de ton fils loyal,

Eco

Je lus la lettre deux fois. À la première lecture, je fus touché par son inquiétude, sans comprendre toutefois pourquoi il m'avertissait de ne pas accueillir Catilina sous notre toit : n'avait-il pas reçu ma réponse à sa précédente lettre, où je le renseignais discrètement sur ce point ? À la seconde lecture, je fus surtout frappé par le malaise et la contrainte artificielle de son ton. Mais il fallait prendre une décision. Après consultation de Bethesda et d'Aratus, je décidai que toute la famille partirait pour Rome au début du mois de décembre.

Pour un homme qui professait un dégoût marqué de la politique, mon emploi du temps de la seconde moitié de l'année avait toutes les couleurs de l'ironie : mon voyage d'été m'avait exposé aux harangues politiques et à un vote non désiré ; mon voyage d'hiver allait faire de moi le témoin d'un spectacle encore plus historique. En effet, à moins d'un mois de la fin de son mandat consulaire, Cicéron allait connaître le couronnement de sa carrière. La vie est comme le Labyrinthe de Crète, pensé-je parfois : chaque fois que nous heurtons du nez contre un mur, quelque part, le Minotaure éclate de rire...

Quatrième partie

Nunquam

1

Nous sommes partis pour Rome avant l'aube, le lendemain des calendes de décembre. Le vent était vif, mais nous l'avions de dos et nos chevaux étaient en excellente forme. Nous sommes arrivés au pont Milvius alors que le soleil était à son zénith. Le trafic était fluide, comparé aux embarras que nous avions rencontrés lors de notre précédent voyage. Pourtant, des gens étaient agglutinés près de l'entrée du pont ; je pensai d'abord que quelque marchand ambulant attirait la foule mais, en m'approchant, je vis qu'il s'agissait d'une conversation animée entre des membres de classes très diverses : des fermiers, des affranchis, mais aussi des voyageurs huppés accompagnés par de nombreux esclaves.

Je fis signe à l'esclave qui conduisait le chariot où se trouvaient Bethesda et Diane de s'arrêter sur le bord de la voie ; Meto et moi descendîmes de cheval pour aller nous mêler à la foule. Plusieurs personnes parlaient à la fois, mais la voix dominante était celle d'un fermier, vêtu d'une tunique poussiéreuse.

— Si ce que tu dis est vrai, disait le fermier, pourquoi ne les a-t-on pas exécutés sur-le-champ ?

Sa remarque s'adressait à un marchand apparemment aisé, à en juger par les bagues qui chargeaient ses doigts et par la troupe d'esclaves qui l'entouraient.

— Je ne fais que répéter ce que j'ai entendu au moment de quitter la ville, répondait le marchand. Les affaires m'appellent dans le nord, autrement j'aurais aimé rester pour voir ce qui va se passer cet après-midi. On dit que Cicéron lui-même pourrait s'adresser au peuple sur le Forum.

— Cicéron ! s'exclama le fermier en crachant. Excuse-moi, mais les pois chiches me restent sur l'estomac.

— Cela vaut peut-être mieux que le coutelas d'un barbare dans l'estomac, ce que ces traîtres préparaient pour toi, lança le marchand.

— Bah, une belle botte de mensonges, comme d'habitude ! dit le fermier d'un ton désabusé.

— Ce ne sont pas des mensonges, intervint un autre homme, juste devant moi. Cet homme qui vient de la ville sait ce qu'il dit. Je vis dans cette maison, juste en face, sur le fleuve. Le préteur et ses hommes ont passé la nuit sous mon toit, alors je suis bien placé pour savoir. Ils étaient en embuscade, et ils ont surpris les traîtres sur le pont, et ils les ont arrêtés...

— Mais oui, mais oui, tu nous as déjà raconté l'affaire, Caius. C'est un fait que les soldats ont arrêté des gens qui sortaient de Rome, mais qui sait ce que cela signifie ? interrompit le fermier mécontent. Il faut attendre et voir : toute l'affaire est une nouvelle machination inventée par Cicéron et les Optimates pour abattre Catilina.

Plusieurs citoyens firent chorus dans un concert de cris hostiles.

— Et pourquoi non ? demanda le marchand, lui aussi remonté, alors que ses esclaves, bien dressés, l'encerclaient pour le protéger. Catilina devrait déjà être mort. Le seul tort de Cicéron est de ne pas l'avoir fait étrangler pendant qu'il était encore à Rome. Au lieu de cela, ce vaurien continue à intriguer et tu vois où cela nous mène : des Romains complotant avec des barbares, pour soutenir leur révolte ! C'est une honte !

Ces paroles déclenchèrent une bordée d'injures de la part des partisans du fermier, suivie par une volée non moins vive de la part de ceux qui étaient d'accord avec le marchand. Je touchai l'épaule de celui que l'on avait appelé Caius et qui disait habiter à proximité.

— Je viens juste d'arriver du nord, dis-je. Que s'est-il passé ?

L'homme se retourna, montrant des yeux bouffis par l'absence de sommeil.

— Venez à l'écart, dit-il. Je ne m'entends même plus penser ! J'ai déjà raconté l'histoire cent fois, depuis ce matin, mais je vais la redire. Vous allez en ville ?

— Oui.

— Vous verrez que tout le monde en parle et vous pourrez leur dire que vous avez entendu les faits de la bouche même d'un authentique témoin de l'affaire.

Il me regarda d'un air extrêmement grave pour vérifier que je saisissais bien toute l'importance de ce détail.

— Oui, oui, parle !

— La nuit dernière, alors que j'étais au lit depuis longtemps, voilà qu'on frappe à ma porte.

— Qui ?

— Un préteur, qu'il disait. Imagine un peu ! Un dénommé Lucius Flaccus. Envoyé en mission par le consul en personne, soi-disant. Entouré par toute une compagnie d'hommes enveloppés dans des manteaux foncés. Et tous portant des épées courtes, comme en ont les légionnaires. Il m'a dit de ne pas avoir peur et qu'ils allaient passer la nuit chez moi. Puis ils ont voulu mettre les chevaux dans mon écurie, alors j'ai envoyé un esclave pour leur montrer le chemin. Lui à ce moment-là, il m'a demandé s'il y avait une fenêtre d'où il pouvait garder un œil sur le pont et si j'étais un patriote. Naturellement, que je lui ai dit. Il m'a dit que si c'était vrai, il pouvait avoir confiance en moi, mais il m'a quand même donné une pièce d'argent. C'est normal, non, de payer quelque chose quand des soldats s'installent dans la maison d'un citoyen ?

— Mais ces hommes n'étaient pas des soldats, si ? demanda Meto.

— Ben, non... Enfin, je crois que non... Ils n'étaient pas habillés comme des soldats, en tout cas, mais ils venaient sur ordre du consul. Le Sénat a promulgué un décret, le mois dernier – vous avez dû en entendre parler – chargeant les consuls de prendre toutes les mesures nécessaires pour protéger l'État. Il n'y a donc rien de surprenant à voir des hommes en armes

391

envoyés par le consul, non ? Bien sûr, j'aurais jamais pensé être au milieu d'une affaire pareille !

Il hocha la tête avec un petit sourire de satisfaction.

— Bref, le préteur s'installe à la fenêtre et ouvre les volets — si vous vous penchez un peu en avant, vous pourrez voir comment ce côté de ma maison donne sur le fleuve et sur le pont — puis il demande à l'un de ses hommes de lui apporter un brandon, qu'il élève plusieurs fois par la fenêtre ouverte. Et vous voyez cette autre maison, juste en face de la mienne, de l'autre côté du fleuve ? Eh bien, d'une fenêtre de cette maison, quelqu'un lui répond avec une flamme agitée de la même façon. Ils avaient des hommes cachés de chaque côté du pont, vous comprenez ? Une embuscade pour quelqu'un. Je l'ai compris tout seul, sans qu'on me dise rien.

Il fit une pause et nous regarda pour être bien sûr que nous avions suivi toute la tension dramatique de la mise en scène.

— Bon, bon, dis-je, continue !

— Bon, alors la nuit passait, et je ne pouvais pas dormir, pour sûr, ni ma femme ni mes enfants. Mais on ne pouvait pas avoir de la lumière, alors on est resté assis dans le noir. Le préteur guettait à la fenêtre ; ses hommes restaient groupés, bavardant entre eux à voix basse. À un moment, entre minuit et l'aube, on a soudain entendu le claquement des sabots sur le pont — c'était une nuit claire et froide, sans autre bruit que celui du fleuve, alors les chevaux s'entendaient bien sur les dalles du pont ; un petit groupe de cavaliers, sans doute. Le préteur se dresse à la fenêtre et ses hommes retiennent leur souffle ; de l'autre côté de la rivière, le même feu que tout à l'heure reparaît à la fenêtre. « Ça y est ! » qu'il dit le préteur, et ses hommes sont déjà sur pied, le glaive dégainé. Juste le temps, pour moi, de me plaquer contre le mur pour les laisser se ruer hors de ma maison.

« Un boucan terrible sur le pont, assez fort pour réveiller les lémures de tous les noyés : des hommes se précipitant sur le pont par les deux côtés, les sabots des chevaux claquant, des cris et des jurons, dont certains dans le jargon des Gaulois !

— Des Gaulois ? s'étonna Meto.

— Ben oui, certains des hommes à cheval, sur le pont, étaient des Gaulois, de la tribu des Allobroges, comme le préteur me l'a dit plus tard. Les autres étaient des Romains, mais ils n'en méritent pas le nom, les traîtres !

— Comment sais-tu tout cela ? demandai-je.

— Parce que le préteur me l'a dit, tiens donc ! Après le succès de l'embuscade, il était tout fier de lui, tout excité, je crois, après toute cette attente, et puis – clap ! – tout est fait en un tournemain, tout comme il le voulait, je suppose ! Pas une goutte de sang versé ; en tout cas, on n'en voyait pas trace sur le pont, ce matin. Les traîtres ont été descendus de leurs chevaux et attachés. Une fois que tout a été terminé, Flaccus m'a remercié d'une grande claque dans le dos : j'avais fait mon devoir pour sauver la République, qu'il m'a dit. Bon. Moi, je lui réponds que j'en suis bien content, mais que je le serais encore davantage, et fier par-dessus le marché, si je savais ce qui s'était passé. "Tout le monde en parlera bientôt, qu'il dit, mais pourquoi ne le saurais-tu pas avant tout le monde ? Ces hommes que nous venons d'arrêter font partie d'une conspiration pour renverser la République !"

« "Des hommes de Catilina ?", que je lui demande. Vivant au bord de la route, vous pensez si je suis au courant de ce qui se passe à Rome, alors je savais les problèmes que le consul avait avec ce vaurien. On me la fait pas, à moi !

« "Nous verrons bien, qu'il dit, le préteur. La preuve pourrait bien être là-dedans, et il tenait des documents roulés serrés, scellés à la cire. Des lettres des traîtres à leurs complices conspirateurs, nous allons les porter au consul pour qu'il les ouvre. Mais la meilleure preuve contre eux : les Gaulois qui étaient avec eux." Et il montrait un groupe de barbares en braies de cuir, toujours sur leurs chevaux.

« "Des ennemis ?" que je dis ; je ne comprenais pas pourquoi on les avait pas tirés de leurs chevaux, comme les autres, et enchaînés, pareil.

« "Non, qu'il dit, le préteur, mais des alliés et amis loyaux, comme on vient de l'apprendre. Ces hommes sont les députés officiels d'une tribu appelée allobroge, qui vit dans la province de Gaule narbonnaise, au-delà des Alpes, sous administration romaine. Les traîtres ont essayé de les entraîner dans leur com-

393

plot : ils voulaient que les Allobroges déclenchent la guerre en Gaule transalpine pour y fixer les légions en garnison, tandis que les traîtres feraient leur révolution à Rome et en Italie. Tu imagines un peu ? S'adresser à des étrangers pour faire la guerre contre des compatriotes ! Peut-on imaginer quelque chose de plus méprisable ?"

« "Non !", que j'lui dis alors.

« "Ces conspirateurs sont des hommes sans honneur ni loyauté, qu'il me répond. On pourrait croire que le seul fait d'être romain empêche de penser à ces abominations, mais des hommes comme eux n'ont de respect ni pour leur pays ni pour les dieux. Heureusement, les Allobroges ont révélé le complot à leur protecteur romain, lequel en a aussitôt informé Cicéron, dont les yeux et les oreilles sont partout, comme chacun sait. Les traîtres, croyant toujours que les Allobroges étaient avec eux, ont envoyé leurs messagers avec les barbares pour échanger les nouvelles et les mots d'ordre nécessaires avec Catilina. Mais c'est la fin de leurs exploits. Nous allons les ramener à Rome, maintenant : le Sénat et le peuple décideront ce qu'il faut faire de ces ordures."

L'homme fit une pause pour reprendre son souffle et pour ménager ses effets. Il avait débité son long monologue avec une grande habileté, après l'avoir sans doute embelli et enrichi à chaque répétition.

– Je n'ai pas pu fermer l'œil depuis, reprit-il, trop excité par tous ces événements. Puis le jour est venu et tous les voisins ont voulu savoir ce qui s'était passé et pourquoi il y avait eu un tel raffut, cette nuit-là : ils avaient cru à la présence de bandits ou de gladiateurs évadés et ils avaient barricadé leurs volets. C'est comme ça que vous m'avez trouvé là, à recommencer l'histoire pour chaque voyageur de passage. Eh ! C'est pas tous les jours que de pareils événements arrivent, dans la vie d'un homme. Comme disait le préteur, j'ai tenu mon rôle pour le salut de la République.

Alors qu'il venait de dire ces mots, un crottin de cheval vint lui frapper la tête ; il poussa une exclamation et se frotta l'oreille, furieux.

394

– Que Jupiter te transforme en crapaud ! criait une voix perçante qui appartenait au fermier sectateur de Catilina.

– Comment oses-tu ? cria le marchand.

– Écarte de moi tes esclaves crasseux ! répliqua le fermier.

Je vis soudain briller des lames de couteau et jugeai prudent de faire retraite, tout comme le vaillant Caius victime du crottin volant. Meto et moi remontâmes à cheval et je fis signe au conducteur du chariot de repartir. Parvenu au milieu du pont Milvius, je me retournai : l'incident était devenu une rixe en règle, d'où je vis bientôt sortir le fermier chancelant, soutenu par des amis, la tête ensanglantée.

Rome, pensai-je, est comme Bethesda. J'avais appris à sentir l'humeur de l'une comme de l'autre, en observant quelques signes. Averti par l'affaire du pont, je remarquai bientôt que les boutiquiers se débarrassaient en hâte de leurs clients pour fermer leurs éventaires. Les tavernes ne désemplissaient pas ; il y avait peu de femmes dehors. Un mouvement d'ensemble des passants, à pied comme à cheval, se dessinait vers le Forum. L'impression était si forte qu'en remontant la rue de Subure pour nous rendre à la maison d'Eco, j'eus vraiment l'impression de nager à contre-courant.

Ménénia nous accueillit et Diane se précipita dans ses bras. Je demandai où était Eco et la réponse fut celle que j'attendais.

– Il est parti pour le Forum, voici quelques instants seulement. On raconte que Cicéron va parler au peuple cet après-midi. Nous ne savions pas à quelle heure vous arriveriez, mais Eco a dit que si vous étiez là à temps, tu devais descendre au Forum avec Meto et tâcher de le retrouver.

– Je ne crois pas..., commençai-je, mais Meto m'interrompit.

– Irons-nous à pied ou à cheval, papa ? J'aimerais mieux à pied, car le cheval, après notre voyage, j'en ai assez.

Nous prîmes ainsi rapidement le chemin du Forum. Il était noir de monde lorsque nous y parvînmes : comment retrouver Eco dans une telle foule ? Je me posais précisément la question lorsqu'un bras gesticulant sortit d'un groupe tout proche.

– Meto ! Papa ! Je ne pensais pas que vous arriveriez si tôt.

Vous êtes passés à la maison ? Vite, je crois qu'il a déjà commencé.

Nous nous dirigeâmes vers le parvis du temple de la Concorde. C'était là que les prisonniers avaient été conduits, après leur arrestation sur le pont Milvius ; là aussi que Cicéron avait réuni le Sénat pour discuter de l'affaire. Pour le moment, le consul parlait du haut des marches qui menaient au temple. Derrière lui brillait, puissante et magnifique dans sa nouveauté – on venait tout juste de la mettre en place –, une grande statue de bronze de Jupiter. Cicéron était bien petit, à côté du roi de l'Olympe, mais sa voix avait l'éclat du tonnerre :

– Romains ! Être sauvé du danger, être tiré des griffes d'une perte assurée, est-il une expérience plus joyeuse et plus exaltante ? Vous êtes sauvés, Romains ! Votre ville est sauvée ! Réjouissez-vous ! Rendez grâces aux dieux ! Sauvés, oui, car sous la cité entière, sous chaque maison, sous chaque temple, sous chaque sanctuaire, l'incendie préparé par des mains criminelles couvait : cet incendie, nous l'avons éteint ! Les glaives étaient tirés contre le peuple et déjà posés sur sa gorge : ces glaives, nous les avons fait tomber avec nos mains nues ! Ce matin même, devant le Sénat, j'ai révélé toute l'affaire mais maintenant, citoyens, je vais vous exposer brièvement les faits, afin que chacun d'entre vous puisse connaître par lui-même les dangers qui ont été encourus, décelés et victorieusement combattus, au nom de Rome et par la grâce des dieux.

Après avoir rappelé la fuite de Catilina – dont Cicéron s'attribuait au passage le mérite, comme on pouvait s'y attendre – il raconta la manœuvre de Publius Lentulus auprès des Allobroges, les messagers interceptés au pont Milvius, leur interrogatoire devant le Sénat, la confusion des conspirateurs devant les témoignages irréfutables des lettres. Le consul avait eu l'habileté de ne pas les décacheter avant et l'effet avait été foudroyant : Volturcius, Cethegus, Statilius, Lentulus – tous avaient été confondus par ces preuves, accablés par les confirmations des envoyés des Allobroges restés loyaux à Rome. Le peuple, médusé, vibrait à l'unisson de chacune des révélations du consul, qui tenait enfin son triomphe. La péroraison de son discours atteignit des sommets :

– Aujourd'hui, sous le regard terrible de Jupiter, ce complot contre votre sécurité, contre la survie même de Rome, a été révélé dans toute son ampleur, exposé à la dure lumière du jour et de la vérité. Votre haine de ces criminels et leur châtiment doit donc être à la mesure de leurs crimes. Je serais fier de pouvoir dire que leur découverte et leur arrestation ont été mon œuvre, mais il n'en est pas ainsi : c'est Jupiter lui-même qui les a mis en échec. Jupiter voulait que le Capitole fût sauvé, et tous les temples, et la ville entière, et toi, peuple de Rome ! De cette volonté divine, je puis quand même dire avec orgueil que j'ai été l'instrument.

« Le Sénat a décrété des actions de grâces aux dieux. Ce décret a été pris en mon nom – c'est la première fois qu'un tel honneur a été décerné à un civil. Il est libellé en ces termes : "Parce qu'il a sauvé la cité des flammes, les citoyens du massacre et l'Italie de la guerre." Oui, citoyens, élevez vos clameurs en actions de grâces, mais pas pour moi : adressez vos prières d'amour et de reconnaissance à celui qui nous a tous sauvés, au destructeur des ennemis de Rome, à Jupiter Tout-Puissant !

Cicéron se retourna pour tendre ses bras à la statue, derrière lui, puis se prosterna à ses pieds. Une immense clameur s'éleva aussitôt de la foule, trop spontanée et trop bouleversante pour être l'œuvre des agents du consul disséminés en son sein ; le peuple rendait bien grâce au roi des dieux. Pourtant, même s'il se tenait dans l'ombre de la statue, Cicéron avait un sourire qui ne trompait pas : pour lui, c'était bien son triomphe que l'on célébrait, c'était bien Marcus Tullius, sauveur de Rome, que l'on acclamait.

2

— C'est la fin de Catilina, dit Eco, ce soir-là, alors que nous bavardions après le dîner.

La table avait été débarrassée ; seule restait une cruche de vin coupé d'eau. Diane était presque endormie, dans son lit ; Bethesda et Ménénia s'étaient retirées dans une autre pièce.

— Jusqu'à ce jour, reprit Eco, personne à Rome ne savait ce qui allait se passer. On était persuadé de l'imminence d'un soulèvement — réussi ou non — dont l'attente était perceptible dans les rues : une angoisse diffuse, mais aussi un ressentiment et une agitation permanents, le désir de changement, quel qu'en fût le prix. Comme si les gens avaient attendu que le ciel s'ouvrît et révélât tout un panthéon de dieux nouveaux, penchés sur le sort des Romains.

— C'est à cela que tu faisais allusion, demandai-je, lorsque tu me disais dans ta lettre que nous pourrions parler plus franchement face à face ?

— Je pouvais difficilement exprimer de telles idées dans une lettre, non ? Regarde ce qui est advenu de Lentulus et de Cethegus, pour avoir mis leurs pensées par écrit ! Non que j'aie de la sympathie pour eux, mais nous devons tous être prudents, par les temps qui courent, et faire attention à ce que l'on dit, à qui l'on parle...

— Les yeux et les oreilles du consul sont partout, interrompis-je.

— Exactement.

— Et tous ces yeux se surveillent mutuellement.

— Oui.

— Alors, c'est vraiment dommage que tous ces espions et contre-espions ne se soient pas emmêlés les pieds ! coupa Meto brutalement, avec une véhémence qui nous surprit. Il était resté silencieux jusque-là, à boire et à écouter tranquillement. Eco le regarda, étonné.

— Que veux-tu dire, Meto ?

— Je veux dire, je ne suis pas sûr, mais enfin..., j'ai trouvé le discours de Cicéron écœurant. Tu crois vraiment qu'il y avait un mot de vrai dans tout ce qu'il a dit ?

— Mais bien sûr, répliqua Eco, un peu interloqué de la passion et de la colère que Meto avait mises dans ses propos. Tu ne vas pas supposer que Cicéron a forgé ces lettres de toutes pièces ?

— Non, mais qui a imaginé ce plan le premier ?

— Quel plan ?

— L'idée, pour les conspirateurs, d'essayer de traiter avec les Allobroges.

— C'est Lentulus ou un autre qui a eu cette idée, je suppose...

— Et pourquoi pas Cicéron ? demanda Meto.

— Mais...

— J'ai entendu des gens parler sur le Forum, quand la foule commençait à se disperser. Ils disaient que les Allobroges n'étaient pas heureux de l'administration romaine et qu'ils avaient de bonnes raisons. Les fonctionnaires romains, en Gaule comme ailleurs, sont avares et corrompus ; ils multiplient les exactions sur leurs administrés afin de s'enrichir. Les députés des Allobroges sont venus à Rome pour obtenir justice du Sénat.

— Exact, dit Eco. Et connaissant leur mécontentement, Lentulus a vu immédiatement l'occasion de les gagner à la cause de Catilina.

— À moins que ce ne soit Cicéron qui ait saisi l'opportunité de les utiliser à ses propres fins ? Tu comprends, Eco : tout s'est passé comme si les Allobroges, mis au courant des projets de Catilina, avaient agi en agents de Cicéron et sur ses indications. Il a avoué lui-même, aujourd'hui, qu'il avait cherché désespérément un moyen de mettre au jour ses ennemis ! Assez désespérément pour machiner toute l'affaire, apparemment ! Lentulus et Cethegus ont mordu à l'hameçon, en fous qu'ils étaient. Maintenant, le consul les a pris dans ses filets et ils n'en sortiront pas vivants.

— Des gens disaient cela, sur le Forum ? demanda Eco, pensif.

— Pas trop fort, comme tu peux l'imaginer, mais j'ai de bonnes oreilles.

— C'est cohérent, je le reconnais, mais c'est complètement fou.

— Pourquoi ? Nous savons tous que Cicéron préfère agir en secret, par ruse et tromperie. Crois-tu vraiment qu'il ne saurait pas mettre en scène une affaire comme celle-là ? C'est si facile et tellement évident. Les Allobroges viennent demander justice et le Sénat les ignore. Or Cicéron est l'homme le plus puissant à Rome et peut les aider à condition qu'ils lui servent d'agents doubles dans cette affaire. Les Allobroges approchent donc Lentulus et Cethegus, prétendument à la recherche d'une alliance. Sans la présence de Catilina – tellement plus intelligent ! – pour les guider, Lentulus, Cethegus et les autres sont livrés à eux-mêmes et ils sautent sans réfléchir sur l'occasion. Mais les Allobroges, dûment chapitrés par Cicéron, demandent des engagements écrits et ces malheureux imbéciles les donnent. Là-dessus, les députés gaulois prétendent repartir vers leur pays et, sur information de Cicéron, les préteurs Valerius et Pomptinus montent une fausse embuscade sur le pont Milvius.

— Pourquoi « fausse » ? demanda Eco.

— Parce que si les préteurs et leurs soldats la croyaient vraie, une partie des hommes qu'ils devaient surprendre les attendaient, en fait, et n'ont opposé qu'une résistance de façade. Volturcius et les Allobroges ont été, pour le coup, les fidèles agents de Cicéron.

— Disait-on cela aussi, sur le Forum ? s'enquit Eco.

— Non, dit Meto. La complicité de Volturcius est mon idée.

— Elle est loin d'être invraisemblable, dis-je alors, intervenant pour me joindre à une conversation que je m'étais contenté d'écouter. Nous savons que les espions de Cicéron sont partout.

– Même dans cette pièce, murmura Meto, si bas que je l'entendis à peine.

Eco hocha la tête.

– Pourtant, même si ce que tu me dis est vrai et que Cicéron ait tendu un piège aux conspirateurs, ces imbéciles n'avaient pas besoin de tomber dedans. Ils se sont quand même alliés avec des étrangers pour comploter la guerre contre Rome !

– C'est indéniable, dis-je, et c'est pourquoi Meto les qualifie de fous à juste titre. Le peuple romain aurait pu pardonner un complot contre l'État, voire se joindre à l'entreprise – ne serait-ce que dans l'espoir des pillages qui accompagnent ce genre d'événements – mais pour des Romains, l'intelligence avec l'étranger, qu'il faut bien appeler de la haute trahison, est impardonnable. Les rebelles deviennent des traîtres à la patrie. Je crois que tu as raison, Eco, lorsque tu dis que cela signe la fin de Catilina, qui ne pourra jamais s'en relever. En vérité, il n'est pas étonnant que Cicéron ait rendu grâce aux dieux, à la fin de son discours : Jupiter lui-même n'aurait pas inventé mieux pour discréditer Catilina et ses partisans. Le proverbe ne dit-il pas que le roi des dieux "rend fous ceux qu'il veut perdre" ?

Je vis Meto faire mine de se boucher les oreilles.

– Je t'en prie, papa, ne parle pas des dieux ! Tu connais les sentiments réels de Cicéron au sujet de la religion, non ? Tu sais qu'il se vante auprès de ses amis de ne pas y croire ; il dit que tout cela est un tissu d'absurdités et de superstitions. Mais quand il parle au peuple, sur le Forum, il se présente avec la piété des prêtres et se nomme lui-même l'instrument de Jupiter. Quelle hypocrisie ! Et quelle absurdité subtile, que cette coïncidence avec l'installation de la nouvelle statue de Jupiter ! Ne crois-tu pas, au contraire, que Cicéron a choisi ce jour précis – qu'il connaissait par les ingénieurs dont il a parlé – pour monter « l'embuscade » du pont Milvius afin de pouvoir exploiter précisément cette coïncidence ?

Eco ouvrit la bouche, mais Meto était lancé.

– Tu veux que je te dise autre chose ? Je ne suis même pas sûr que Lentulus et Cethegus aient projeté d'incendier la ville. Quel témoignage en avons-nous, à part les « révélations » de

Volturcius, qui est peut-être un agent de Cicéron ? Ils ont sans doute été assez stupides pour se mettre à comploter, à moins que le consul n'ait inventé de toutes pièces l'incendie de Rome pour effrayer le peuple, tout comme il avait lancé l'idée que Catilina voulait provoquer une révolte servile. Rien n'effraie plus les Romains que ces deux fléaux, les esclaves révoltés et l'incendie, car les pauvres redoutent celui-ci (qui leur prend tout leur bien en un moment) et les riches ont une peur bleue de ceux-là (dont ils redoutent la vengeance). Même le plus pauvre des plébéiens, qui regarde Catilina comme un sauveur, tournera le dos à un homme que l'on accuse de comploter un incendie.

— Les foudres de Cicéron frappant la foule..., murmurai-je.

— Que dis-tu ? demanda Eco.

— Une image que je tiens de Catilina. Les vierges vestales et la dépravation sexuelle, l'incendie, les révoltes serviles et l'anarchie, l'intelligence avec l'étranger, la volonté de Jupiter : Cicéron possède la science des mots et des phrases qui manipuleront les masses.

— N'oublions pas sa vigilance, dit Meto en se levant si brutalement qu'il renversa sa coupe. Moi, je peux dire au moins quelque chose que nul autre ici n'a le droit de dire ; je n'ai jamais servi d'yeux ni d'oreilles à Cicéron !

Ayant jeté plus que dit ces paroles, il quitta soudainement la pièce. Eco le suivit du regard, stupéfait, puis revint à moi.

— Papa, qu'est-il arrivé à mon petit frère ?

— Il devient un homme, je suppose.

— Non, je veux dire...

— Je sais ce que tu penses. Mais depuis le jour de sa toge virile, ici, à Rome, il est devenu peu à peu tel que tu viens de le voir.

— Mais ces idées intraitables et la profondeur de sa colère contre Cicéron, d'où cela lui vient-il ?

— Tu sais, Catilina a fait plusieurs séjours sous notre toit. Je pense que Meto et lui ont eu des conversations privées alors que j'étais occupé ailleurs ; tu connais l'influence immédiate de Catilina sur les jeunes...

— Mais ces idées sont dangereuses ! Que Meto veuille fronder lorsqu'il est à la ferme, c'est une chose ; mais ici, à Rome, j'espère qu'il tiendra sa langue, au moins en public. Je pense que tu devrais lui parler.

— Pourquoi ? Tout ce qu'il a dit est assez cohérent.

— D'accord, mais tu ne te fais pas de souci ?

— Je crois que je le devrais. Toutefois, lorsqu'il a quitté la pièce, il ne semble pas s'être soucié de ce que je ressentais, moi. Or je me sentais plutôt fier de lui, vois-tu, et j'avais un peu honte de moi-même.

Il y a des moments, au théâtre, où les personnages et les événements paraissent devenir plus réels que la réalité même. Je ne fais pas référence, il va sans dire, aux pauvres comédies romaines, bien qu'elles atteignent parfois le phénomène auquel je pense ; je parle davantage des sublimes tragédies des Grecs. Les dieux sont là, sur le théâtre, et même si l'on sait que ce sont des hommes suspendus dans l'eccyclème [1], on ressent une crainte religieuse qui est plus forte que la raison. Les jours qui suivirent le discours de Cicéron, sur le Forum, eurent la même coloration : il y avait quelque chose de grand et de théâtral, mais en même temps de cruel et d'absurde, dans l'inéluctable progression qui menait à la destruction des hommes tombés au pouvoir de Cicéron. Pour finir, ce ne fut pas le consul qui décida de leur mise à mort, mais le Sénat. Que cette auguste assemblée ait agi ou non dans la légalité, c'est un débat ouvert qui ne se résoudra sans doute pas de mon vivant.

La loi romaine, en effet, ne donne ni aux consuls ni au Sénat le droit de condamner à mort un citoyen romain, droit exclusivement réservé aux tribunaux et à l'Assemblée du peuple. Comme celle-ci est extrêmement versatile et que ceux-là sont lents et encombrés, aucune de ces institutions n'est d'un grand usage, en cas d'urgence extrême. On pourrait arguer que le décret d'urgence suprême, dotant les consuls de pouvoirs extraordinaires pour préserver l'État, remplace les autres recours et autorise à proclamer la peine de mort contre les citoyens deve-

---

1. L'eccyclème était, dans les théâtres anciens, un dispositif permettant d'amener des personnages sur scène comme s'ils descendaient des airs, une sorte de grue mobile (N.d.t.).

nus traîtres et ennemis de l'État. Même dans ce cas, pourtant, était-il juste, légal et honorable de mettre à mort des hommes prisonniers, qui avaient déposé les armes et s'étaient rendus sans conditions – donc qui ne posaient plus de problèmes ni ne représentaient une menace pour qui que ce fût ? Ces discussions et bien d'autres encore mobilisèrent le Sénat et l'opinion publique tout au long des deux jours qui suivirent.

Contempteur autoproclamé de la politique comme je l'étais, j'aurais dû quitter Rome sur-le-champ. Je ne le fis pas, pourtant. Je ne le pouvais pas. Je me laissai gagner, comme les autres citoyens, par l'attente et l'angoisse : les médecins du Sénat étaient au chevet de la République malade, sous la direction du chirurgien Cicéron, mais nous redoutions qu'ils n'inventent une cure qui arrêterait la fièvre, certes, mais en tuant le malade. Les rumeurs les plus folles couraient sur le Forum, autour du temple de la Concorde où le Sénat assemblé continuait de débattre. On disait que l'un des accusés avait impliqué Crassus dans le complot, que César aussi était soupçonné : Volturcius et les Allobroges les avaient-ils compromis tous les deux ? Lorsque César quitta le Sénat, dans l'après-midi le lendemain du discours de Cicéron, les gardes du corps qui veillaient autour du temple de la Concorde – tous des membres de la classe équestre, sélectionnés par Cicéron – lui montrèrent leurs épées nues en proférant des cris hostiles. César, toujours maître de lui, ne se laissa pas démonter par ces manifestations incongrues, mais laissa simplement tomber : « Pourquoi ces chiens sont-ils de si méchante humeur ? Leur maître ne leur aurait-il pas donné leur pâtée ? »

Ce jour-là, après un bref débat, le Sénat décréta tous les accusés coupables. Les sénateurs votèrent aussi des récompenses officielles pour les fidèles Allobroges et pour le dénonciateur Volturcius, malgré les zones d'ombre qui entouraient le rôle exact de ce dernier. De nouvelles rumeurs commencèrent aussitôt à circuler : les partisans de Lentulus et de Cethegus, entre autres, allaient prendre d'assaut la prison pour libérer leurs patrons ; Cethegus, en particulier, pourrait compter sur plusieurs bandes de gladiateurs, auxquelles se joindraient des éléments de la pègre urbaine dûment soudoyés (on reparlait, pour l'occasion, de l'or de Crassus). Cicéron multiplia les gardes armés et les patrouilles de sécurité ; la présence de tant d'hommes en armes, dans les rues de Rome, fit monter d'un cran la tension et augmenta d'autant les bruits et les rumeurs.

Le 5 décembre, jour des nones, le Sénat se réunit à nouveau, pour décider cette fois de la punition à infliger aux neuf accusés reconnus coupables de crime contre la sûreté de l'État. Le jour s'était levé, clair et froid. Un à un, les sénateurs arrivèrent au temple de la Concorde ; on remarqua l'absence de Crassus et de la plupart des sénateurs qui penchaient pour le parti populiste, mais César arriva sans broncher, entouré d'une cohorte de ses partisans. Une armée de secrétaires, formés par Tiron à un système d'écriture abrégée qui permettait de tout noter, avaient préparé leurs tablettes et leurs stylets : Cicéron voulait être sûr qu'aucun discours n'échapperait à ses dossiers bien classés.

Silanus, en tant que consul désigné, parla le premier. Il fit une peinture mélodramatique de ce qui se serait produit si le complot avait réussi : enfants martyrisés sous les yeux de leurs parents, femmes violées devant leurs maris émasculés, temples pillés, maisons incendiées et ruinées – une catastrophe nationale, pire que la chute de Troie ! La seule peine possible, face à de tels crimes, était, à ses yeux, le « châtiment suprême ». Les orateurs suivants se rangèrent, avec quelques nuances, à l'avis de Silanus, puis ce fut le tour de César.

Il commença par rappeler la sérénité nécessaire à toute bonne justice et fit un petit cours d'histoire pour rappeler tous les cas où la précipitation et la prévention avaient été mauvaises conseillères. Puis il fit remarquer que la loi permettait à un citoyen romain condamné d'échapper à la mort par l'exil et il mit en garde les pères conscrits [1] :

– Réfléchissez aux conséquences que votre arrêt pourrait avoir pour d'autres temps et d'autres hommes. Les abus, vous le savez bien, ont toujours pour origine d'excellents précé-

---

1. On appelait ainsi officiellement (*Patres Conscripti*, en latin) les sénateurs, dont les noms étaient « inscrits ensemble » sur les tables des archives d'État (N.d.t.).

dents ; les accusés ont mérité cent fois le « châtiment suprê-me », mais lorsque le pouvoir tombe dans des mains ignorantes – et nous en avons des exemples, même dans notre histoire – cette mesure extraordinaire, destinée ici à des coupables avérés qui la méritent, risque de s'appliquer, avec l'autorité de la chose jugée, à des innocents qui ne la mériteraient point. Je suis sûr de Marcus Tullius et de sa vertu républicaine ; mais il se pourrait qu'en un autre temps, sous un autre consul qui aurait lui aussi une armée à ses ordres, on tienne pour vrai une nouvelle controuvée. Si ce consul, armé d'un précédent décret du Sénat, fait sortir la hache du faisceau des licteurs, qui pourra légalement s'y opposer ?

Après un nouveau cours d'histoire grecque et romaine, César préconisa le maintien des accusés en détention ou en résidence surveillée dans quelques villes d'Italie, accompagné d'une confiscation des biens et d'une interdiction d'évoquer à nou-veau le cas de ces hommes devant le Sénat, le peuple ou les tribunaux. En clair, César proposait un étouffement de l'affaire, mais laissait en suspens le cas de Catilina (que l'on pouvait espérer réduire militairement).

D'autres sénateurs parlèrent ensuite, ainsi que le consul sor-tant. Cicéron fit valoir que la seule prison convenable pour ces criminels serait donc la prison à vie, peine qui n'existait pas dans l'arsenal répressif de la législation, et surtout que les lois de la République ne s'appliquaient plus aux accusés, qui s'étaient mis eux-mêmes au ban de leur patrie pour devenir des ennemis publics. Silanus, apparemment ébranlé par le discours de César, reprit la parole : il abandonnait l'idée du « châtiment suprême » pour proposer la mise en délibéré de l'affaire et le renforcement temporaire de la garnison. Une façon, en somme, de ne rien décider immédiatement.

Puis vint le tour de Marcus Porcius Caton, la référence morale du Sénat, qui ne cessait de rappeler à ses collègues les principes austères de son illustre aïeul ; il énervait beaucoup de sénateurs, avec ses leçons permanentes, mais sa voix était écoutée. Il rappela qu'il avait maintes fois parlé contre l'égoïsme des possédants et contre leur indulgence envers les coupables de concussion et de prévarication. Mais cette fois, il

407

faisait appel à cet égoïsme des possédants pour les inviter à réagir contre les dangers qui les menaçaient, s'ils montraient de l'indulgence envers les coupables. Cela constituerait un encouragement à la sédition armée de Catilina ; leurs partisans, forts de cette indulgence, auraient tôt fait de les délivrer et l'on verrait alors la réalisation des assassinats et des spoliations dont une histoire encore récente montrait le déplorable exemple. Il fallait avant tout se garder de « perdre tous les honnêtes gens pour épargner quelques criminels patentés. Caius César a doctement disserté sur l'histoire, la philosophie et le droit, mais ce qu'il propose est sans valeur en regard des dangers encourus, et même contradictoire ou inquiétant : si César craint un danger venant des conspirateurs, cette mesure d'emprisonnement est illusoire ; si, alors que tout le monde craint, il est le seul à ne pas avoir peur, c'est pour moi une raison supplémentaire de m'inquiéter pour notre sort à tous. [1] » Après un rappel circonstancié des détails de la conspiration tels qu'ils ressortaient des pièces à conviction, Caton concluait à la peine de mort pour tous :

– Qu'ils soient sur leur aveu, comme s'ils avaient été pris en flagrant délit de crime capital, mis à mort selon la coutume des ancêtres !

Après quelques débats, la fermeté de Caton prévalut. Cinq des neuf accusés furent condamnés à mort : deux sénateurs, Lentulus et Cethegus ; deux chevaliers, Lucius Statilius et Publius Gabinius ; un simple citoyen, Marcus Cæparius. De plus, craignant une tentative désespérée de leurs partisans pour délivrer les condamnés, le Sénat décréta la sentence immédiatement exécutoire. La foule du Forum, frappée par le châtiment terrible infligé aux coupables, assista sans mot dire au défilé des condamnés, encadrés d'une haie de sénateurs eux-mêmes

---

1. Les paroles de Caton – reprises du récit de Salluste – montrent que l'austère sénateur croyait à la complicité de César dans la conjuration. Ce soupçon se doublait d'une inimitié personnelle, la demi-sœur de Caton, Servilia, sorte de désœuvrée quelque peu nymphomane, poursuivant alors César de ses assiduités amoureuses, au grand dam de Marcus Porcius (N.d.t.).

protégés par un triple rang de gardes du corps, épées nues, vers l'ancienne prison d'État, le Tullianum, construit au bas du Capitole. On les descendit rapidement, un par un à commencer par Lentulus, dans le cachot souterrain où les attendaient les bourreaux étrangleurs.

Lorsque tout fut fini, nous vîmes – j'étais sur le Forum, avec Eco et Meto – Cicéron ressortir de la prison et proclamer à la foule, écrasée de silence : « Ils ont vécu ! » C'était la formule traditionnelle par laquelle on annonçait la mort, sans avoir à prononcer ce mot de mauvais augure, pour ne pas tenter le Destin ni réveiller les lémures irritables des défunts. La tension disparut d'un coup, comme à la fin d'une tragédie, lorsque les acteurs ont quitté la scène. La nuit tombait. Des acclamations éclatèrent soudain, alors que Cicéron remontait, entre ses gardes du corps, vers sa maison du Palatin. Des hommes se précipitaient vers lui, l'appelant « sauveur de Rome » et « père de la Patrie » ; des matrones envoyaient leurs esclaves, munis de torches, pour que son chemin soit brillamment éclairé. Cicéron savourait enfin son triomphe, comme un général victorieux.

Ainsi se terminèrent les nones de décembre, certainement le plus grand jour de la carrière de Marcus Tullius. Les Optimates étaient en fête, sur le Palatin ; mais lorsque nous regagnâmes l'Esquilin, Eco, Meto et moi, Subure était silencieuse et ses rues sales plongées dans l'ombre.

3

L'année se terminait et l'hiver se faisait plus rigoureux. Des vents froids soufflaient continûment du nord ; des averses de neige fondue fouettaient les volets, pendant la nuit. Les gelées couvraient le sol et les jours semblaient s'assombrir avant même de se lever. Le manque de foin commençait à se faire durement sentir.

– Nous devrions commencer à favoriser les animaux les plus jeunes et en meilleure santé, me dit un jour Aratus, et abattre les autres pour la viande, ou chercher à les vendre sur le marché, même à perte, avant de les voir dépérir.

De temps en temps, nous voyions des troupes remonter la voie Cassienne, vers le nord. Le Sénat regroupait des forces impressionnantes, en vue d'une confrontation qui paraissait imminente avec l'armée de Catilina et de Manlius. Un jour que nous étions assis sur la colline, avec Meto et Diane, mon fils cadet se mit à détailler et énumérer, en parfait connaisseur, les équipements et les armes d'une légion qui passait sur la route. Lorsqu'il s'aperçut que je l'écoutais sans mot dire, il s'arrêta brusquement et s'écarta. Diane courut après lui un moment, puis revint.

– Pourquoi as-tu l'air si triste, papa ? demanda-t-elle en penchant la tête, intriguée.

Eco m'envoyait périodiquement des messages de Rome, pour me tenir informé. Il y avait toujours des rumeurs de soulè-vement, jusqu'en Maurétanie et en Espagne, mais à la suite des

411

exécutions du 5 décembre, Catilina avait perdu beaucoup de partisans. Certaines grandes familles avaient été terriblement déchirées, comme celle des Fulvii : Aulus, le fils d'un sénateur de cette famille, avait quitté Rome pour rejoindre les troupes de Catilina ; son père avait envoyé une bande de sbires à sa poursuite ; ramené à Rome, le jeune homme avait été tué froidement par son propre père !

Les Saturnales, fête publique marquant le milieu de l'hiver, se déroulèrent sans incidents, malgré les rumeurs persistantes d'un soulèvement prévu pour ce jour-là. Caton fit sur le Forum un discours, dans lequel il proposait que l'on décernât à Cicéron le titre de « Père de la Patrie » ; la foule l'acclama comme un seul homme et le Sénat transforma ensuite cette proposition en décret officiel. Lorsqu'il avait commencé son année de fonction, Marcus Tullius d'Arpinum avait-il rêvé semblable consécration ? Toutefois, les désillusions ne tardèrent pas à arriver. Au début de l'année suivante, à l'occasion de sa sortie de charge, Cicéron devait – conformément à la tradition – prêter serment d'avoir été fidèle au service de l'État, puis faire un discours d'adieu du haut des Rostres. J'imaginai avec quel soin et quelle fièvre il avait dû le préparer, pour l'avoir vu jadis à l'œuvre, au temps de l'affaire Roscius. Ce devait assurément être, dans son esprit, le suprême discours du plus grand orateur que Rome ait jamais connu, véritable proclamation à la postérité de la gloire de son consulat.

Mais le discours n'eut pas lieu. Deux des tribuns récemment élus, déjà entrés en fonction, utilisèrent leur pouvoir pour l'interdire, au motif que, selon un article technique de la législation, un homme qui avait fait mettre à mort des citoyens romains sans procès légal n'avait pas le droit de s'adresser ainsi au peuple. Ils occupèrent les Rostres et ne voulurent pas l'y laisser monter. Ils acceptèrent toutefois qu'il prêtât le serment réglementaire, décidés à le faire évacuer *manu militari* s'il s'écartait de cette autorisation, et Cicéron en fut réduit à improviser hâtivement un « Je jure... que j'ai véritablement sauvé mon pays et que je lui ai conservé sa grandeur ! » C'était une façon d'avoir quand même le dernier mot, mais quelle amertume d'être privé d'un discours si habilement préparé !

Certains dirent que César et les populistes avaient combiné la manœuvre, d'autres que le coup venait des partisans de Pompée, fatigués d'entendre que les exécutions du 5 décembre étaient aussi importantes pour Rome que les conquêtes du général en Orient et ses victoires sur les pirates. Manifestement, beaucoup pensaient que le sénateur Pois Chiche avait assez occupé le terrain et qu'il fallait désormais qu'il rentrât dans le rang.

Je ne fus pas surpris, un peu plus tard, de voir Meto pénétrer dans mon bureau, par un matin de gel, et me déclarer – en évitant toutefois mon regard – qu'il voulait quitter la ferme quelque temps et aller séjourner chez son frère, à Rome.

– Je pense que si Eco est d'accord..., commençai-je après un moment de réflexion.

– Il l'est, coupa rapidement Meto. Je le sais, parce que je le lui ai déjà demandé, lorsque nous étions à Rome, le mois dernier.

– Je vois.

– Je ne suis pas vraiment utile, ici et tu ne manques pas de bras.

– C'est vrai, je crois que nous pourrons y arriver sans toi. Mais tu vas manquer à Diane, c'est sûr !

– Je ne serai peut-être pas absent très longtemps... Papa, tu ne comprends pas que j'ai simplement besoin de partir ?

– Mais si, c'est parfaitement clair. Tu as raison, ce sera une bonne chose pour toi, un séjour en ville. Tu es un homme, maintenant ; tu dois trouver ta voie, faire ton chemin. Et je sais que nous pouvons faire confiance à Eco pour veiller sur toi. Lequel des esclaves vas-tu prendre avec toi ?

Meto détourna les yeux, de nouveau.

– Mais... je pensais que je pouvais partir seul.

– Certainement pas, le pays est en pleine effervescence guerrière ! De plus, je ne peux pas te confier à Eco sans envoyer aussi un esclave afin de compenser la charge supplémentaire pour sa domesticité. Que dirais-tu d'Oreste ? Il est jeune et solide.

Meto se contenta d'acquiescer et nous quitta presque aussitôt : il avait déjà préparé ses affaires, la veille au soir. Bethesda attendit qu'il eût disparu pour pleurer : elle craignait que Meto et moi n'ayons eu une grande altercation et elle me harcela pour avoir les détails. Lorsque je niai cette interprétation et essayai de la réconforter, elle me chassa sans ménagement de la chambre dont elle me ferma la porte au nez. L'hiver allait être très rude, en effet ! Peut-être ferais-je aussi bien d'aller à Rome, moi aussi...

Le lendemain, je fis une longue promenade sur mon domaine, qui me conduisit d'abord près du mur séparant mes terres de celles de Manius Claudius. Il devait être à Rome, pour l'hiver. Les esclaves avaient fait du bon travail, mais le mur qu'ils avaient réparé laissait voir ici et là des fissures dues aux intempéries. J'allai ensuite près de la rivière gelée et du moulin silencieux, et je regardai un moment les terres de Publius Claudius. Que pouvait-il faire, en ce moment ? Sans doute se réchauffer avec sa Libellule ? J'arrivai ensuite au coin sud-ouest de mon domaine, là où nous avions enterré successivement Nemo, puis Ignotus-Forfex. Pauvres créatures ! Qui saurait jamais le mystère de leur décapitation ? Je montai, pour finir, sur la colline, et j'aurais voulu y rester plus longtemps, pour jouir de la douce mélancolie de ce paysage que j'aimais, mais le froid de mes mains et de mes pieds me chassa bien vite et je dus redescendre à la maison.

— Maître, me dit Aratus qui m'attendait à la porte, un visiteur est dans la bibliothèque.

— De la ville ? questionnai-je avec une pointe d'appréhension.

— Non, maître. C'est ton voisin, Gnæus Claudius.

— Par Jupiter, qu'est-ce qu'il veut ? sifflai-je.

Gnæus Claudius, assis sur une chaise sans dossier, regardait les livres enroulés dans ma bibliothèque, avec l'air d'une poule devant un tournevis. Il ne daigna pas se lever lorsque j'entrai. J'abrégeai donc des politesses qui n'avaient pas lieu d'être.

— Que veux-tu, Gnæus Claudius ? demandai-je assez brusquement.

414

— Quel vilain temps nous avons ! répondit-il, sur le ton de la conversation.

— Joli temps plutôt, d'une certaine façon, mais un peu frais.

— Frais, oui, c'est ce que je voulais dire. Dur, comme la vie à la campagne en général. C'est une vie rude, spécialement lorsque l'on n'a pas de maison à Rome pour s'y retirer. Les gens de la ville lisent trois vers et s'imaginent qu'il n'y a que des papillons, des fleurs et des faunes courant dans les bois. Mais la réalité est bien différente... L'un dans l'autre, je crois que tu as eu une année assez dure, ici, dans la vieille ferme du cousin Lucius.

— D'où tiens-tu cette idée ?

— C'est ce que m'a dit ma cousine Claudia.

— Et qu'est-ce que cela peut te faire ?

— Je peux peut-être t'aider.

— Je ne crois pas, sauf si tu as du foin à me vendre.

— Bien sûr que je n'en ai pas ! Tu sais très bien qu'il n'y a aucun champ pour cela, dans ma montagne ! éclata-t-il, soudain furieux.

— Alors de quoi parles-tu ?

— Je pourrais t'offrir de racheter cette ferme, déclara-t-il, redevenu tout sourires.

— Mais elle n'est pas à vendre. Si Claudia t'a dit cela...

— Non, je pensais simplement que tu étais peut-être sur le point de renoncer et de retourner là où est ta place.

— Ma place est ici.

— Je ne crois pas.

— Je me moque de ce que tu crois.

— Ceci est une terre claudienne, Gordien. Elle est claudienne depuis...

— Va raconter cela à l'ombre de ton défunt cousin. C'est conformément à sa volonté que je possède cette terre.

— Lucius a toujours été différent de nous autres. Il avait plus d'argent que nous, mais aucun sens de son rang ni de sa place ; aucune idée sur la nécessité de maintenir les plébéiens aux leurs. Il aurait légué cette terre à un chien, si ce chien avait été son meilleur ami...

— Je pense que tu devrais t'en aller, Gnæus Claudius.

– Je suis venu pour te faire des offres sérieuses. Ne crois pas que je cherche à te rouler...

– Tu es venu à cheval ? Je vais dire à Aratus d'aller chercher ta monture à l'écurie.

– Gordien, ce serait mieux pour tout le monde...

– Maintenant ça suffit. Va-t'en !

Je ruminais encore la visite de Gnæus, le lendemain, lorsqu'un messager m'apporta une lettre d'Eco. Je me retirai en hâte dans la bibliothèque et brisai vivement le sceau qui cachetait la lettre.

Très cher papa,

Ton esclave Oreste est arrivé ici, sans explication véritable de sa présence. Il prétend être parti de la ferme avec Meto, la veille, mais que mon frère a bientôt fait demi-tour, en lui ordonnant d'aller jusqu'à Rome et de me dire que tu l'offrais en cadeau à la maison de l'Esquilin. Il semble qu'Oreste ait pensé, à l'origine, qu'il accompagnait Meto à Rome, mais il nie avoir reçu aucune instruction de ta part pour rester avec moi. (Il est fort comme un bœuf, mais ce n'est pas vraiment une lumière.) Pourrais-tu m'expliquer ?

L'atmosphère, en ville, continue d'être très variable. Je ne crois pas qu'il puisse y avoir un retour à la normale avant la défaite complète de Catilina. Certains jours, elle semble inévitable, une simple question de jours ; puis on entend dire que les forces du rebelle comportent maintenant des milliers d'esclaves fugitifs et que cette armée est plus importante que celle de Spartacus en son temps. Il est bien difficile de se faire une idée juste, d'un jour sur l'autre. Il semble aussi que se dessine une réaction contre Cicéron, maintenant qu'il n'est plus en fonction, au moins parmi ceux qui ne sont pas enthousiastes pour le proclamer le plus grand des Romains qui ait jamais vécu...

Je continuai de lire longtemps après que les mots eurent cessé d'avoir un sens. À la fin, lorsque je laissai la lettre tomber sur la table, je m'aperçus que mes mains tremblaient. Si Meto n'était pas à Rome, où était-il ? Au moment même où je me posais la question, je savais instinctivement la réponse. Mais il fallait vérifier...

— Sont-ils loin d'ici ? Combien de temps seras-tu parti ? demanda Bethesda.

— Loin ? Quelque part entre ici et les Alpes. Combien de temps ? Impossible de le savoir maintenant.

— Tu es sûr qu'il est parti rejoindre Catilina ?

— Aussi certain que s'il me l'avait dit en face. Quel fou j'ai été !

Comme je me dépêchais de rassembler les affaires dont j'aurais besoin, elle m'observait depuis la porte, droite, les bras croisés, les yeux cachant mal son chagrin et son anxiété.

— Qu'allons-nous faire ici, sans toi ni Meto ? Le danger peut venir de partout, des soldats, des esclaves échappés... Diane et moi devrions peut-être partir pour Rome...

— Non ! Les routes sont trop dangereuses maintenant. Je ne fais pas confiance aux esclaves pour vous protéger sur la route.

— Mais tu leur fais confiance pour nous protéger ici, à la ferme ?

— Bethesda, je t'en prie ! Eco va arriver. Je lui ai déjà écrit ; il devrait être ici au plus tard après-demain, peut-être même dès demain soir.

— Tu devrais rester ici jusque-là, pour être sûr de son arrivée.

— C'est impossible, voyons ! Chaque moment qui passe... La bataille a peut-être déjà commencé, en cet instant même... Tu veux que Meto revienne, non ?

— Et si ni lui ni toi n'en reveniez ?

Sa voix se fit soudain aiguë ; elle pressa le dos de sa main contre ses lèvres et renifla.

— Bethesda ! dis-je en l'attirant vers moi pour la serrer dans mes bras.

Elle commença de sangloter.

— Même depuis que nous avons quitté la ville, rien que des soucis...

Je me sentis soudain agrippé par la tunique et, baissant la tête, je vis les grands yeux de Diane qui me regardaient.

— Papa, dit-elle sans faire attention au chagrin de sa mère, papa, viens voir !

— Pas maintenant, Diane !

— Si, Papa, tu *dois* venir voir !

Quelque chose, dans sa voix, me poussait pourtant à la suivre, et Bethesda le sentit aussi comme moi. Elle se redressa, contint ses sanglots et nous suivîmes Diane qui se hâtait vers la porte, puis vers l'écurie. Mon cœur commença de bondir. Nous fîmes le tour de l'écurie et arrivâmes du côté opposé, invisible depuis la maison ; des barils vides étaient empilés contre le mur. Diane avança un peu plus loin, puis pointa du doigt quelque chose que nous ne pouvions pas encore voir. Je m'approchai ; derrière les barils, sur le sol, contre le mur, j'aperçus deux pieds nus : « Oh, non ! » Un autre pas, et je découvris les jambes : « Non, non, non ! ! ! » Un autre pas encore, et je vis un torse blanchâtre, exsangue : « Pas maintenant, pas ici, pas encore ! ! ! » Un dernier pas et je découvris l'ensemble.

C'était un cadavre dénudé ; il n'avait pas de tête. J'enfouis mon visage dans mes mains. Bethesda, curieusement, sembla réagir avec plus de sang-froid. Elle respira profondément.

— Je me demande qui ça peut être, dit-elle.

— Je n'en ai aucune idée, répondis-je, anéanti.

— Si Meto était ici, dit alors Diane qui avait repris la main de sa mère et me regardait avec une expression mêlée d'accusation et de déception, il aurait su qui c'est, lui.

4

« L'homme qui voyage seul a un fou pour compagnon », dit
un vieux proverbe mais, dans ma hâte de retrouver Meto, je
me sentais étrangement invincible, comme si aucun obstacle
ordinaire ne pouvait m'arrêter en route, ni bandits de grand
chemin, ni troupe d'esclaves ou de gladiateurs échappés.
C'était une illusion, naturellement, et une illusion dangereuse
– la meilleure partie de moi-même le savait – mais elle me
donna le courage de laisser, pour protéger la ferme, les esclaves
que j'aurais pu emmener comme gardes du corps. Si seulement
j'avais pu leur faire entièrement confiance ! Mais l'esclave
placé en sentinelle, la nuit précédente, par exemple, aurait dû
remarquer l'arrivée du cadavre et donner l'alerte ; or il n'en
avait rien fait ! Questionné, il avait avoué qu'il avait eu trop
froid et qu'il s'était mis à l'abri ; il m'avait supplié de ne pas
le faire battre par Aratus. Je laissai pourtant au régisseur le
soin de le châtier, mais surtout de veiller à ce que pareille
négligence ne se reproduise plus pendant mon absence, faute
de quoi je jurai à Aratus que je le vendrais pour les mines.
J'avais sans doute l'air féroce en disant cela, car je vis mon
intendant devenir blanc comme craie. Quant au corps trouvé
par Diane, je dis à Aratus de le garder jusqu'à l'arrivée d'Eco :
mon fils aîné pourrait peut-être en tirer quelque information.
Moi, je n'avais pas le temps : il fallait que je retrouve Meto
avant qu'il ne se fasse tuer sur le champ de bataille.

C'est une expérience étrange de voyager seul, au cœur de

l'hiver, dans un pays menacé par la guerre. La voie Cassienne et les champs étaient déserts ; les fermes étaient soigneusement calfeutrées, volets et barrières tirés, animaux rentrés ou dissimulés à la vue. Même les chiens se taisaient. On ne voyait, de loin en loin, que des panaches de fumée révélant des présences humaines. Les villes que je traversais étaient aussi peu animées que la campagne : portes et volets clos, personne dans les rues. Mais chaque bourgade – même Arpinum, à en croire Catilina ! ! ! – possède une ou deux tavernes et c'est là que la vie semblait s'être concentrée. On y buvait et l'on y discutait sans fin, avides d'interroger chaque étranger de passage pour en tirer, si possible, des nouvelles fraîches.

En réalité, c'est moi qui avais besoin de nouvelles, pour essayer de savoir où se trouvait l'armée de Catilina. Depuis les exécutions du 5 décembre, ses troupes avaient erré entre Rome et les Alpes, évitant systématiquement le contact avec les légions régulières lancées contre elles ; on estimait que ses forces avaient compté jusqu'à l'équivalent de deux légions, mais elles s'étaient peu à peu amenuisées, par lassitude. Seuls restaient les fidèles des fidèles. Un aubergiste de Florentia me confia que Catilina et Manlius ne devaient plus avoir que cinq mille hommes environ ; il m'apprit aussi qu'une armée consulaire [1], aux ordres d'Antonius, était passée quelques jours auparavant, à la poursuite des rebelles, vers le nord. Je finis par trouver le camp de Catilina au pied de l'Apennin, près d'une petite ville du nom de Pistoria [2]. Les forces d'Antonius, largement supérieures en nombre n'étaient pas très loin et je dus faire de larges détours, par les chemins de traverse, pour ne pas tomber sur les avant-postes des légions régulières.

---

1. On levait régulièrement chaque année deux armées consulaires de deux légions chacune, soit 12 000 hommes par armée dans les derniers temps de la République. Mais on pouvait avoir recours à des levées exceptioonnelles : c'est ainsi que Catilina, traqué par l'armée d'Antonius au sud, était bloqué au nord par une armée de trois légions, soit 18 000 hommes, sous les ordres de Quintus Métellus Céler, qui gardait les cols de l'Apennin vers les Gaules (N.d.t.).

2. Cette ville – aujourd'hui *Pistoja* (Pistoïe) – est en Étrurie, à quelque sept kilomètres de Florence, vers le nord-ouest (N.d.t.).

Personne ne fit attention à moi lorsque j'approchai du camp : un homme seul, enveloppé d'un manteau de voyage et sans armes apparentes n'inspirait sans doute pas d'inquiétude. Une fois dans le camp, je remarquai que beaucoup d'hommes n'avaient pour armes que des épieux de chasse et des coutelas ; les vétérans de Sylla semblaient avoir eu quelque mal à rentrer dans leurs vieilles armures ; je notai aussi la présence de quelques cohortes de légionnaires apparemment bien équipés, qui avaient tout l'air de troupes régulières passées à Catilina. L'humeur générale était moins sombre que je ne l'avais craint : tous ces hommes souriaient ou bavardaient par petits groupes, près des feux de camp. Ils avaient suivi Catilina dans son aventure jusqu'au bout et ils ne l'abandonneraient pas, à l'heure de la confrontation fatidique : ils étaient sans espérance et lucides, mais pas désespérés.

Comment retrouver Meto dans cette foule d'hommes – à condition qu'il fût bien là ? Mes pas me portèrent au centre du campement, vers une tente séparée des autres, avec des panaches rouge et or à ses quatre coins ; devant était plantée, montée sur une haute hampe, l'aigle d'argent que Catilina avait emportée avec lui depuis Rome et que j'avais vue dans la mine du mont Argentum, pendant la nuit d'orage, au mois d'octobre. Deux soldats en tenue réglementaire de légionnaire me barrèrent la route comme je m'approchais.

– Dites à Catilina que je veux le voir, dis-je tranquillement. Dites-lui que mon nom est Gordien l'Enquêteur.

Ils me regardaient d'une mine soupçonneuse, puis le plus vieux haussa les épaules et pénétra dans la tente. Au bout d'un long moment, il ressortit, la mine étonnée, et me fit signe d'entrer. L'intérieur était rempli de choses parfaitement en ordre. Les lits de camp avaient été rangés pour faire place à de petites tables pliantes sur lesquelles on avait déroulé des cartes, maintenues aux angles par des poids de pierre ou de métal. Sur une table à part étaient soigneusement posés les haches et les faisceaux que seuls les magistrats régulièrement élus avaient le droit de porter dans la bataille. Catilina avait dû les faire venir de Rome, espérant sans doute donner à ses hommes l'illusion – et pourquoi pas la conviction ? – de la légitimité.

Dans le petit cercle d'hommes assis au centre de la tente, autour des cartes, je reconnus d'abord Tongilius qui me fit un signe de tête. Il resplendissait dans une cotte de mailles étincelante et une cape rouge ; avec ses cheveux bouclés et flottants, il avait l'air d'un jeune Alexandre. Je reconnus aussi quelques-uns de ceux avec qui j'avais passé l'étrange nuit de tempête, dans la mine du mont Argentum. Il y avait également un homme trapu, aux larges épaules, barbe et cheveux blancs : ce ne pouvait être que Manlius, l'ancien centurion qui avait entraîné militairement les vétérans de Sylla et qui était à présent leur général. Tous écoutaient un homme assis qui me tournait le dos et qui leur parlait à voix basse : Catilina. Je regardai autour de lui et aperçus, dans un coin de la tente, une silhouette juvénile assise sur un lit de camp, penchée sur une cuirasse qu'il fourbissait avec ardeur. Je reconnus aussitôt mon fils et mon cœur me monta à la gorge.

Les hommes assis autour de Catilina saluèrent la fin de son discours par des acclamations, puis tous s'empressèrent de sortir, une fois les ordres pris. La bataille était donc imminente ? Catilina se retourna et me sourit d'un air à la fois ironique et énigmatique.

— Eh bien, Gordien l'Enquêteur ! Lorsque le garde est venu murmurer ton nom à mon oreille, j'ai été surpris. Tu tombes mal, mon cher : est-ce pour m'espionner ? Trop tard ! À moins qu'à ta façon, si curieusement perverse, tu n'aies choisi de partager mon sort au dernier moment ?

— Ni l'un ni l'autre. Je suis venu pour mon fils.

— Je crains bien que, là aussi, tu n'arrives trop tard.

— Papa !

Meto, absorbé dans ce que je croyais être un travail d'écuyer, n'avait pas entendu Catilina prononcer mon nom, mais il avait dressé la tête en reconnaissant ma voix. Il se leva ; des émotions diverses et extrêmes se succédèrent sur son visage, puis il quitta brusquement la tente. Je me disposai à le suivre, mais Catilina me saisit le bras.

— Non, Gordien, laisse-le aller. Il reviendra à son heure.

— Que fait-il ici ? Ce n'est qu'un jeune garçon ! sifflai-je.

— Mais il veut si désespérément devenir un homme, Gordien. Ne le comprends-tu pas ?

— Pas de cette façon-là ! criai-je, incapable de me contenir. Je refuse de le laisser mourir avec toi !

Catilina regarda ailleurs, peut-être pour conjurer le mauvais présage du mot fatal qui m'avait échappé.

— Oh, Catilina ! Pourquoi n'as-tu pas fui à Massilia, comme tu l'avais évoqué devant nous ? Pourquoi es-tu resté en Italie, au lieu d'accepter un temps d'exil ? Tu crois vraiment que...

— Je suis resté parce qu'on ne m'a pas laissé partir, Gordien ! interrompit Catilina d'une voix irritée. Les légions du Sénat ont coupé toutes les voies d'accès à la Gaule. Cicéron voulait être sûr que je n'en sortirais pas vivant. Il voulait cet affrontement final ? Il va l'avoir !. Je me suis laissé enfermer, manipuler. Et mes prétendus complices, à Rome... Quelle bande d'imbéciles de s'être laissé piéger ainsi avec les Allobroges ! Ça a été la fin de tout... Mais tu y étais, n'est-ce pas, et Meto aussi. Le récit qu'il m'a fait était extraordinairement clair et vivant ; il comprend merveilleusement tout ce qui se passe, pour son âge. Tu devrais être fier de son intelligence.

— Fier d'un fils que je ne comprends pas et qui me défie de cette façon ?

— Comment fais-tu pour ne pas le comprendre, Gordien, alors qu'il est exactement comme toi ? Ou comme tu as été jadis, ou comme tu aurais pu être, ou comme tu pourrais être encore. Courageux, comme toi ; passionné, comme toi ; engagé, comme tu pourrais l'être si tu te laissais aller. Curieux et avide de tout ce que la vie peut offrir, comme tu as dû l'être jadis.

— Je t'en prie, Catilina, ne me dis pas que tu l'as séduit, en plus.

— C'est bon, je ne te le dirai pas, répondit Catilina au bout d'un moment, avec un sourire subtil.

J'allai jusqu'au lit de camp où Meto avait été assis et pris la cuirasse qu'il fourbissait l'instant d'avant. J'en regardai un instant les ciselures, puis la jetai à travers la tente.

— Et maintenant, tu lui fais polir ton armure, comme un esclave !

– Non, Gordien, ce n'est pas mon armure ; c'est la sienne. Il veut qu'elle étincelle, pour la bataille.

J'examinai les diverses pièces de cette « armure » : la cuirasse ciselée, les jambières, le casque à plumes avec sa visière, le glaive court dans son fourreau. Toutes les pièces n'appartenaient pas au même ensemble et elles mélangeaient les rangs. J'avais du mal à imaginer Meto sous ce harnachement.

– Eh bien, Gordien, on peut dire que tu es arrivé à temps pour la bataille !

– La bataille ?

– Dans l'heure même, sans doute. Manlius et Tongilius sont en train de rassembler les troupes, pour que je les harangue. Imagine, si tu avais manqué mon discours, tu ne te le serais jamais pardonné ! Toutefois, si tu veux partir maintenant, pour avoir une chance d'échapper au carnage, je ne t'en empêcherai pas.

– Mais ici, maintenant...

– Oui ! le moment est venu. J'avais espéré différer encore, traverser ces montagnes, forcer les cols, survivre aux tempêtes de neige. Mais lorsque nous sommes arrivés en haut, sais-tu ce que nous avons vu de l'autre côté ? Une autre armée, encore plus nombreuse. Autant valait redescendre et affronter celle-ci. Elle est commandée par le consul Antonius, jadis sympathisant de ma cause. Qui sait ? Peut-être décidera-t-il de passer de mon côté, au dernier moment ? Oui, Gordien, je sais que c'est impossible, mais ne le dis pas si fort ! Plus de mauvais présages sous ma tente, je t'en prie. Mais regarde, comme je te l'avais annoncé : ton fils est de retour.

– Je suis venu revêtir mon armure, dit Meto, debout à l'entrée de la tente.

– Viens, aide-moi d'abord à mettre la mienne. Cela ne prendra qu'un moment.

Meto attacha solidement la cuirasse autour du torse de Catilina, puis une longue cape rouge sur ses épaules. Il posa enfin sur sa tête un casque doré, orné d'une splendide plume rouge.

– Et voilà ! dit Catilina en appréciant son reflet dans un miroir de cuivre poli. Ne dis pas à Tongilius que je t'ai laissé me harnacher : il serait jaloux de l'honneur ainsi accordé.

Il nous regarda ensuite tous les deux, Meto et moi, comme on regarde deux amis que l'on va quitter pour longtemps.

— Je vous laisse, à présent. Ne vous attardez pas !

Meto alla au lit de camp où se trouvaient les pièces de son armure.

— Meto...

— Viens, papa, aide-moi. Tu veux m'apporter ma cuirasse ? Elle est là-bas, à l'autre bout de la tente.

— Meto...

— C'est plus facile que l'on ne croit, tu vas voir. Tu alignes les lacets de cuir et les boucles et tu commences à les attacher par paires, en partant du haut.

Je fis ce qu'il disait, comme dans un rêve.

— Pardonne-moi de te décevoir, papa ! Mais il n'y a pas d'autre voie pour moi.

— Meto, nous devons partir à l'instant même.

— Mais ma place est ici, papa !

— Je te demande de revenir à la maison avec moi.

— Je refuse.

— Et si je te le commande, en tant que père ?

— Mais *tu n'es pas* mon père, dit Meto, maintenant cuirassé, d'un air à la fois triste et rebelle.

— Oh, Meto !

— Mon père était un esclave que je n'ai jamais connu, tout comme j'étais un esclave.

— Jusqu'à ce que je t'affranchisse et que je t'adopte !

Meto attachait à présent ses jambières.

— Oui, la loi a fait de toi mon père, et au nom de cette loi, tu as le droit de me commander et même de me tuer en cas de désobéissance. Mais nous savons tous les deux que, sous le regard des dieux, tu n'es pas réellement mon père ; je n'ai pas une goutte de ton sang dans mes veines. Je ne suis même pas romain, mais grec ou pire encore, une sorte de sang mêlé.

— Tu es mon fils !

— En ce cas, je suis maintenant un homme, un citoyen libre, et j'ai choisi mon camp !

— Meto, pense à ceux qui t'aiment. Bethesda, Eco, Diane...

Une sonnerie de trompette vint couper mes paroles.

425

– C'est le signal de la harangue de Catilina ; ma place est là-bas. Tu devrais partir maintenant, pendant qu'il est encore temps, papa...

Le mot lui avait échappé et il en était visiblement mortifié. Il finit de s'équiper, puis se tourna fièrement vers moi

– Eh bien, qu'en dis-tu ? demanda-t-il d'un air de défi – tellement puéril, pensai-je aussitôt...

Comment lui dire que, à mes yeux de père, il avait l'air d'un jeune garçon qui veut jouer au soldat ?

– Je ne peux pas manquer le discours, dit-il sans attendre ma réponse.

Je le suivis à travers le camp, jusqu'à un creux de la colline qui formait une sorte d'amphithéâtre naturel, où l'on avait rassemblé l'armée. Une nouvelle sonnerie de trompette annonça l'apparition de Catilina, resplendissant dans son armure et arborant un sombre sourire. Il parla :

– Le discours d'un commandant, si éloquent et enflammé qu'il soit, n'a jamais transformé les lâches en braves, ni suffi à faire une bonne armée d'une mauvaise. Mais la coutume veut qu'un général fasse une harangue à ses troupes avant une bataille et c'est ce que je vais faire.

« L'une des raisons à cette harangue est que, dans les autres armées, les soldats n'ont guère eu l'occasion de faire la connaissance directe de celui qui les commande. Ce n'est pas le cas dans nos rangs, où rares sont ceux que je n'ai pas accueillis personnellement et avec qui je n'ai pas partagé les moments difficiles comme les instants de triomphe. Mais la coutume veut qu'un général fasse une harangue à ses troupes avant une bataille et c'est ce que je vais faire.

« Nous savons aussi que les mots ne suffisent pas à mettre du courage dans le cœur des hommes. Si un soldat n'est pas résolu à combattre, la meilleure des rhétoriques sera gaspillage de souffle et perte de salive. La peur dans les cœurs rend les oreilles sourdes. Mais la coutume veut qu'un général fasse une harangue à ses troupes avant une bataille et c'est ce que je vais faire.

Catilina, au contraire de beaucoup d'orateurs en pareille circonstance, avait choisi le franc-parler et l'honnêteté devant ses soldats. Du reste, pourquoi leur farder la vérité ? Après cet exorde où la dérision de soi-même se mêlait aux éloges indirects de ses hommes, il devint plus grave.

— Vous voyez comme moi la situation où nous sommes. Les erreurs de Lentulus et de ses amis ont été désastreuses à Rome, il y a quelques mois ; aujourd'hui, une armée romaine nous barre la route de la Gaule, une autre la route de Rome. Où que nous souhaitions aller, c'est par le glaive que nous nous fraierons un chemin ! Nous avons notre destin entre nos mains : soyons victorieux, et tout nous arrivera en abondance, richesses, honneur, gloire, liberté, patrie même ! Si nous faiblissons, il n'y aura ni refuge ni amis pour nous, et ce sera la fin.

Après avoir brièvement développé les motifs de son espoir en la victoire, malgré la supériorité numérique des légions d'Antonius, pour des raisons de bravoure mais aussi de terrain, il terminait par un appel à un combat sans merci :

— Si la Fortune se refusait à venir à vos côtés, vous vendrez chèrement votre vie. Vous êtes des hommes libres ; ceux qui seront en face de vous ont déjà accepté de plier l'échine devant les Optimates et leurs valets. Combattez en braves et vous aurez la victoire due aux hommes libres qui regardent le ciel ; sinon, vous ferez en sorte que leur victoire soit payée de sang et de larmes !

Une énorme ovation salua le discours. Puis tous les soldats, autour de nous, commencèrent à prendre leur formation de bataille, au son assourdissant des trompettes. Meto saisit mon bras.

— Maintenant, il faut que tu partes !

— Viens avec moi, Meto !

— Non ! Ma place est ici, près de Catilina.

— Meto, la cause est sans espoir ! Si tu savais ce que Catilina m'a avoué, sous la tente...

— Je sais tout ce que tu sais. Mes yeux sont bien ouverts. Je reste.

— Bon. Dans ce cas, peux-tu me trouver rapidement une sorte d'armure ?

— Quoi ?

— Écoute, si je dois rester et combattre à tes côtés, il me

427

faudrait quelque chose de plus convenable que le coutelas que j'ai à la ceinture, même si bien des malheureux qui m'entourent n'ont guère mieux pour se battre.

— Non, papa, tu ne peux pas rester !

— Comment oses-tu, *toi*, me dire cela ? Veux-tu m'interdire de partager l'honneur de cette bataille ?

— Mais tu n'y penses pas...

— Si, justement ! J'ai beaucoup réfléchi, dans mon voyage jusqu'ici. Je croyais ne jamais te revoir, ou tomber sur une fosse remplie de cadavres, sans savoir où serait le tien, ce qui aurait été la même chose. Mais la situation n'est pas si terrible que je le redoutais. Et ma décision est prise : je reste ici pour combattre aux côtés de mon fils.

— Non, papa, tu dois te battre pour Catilina et pour ce qu'il représente.

— Cela, c'est ta cause, Meto. Mais pourquoi pas ? Va pour Catilina ! La vérité, Meto, tu veux la connaître ? Si j'avais le pouvoir de Jupiter, je lancerais la foudre et Lucius Sergius obtiendrait tout ce qu'il désire. J'aurais aimé avoir ce même pouvoir pour Spartacus, afin qu'il réussît dans sa révolte ; j'aurais aimé que Sylla et Cicéron ne fussent jamais nés. J'aurais changé le monde d'un clignement de paupières, pour voir enfin quelque chose d'autre que l'ordre des riches et des puissants, toujours triomphant. Mais quoi ? Je ne suis pas Jupiter et je ne puis rien réaliser de tout cela. Alors pourquoi ne pas prendre au moins un glaive rouillé et me ruer au combat à côté de mon fils, pour la gloire de ce qu'il aime dans la généreuse folie de son jeune cœur ?

Meto me regarda longuement, avec une expression indéfinissable, puis finit par me dire simplement :

— Tu *es* mon père.

— Oui, Meto. Et tu es mon fils.

Autour de nous, les soldats s'agitaient, les trompettes sonnaient, les armes cliquetaient.

— Viens, dépêchons-nous. Il y a suffisamment d'armes en réserve dans la tente de Catilina pour que nous te trouvions quelque chose !

Et c'est ainsi que, à quarante-sept ans, je devins soldat pour la première fois de ma vie, affublé d'un équipement disparate – une cotte de mailles à laquelle il manquait un bon nombre d'écailles protectrices, un casque en forme de citrouille tronquée, un glaive émoussé – et combattant pour une cause perdue, sous un général accablé par le Destin. Je sentais que j'approchais du cœur même du Labyrinthe ; je croyais percevoir l'haleine brûlante du Minotaure approcher de mon visage.

Comment décrire une bataille à laquelle on participe sans comprendre vraiment ? Il ne me reste que des images morcelées. Je revois Tongilius portant l'aigle et la fixant en terre, au début de la bataille. Je revois nos chevaux chassés vers la montagne sur ordre de Catilina, pour montrer à ses hommes que leurs chefs resteraient avec eux jusqu'au bout, sans pouvoir fuir. Je me revois à côté de Meto, qui était à côté de Catilina. Je revois des déplacements au pas de course, vers les côtés ou vers l'avant – mais jamais en arrière ! J'entends encore la flèche qui frôle ma tête et va tuer quelqu'un derrière moi. Je me rappelle des hommes que je n'avais jamais vus, en face de moi, se ruant sur moi et sur mon fils, le meurtre dans les yeux. Et le glaive, dans ma main, qui travaillait tout seul, d'instinct, comme par routine sanglante. Je me rappelle le sang répandu sur mon visage. Je revois Catilina, le visage grimaçant de douleur, se taillant littéralement un chemin au milieu des rangs ennemis, une flèche fichée dans son épaule gauche et des giclées de sang éclaboussant sa cuirasse. Je revois Meto métamorphosé, creusant lui aussi sa route au plus épais des ennemis, à grands coups de glaive.

Puis je revois – vaguement – l'arrivée du javelot. Il frappe le casque que je porte et je m'effondre à la renverse. Meto a disparu dans la mêlée, Catilina aussi. J'aperçois un instant Tongilius tombant, une flèche dans l'œil, puis je revois l'aigle d'argent vaciller et s'abattre à son tour. Tout est consommé, et le monde couleur de sang vire au noir ; je sombre dans le néant. Vers le Minotaure ?

5

J'étais assis sur un dur rocher, entouré de parois de pierre noire, grossièrement taillées. Le sol et le plafond étaient aussi de pierre noire. Je pensai d'abord que l'endroit était une grotte, mais les murs étaient trop anguleux et l'air trop chaud. Peut-être était-ce l'ancienne mine d'argent du mont Argentum, pensai-je ensuite, mais non, ce n'était pas cela non plus... J'étais dans le fameux Labyrinthe de Crète, bien sûr : dans un angle, ses cornes projetant une grande ombre sur le mur derrière lui, le Minotaure me regardait. Le monstre était tout près de moi, si près que je pouvais voir la chair humide de son mufle noir et l'éclat de ses grands yeux sombres. J'aurais dû être fou de peur, mais j'étais étrangement calme. Mes seules pensées étaient que les narines de la bête avaient l'air très délicates et sensibles, et que ses yeux étaient plutôt beaux. C'était une créature vivante, et au milieu de cet univers entièrement minéral, tout ce qui était fait de chair vivante paraissait rare et précieux, quelque chose à chérir et non à redouter. La bête fit quelques pas pour se rapprocher et le bruit de ses deux sabots m'indisposa pourtant, tout comme la vue de ce taureau à buste d'homme, debout sur ses pattes arrière. Je remarquai aussi que ses longues cornes incurvées avaient des pointes très aiguës, teintées de couleur rouille.

Le Minotaure grogna et ses narines noires émirent de la fumée. Il s'arrêta à quelques pas de moi et pencha la tête. Lorsqu'il se mit à parler, sa voix semblait masquée, car elle sonnait faux.

— Qui es-tu ? demanda-t-il.

— Mon nom est Gordien.

— Ta place n'est pas ici.

— Je suis venu pour trouver quelque chose.

— Pure folie ! C'est un labyrinthe, ici, et le propre d'un laby-rinthe est d'égarer.

— Pourtant, j'ai trouvé mon chemin jusqu'à toi.

— À moins que ce ne soit le contraire...

Je me mis à frissonner, non de peur mais d'incertitude, si profondément que la douleur envahit ma tête. Je dus fermer les yeux un moment. Lorsque je les rouvris, je sentis que quelque chose avait changé et je m'aperçus que les murs de pierre avaient disparu alentour. Il faisait pourtant toujours très som-bre, mais j'étais au sommet d'une haute colline, sous la lumière des étoiles, et j'avais sous les yeux un paysage étrangement familier : une rivière avec un moulin, un mur de pierre à dis-tance, une route, une ferme. C'était la mienne, compris-je bien-tôt, mais vue sous un angle un peu décalé ; j'étais apparemment sur une crête, mais pas exactement celle que je connaissais.

Le Minotaure et moi n'étions plus seuls. En me retournant, je vis trois corps nus et sans tête, assis en rang sur trois sou-ches, leurs mains croisées sur leur poitrine, comme des specta-teurs dans un théâtre ou des juges dans un tribunal.

— Qui sont-ils ? Que font-ils ici ? demandai-je au Minotaure à voix basse, sur le ton de la confidence, bien que les autres fussent – par définition – sourds, aveugles et muets. Tu le sais, n'est-ce pas ?

Le Minotaure approuva de la tête.

— Alors dis-le-moi.

Le Minotaure fit non de la tête.

— Vas-tu parler !

La bête grogna et ne dit rien. Mais elle leva un bras de forme humaine pour m'indiquer quelque chose par terre, près de moi. Je baissai les yeux et vis une épée. Je m'en saisis et assurai la poignée dans ma main, ravi de son scintillement sous l'obscure clarté qui tombait des étoiles.

— Parle ou je t'envoie les rejoindre, dis-je en pointant mon épée vers les trois témoins sans tête.

432

Le Minotaure resta muet. Je me levai et brandis l'épée.

– Parle ! dis-je.

Comme la bête refusait encore, je frappai de toutes mes forces son grand cou de taureau. La tête tomba et je m'aperçus que le monstre était creux à l'intérieur ; le corps était une coque vide et la tête un masque. La vraie tête commença soudain d'émerger de l'intérieur. Je reculai, les tempes bourdonnantes et douloureuses. Puis je connus la vérité...

Et je me réveillai, avec un mal de tête à hurler de douleur. Quelqu'un me touchait l'épaule et me parlait à voix basse.

– Tout va bien. Tu es sain et sauf. Tu m'entends ?

J'ouvris les yeux et les refermai aussitôt, en raison de la brutalité de la lumière. Si je restais tranquille, la douleur se calmait. Je mis ma main devant mes yeux et rouvris prudemment les paupières : la lumière n'était pas celle du soleil, comme je l'avais cru tout d'abord, mais celle tamisée, d'une tente. Je pensai un instant être revenu sous la tente de Catilina, et me demandai comment j'avais atterri là. Mais si la tente était encore debout et si le camp était intact, alors...

Je baissai la main et aperçus un visage si inattendu qu'il me jeta dans la confusion la plus totale. Un casque de cheveux roux, un nez de belle allure et deux yeux bruns brillants : mon ami, l'augure Marcus Valerius Messalla Rufus. Que faisait-il là ?

– Rufus ?

– Oui, Gordien, c'est moi.

– Sommes-nous à Rome ?

– Non.

– Où, alors ?

– Loin au nord, en Étrurie, près d'une ville appelée Pistoria. Il y a eu une bataille...

– Sommes-nous dans le camp de Catilina ?

Il soupira de telle sorte que je compris que ce lieu n'existait plus.

– Non. Ceci est le camp d'Antonius.

– Alors...

– Tu as de la chance d'être en vie, mon ami.

433

– Et Meto ? demandai-je, le cœur soudain broyé d'angoisse.

– C'est lui qui t'a sauvé.

– Mais...

– Il vit, Gordien, dit Rufus en voyant mon expression de panique.

– Grâces soient rendues aux dieux ! Où est-il ?

– Il sera bientôt ici. Lorsque j'ai vu que tu commençais à t'agiter, j'ai envoyé quelqu'un le chercher.

Je me redressai sur mon séant, serrant les dents contre la douleur. Il n'y avait personne d'autre que Rufus sous cette tente, à l'exception des poulets sacrés qui caquetaient dans leur cage. Une irrépressible sensation de faim m'envahit en les apercevant.

– Combien de temps, depuis la bataille ?

– C'était hier.

– Comment suis-je arrivé ici ?

– Ton fils est un jeune homme courageux, sais-tu ? Lorsqu'il a vu que tu étais tombé, il s'est précipité et t'a emporté loin du danger, derrière le camp, parmi les rochers qui bordent le piémont des collines. Il devait être épuisé : tu imagines le poids que tu pèses, avec ton armure ? Et lui avait aussi la sienne, et il perdait du sang, à cause de ses propres blessures...

– Ses blessures ?

– N'aie crainte, Gordien, elles sont sans gravité. Il s'est assuré que tu étais hors de danger, puis il a dû s'écrouler, épuisé. On l'a retrouvé inconscient, près de toi.

– Qui, « on » ?

– Après la bataille, les réserves d'Antonius ont été envoyées pour ratisser les collines ; elles avaient ordre de faire prisonniers tous ceux qui se rendaient volontairement et de ne se battre qu'avec ceux qui en prenaient l'initiative. Et tu sais combien de « prisonniers » les hommes ont ramenés ? Exactement deux : toi et Meto, tous les deux inconscients. Vous êtes les deux seuls survivants de l'armée de Catilina – signe des dieux assez étrange pour que l'on ait aussitôt appelé l'augure en consultation. Lorsque j'ai découvert qui étaient les deux miraculés, je vous ai pris sous ma haute protection et ordonné que l'on vous portât sous ma tente. Une fois réveillé, Meto m'a tout expliqué. Il vient juste de sortir, pour aller chercher quelque chose à manger.

— Alors, j'espère qu'il va rapporter quelque chose, dis-je en me frottant l'estomac. Je ne sais ce qui est le plus vide, de mon ventre ou de ma tête. Nous deux seulement, dis-tu ; alors, Catilina...

— Mort, comme tous les autres ! Tous sont tombés en braves et ils ont emporté beaucoup de vies avec eux. Toute la matinée, nos soldats en ont parlé, disant qu'ils n'avaient jamais rencontré de résistance aussi acharnée, de la part d'un ennemi pourtant débordé en nombre. Tous les commandants de Catilina sont morts dans les premiers rangs ; chaque position a été tenue jusqu'au massacre du dernier de ses défenseurs ; toutes les blessures étaient de face. Mais ils ont pris un terrible tribut à nos troupes : bien avant la fin de l'affaire, tous les meilleurs guerriers d'Antonius étaient morts ou sévèrement blessés.

— Et Catilina, comment est-il mort ?

— On l'a découvert loin en avant de ses lignes, au plus épais des rangs ennemis, parmi les corps entassés de ses adversaires. Ses vêtements, son armure et sa peau étaient de la même couleur, uniformément rouges de sang. Il portait plus de blessures que l'on a pu en compter, mais il respirait encore quand on l'a trouvé. On m'a appelé pour recueillir ses dernières paroles, mais il n'a pas dit un mot ni rouvert les yeux. Au moment d'expirer, son visage a pris une dernière fois cette expression de fierté hautaine et de défi qui lui a valu la haine de tant d'hommes.

— Et l'amour de beaucoup d'autres, dis-je doucement.

— Oui, reconnut Rufus.

— Je connaissais bien cette expression. J'aurais aimé voir son visage...

— Mais tu peux toujours, dit Rufus.

Au moment où j'allais lui demander ce qu'il voulait dire, nous entendîmes soudain un concert de plaintes si déchirant que j'en eus les sangs glacés.

— C'est comme ça depuis ce matin, dit Rufus. Pas de cris de joie ni de victoire, mais des lamentations. Les soldats sont allés sur le champ de bataille, certains pour récupérer des armes ou des bijoux, d'autres pour revoir le lieu où ils ont durement combattu, comme c'est normal. Ils ont découvert que les cadavres des ennemis étaient ceux de parents et d'amis, de garçons avec qui ils avaient été élevés. Amère victoire, en vérité !

— Mais pourquoi es-tu venu avec les légions consulaires, Rufus ?

— Pour servir d'augure, naturellement, et prendre les auspices avant la bataille.

— Mais pourquoi toi ?

— C'est le Grand Pontife qui m'a assigné cette place, dit-il en me regardant d'un air particulier. Ce qui revient à dire que je suis venu ici sur la demande de César.

— Pour être ses yeux et ses oreilles ?

— Si tu veux. En tant qu'augure, je peux assister à tout, sans souiller mes mains de sang romain. Je participe aux conseils de guerre, mais je ne fais pas la guerre. Je suis là pour interpréter les humeurs des dieux.

— En d'autres termes, tu es ici comme espion de César.

— Si tant est qu'un homme peut espionner lorsque tout le monde connaît son rôle.

— Les intrigues finiront-elles un jour ?

— Jamais, dit-il en hochant gravement la tête. *Nunquam.*

— Je suppose qu'Antonius n'a pas montré la moindre hésitation à anéantir son ancien collègue ? Catilina avait espéré qu'il hésiterait.

— Il a tergiversé, à sa manière. Il a prétexté une mauvaise crise de goutte, juste avant la bataille, et il s'est déchargé des opérations sur son lieutenant, Marcus Pétréius. Pendant toute la bataille, Antonius a été dans son lit, tente close. Nul ne peut donc dire qu'il a refusé de poursuivre le rebelle Catilina, comme le Sénat l'en avait chargé, mais nul ne peut dire non plus qu'il a pris part personnellement à l'écrasement de son ancien ami. Bah ! Cette vieille bique va bientôt partir comme gouverneur de la province de Macédoine — un poste lucratif, qu'il a obtenu de son collègue Cicéron — et Rome aura un hypocrite de moins pour mettre le désordre sur le Forum !

Je hochai la tête et grimaçai de douleur.

— Ma tête me fait l'effet d'une courge trop mûre.

— Et elle en a tout l'air, en effet, dit Rufus en souriant amicalement. Tu as une bosse sur le front, de la grosseur d'une noix !

Il y eut un bruit, à la porte de la tente, et Meto apparut. En un instant, il fut auprès de moi, et me prit la main. Je l'aperçus un instant, avant que mes yeux ne se brouillent de larmes, car j'en avais sans doute beaucoup à verser

— Est-il... commença Meto, malgré sa blessure à la mâchoire.

— Ton père va bien, répondit Rufus, sauf un épouvantable mal au crâne.

J'avais eu le temps de voir la blessure de Meto : la lame qui l'avait frappé lui avait entaillé une partie de l'oreille gauche et déchiré la joue jusqu'à l'angle de la bouche ; il marchait et respirait normalement, comme Rufus me l'avait laissé entendre, mais la cicatrice marquerait à jamais son visage.

Il était aussi difficile de parler pour Meto que pour moi. Je réussis quand même à lui dire ce qui s'était passé à la ferme après son départ, le nouveau cadavre décapité, mais aussi le rêve du Minotaure que j'avais fait avant de me réveiller sous la tente de Rufus, et la vérité qu'il m'avait révélée. Je lui dis que je savais maintenant qui avait déposé les cadavres sans tête, pourquoi et avec quelle complicité. Meto, d'abord incrédule, finit par convenir de la vraisemblance de mes déductions, à partir des indications du rêve. J'avais maintenant hâte de revenir à la ferme. Je m'inquiétais pour la sécurité de Bethesda et de Diane, que j'avais laissées à la merci du Minotaure. Eco était-il arrivé, comme je le lui avais demandé ? Même en ce cas, et avec une douzaine de gardes du corps, je redoutais qu'il n'eût pas pu les protéger, ne sachant pas de qui il fallait le faire. Mais lorsque j'essayai de me lever, il me fut impossible de faire deux pas sans être pris de vertige. Impossible de partir à cheval dans ces conditions. Rufus me proposa un somnifère pour m'aider à dormir, mais je refusai. Toutefois, il réusit sans doute à mettre un peu de jus de pavot dans le vin qu'il m'offrit un peu plus tard, car je m'endormis soudain d'un sommeil profond, exempt de Minotaure et autres monstres humanoïdes.

Je me réveillai alors que la nuit était tombée. Deux voix

conversaient doucement dans la pénombre d'une lampe et je les écoutai avant de donner des marques de mon réveil.

— Mais l'aigle de l'*Auguraculum* et l'aigle de Catilina..., disait Meto, d'une voix gênée par le pansement de sa mâchoire.

— Je suis d'accord avec toi sur ces signes et tu les as correctement interprétés, dit Rufus. C'était bien la volonté des dieux que tu combattes aux côtés de Catilina.

— Mais j'aurais dû rester avec papa ! J'ai simplement réussi à l'arracher à Bethesda et à Diane quand elles avaient le plus besoin de lui. Si quelque chose de terrible s'est passé à la ferme pendant son absence...

— Tu ne dois pas t'en accuser, Meto. Il y a des forces supérieures à nous qui nous mènent, en ce monde, tout comme les vents poussent les navires ou font danser les feuilles. Te soumettre au vent qui te poussait ici n'était pas une folie.

— Mais alors, si telle était ma destinée, j'aurais dû mourir au combat près de Catilina. C'était bien mon intention, d'ailleurs ; j'y étais préparé, je n'avais pas peur. Mais lorsque j'ai vu papa tomber, j'ai été obligé de voler à son secours. J'ai quitté le champ de bataille et je l'ai mis en sûreté, comptant bien retourner au combat, mais mes forces m'ont trahi. Quelle honte ! Je devrais me jeter sur mon épée !

— Non, Meto. Tu m'as dit tout à l'heure, à propos de l'étendard de Catilina, que juste avant d'aller secourir ton père, tu avais vu l'aigle vaciller et s'abattre.

— Oui. Tongilius venait d'être tué d'une flèche dans l'œil. Il n'y avait personne à proximité pour relever l'aigle d'argent tombée.

— Tu vois bien ? Un aigle nous est apparu sur l'*Auguraculum*, le jour de ta majorité ; lorsque tu as aperçu l'aigle d'argent de Catilina, tu y as vu un signe du destin et tu l'as suivie jusqu'ici, dans la bataille. Mais une fois l'aigle tombée, tu as été délivré par les dieux : tu avais fait ce que tu devais faire. Les dieux t'ont averti ainsi qu'ils ne pouvaient plus rien pour Catilina et qu'il te fallait le quitter pour secourir ton père, qui avait besoin de toi. Tu as agi exactement comme tu le devais.

— Tu le penses vraiment, Rufus ?

— Mais oui !

— Et je ne suis ni un lâche ni un fou ?

— Suivre un rêve n'est jamais faire preuve de lâcheté ; abandonner un rêve parvenu à son terme est l'opposé même de la folie. Mais ton père semble se réveiller, Meto...

— Gordien ? Non, il dort toujours, grâce au pavot. Mais regarde comme il sourit : sa douleur a dû cesser, pour qu'il fasse des rêves si agréables.

Le lendemain matin, je me sentais remarquablement mieux. La douleur avait disparu, apparemment chassée par la vertu des pavots, et la bosse sur mon front s'était réduite à la dimension d'un pois chiche. Rufus tenta d'objecter que je n'étais pas encore en état de partir mais, devant mon insistance, il envoya chercher deux chevaux.

— Nous ne sommes donc pas prisonniers ? Nous sommes bien libres de partir ? demandai-je.

— L'augure qui représente le Grand Pontife jouit de certains privilèges, répondit Rufus en souriant. Disons que, à l'instar d'un somnifère, j'ai des pouvoirs d'oubli. Officiellement, aucun de vous deux n'aura existé ici. Il n'y a pas eu de prisonniers à la bataille de Pistoria ; tous les hommes de Catilina sont morts. C'est ce qui sera rapporté au Sénat et c'est ce que les historiens retiendront. La Fortune te sourit, Gordien, profites-en !

— Je souhaite ardemment qu'elle continue de sourire ! dis-je en pensant à la ferme et à ce qui avait pu se passer en mon absence.

Personne ne fit attention lorsque nous traversâmes le camp ; les hommes vaquaient à leurs occupations ou ruminaient leur douleur ; beaucoup buvaient ; certains se disputaient le butin qu'ils avaient arraché aux morts, sur le champ de bataille. Notre parcours nous fit passer devant la tente du commandant en chef ; je souris en songeant à la crise de goutte providentielle, mais mon sourire s'arrêta lorsque je reconnus le trophée que l'on avait planté sur une pique, devant la tente. Meto le vit en même temps que moi et s'immobilisa, comme frappé de stupeur. C'était la tête coupée de Lucius Sergius Catilina.

On l'avait gardée pour l'emporter comme preuve à Rome,

et la montrer au Sénat et au peuple. Ceux qui avaient redouté le rebelle verraient leur peur disparaître ; ceux qui l'avaient aimé verraient leur deuil confirmé ; ceux qui étaient tentés de l'imiter recevraient un avertissement que les Optimates voulaient sans doute aussi dur que salutaire. L'énigme posée naguère devant le Sénat par Catilina devenait tragiquement dérisoire : « Qu'y a-t-il à redouter, si je deviens la tête du corps vigoureux qui n'en a pas ? » Cette tête sanglante était là, désormais inutile à quiconque ; l'expression de défi hautain qui la caractérisait était souillée par les mouches bourdonnant autour des yeux et des lèvres...

J'avalai ma salive avec difficulté ; Meto maîtrisait mal ses sanglots, malgré son pansement. Nous restâmes longtemps à regarder une ultime fois ce qui restait de l'énigme Catilina... Puis Meto piqua des deux et lança son cheval au galop à travers le camp, sans se soucier des injures des soldats et des esclaves que sa course folle bousculait. Je le suivis. Il ne ralentit l'allure que lorsque nous fûmes sur la route ouverte ; le ciel gris et froid, les collines nues nous offrirent une sorte d'austère consolation.

6

En redescendant vers le sud, je trouvai que la campagne n'était guère différente de ce que j'avais vu en la quittant, car personne ne savait encore que Catilina avait été battu et tué. Je n'avais aucune envie de jouer les colporteurs de nouvelles, bienvenues ou non, et je gardai le silence dans tous les lieux où nous fîmes étape. C'était étrange d'entendre les gens parler de l'avenir glorieux de Catilina, d'autres reprendre les plaisanteries éculées sur la virginité de certaines vestales... Je redoutais que Meto ne sortît de ses gonds à un moment ou à un autre, mais il supporta tout ce qu'il entendit avec le stoïcisme d'un authentique Romain.

Le matin de notre retour, lorsque nous arrivâmes dans les environs de la ferme et que le paysage redevint plus familier, je me sentais l'esprit léger. Une brume diaphane couvrait la campagne, donnant des nuances pastel aux couleurs hivernales et adoucissant les contours des choses et les angles du monde. Bien sûr, il allait falloir affronter le Minotaure, mais tant que des événements plus terribles ne s'étaient pas déroulés pendant mon absence, j'avais presque hâte de faire cette rencontre. Cela amènerait au moins la fin de la collection de cadavres indésirables et le correctif indispensable aux déductions insensées. Meto était aussi content que moi de rentrer ; lorsque nous eûmes quitté la voie Cassienne, nous lançâmes nos chevaux au galop. L'esclave posté sur le toit ne tarda pas à nous apercevoir – ce qui me rassura : mes consignes avaient été suivies, au

441

moins pour la garde de jour – et cria : « Le maître ! Avec le jeune Meto ! »

Eco sortit de la maison comme nous mettions pied à terre. Je lui lançai un sourire qu'il ne me rendit pas ; sans doute avait-il vu le pansement de son frère, pensai-je. Mais Bethesda arriva en courant derrière lui, le visage rougi par les pleurs. Elle se hâta jusqu'à moi, doublant Eco qui semblait marcher avec peine, et ses ongles s'enfoncèrent dans mon bras.

– Diane ! hurla-t-elle d'une voix éraillée à force de pleurs. Diane est partie !

– Partie ? Tu veux dire...

– Disparue, précisa alors Eco.

– Depuis quand ?

– Depuis hier, lâcha Bethesda. J'ai été avec elle toute la matinée et je l'ai vue manger à midi, mais après cela, je me suis endormie – pourquoi, mais pourquoi cette maudite sieste ? – et quand je me suis réveillée, vers le milieu de l'après-midi, elle n'était plus là. Je l'ai cherchée partout, j'ai appelé jusqu'à en perdre la voix, longtemps encore après la tombée de la nuit, et elle n'est pas revenue. Comment se serait-elle perdue ? Elle connaît les moindres recoins de la ferme. Je ne comprends pas...

– Le puits ? demandai-je à Eco.

– J'y ai regardé, dit-il en secouant négativement la tête, comme dans tous les endroits où elle aurait pu tomber ou se blesser. Les esclaves ont passé le domaine au peigne fin, plus d'une fois. Aucune trace d'elle.

– Meto ! cria soudain Bethesda...

Elle venait d'apercevoir son pansement et elle s'était précipitée pour le prendre dans ses bras.

– Et les voisins ? demandai-je à Eco.

– Je suis allé les voir, tous les quatre. Tous proclament une ignorance totale, mais qui sait ? Si j'avais des soupçons fondés envers l'un d'eux, je brûlerais volontiers sa maison pour lui faire cracher la vérité.

– Qui a vu Diane en dernier ?

– Elle n'était pas rassasiée de sa bouillie de midi et elle en voulait davantage. Comme Bethesda dormait déjà, Diane a pris

442

sur elle d'aller trouver Congrio dans la cuisine, pour en avoir un autre bol. Congrio m'a dit qu'il l'avait grondée pour sa gloutonnerie, mais qu'il lui avait finalement donné une portion supplémentaire. Elle l'a mangée dans la cuisine, puis elle est sortie pour jouer. Mais personne ne semble l'avoir vue...

— Meto ! cria de nouveau Bethesda. Il venait de s'arracher de ses bras pour se ruer dans la maison.

— Viens, Eco, dépêchons, avant qu'il ne le tue ! dis-je en me précipitant à mon tour.

Au moment où nous arrivâmes dans la cuisine, Congrio était déjà au sol, effondré sur le dos, l'air terrorisé, les mains levées pour se protéger le visage. Meto avait pris dans le foyer un lourd tisonnier et lui en assenait des coups d'une rare violence.

— Où est-elle ? Où est-elle ? hurlait-il sans cesser de frapper le cuisinier qui se contorsionnait et gémissait par terre.

— Meto, je l'ai déjà questionné ! dit Eco, en tâchant d'arrêter son frère ; mais il dut sauter en arrière, car Meto brandissait dangereusement le tisonnier pour frapper avec plus de force.

— Papa, arrête-le ! Il va tuer ce malheureux esclave ! cria Eco.

— Il pourrait bien le faire, mais pas avant que nous n'en ayons tiré la vérité. Allons ! Assez, Meto, assez !

Je réussis à immobiliser l'un de ses bras, tandis que Eco bloquait l'autre. Au bout d'un instant, Meto redevint maître de lui-même. Congrio continuait de se tordre et de hoqueter sur le sol.

— Torture-le, papa ! Fais-le parler ! gronda Meto.

— Mais naturellement, s'il le faut ! dis-je en me tournant vers le cuisinier.

— Pitié, maître, ne me frappe pas ! gémit Congrio. Je ne sais rien.

— Infâme menteur ! dis-je alors en lui assenant un coup que je ne pus modérer devant tant d'impudence. Menteur ! Je sais tout de toi et tu seras heureux si je te laisse vivre après ce que tu as fait. Maintenant dis-nous ce qui est arrivé à Diane ou, par Jupiter, je te torture jusqu'à ce que tu avoues !

Congrio se révéla ensuite très coopérant.

443

– Ne nous montrons pas trop vite ! dis-je à Meto et Eco, une fois que nous eûmes quitté la voie Cassienne.

Nous emmenions avec nous Belbo et dix autres esclaves, venus de Rome avec mon fils aîné ; tous étaient armés de fortes dagues. Derrière le boqueteau se trouvait la maison de Claudia ; un panache de fumée s'élevait de la cheminée. La propriétaire ne s'était donc pas réfugiée à Rome ou ailleurs. Mais comment retrouver Diane, à condition qu'elle fût emprisonnée quelque part dans la maison ? Mon cœur battait dans ma poitrine et mon estomac était affreusement noué.

– Comme tu es déjà venu hier pour lui poser des questions, peut-être ne sera-t-elle pas surprise de te voir à nouveau, Eco ? L'important est de prendre pied à l'intérieur, puis d'agir très vite.

– Ne te fais pas de souci, papa, nous avons déjà parlé de tout ça avant de quitter la maison. Nous savons ce que nous avons à faire.

Les esclaves mirent pied à terre dans le petit bois pendant que Meto, Eco et moi-même continuions à cheval. C'était la première heure après la méridienne et personne ne travaillait au-dehors. Nous mîmes pied à terre devant la maison et Eco frappa à la porte. Une vieille esclave aux cheveux blancs vint ouvrir et reconnut aussitôt Eco.

– Ah, c'est toi, dit-elle, en jetant un regard oblique vers Meto et vers moi, qui nous tenions en retrait.

– Mon père et mon frère, juste rentrés d'un long voyage. Ils sont venus demander après ma petite sœur, comme je l'ai déjà fait.

– Ah, oui. Bon, laisse-moi aller...

– Eco, c'est de nouveau toi ? interrompit une voix minaudante venue de l'intérieur. Hélas ! mon cher garçon, j'aimerais avoir des nouvelles pour toi, mais je crains que rien... Oh, mais il y a aussi ton père ! Et même Meto... avec un horrible pansement ! dit Claudia, apparaissant sur le seuil de la porte.

– Oui, Claudia, nous sommes venus te demander ton aide, dis-je.

– Cette pauvre Diane est toujours disparue ?

– Oui.

– Quel malheur ! J'avais espéré qu'elle retournerait à la maison avant la nuit, hier soir. Vous devez être terriblement inquiets.

– Nous le sommes.

– Spécialement Bethesda. Je n'ai jamais connu les joies ni les soucis de la maternité, moi, mais elle doit être dans la plus affreuse angoisse. Je crains malheureusement de ne rien avoir de nouveau à vous dire. Mes esclaves ont ratissé le domaine comme tu me l'avais demandé, Eco, mais ils n'ont rien trouvé. Si vous voulez, vous pouvez envoyer vos propres esclaves aux recherches, juste par acquit de conscience. Je comprendrai parfaitement.

– Tu permettrais cela, Claudia ?

– Naturellement.

– Tu nous laisserais chercher dans ton écurie et dans les bâtiments annexes ?

– Si vous le désirez. Je ne vois pas comment elle aurait pu se glisser dans l'un ou l'autre sans que mes esclaves s'en aperçoivent, à moins qu'elle ne se soit volontairement cachée – mais cherchez si vous voulez.

– Et tu nous laisserais aussi chercher dans ta maison ?

Sa belle assurance faiblit un peu.

– Écoute...

– Dans tes appartements privés, dans ta chambre à coucher, par exemple ? Dans les lieux qu'aucun étranger ne visite ?

– Je ne suis pas bien sûre de te comprendre, Gordien. Cette enfant peut difficilement être dans ma maison sans que je le sache, n'est-ce pas ?

– Non, je ne pense pas, en effet.

L'expression de ses yeux se durcit un moment, puis elle eut une moue d'indulgence.

– Oh, Gordien, comme tu dois être anxieux pour parler comme cela. Mais certainement, fouillez où vous voulez ! Faites-le maintenant, pour vous tirer d'angoisse, avant d'aller chercher ailleurs.

– C'est ce que nous allons faire, dis-je.

Puis aussi doucement et promptement que je le pouvais, je tournai autour d'elle, immobilisai ses bras d'une prise et lui mis la lame de mon poignard sous la gorge. Elle ouvrit la bouche pour crier, mais s'arrêta en sentant le tranchant du métal. Je la poussai en la maintenant hors de la maison, tandis que Meto se ruait à l'intérieur et qu'Eco appelait ses esclaves à la rescousse. Nous ne rencontrâmes aucune résistance ; quelques esclaves de Claudia arrivèrent en courant, mais lorsqu'ils virent la situation de leur maîtresse, ils reculèrent et restèrent cois, tandis que nos hommes fouillaient et saccageaient l'écurie, le pressoir, les cabanes à outils et le quartier des esclaves, avant d'examiner minutieusement la maison.

— Vous faites une épouvantable erreur, dit Claudia, dont je sentais la gorge palpiter sous mon poignard.

— L'erreur sera tienne si tu lui as fait quelque chose, aboya Eco au passage, la dague en main.

— L'enfant n'est pas ici.

— Mais elle a été amenée ici, dis-je. Inutile de mentir, Claudia : Congrio t'a trahie. Allez, trépigne et débats-toi : si tu te tranches la gorge en bougeant, ce sera ta faute !

— Qu'ai-je à voir avec un esclave qui t'a menti ? grogna-t-elle.

— Il n'a pas menti, Claudia, mais dit la vérité. Hier, tu as envoyé un de tes hommes de confiance à la maison, un esclave de cuisine, pour quelque échange de produits ; c'est devenu si courant que personne n'y prend plus garde. En réalité, c'était pour préparer le prochain complot contre nous avec Congrio, selon un plan déjà bien rodé. D'après mon cuisinier, il s'agissait cette fois de poison ; c'était trop pour lui – dit-il – et comme il ne voulait rien savoir, les deux hommes se sont mis à discuter. Eco était sorti de la maison, Bethesda faisait la sieste ; il n'y avait apparemment personne à la cuisine et les deux comploteurs parlaient librement – lorsqu'ils ont soudain découvert à quelques pas de là, la présence de Diane, qui les écoutait depuis... on ne sait quand.

« Ils ont paniqué. Congrio lui a mis un chiffon dans la bouche pour l'empêcher de crier, puis ils l'ont enveloppée dans une grande pièce de tissu. Comme ton homme était venu avec une charrette à bras, ils l'y ont rapidement transportée et dissimulée, puis ton envoyé a promptement quitté la maison. Le veilleur assure qu'il n'a rien remarqué de bizarre, d'autant que ton esclave de confiance venait régulièrement chez nous – ton agent, Claudia, conspirant avec mon cuisinier ! Tu imagines ! Tu vois, je sais la vérité, assez du moins pour avoir pisté Diane jusqu'à ta porte. Maintenant, où est-elle ?

– Demande à Congrio, cria-t-elle. Cet esclave menteur ! Ne comprends-tu pas qu'il a fait des horreurs avec ta petite fille et qu'il cherche à donner le change. Comment oses-tu me suspecter ?

– Et comment oses-tu, toi, mentir à ce point ? dis-je, en me retenant difficilement de lui passer le poignard à travers la gorge, d'une oreille à l'autre.

– Puisque tu es si malin et que tu penses qu'elle est ici, trouve-la donc ! Vas-y, cherche tout ton soûl ! Ta fille n'est pas ici, tu ne trouveras rien, je te l'assure.

Je compris soudain que Claudia pouvait avoir raison. Elle était trop intelligente pour risquer de se faire surprendre dans sa propriété. Mais où avait-elle pu cacher un enfant – ou le corps d'un enfant ? Je dus relâcher la prise, car Claudia réussit à m'échapper et à se réfugier au milieu de ses esclaves, qui lui firent un rempart de leurs bâtons et de leurs poignards. J'appelai Meto et Eco à l'aide.

– On peut les avoir, papa ! Ses esclaves prendront la fuite à la première goutte de sang versé.

– Attaque-moi et je ne serai pas responsable des conséquences, Gordien, dit Claudia en respirant fortement. Tu veux vraiment une affaire de sang avec les Claudii ?

– Donne l'ordre, papa ! dit Meto, les doigts crispés sur la poignée de sa dague, à s'en blanchir les jointures.

– Non, Meto ! Pas de sang ! Le châtiment attendra un peu. La seule chose qui importe pour l'instant est de retrouver Diane et je crois savoir où elle est. Eco, reste ici avec tes hommes ; veille à ce que Claudia ne bouge pas d'où elle est jusqu'à notre retour. Meto, à cheval, viens avec moi.

Claudia avait probablement connu la mine toute sa vie. Elle avait donc dû immédiatement y penser pour cacher Diane. C'est ce que j'espérais et redoutais à la fois. Nous prîmes à la vitesse du vent la voie Cassienne, puis le chemin de la propriété de Gnæus, puis la piste que nous avions suivie avec le malheureux Forfex. Une fois les chevaux attachés dans la clairière à mi-pente, la montée à pied fut terrible, aussi bien en raison de la difficulté et des dangers du terrain que des pensées funestes qui m'assaillaient à chaque pas. Enfin l'entrée de la mine fut en vue ; Meto avait pris les devants et sauté depuis longtemps le mur qui en barrait l'accès. J'arrivai à mon tour et j'eus toutes les peines du monde à me hisser, tremblant d'excitation et de peur, les yeux brouillés par la sueur et les larmes de fatigue et d'angoisse.

De l'autre côté, j'aperçus Meto qui me tournait le dos et tenait quelque chose dans ses bras ; en entendant du bruit, il se retourna et je vis des larmes briller dans ses yeux.

— Oh non, Meto ! criai-je, anéanti par un affreux pressentiment.

— Papa, papa, tu es venu pour nous ! Je savais que tu viendrais !

La chose serrée dans les bras de Meto se débattait vigoureusement en criant ces paroles ; puis Diane glissa par terre et courut au pied du mur, les bras tendus. Je me laissai tomber au sol pour la couvrir de baisers.

— Je leur avais bien dit que tu viendrais ! criait-elle. Je leur avais dit, je leur avais dit !

— Mais qu'est-ce que tu racontes ? demandai-je enfin, après m'être assuré qu'elle n'avait rien de cassé. De qui parles-tu ?

— Ben, des autres !

— Quels « autres » ?

— Les autres enfants !

Dans la lumière hésitante de la mine, elle me montrait du doigt une collection de crânes parfaitement empilés et rangés contre une paroi : les restes des esclaves morts depuis longtemps.

— Je ne me rappelle pas avoir vu cet entassement, lorsque nous sommes venus avec Catilina. Et toi, Meto ? demandai-je, intrigué.

— Moi non plus, murmura-t-il.

448

– C'est moi qui les ai mis comme ça, dit Diane, apparemment fière de son travail. Je les ai tous réunis.

– Mais pourquoi ? demandai-je.

– Parce qu'ils étaient tout seuls, chacun dans son coin, et moi aussi. J'ai eu froid la nuit dernière, papa, mais imagine pour eux, sans leur peau !

– Qui sont-ils pour toi, Diane ? demandai-je très sérieusement.

– Mais des petites filles et des petits garçons, naturellement ! Tous ceux que le méchant roi a amenés au Minotaure pour qu'il les mange. Et regarde ! Ils les a tous dévorés, en ne laissant que les os ! Les malheureux ! Lorsque les esclaves de Claudia m'ont apportée ici, hier, je savais que cela devait être le Labyrinthe. Ils m'ont passée par-dessus le mur et m'ont abandonnée, même quand je criais en leur disant qu'ils le regretteraient. Tu crois qu'ils pensaient que le Minotaure viendrait me manger ?

– Diane, dis-je en la tenant serrée contre moi, comme tu as dû avoir peur !

– Non, papa, pas vraiment !

– Comment, non ?

– Non. Meto aurait eu peur, parce qu'il aurait craint le Minotaure, mais pas moi.

– Et pourquoi non, Diane ?

– Parce que le Minotaure est mort, bien sûr !

– Comment sais-tu cela ?

– Mais enfin, parce que tu me l'as raconté un jour, papa ! Tu ne te rappelles pas ? Fais un effort, voyons !

– Ah oui ! Oui, je me rappelle, dis-je en revoyant le jour d'été où Diane était venue m'annoncer l'arrivée inopinée d'un visiteur venu de Rome. J'ai même ajouté qu'un héros grec appelé Thésée avait tué le Minotaure.

– Exactement. Et c'est pourquoi je n'ai pas eu peur, mais simplement froid. Et puis faim, papa, j'ai si faim. On peut avoir quelque chose à manger ? Mais pas de Congrio, s'il te plaît : Congrio veut nous empoisonner, je l'ai entendu...

7

Meto était d'avis que nous découpions Congrio en filets et que nous en fassions un grand buffet. Bethesda estima que nous devrions le jeter dans le puits pour le regarder mourir lentement, jour après jour. Eco, toujours pratique, suggéra de sélectionner un ennemi de la famille et de lui vendre Congrio ; l'idée n'était pas mauvaise, pensai-je, mais qui détestions-nous à ce point ? Pour Claudia, aucun châtiment ne paraissait trop dur. On lança de nombreuses idées. La plupart de ces plans fantaisistes commençaient par un enlèvement en pleine nuit et se terminaient par des visions d'horreur d'une délectable cruauté. Bethesda se montra particulièrement inventive, ce que je trouvai bizarre car les Égyptiens passent généralement pour amènes et civilisés, comparés aux brutes romaines. Mais elle était devenue une vraie matrone, complotant l'anéantissement d'une autre matrone romaine, aussi sûrement que Meto – d'origine grecque – s'était montré un vrai soldat romain sur le champ de bataille de Pistoria. Après tout, nous étions tous romains, au regard de la loi : pourquoi, précisément, ne pas recourir à elle ? proposai-je.

Cette suggestion ne suscita aucun enthousiasme. Nous avions déjà triomphé des Claudii dans un procès, évidemment, dit Eco, mais uniquement avec l'aide de Cicéron, et un bon testament en notre faveur. Nous n'étions pas sûrs de gagner de nouveau contre eux, réduits à nos seules forces ; et puis il fallait compter avec les lenteurs et les délais des tribunaux. La justice romaine était devenue un instrument dans les mains des puissants, pour s'attaquer l'un l'autre, plus sensible à la corruption et à l'intimidation qu'aux exigences de vérité et de justice. Comme aux temps d'avant la République, les gens étaient amenés à prendre leurs affaires en main s'ils voulaient obtenir réparation – ce que nous aurions donc à faire, si nous voulions châtier Claudia comme elle le méritait. Mais il y avait les autres Claudii, fis-je observer, qui nous cernaient littéralement comme une armée et qui nous détestaient. Que feraient-ils, si du sang claudien était versé ? Allions-nous passer les années à venir en meurtres, enlèvements et vengeances ? La famille des Gordiani n'y suffirait pas...

En réalité, on aura compris que je voulais gagner du temps pour que les esprits des miens se calment. Sans compter que Claudia allait passer quelques nuits sans dormir, à se demander ce que nous préparions contre elle. Le surlendemain du sauvetage de Diane, après avoir bien entendu les arguments et les revendications, je décidai d'exercer mes prérogatives de chef de famille et j'annonçai que je traiterais l'affaire moi-même ; mes décisions seraient sans appel. Ayant bien établi ce point, je me retirai dans la bibliothèque où j'écrivis un bref billet pour Claudia.

Claudia,

Il y a des affaires que nous devons discuter en privé et sur terrain neutre. Rencontrons-nous à midi à notre lieu habituel, sur la crête. Je viendrai seul et sans armes, et je te jure par la mémoire de mon père que je ne veux te faire aucun mal. Ta présence m'indiquera que tu viens dans les mêmes conditions. Nous n'avons rien à gagner à poursuivre nos querelles et je pense que nous pouvons arriver à un accord mutuel. C'est le plus sérieux espoir de ton voisin,

Gordien

Le ciel était sans nuages et il n'y avait pas de vent sur la crête – comme je l'avais un peu redouté – lorsque je vis apparaître Claudia ; j'étais assis depuis quelque temps déjà sur ma souche favorite et je commençais à craindre qu'elle n'eût finalement décliné mon invitation loyale. Elle approcha sans un mot, s'assit sur une souche à côté de moi et se mit à regarder le paysage. Je remarquai quelques fines cicatrices horizontales aux endroits où j'avais appuyé la lame ; elle les touchait du doigt, de temps en temps. C'est elle qui finit par parler.

— Par où allons-nous commencer ? demanda-t-elle.

— Par le commencement, bien sûr ! Mais avant cela, dis-moi la vérité sur un point préalable : as-tu quelque chose à voir avec la mort de ton cousin Lucius ?

— Comment peux-tu avoir l'idée que...

— Pas de protestations, Claudia ! Ma question n'exige qu'une réponse simple : oui ou non.

— Est-ce que j'ai assassiné Lucius ? Quelle question ! Non, évidemment non ! Il est mort en plein Forum, avec des centaines de gens autour de lui, d'une crise cardiaque. Des gens meurent comme cela tous les jours ; c'est parfaitement naturel.

— Tu n'as rien fait pour aider un peu la nature ? Un petit peu de poison ?

— Gordien, non !

— Je te crois. Je n'avais aucune raison particulière de penser que tu aurais pu assassiner Lucius, mais je voulais en être sûr, tu comprends ? Lucius était mon ami, et cela a de l'importance pour moi de savoir si l'on a provoqué sa mort.

Nous contemplâmes quelque temps la ferme en silence. Les rôles étaient désormais distribués : je poserais les questions, elle répondrait. Mais j'avais le temps.

— Lorsque je t'ai prêté Congrio pour ta réunion de famille, dis-je enfin, c'est à ce moment-là que tu l'as suborné, non ?

— Ça n'a pas été très difficile : il ne t'aime pas et il méprise ta femme, parce que c'est une ancienne esclave. Il avait travaillé jusque-là dans la maison d'un respectable patricien, et le voilà devenu la propriété d'un — écoute, Gordien, tes ancêtres ne sont pas très glorieux, non ?

— J'aurais mieux aimé que *toi*, tu ne parles pas de mes ancêtres, mais passons ! Tu as donc dit à Congrio que, s'il voulait bien entrer dans tes machinations, tu pourrais rétablir les choses et devenir sa patronne – et il est tombé d'accord pour être ton agent dans ma maison.

– C'est quelque chose comme ça.

– Croiras-tu que, pendant longtemps, j'ai pensé que c'était Aratus qui me trahissait ?

– Aratus ? s'exclama Claudia. Tu aurais pu avoir plus de discernement. Lucius a toujours dit qu'il était l'esclave le plus fidèle qu'il ait jamais eu. On ne saurait avoir un meilleur régisseur, pour une ferme !

– C'est ce que j'ai compris peu à peu. Mais revenons à Congrio : lorsque le premier corps sans tête est apparu dans mon écurie, c'était Congrio qui l'y avait mis, non ?

– Pourquoi me le demander ? Il a dû t'avouer toute l'histoire, non ?

– Une partie de l'histoire. J'en ai reconstitué certains éléments, mais il y a certaines choses dont on ne peut être sûr d'emblée et qu'il faut vérifier, Claudia. Donc cela a commencé le jour où nous avons brûlé les premières balles de foin contaminé ; un de tes esclaves est venu, sous couvert d'apporter des figues fraîches, en échange desquelles je t'ai fait parvenir un panier d'œufs. J'ai pensé, alors, que cet homme était venu voir la raison de toutes ces fumées sur mon domaine, tandis qu'il arrangeait avec Congrio la livraison du cadavre. Je me rappelle qu'il est resté longtemps à la cuisine ; j'ai même cru qu'il s'attardait pour goûter la crème que préparait Congrio.

« Le lendemain est arrivé un chariot, prétendument rempli de provisions et de céramiques. Congrio, surpris en plein déchargement, a prétexté qu'il avait dû passer par-dessus la tête d'Aratus pour commander le matériel dont il avait besoin. Mais je me suis demandé pourquoi il insistait tant pour décharger le chariot lui-même. Maintenant, je comprends : il y avait un cadavre parmi les pots et les marmites ; le chariot venait de ta ferme et non de Rome, comme Congrio le prétendait. Le cadavre fut déchargé, puis caché dans la cuisine avant d'être transporté dans l'écurie, plus tard. Voilà comment le corps est arrivé et avec quelle complicité ; mais qui était Nemo ?

– Nemo ?

– C'est ainsi que j'ai appelé le corps sans tête, faute d'un autre nom à lui donner. Difficile de dire s'il s'agissait d'un homme libre ou d'un esclave, d'après le peu d'usure de son corps. Si c'était un esclave, il ne travaillait pas trop dur et absolument pas à l'extérieur... J'y suis : c'était ton ancien cuisinier, non ?

Claudia me regarda, étonnée.

— Comment l'as-tu su ? Je ne l'ai jamais dit à Congrio.

— Tu me l'as dit, pourtant, mais je n'avais pas l'oreille pour ça à ce moment-là. Tu te rappelles le mot que tu m'as fait parvenir par Congrio, pour me remercier de te l'avoir prêté ? Je l'ai gardé, je ne sais pas pourquoi ; j'avais été touché de ta gratitude. Mais tu y disais au passage que ton cuisinier était malade. Il est mort un peu plus tard.

— Comment l'as-tu appris ?

— Là encore, c'est toi qui me l'as dit. Nous nous étions retrouvés sur cette même crête, avec Meto en plus, et tu nous a offert des gâteaux au miel en nous disant : « Mon nouveau cuisinier les a cuits ce matin. » Ton *nouveau* cuisinier, Claudia — parce que tu avais remplacé l'ancien, certainement mort. Et comme tu ne supportes pas le gaspillage, tu as trouvé le moyen de te servir du corps du défunt, en pensant que ce pourrait être un bon moyen pour me chasser de la ferme ou, du moins, commencer à m'effrayer. Nemo n'a pas été assassiné, n'est-ce pas ? Il est mort de maladie et tu lui as fait couper la tête pour que personne ne puisse le reconnaître, lorsqu'il apparaîtrait dans mon domaine.

— Tu comprends tout, Gordien ! Et l'apparition de ce corps ne t'a pas effrayé ?

— Si, naturellement, mais j'avais alors des raisons de croire que je connaissais qui avait fait le coup et pourquoi ; j'étais à cent lieues de penser à mes voisins et de me demander si je devais rester à la ferme. J'ai donc caché cet incident aux esclaves, y compris à Congrio. N'as-tu pas été furieuse en apprenant qu'il n'avait rien eu à dire à ton envoyé, lors de sa visite suivante ?

— Si.

— Moi, j'avais toutes les raisons de croire que je pouvais te faire confiance ; les esclaves envoyés chez toi sont revenus avec d'excellents rapports sur ton attitude envers tes cousins, devant lesquels tu avais pris ma défense. Or c'est toi qui m'as suggéré l'idée de les utiliser comme « espions » de votre réunion familiale, en plaisantant sur la possibilité d'empoisonnement. Je pensais sincèrement que tu étais ma seule alliée chez les Claudii et pas un instant je n'ai songé à t'attribuer les événements terribles qui sont survenus par la suite sur mon domaine. Tu calculais ainsi que, si je venais à renoncer et à vouloir vendre ma ferme, je m'adresserais naturellement au seul voisin qui avait pris mon parti, non ?

— C'est quelque chose comme ça, en effet.

— Le premier corps décapité est apparu à la mi-juin. Puis rien. Je crus que c'était parce que j'avais accompli certaines choses que d'autres exigeaient de moi contre ma volonté, une sorte de chantage macabre auquel j'avais dû céder ; en fait, c'était simplement parce que tu étais à Rome, pour surveiller les travaux dans ta maison du Palatin. Le second cadavre est apparu une fois passé le milieu de quintilis. Tu t'étais arrangée, entre-temps, pour me faire rencontrer le délicieux cousin Manius, dans des conditions telles que tu apparaissais encore comme mon amie et alliée. Puis tu étais rentrée et tu étais donc chez toi lorsque tu as appris que Gnæus avait tué le malheureux Forfex. Pourquoi gaspiller un bon cadavre ? Nouvelle machination avec Congrio, nouvelle livraison de corps, dérobé par tes esclaves sur son lieu d'enterrement sommaire ; mais comme tu savais que je connaissais la victime, il fallait encore une fois lui couper la tête. Tu n'avais pas imaginé que Meto reconnaîtrait la marque de naissance sur sa main, qui nous a conduits aussitôt chez Gnæus. Ce dernier a reconnu avoir tué l'esclave – ce qui était son droit absolu de propriétaire, si barbare fût-il – mais il déclarait ignorer tout de la suite.

— Il n'a rien su, en effet, reconnut Claudia.

— Ce fut aussi mon avis, après confrontation. Mais je restais dans la perplexité la plus totale et je me jetai dans les travaux de la ferme, malgré la contamination du foin, malgré la pollution du puits. Je fis construire le moulin à eau...

— Ce truc absurde ! lança Claudia.

— Oui, je comprends maintenant à quel point cela a dû t'irriter de me voir réaliser ce projet en dépit de l'adversité qui me frappait, preuve de ma volonté d'enracinement sur ce domaine. Tu as bien caché tes sentiments, lors de la présentation officielle que je t'en ai faite.

— Une femme apprend à le faire lorsqu'elle veut obtenir ce qu'elle désire, sans un père ou un mari pour le lui donner, sans fils pour la défendre, dit Claudia.

Je commençai à mieux comprendre Claudia, femme dure, âpre au gain : comment aurait-elle pu faire autrement sa place dans une famille de prédateurs comme la sienne et dans le monde tel qu'il est ? Je mesurais mieux, à présent, l'acharnement de sa volonté et l'ampleur de sa culpabilité.

— J'ai été de nouveau troublé lorsque Gnæus est venu m'offrir d'acheter ma propriété, bien que j'aie compris depuis que c'était toi qui lui avais mis cette idée dans la tête. Il me l'a dit indirectement, du reste, en évoquant le rude hiver que j'avais eu à la ferme, selon ce qu'il t'avait entendu dire. En fait, tu l'as utilisé à ce moment-là pour tâter le terrain et savoir si j'allais enfin renoncer à m'accrocher. Après sa visite, mes soupçons se concentrèrent sur Gnæus, d'autant plus qu'un troisième cadavre apparut le jour même où je l'avais chassé de ma maison après avoir refusé son offre d'achat. Mais je devais partir en voyage et il m'a fallu surseoir à toute autre décision, à ce moment-là.

« Ce troisième corps sans tête était un autre de tes esclaves, n'est-ce pas ? Tu n'avais pas tué Nemo, mort de maladie ; tu n'avais pas tué Forfex, assassiné par Gnæus ; mais cet esclave, c'est toi qui l'as tué, n'est-ce pas, Claudia ?

— Qu'est-ce qui te fait supposer cela ? demanda-t-elle en me jetant un regard noir.

— C'est que tu avais besoin de quelqu'un pour essayer ton poison ! Tu l'avais déjà expérimenté une fois, sur un de mes pauvres vieux esclaves nommé Clementus. Le malheureux avait été témoin lointain et involontaire des événements de la nuit où Congrio avait jeté le corps de Forfex dans le puits ; même si son témoignage était vague et inutilisable, il représentait un trop grand danger pour mon cuisinier, coupable de comploter contre son maître. Tu as donc fourni à Congrio une décoction de morelle et il s'est débarrassé de Clementus : ses lèvres bleuies, ses vomissements et ses paroles incompréhensibles m'avaient fait soupçonner un empoisonnement – et Congrio a tout avoué depuis.

« Mais un poison qui tue un vieil esclave affaibli n'est pas nécessairement suffisant contre un homme de quarante-sept ans encore solide, et il fallait faire un essai en grandeur réelle, n'est-ce pas, Claudia ? Comment as-tu sélectionné ta malheureuse victime ? Me ressemblait-il par l'âge et la corpulence ? Pauvre garçon, en tout cas, d'avoir une pareille maîtresse... La vérification faite, voilà un nouveau cadavre à ne pas gaspiller : l'occasion est excellente, d'où la nouvelle apparition sur mon domaine, par l'intermédiaire de Congrio. Je suppose que cela ne te fait rien de savoir que c'est ma petite fille qui l'a découvert une fois encore, comme le premier ; mais il est vrai que tu as l'habitude des monstruosités, n'est-ce pas ?

– Ça suffit ! dit Claudia en se levant brutalement. Je ne suis pas venue ici pour être jugée, ni par toi ni par quiconque. Ton message indiquait que tu avais une proposition à me faire. Fais-la maintenant et épargne-moi tes accusations et tes leçons de morale !

– Assieds-toi donc, Claudia ! Une pauvre meurtrière ne supporterait-elle pas le récit de ses crimes ?

– Empoisonner un esclave n'est pas un meurtre pour la loi !

– Ah, mais enlever un enfant de libre naissance est à coup sûr un crime.

– En voilà assez ! cria-t-elle en faisant mine de s'en aller.

Je la pris par les épaules et la rassis de force sur la souche.

– Tu as juré que tu ne me ferais pas de mal ! Prends garde ! hurla-t-elle d'une voix perçante en sortant de son manteau une longue et fine dague.

Je la fis tomber d'un coup sec, puis regardai en hâte autour de nous, mais il n'y avait personne en embuscade dans les fourrés. Elle était venue armée, mais seule.

– Oui, Claudia, je l'ai juré et je tiendrai parole, bien que ni les dieux ni les hommes ne verraient sans doute d'objection à ce que je t'étrangle sur place ! Laisse tomber tes grands airs : ils ne te conviennent pas ! Tu entendras tout ce que j'ai à te dire, pour que nous arrivions ensemble à la vérité ; sans cela, rien n'est possible. Tu as voulu assassiner un citoyen romain de naissance libre – oh, bien sûr, un simple plébéien parvenu, mais enfin ! Lorsque ton homme de confiance est venu presser Congrio d'exécuter ce plan infernal, le cuisinier a résisté : c'était trop pour lui, et les deux hommes ont discuté. Soudain, catastrophe : une petite fille avait tout entendu... Tu connais la suite. Mais je me pose une question, Claudia : que voulais-tu vraiment faire de Diane ? La laisser mourir de faim ? Ou la récupérer ensuite et la vendre comme esclave sur quelque marché éloigné ?

Claudia ne répondit pas et cherchait à éviter mon regard. Je m'approchai d'elle et elle se mit sur la défensive.

– J'ai dit que je ne te ferais pas de mal et je tiendrai ma parole, même si je la regrette en ce moment. Tu devrais être cruellement châtiée, Claudia – pour ta duplicité, pour ton arrogance, pour ton meurtre, pour l'enlèvement de ma fille, pour les tourments que tu nous as fait endurer. Mais cela n'aurait plus de fin... Tes cousins ont trop de méchanceté en eux et trop de temps libre pour s'y consacrer ; je ne serais jamais tranquille si je tirais de toi la vengeance qui serait juste. Et comment faire confiance aux dieux pour punir des créatures comme toi ? J'ai vu trop de choses en ce monde pour croire encore en la justice, qu'elle soit celle des dieux ou celle des hommes ! Il nous reste à faire notre justice à nous, comme nous allons le faire, toi et moi, en procédant à un marchandage, ici et maintenant.

– Un marchandage ?

– Un agrément, si tu veux, sur lequel nous ne reviendrons jamais. Mes fils ne seront pas contents, car ils pensent que tu devrais être liquidée comme un chien enragé ; ma femme non plus, qui rêve de t'arracher les yeux pour te les faire manger. Mais ils respecteront ma décision. Et ma décision est que tu dois avoir cette ferme.

Elle me regarda comme si la foudre était tombée devant elle. Puis elle jeta les yeux sur le domaine, et je vis une lueur s'allumer dans ses yeux.

– Est-ce un piège, Gordien ?

– Non, un marchandage, je te l'ai dit. Tu auras la ferme,

comme tu le désires depuis si longtemps. Nous irons à Rome, dans le bureau du Forum où sont enregistrés les titres de propriété, et je te signerai une donation. Mais en échange...

Elle me regarda avec intensité.

– En échange, tu me donneras ta maison sur le Palatin, que tu as héritée de Lucius, complète, avec tout son mobilier.

– Certainement pas !

– Non ? Réfléchis : quel usage en as-tu ? Elle ne signifie rien pour toi.

– Mais c'est une maison splendide, qui vaut une fortune considérable !

– Je le sais bien, probablement beaucoup plus que ma ferme, compte tenu des statues que Lucius y a rassemblées, des marbres rares qu'il y a installés, du somptueux mobilier qui orne chaque pièce et de sa merveilleuse situation sur le Palatin. Je suis sûr que tu penses qu'un rien-du-tout dans mon genre ne mérite pas cette maison – mais vois-tu, Lucius a voulu que j'hérite de lui et je tiens à cette volonté. Il voulait que ce fût la ferme, parce qu'il pensait que cela me plairait. Elle m'a plu un temps, mais procuré vraiment trop d'ennuis. Toi, en revanche, tu as dû la vouloir passionnément, cette ferme, pour poursuivre tes machinations criminelles avec tant d'acharnement. Regarde : tu vas doubler tes possessions et avoir des terres des deux côtés de la crête ; tu vas même faire l'envie de tes cousins (et entre nous, je ne t'envie pas, moi, ce privilège). L'affaire est équitable, non ? Peux-tu en imaginer une autre, au point où nous en sommes ?

Claudia commença de trembler en regardant ce qui était encore mon domaine.

– Comment as-tu pu savoir ce que cette terre signifie pour moi, Gordien ? J'en rêvais, petite fille, et elle a été attribuée à Lucius. Comme il n'avait ni femme ni enfant, j'ai repris espoir, puis il a été décidé en famille qu'elle irait à Gnæus à la mort de Lucius. Patience, pourtant, on ne sait jamais ! Puis le testament de Lucius a tout ruiné en l'accordant à un étranger venu de la ville ! Tu ne peux imaginer le choc...

– Donc tu acceptes le marchandage ?

— Tu dis que tu veux la maison du Palatin en l'état. Tu feras de même pour la ferme ?

Elle passait bien vite de la nostalgie larmoyante à la discussion d'affaires : c'était bon signe.

— Naturellement. Que ferais-je d'outils agricoles en ville ?

— Mais les esclaves ? Vont-ils avec la ferme ?

— Sauf les esclaves domestiques que j'ai amenés avec moi de Rome.

— Et Aratus ?

Comme je haïssais l'idée de laisser Aratus aux mains d'une telle maîtresse ! Mais que ferait-il sans la ferme dont il était le régisseur depuis tant d'années ?

— Aratus reste aussi.

— Et Congrio ?

Je fis mine de regarder le ciel sans nuages.

— Normalement, j'aurais le droit et même le devoir de le mettre à mort, dis-je tranquillement.

— Personne ne t'en blâmerait, dit Claudia qui étudiait avec beaucoup d'attention ses ongles un peu négligés. Mais je sais que cela te serait difficile ; ce n'est pas dans ta nature.

— Je ne le ferais certes pas moi-même. Si je dénonçais publiquement ses crimes, je trouverais sans peine un nombre suffisant de citoyens pour le lapider à mort, et avec plaisir, comme exemple salutaire. Mais le dénoncer signifierait aussi ton implication immédiate.

Claudia mordit maladroitement un cuticule.

— À moins que je ne le vende, pour m'en débarrasser, continuai-je ; après tout, un bon cuisinier, cela vaut cher sur le marché. Mais comment avoir la conscience tranquille en laissant aller une telle fripouille dans la maison d'un citoyen, sans l'avertir de quoi cet esclave est capable ? Non, j'y ai bien réfléchi et ma décision est prise, là aussi. Congrio reste avec la ferme, que tu le veuilles ou non.

Ses yeux s'éclairèrent. Après tout, pensai-je, les vipères font leur nid ensemble.

— Tu acceptes mon offre, Claudia ?

— J'accepte.

— Bien. Alors regarde encore une fois ton futur domaine et

461

retourne chez toi. La propriété n'est pas encore à toi et, jusqu'à ce moment, tiens-toi à l'écart de ce qui est encore ma ferme. Dis à tes cousins de faire de même. Nos avocats régleront les affaires. Je ne veux plus revoir ton visage.

Claudia se leva, regarda une dernière fois en bas de la colline, puis se mit en route pour descendre de l'autre côté. Au bout de quelques pas, elle s'arrêta en se retournant à demi.

— Crois-tu aux dieux, Gordien ? Crois-tu que la Fortune décide de nos réussites comme de nos souffrances, et que le Destin détermine l'heure de notre mort ?

— De quoi parles-tu, Claudia ?

— Je ne vais pas demander pardon pour ce que j'ai fait, mais je t'assure que je ne voulais pas la mort de ta petite fille ; j'ai remis son sort aux mains des dieux. S'il lui était arrivé malheur, ce n'aurait pas été de ma main. Et regarde ! Tout est bien qui finit bien : Diane est saine et sauve, tu vas avoir une splendide maison à Rome, et moi je vais avoir la ferme de mes rêves. J'ai bien fait d'agir comme je l'ai fait, en fin de compte.

— Écoute, Claudia, dis-je en serrant les dents devant une aussi monstrueuse impudence, je crois que tu ferais mieux de partir très vite maintenant, sinon je vais rompre ma parole et ton cou avec !

Elle disparut dans les fourrés.

8

— Papa, il y a quelqu'un pour toi à la porte ! dit Diane, tout essoufflée de sa course.

Je posai le rouleau que j'étais en train de lire.

— Diane, combien de fois faudra-t-il que je te dise que nous avons un esclave pour répondre à la porte ? Je ne veux pas que tu le fasses. Ici, à la ville...

— Mais pourquoi pas ?

Je soupirai. Au moins, son affreuse expérience avec Congrio et Claudia ne l'avait pas rendue timide. Je bâillai, étendis les bras et regardai la statue de Minerve, de l'autre côté du jardin. Elle était en bronze, mais peinte de façon si réaliste que je croyais souvent la voir respirer. C'était la seule femme de la maison qui ne fût jamais insolente à mon égard ; il est vrai que, comme les autres, cette fois, elle paraissait ne jamais m'écouter. Lucius avait dû la payer un bon prix.

— De plus, papa, dit Diane qui revenait à la charge avec l'obstination des enfants gâtés, j'ai reconnu l'homme. Il dit qu'il est notre voisin.

— Grand Jupiter ! Certainement pas un de nos anciens voisins de la ferme !

J'imaginai un instant l'un des Claudii à la porte et sentis un frisson d'inquiétude me parcourir. Je me levai et traversai le jardin, Diane sur mes talons. En fait d'homme à la porte, il y en avait deux, accompagnés par une suite d'esclaves. Celui que Diane avait reconnu était Marcus Cælius ; un rapide calcul

463

mental me confirma qu'un an ou presque s'était écoulé depuis qu'il était venu à la ferme, me demander de payer ma dette à Cicéron. J'ignorais comment Diane avait pu le reconnaître car la mode capillaire lancée naguère par Catilina et les siens avait totalement disparu : Marcus Cælius était rasé de près et ses cheveux étaient coupés court. Le citoyen qui l'accompagnait était Cicéron. L'ancien consul avait quelque peu grossi depuis que je l'avais vu pour la dernière fois, le 5 décembre de l'année précédente, jour de l'exécution des conjurés capturés sur le pont Milvius.

– Tu vois, dit Diane en montrant du doigt Cælius, je t'avais bien dit que je le connaissais !

– Citoyens, excusez les manières de ma fille !

– Mais pas du tout, dit Cicéron. Je n'ai jamais été accueilli de façon plus charmante. Pouvons-nous entrer, Gordien ?

Cicéron et Cælius me suivirent au jardin où nous nous installâmes. Je fis apporter du vin dans une bouteille de verre clissée, avec des coupes, et laissai mes deux hôtes se rafraîchir en appréciant les beautés de ma nouvelle maison. Je savais que Cicéron, en particulier, avait chez lui une statue de Minerve, mais je soupçonnais, d'après ses regards, qu'elle était beaucoup moins belle que la mienne.

– Ta nouvelle maison est impressionnante, dit Cicéron.

– Absolument, dit Cælius en écho.

– Merci !

– Alors tu as renoncé à la ferme, constata Cicéron, alors que j'ai bataillé si dur pour te l'assurer définitivement.

– Ton travail n'a pas été perdu, Cicéron. La ferme est devenue cette demeure, comme la chenille devient papillon.

– Tu m'expliqueras cela un jour, dit Marcus Tullius. En attendant ; bienvenue de nouveau dans la Ville. Je ne sais pas, au fond, comment tu as pu penser que tu supporterais d'en être séparé. Mais nous sommes voisins, maintenant, sais-tu ? Ma maison est juste en face.

– Oui, je sais. Depuis la terrasse de ma chambre à coucher, je la vois bien, avec le Capitole dans le fond.

– Moi aussi, je suis ton voisin, remarqua Cælius. J'ai loué un appartement dans un immeuble, à l'angle de la rue. Le loyer est exorbitant, mais j'ai eu quelques rentrées d'argent, récemment.

— Ah bon ? dis-je, pensant qu'il serait déplacé de lui demander d'où elles venaient.

— Quel magnifique jardin ! dit Cicéron. Et quelle jolie statue de la déesse ! Si tu voulais un jour t'en séparer, je suis sûr que je t'en offrirais bien...

— Inutile, Cicéron. Comme la maison, la statue me vient d'un ami très cher, aujourd'hui disparu.

— Ah, je vois. Naturellement ! dit-il en buvant un peu de vin. Mais nous ne sommes pas venus seulement pour admirer ta bonne fortune, Gordien. J'ai une petite faveur à te demander...

— Vraiment, dis-je avec une légère appréhension qui me glaça un moment l'échine, malgré la chaleur du jour.

— Oui. Mais tout d'abord — il avait l'air un peu ennuyé — je me demande si les commodités de cette magnifique demeure sont aussi impressionnantes que le reste ?

— Tu trouveras ce que tu cherches à l'extrémité de ce vestibule.

Cicéron se leva en s'excusant

— Dyspepsie et coliques, dit Cælius à voix basse

— Merci de la confidence, répondis-je.

Cælius éclata de rire.

— Heureusement, sa digestion s'est considérablement améliorée depuis que le Sénat a passé cette loi au printemps, à propos de ceux qui avaient fait condamner à mort les conjurés.

— Ah oui, je n'étais pas encore en ville, mais mon fils me l'a écrit, avec la formule : « À tous les membres du Sénat et à tous les magistrats, témoins, informateurs et autres agents impliqués dans toute violation de la loi commise en relation avec l'exécution sans jugement de Publius Cornelius Lentulus Sura, Caius Cornelius Cethegus *et al.*, le Sénat de Rome garantit l'immunité permanente. »

— Une bonne chose pour Cicéron, dit Cælius. Car il était vraiment inquiet d'avoir à répondre de l'accusation de meurtre devant un tribunal.

— Et pourquoi non ? Les exécutions ont été totalement illégales.

– Je t'en prie, Gordien, ne va pas dire cela quand Cicéron sera revenu ! Attends au moins que je sois parti !

– Tu t'en vas déjà ?

– Je ne peux pas rester. Je dois voir un artisan de la rue des Tisserands et acheter des tentures pour mon nouvel appartement. Il a une teinture que personne d'autre n'a ; figure-toi qu'elle a exactement la même nuance de vert que les yeux d'une jeune veuve dont je recherche les faveurs.

– Toujours aussi raffiné, Marcus Cælius...

– Merci !

– ... mais je reste étonné devant ton choix de loyauté. Connaissant les deux comme tu les as connus, comment as-tu fini par choisir Cicéron au lieu de Catilina ?

– Gordien, vraiment ! Quelle absence de bon goût !

– Parce que cela remet en cause ton jeune idéalisme ?

– Mais non ! Parce que cela remet en cause mon bon sens. Pourquoi aurais-je choisi d'être du côté du perdant, dans un tel conflit ? Bon, d'accord, je sais ce que tu penses, et de Catilina et de Cicéron. Mais quelquefois, Gordien, l'opportunisme l'emporte sur le bon goût.

Il siffla son vin puis se pencha vers moi, tout en surveillant la porte par où Cicéron avait momentanément disparu, et me parla à voix basse.

– Mais si tu veux savoir la vraie vérité...

– Par opposition à la fausse vérité ?

– Exactement. Pendant toute l'année dernière, je n'ai servi en fait ni Cicéron ni Catilina, bien que tous les deux aient cru que j'étais leur homme-lige.

– Aucun des deux ? Mais qui, alors ?

– Mon ancien mentor, Crassus. Il avait besoin d'un œil pour surveiller à la fois Cicéron et Catilina, en lui rapportant tout ce qui pouvait le concerner ; j'ai pu m'acquitter de cette tâche. Crois-tu donc que Cicéron soit le seul à entretenir des espions dans tout Rome ? Et Crassus paie considérablement mieux.

– Tu es bien placé pour le savoir, puisque tu as pu comparer leurs prix. Mais tu as dû parfois t'espionner toi-même, non, en tant qu'agent triple ? Crassus, vraiment ?

– Je te le dis en confidence, Gordien, sachant que tu es l'un

466

des rares hommes à Rome à qui l'on puisse confier un secret. Sachant aussi que tu n'es pas vraiment sûr s'il faut ou non me croire.

— Je me demande si tu sais toi-même qui tu sers, Cælius.

— « Le vrai est qu'il faut se prêter à autrui et ne se donner qu'à soi-même. » Que penses-tu de cette maxime d'un philosophe grec ? demanda Cælius avec un fin sourire. Je crois, ajouta-t-il, changeant de sujet, que cela te convient mieux d'être à Rome. Tu me parais plus détendu, l'esprit plus aiguisé aussi, que lorsque nous nous sommes rencontrés à la ferme.

Cicéron réapparut, l'air soulagé, et Cælius se leva pour nous quitter.

— Déjà parti ? demanda l'ancien consul.

— Une affaire de tentures et d'yeux verts, expliquai-je avec un sourire.

Cicéron me rendit le sourire — sans doute pour couvrir son ignorance — et Cælius disparut.

— Oui, comme je te le disais, j'ai une petite faveur à te demander, Gordien, dit Cicéron en s'asseyant près de moi.

— Je ne savais pas que je t'en devais encore une.

— Mais, Gordien, regarde autour de toi. C'est toi même qui m'as crédité...

— Ce crédit-là est remboursé, Cicéron. J'ai gagné cette maison moi-même, pierre par pierre.

— Très bien, dit-il en faisant retraite devant la vivacité de mon discours. Mais écoute au moins la faveur que je te demande, avant de la rejeter.

— Il me semble que si l'un de nous deux est actuellement créditeur, c'est plutôt moi. Appelle cela des réparations, si tu veux. Il y a quelques mois, alors que je vivais encore à la campagne, des hommes armés venus de Rome ont saccagé toute ma maison et terrifié ma famille en pleine nuit. Ils poursuivaient Catilina : qui les avait envoyés chez moi ? Qui les avait autorisés à faire de tels ravages ? S'ils avaient effectivement trouvé Lucius Sergius, ils l'auraient massacré sur place : qu'aurait-ce été d'autre qu'un assassinat en règle ?

Cicéron fit une drôle de tête ; ou bien je lui portais sur les nerfs ou bien une nouvelle crise de dyspepsie le tourmentait.

– Bon ! Pour l'amour de la rhétorique, nous dirons que c'est moi qui te dois une faveur. Est-ce si terrible d'avoir pour débiteur le « Père de la Patrie » ? Et ne veux-tu pas lui accorder une autre faveur, sachant que son crédit est bon et loin d'être épuisé ? Veux-tu me laisser parler ou non, Gordien ?

Je posai ma coupe de vin et croisai les bras. Cicéron sourit, momentanément rasséréné.

– C'est une chose très simple, vraiment. Officiellement, tu sais qu'il n'y pas eu de survivant dans l'armée de Catilina, après la bataille de Pistoria...

– Je l'ai entendu dire, approuvai-je, mon esprit soudain rempli de souvenirs de sang et d'acier. Tous sont morts, avec toutes leurs blessures de face.

– Oui, de vrais Romains, même dévoyés, hélas ! Néanmoins, il est parvenu à mes oreilles – non officiellement – qu'il y avait eu, en fait, deux survivants dans cette bataille, un père et son fils...

– En vérité ! Et comment sais-tu cela ?

– Tu sais bien que j'ai des espions partout, Gordien. Je veux tirer quelque chose de ces survivants-là.

– Pas une revanche, j'espère. Il y a eu assez de jugements et d'épurations, dans les mois qui ont suivi la défaite de Catilina. Je pensais que tous les ennemis de l'État avaient été arrêtés et punis.

– Il n'est pas question de cela. De ces survivants, je veux recueillir le souvenir qu'ils ont du discours de Catilina.

– Son discours ?

– Mais oui : celui qu'il a fait devant ses troupes, avant de livrer bataille. Il a certainement prononcé une harangue, comme tous les généraux romains.

– Peut-être. Mais pourquoi t'y intéresses-tu ?

– Pour compléter mes archives sur mon année de consulat. J'ai des copies de tous les discours que j'ai prononcés contre Catilina ; Tiron et son équipe de secrétaires ont réalisé la transcription complète des débats qui ont eu lieu au Sénat, avant les exécutions du 5 décembre. J'ai aussi des copies des lettres qui ont confondu les conspirateurs et une copie de la harangue que

Marcus Pétréius, le lieutenant d'Antonius, a faite devant les légions consulaires avant la bataille.

— Parce que Antonius était prétendument victime de la goutte...

— Passons. La seule chose que je n'aie pas, c'est une copie des paroles de Catilina devant ses troupes. Oublie donc ma demande de faveur : je serais heureux de récompenser à prix d'argent l'homme qui pourrait reconstituer ce discours pour moi.

— Cela a-t-il un rapport avec la rédaction de tes mémoires, Marcus Tullius ?

— Peut-être. Après tout, la conspiration de Catilina contre l'État a été l'un des événements cruciaux de toute l'histoire récente de la République, non ? Pour le rôle que j'y ai joué, certains de mes thuriféraires vont jusqu'à dire que j'ai réalisé les idées de Platon sur les philosophes au pouvoir. Ils exagèrent sans doute, mais...

— Je t'en prie, Cicéron ! l'interrompis-je en sentant venir à mon tour une crise de dyspepsie.

— Ce que je veux de toi, Gordien, c'est une transcription des dernières paroles de Catilina, pour la postérité. Tu peux me faire parvenir des notes à ton loisir, ou bien je t'enverrai Tiron pour les prendre sous ta dictée.

— Avec sa fameuse écriture abrégée ?

— Si tu arrives à parler aussi vite...

Je restai perplexe, à l'idée de livrer à son ennemi mortel les dernières paroles publiques de Catilina. Et pourtant ! Pourquoi laisser ces paroles perdues à jamais ? Qu'allait-il rester de lui ? On n'élèverait aucune statue à sa mémoire ; les historiens n'écriraient jamais pour le glorifier ! Il n'avait pas laissé d'héritier pour reprendre son nom ou son combat... Dans quelques années, il ne resterait de lui qu'une série de discours le salissant aux yeux du monde entier. Il y avait aussi le moulin à eau de la propriété de Claudia : l'idée avait été de Lucius Claudius, l'exécution de Gordien et d'Aratus, mais c'est Catilina qui lui avait donné la vie en résolvant le problème des engrenages. Ce monument-là à sa mémoire, seuls moi et les miens en connaî-trions l'histoire...

Cicéron s'éclaircit la voix et ce bruit me ramena à la réalité présente.

— Même si j'avais été à Pistoria et même si je voulais t'aider, Marcus Tullius, qu'est-ce qui te fait penser que je pourrais me rappeler les paroles de Catilina ?

— Je suis certain que tu le peux, Gordien. Tu as une excellente mémoire pour ce genre de choses ; c'est dans ta nature et dans ta vocation de te rappeler les détails les plus précis, surtout les mots. Je t'ai souvent entendu citer, mot pour mot, des arguments et des déclarations datant de plusieurs années.

— C'est exact, Cicéron. Un homme ne peut pas fuir sa mémoire. Sais-tu ce que je me suis rappelé, il y a un moment, lorsque je t'ai vu à ma porte ? Des paroles prononcées par un homme mort depuis longtemps. C'était il y a un peu plus de dix-huit ans, dans ton ancienne maison, au-delà du Capitole, le soir du procès de Sextus Roscius. Tu te souviens ? Nous arrivions chez toi, toi, moi et Tiron, et nous avons trouvé les gardes du corps de Sylla à notre porte ; le dictateur nous attendait dans ta bibliothèque.

— Bien sûr que je m'en souviens, dit Cicéron, curieusement mal à l'aise. Je pensais même que nous allions avoir la tête coupée sur-le-champ et montée sur une pique.

— Moi aussi. Mais pour un monstre qui venait de se cogner le pied, Sylla fut étonnamment gracieux, sans être pour autant flatteur. Il m'a dit que j'étais un chien qui fouillait pour trouver des os, et il m'a demandé si je n'étais pas fatigué d'avoir des vers de terre et de la boue dans le museau.

— Il a dit des choses pareilles ? Je m'en souviens vaguement.

— Lorsque le pauvre Tiron a parlé à son tour, Sylla a déclaré qu'il n'avait pas assez bonne allure pour se permettre de telles libertés et il t'a suggéré de le faire battre.

— Ça, c'est du Sylla tout pur !

— Et tu te rappelles ce qu'il a dit à ton sujet ?

Le visage de Cicéron s'assombrit.

— Je ne suis pas sûr.

— Il a dit : « Stupidement présomptueux ou follement ambitieux, ou peut-être les deux. » Un jeune homme intelligent et un magnifique orateur, juste le genre de type qu'il aurait aimé recruter parmi ses partisans, mais il savait que tu n'accepterais jamais une telle offre, parce que ta tête était trop pleine de vertu républicaine et trop hostile à la tyrannie. Puis il a ajouté... Attends... Voilà : « Tu as des illusions de piété, des illusions sur ta propre nature. Je suis un vieux renard, mais mon flair est encore bon, et dans cette pièce je flaire un autre renard. Je te le dis, Cicéron : le chemin que tu as choisi ne mène qu'à une seule place, et c'est celle où je suis. Ton chemin ne t'emmènera peut-être pas aussi loin, mais il t'emmènera dans cette direction. Regarde Lucius Sylla et vois ton miroir ! »

Cicéron me jeta un regard glacial.

— Je ne me rappelle pas ces propos.

— Non ? Alors tu ne devrais pas te fier à ma reconstitution du dernier discours de Catilina !

— Que faisais-tu dans le camp de Catilina, quand même ?

— J'allais chercher un agneau égaré qui s'est révélé être un lion. Mais ne connais-tu pas déjà tous les détails par tes espions ?

— Il y a des choses qu'ils ne peuvent ni voir ni dire, c'est ce qui se cache – informulé – dans le cœur des hommes. Oh, Gordien ! Si j'avais su que tu serais sensible à la corruption de Catilina, je n'aurais jamais envoyé Marcus Cælius demander ton concours. Je pensais que tu verrais clair en lui, dès l'abord ; au lieu de cela, je pense qu'il a dû te séduire, en somme. Pas littéralement toutefois, j'espère !

Il rit de sa propre plaisanterie, que je n'appréciai guère. La vue de Minerve me calma.

— As-tu des regrets sur ton année de consulat, Marcus Tullius ?

— Absolument pas !

— Aucun doute rongeur sur les précédents que tu as créés pour l'avenir de cette République si fragile ? Nul secret désir de rupture avec les Optimates, pour frapper un grand coup et changer les choses ?

— Le changement est l'ennemi de la civilisation, Gordien. Pourquoi des innovations, puisque tout est dans les mains des Meilleurs ? Ce que tu considères comme progrès ne saurait être que corruption et décadence !

— Mais enfin, Cicéron, tu es un « homme nouveau » ! Tu es issu d'une famille inconnue, pour arriver au poste suprême de consul. Tu incarnes le changement !

— Il est naturel qu'un nouveau venu de grand talent puisse parfois rejoindre les rangs des Meilleurs, tout comme un patricien de haute naissance, tel Lucius Sergius, peut tomber dans le cloaque et la disgrâce. Telle est la balance des dieux...

— Les dieux ! Comment peux-tu être athée un jour et te présenter comme l'instrument de Jupiter le lendemain ?

— Je parlais métaphoriquement, Gordien, dit Cicéron en soupirant, comme s'il fallait pardonner à un mauvais élève de prendre les choses au pied de la lettre.

— Je crois que j'ai besoin de solitude maintenant, Cicéron, dis-je en regardant la statue de Minerve.

— Mais naturellement ! Je suis sûr que je peux retrouver tout seul le chemin de la porte, dit l'ancien consul en se levant.

Il restait toutefois devant moi, une fois debout, et me regardait avec insistance.

— C'est bon ! fis-je enfin. Envoie-moi Tiron demain matin, si tu veux, avec son matériel d'écriture. Je recomposerai le discours de Catilina, de mémoire, aussi bien que je le pourrai.

Cicéron sourit et hocha la tête en signe d'approbation. Comme il s'éloignait, je ne résistai pas au plaisir de m'offrir une pique vengeresse.

— Et peut-être Tiron se rappellera-t-il les paroles de Sylla... mieux que toi !

J'eus la satisfaction maligne de voir Marcus Tullius hausser imperceptiblement les épaules.

Note de l'auteur

Peu de personnages de l'histoire romaine ont suscité autant de controverses que Lucius Sergius Catilina. Une génération après sa mort, Virgile – « homme d'ordre et poète » – fait de lui une âme damnée, dans son *Énéide*. À travers les siècles, il a été présenté alternativement comme un héros ou comme un forban, souvent dans les termes les plus excessifs. Deux œuvres, publiées à des milliers de kilomètres et d'années de distance l'une de l'autre, illustrent bien ces extrêmes par leur seul titre : on opposera ainsi *Patriae Parricida : The History of the Horrid Conspiracy of Catiline against the Common-wealth of Rome*, publié par un pamphlétaire anglais courageusement anonyme, à Londres, en 1683, et le *Catilina : Una revolución contra la plutocracria en Roma*, publié par Ernesto Palacio, à Buenos Aires, en 1977. Que penser ? Catilina, rebelle dépravé ou révolutionnaire héroïque ? Destructeur de la morale ou champion des classes opprimées ?

Ben Johnson adhère fidèlement aux sources classiques hostiles au personnage en écrivant *Catiline, his conspiracy*, tragédie donnée pour la première fois en 1611 par les acteurs de Jacques Ier et reprise sous la Restauration : ses thèses antirévolutionnaires ne pouvaient que plaire au monarque autoritaire. Voltaire fait de Cicéron un exemple pour l'âge des Lumières, et de Catilina un agent du chaos, dans sa pièce *Rome sauvée ou Catilina*, qui n'hésite pas à déformer grossièrement la réalité historique : César est envoyé sur le terrain pour combattre les

473

conspirateurs ! Dans *La Conjuration de Catilina*, de Gaston Bossier (1905), nous apprenons que ses adversaires appelaient Robespierre « le Catilina moderne ». En 1850, Ibsen livre un *Catilina* radicalement révisionniste, qui présente le conspirateur comme une sorte de Hamlet en lutte avec sa conscience, pour prendre une position contre la tyrannie.

Le problème, avec l'énigme Catilina, réside dans les sources premières, qui sont presque toutes orientées contre lui. Les quatre célèbres *Catilinaires* de Cicéron sont des modèles d'injure politique et même Salluste – qui était un partisan de César et d'un certain « populisme » – a ses propres préventions et présupposés lorsqu'il rédige son livre historique *De coniuratione Catilinae*. Le venin de ces récits doit être pris *cum grano salis* : on découvre, dans ses propres écrits, que Cicéron lui-même a admiré certains aspects de Catilina ; quant à Salluste, tout en se délectant de récits graveleux dignes des tabloïds anglais, il n'en donne pas moins des justifications très détaillées et plutôt favorables aux actions de Lucius Sergius.

Beaucoup d'historiens modernes semblent se contenter de reprendre le portrait négatif de Catilina, tout en sachant pertinemment qu'il a été peint par ses ennemis. Quelques autres suivent une ligne révisionniste et cherchent à lire entre les lignes de la rhétorique cicéronienne et du mélodrame sallustien. En général, ce qui ressort le plus clairement de la plupart des reconstructions historiques modernes, c'est la position politique personnelle de l'historien. Catilina devient un simple support méthodologique. Plus décourageants encore, certains historiens prétendent – de bonne foi ? – avoir le « dernier mot » sur un sujet qui, par définition, ne saurait en avoir, sauf à disposer d'une machine à remonter le temps ou d'un moyen de communication avec les morts de l'Antiquité.

Par bonheur, le romancier qui écrit à la première personne, libéré de toute prétention à l'omniscience (ce qui est bien commode) peut suivre de près la trame serrée des événements historiques, sans pour autant renoncer aux broderies d'une interprétation subjective. Tous les détails historiques que l'on trouvera dans *L'Énigme de Catilina* sont parfaitement authentiques. Mais le lecteur reste libre de s'interroger sur les conclusions de Gordien. Mon propos n'a pas été de réhabiliter Catilina, comme Josephine Tey a cherché à réhabiliter Richard III dans *The Daughter of Time*. Catilina reste aujourd'hui ce qu'il a été probablement de son temps, c'est-à-dire une énigme.

Les livres engendrent les livres et je dois reconnaître que le premier qui m'a fait songer à écrire un roman sur le sujet a été *The Conspiracy of Catiline* par Lester Hutchinson (Barnes & Nobles, 1967), dramatiquement très vraisemblable et qui reste mon livre favori. Parmi les œuvres plus courtes, un article de Walter Allen Jr. (« In Defense of Catiline », dans *Classical Journal*, 34, 1938) m'a fourni de précieux aperçus. Je dois aussi avouer ma dette à l'égard de *The Education of Julius Cæsar* d'Arthur D. Kahn (Schocken Books, 1986) : le chapitre intitulé « The Conspiracy of Cicero and Catilina » m'a amené à remettre en question toutes les interprétations que j'avais précédemment rencontrées.

Parmi les sources classiques, après Cicéron et Salluste, on mentionnera les histoires romaines d'Appien et de Dion Cassius, et – naturellement – les *Vies parallèles des hommes illustres* de Plutarque, où j'ai puisé une foule de détails vivants, depuis l'invention de la « sténographie » tironienne pour noter les débats du Sénat, jusqu'à l'énigme elle-même. Il est vraiment regrettable que Plutarque ne nous ait pas donné une biographie complète de Lucius Sergius Catilina !

Les recherches nécessaires à l'écriture de ce roman ont été conduites à la San Francisco Public Library et grâce au système d'Interlibrary Loan ; à la Perry-Castañeda Library de l'University of Texas (Austin) ; et à la Harvard's Widener Library. Je remercie Michael Bronski et Walta Borawski de m'avoir facilité l'accès à cette dernière.

Mes remerciements personnels vont, comme toujours, à mon éditeur Michael Denneny et à son assistant, Keith Kahla ; à Penni Kimmel, pour la lecture du manuscrit ; à ma sœur Gwyn, Gardienne des Disquettes sacrées ; et naturellement à Rick Solomon, Maître du Macintosh et de tous ses Mystères.

Table des matières

Impression réalisée sur CAMERON par
BRODARD ET TAUPIN
La Flèche

pour le compte des Éditions Ramsay
en novembre 1997

Imprimé en France
Dépôt légal : novembre 1997
N° d'impression : 1284T-5
ISBN : 2-84114-312-0
50-0972-5
RAR 817 C